Anthologie littéraire

de 1850 à aujourd'hui

2e édition

D1409311

Anthologie littéraire

de 1850 à aujourd'hui

2e édition

Michel Laurin

Appareil pédagogique sous la direction de Josée Bonneville

Michel Forest, Agathe Martin, Roland Laferrière, René LaFleur

Beauchemin

CHENELIÈRE ÉDUCATION

Anthologie littéraire
De 1850 à aujourd'hui, 2e édition

Michel Laurin
Appareil pédagogique sous la direction de Josée Bonneville

© 2007, 2001 Groupe Beauchemin, Éditeur Ltée

Édition : Sophie Gagnon
Coordination : Nathalie Larose
Révision linguistique : Jacques Audet
Correction d'épreuves : Christine Langevin
Conception graphique et infographie : Infoscan Collette, Québec
Conception de la couverture : Object Design

**Catalogage avant publication
de Bibliothèque et Archives Canada**

Laurin, Michel, 1944-

  Anthologie littéraire : de 1850 à aujourd'hui

2e éd.

  Comprend des réf. bibliogr. et des index.
Pour étudiants de niveau collégial.

  ISBN 2-7616-3319-9

  1. Littérature française – 19e siècle – Histoire et critique. 2. Littérature française – 19e siècle. 3. Littérature française – 20e siècle – Histoire et critique. 4. Littérature française – 20e siècle. 5. Littérature française – Explication de texte – Problèmes et exercices.
I. Bonneville, Josée, 1947-   . II. Titre.

PQ293.L38 2006   840.9'008   C2006-941721-0

Beauchemin

CHENELIÈRE ÉDUCATION

7001, boul. Saint-Laurent
Montréal (Québec)
Canada H2S 3E3
Téléphone : 514 273-1066
Télécopieur : 514 276-0324
info@cheneliere.ca

ISBN-13 : 978-2-7616-3319-2
ISBN-10 : 2-7616-3319-9

Dépôt légal : 1er trimestre 2007
Bibliothèque et Archives nationales du Québec
Bibliothèque et Archives Canada

Imprimé au Canada

2 3 4 5 ITIB 12 11 10 09

Nous reconnaissons l'aide financière du gouvernement du Canada par l'entremise du Programme d'aide au développement de l'industrie de l'édition (PADIÉ) pour nos activités d'édition.

Gouvernement du Québec – Programme de crédit d'impôt pour l'édition de livres – Gestion SODEC.

Les Éditions de la Chenelière tiennent à remercier chaleureusement les personnes suivantes pour leur participation active à l'élaboration initiale de cet ouvrage : Donimique Cyr (Cégep de Bois-de-Boulogne) ; René LaFleur, Bertrand Malenfant (Cégep Marie-Victorin) ; Lise Morin (Cégep Lionel-Groulx) ; Clautilde Schuster ; Norbert Spehner (Cégep Édouard-Montpetit).

Nous tenons également à remercier les personnes suivantes pour leurs commentaires et leurs précieux conseils : Luc Bouvier, Pierre Brodeur (Cégep de l'Outaouais) ; Paul-Jean Bussières (Cégep de la Région de l'Amiante) ; Jacinthe Charrette (Cégep André-Laurendeau) ; Paul-G. Croteau (Cégep de Trois-Rivières) ; Ghislain Dénommé (Cégep de l'Abitibi-Témiscamingue) ; Michel Forest (Cégep de Saint-Laurent) ; Isabelle Marquis (Cégep de Rivière-du-Loup) ; Marie-Élaine Philippe (Cégep de Saint-Hyacinthe) ; Louise Proulx (Cégep de Rimouski) ; Gaétan Saint-Pierre (Cégep d'Ahuntsic) ; Christiane Tremblay (Cégep de Rimouski).

Source iconographique

Page couverture : Maurice Denis, *Muses*, 1893. Musée d'Orsay, Paris, France/The Bridgeman Art Library.

Avant-propos

« Lire pour se cultiver, c'est l'horreur. Lire pour rassembler son âme dans la perspective d'un nouvel élan, c'est la merveille. »

Christian Bobin

Des élèves s'interrogent et m'interrogent sur l'utilité de la littérature. Je ne puis alors m'empêcher de confirmer leur doute : la littérature n'est pas utile. On peut vivre sans littérature, et même devenir immensément riche. Mais elle peut s'avérer, beaucoup plus modestement, un merveilleux guide pour qui souhaite entreprendre le long et périlleux périple qui mène à la découverte de soi. Elle peut nous aider à mieux penser pour mieux vivre. Sur la façade du Musée de l'Homme à Paris sont gravés ces vers :

> Il dépend de celui qui passe
> Que je sois tombe ou trésor
> Que je parle ou me taise
> Ceci ne tient qu'à toi
> Ami n'entre pas sans désir.

Comme j'aimerais que chaque lecteur de la deuxième édition de cette *Anthologie littéraire* puisse répondre à l'appel de ces vers de Paul Valéry. Certes, il s'agit bien d'un manuel de littérature, qui ne perd jamais de vue les attentes du MEQ. Mais rien n'empêche chacun de nous de chercher dans ces espaces et ces lieux littéraires autant de balises qui aideront à éviter l'écueil des conditionnements du présent et à façonner sa véritable personnalité.

Au fond, l'œil du lecteur ne regarde que lui. Lire, c'est trouver cet indicible qui donne son sens et son plaisir à la lecture. C'est s'étonner d'une phrase qui vient dérouter la navigation pépère de la lecture en l'arrimant à un passage de notre vie ; c'est découvrir une description qui s'impose comme objet de désir ou une maxime qui fait écho à une sagesse que l'on voudrait sienne ; c'est se laisser émouvoir par une digression perçue comme un message personnel ou par un personnage qu'on découvre comme son double. Le texte littéraire est nouveau et différent chaque fois qu'on l'aborde : il donne la parole à un besoin inexprimé en nous ; il rappelle qu'une cohérence peut exister au milieu du chaos ; il se fait refuge pour abriter nos angoisses. Existe-t-il meilleur phare pour naviguer dans la vie que celui d'une page lumineuse ?

J'ai voulu présenter une lecture du XXᵉ siècle littéraire, mais aussi, afin de permettre un meilleur ancrage social, une lecture plus globale de ce siècle. J'ai interrogé les différentes générations qui se sont succédé : celles d'avant 1950, qui se définissaient par le sacrifice de soi et croyaient à la pérennité des valeurs ; puis celle issue du baby-boom, née dans les années fertiles de l'après-guerre et qui a grandi dans la prospérité à l'ombre de Woodstock, absorbée par la quête de sa satisfaction personnelle ; enfin celle dite « génération X » ou « génération désengagée » puis cette autre appelée « génération Y », née dans le cyberespace : celles des enfants du divorce, vivant dans l'instant et beaucoup plus pragmatiques, préoccupés par leur avenir économique, mais sans lui sacrifier leur liberté et leur vie privée.

J'ai tenté de comprendre ce siècle qui m'a fait qui je suis, avec mes lacunes et mes manques, avec tous mes possibles aussi ; de comprendre pourquoi, en ce début d'un nouveau millénaire, il est si difficile de vivre en accord avec soi et avec les autres, pourquoi nous sommes si malhabiles à faire germer des amours féconds, alors que les pensées dévastatrices ont si peu de peine à prendre racine.

Voici donc un aperçu de la littérature des cent cinquante dernières années, présenté en six mouvements de création, six foyers d'irradiation dans lesquels viennent se télescoper des textes des littératures française, québécoise et universelle. Ces mouvements se veulent la synthèse des principaux courants littéraires, philosophiques et artistiques qui ont marqué l'histoire de l'Occident. Ce type de coupure comprend toujours une part d'arbitraire ; l'histoire continue toujours : c'est un fleuve qui coule. Mais quand on veut étudier la littérature, il faut bien couper, classer et regrouper : ces grands classements procurent un outil de plus pour comprendre les forces internes qui dynamisent les textes. Étape indispensable avant de les aimer. Des lecteurs pourront déplorer l'absence de certains auteurs de première importance. Une anthologie oblige à de coûteuses restrictions. Et c'est surtout une affaire de conviction et d'humeur : celui qui la collige choisit le plus souvent ses textes en fonction du plaisir éprouvé à leur lecture, qu'il voudrait bien pouvoir communiquer. Auquel cas mon but sera atteint.

Michel Laurin

Particularités de l'ouvrage

Tableaux chronologiques

Chaque chapitre s'ouvre sur un tableau récapitulatif des principaux événements qui ont marqué la période qu'il couvre. Divisé en trois colonnes, ce tableau résume les événements littéraires, artistiques et culturels, les événements politiques et historiques, ainsi que les faits marquants dans l'univers des sciences et des techniques, en France et dans le monde.

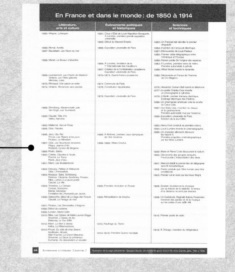

Contexte sociohistorique

La littérature ne saurait être abordée hors de son contexte social et historique. Au début de chacun des chapitres, on retrace les événements les plus marquants de la période étudiée, les principaux acteurs ainsi que les changements que ces derniers ont engendrés sur les plans politique, sociologique, philosophique et religieux ainsi que, bien entendu, sur les courants artistiques et littéraires.

Biographies d'auteurs

Chaque œuvre littéraire naît d'un contexte particulier : celui de son auteur. Chaque extrait est accompagné d'une biographie concise de son auteur.

Capsules *Vers l'analyse*

Tous les extraits d'œuvre sont enrichis d'une capsule *Vers l'analyse*, qui propose une série de questions visant à approfondir le texte, à en comprendre les éléments et à en découvrir le sens.

Œuvres

Dans cette anthologie, la **littérature française** est à l'honneur. Les extraits de textes littéraires français figurent dans les encadrés verts.

Les extraits de **littérature québécoise** sont reproduits dans les encadrés bleus ornés d'une fleur de lys.

Un extrait de **bande dessinée** illustre avec élégance un passage de l'œuvre *À la recherche du temps perdu* de Marcel Proust, et en facilite la lecture.

Les extraits de **littérature étrangère** figurent dans les encadrés lilas.

Enfin, des extraits d'œuvres du **roman policier** sont présentés dans le chapitre 5, dans des pages vert marbré.

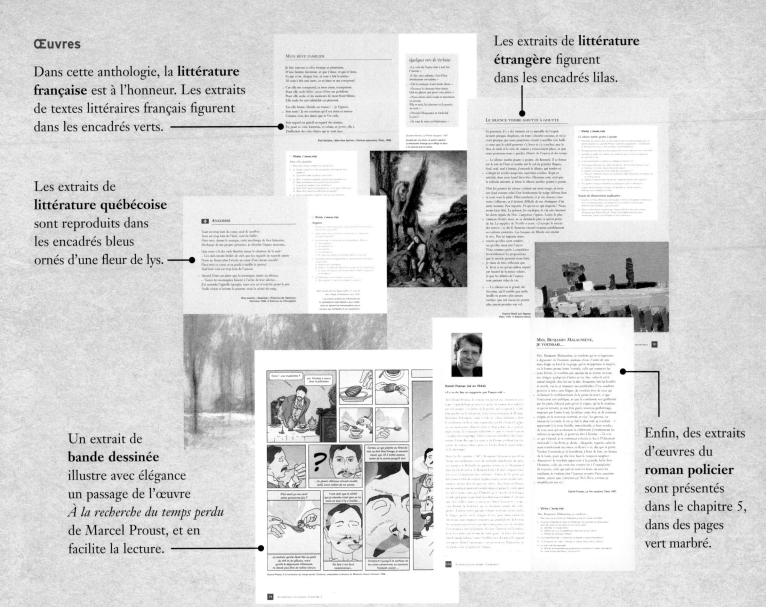

Compléments d'information

Afin d'offrir une anthologie riche et diversifiée, des encadrés ont été ajoutés à titre de compléments d'information. Ils exposent de façon succincte des données historiques, sociologiques, littéraires ou théoriques.

La dissertation explicative

À la suite d'un tableau sur les courants littéraires, cette section définit d'abord les diverses composantes d'un texte et les illustre à l'aide d'exemples tirés de l'anthologie : énonciation, niveaux de langue, tonalités, vocabulaire, grammaire, phrase, figures de style, etc. Elle décrit ensuite les genres poétique, narratif et dramatique, et présente les étapes de l'élaboration d'une dissertation explicative : analyse du sujet, recensement des arguments et des preuves, élaboration du plan, rédaction et révision.

Table des matières

**Chapitre 1 – Le réalisme, le naturalisme et le Parnasse
ou la contestation du romantisme** 9

Une nouvelle réalité économique, scientifique et sociale 11

Un nouveau courant artistique : le réalisme et ses prolongements 12

L'esthétique réaliste 13
L'impressionnisme 13
Le néo-impressionnisme ou le pointillisme 14
Un nouvel art : la photographie 14

La littérature, témoin des changements 15

Le réalisme littéraire 15
Le roman et le conte 15
Stendhal – *Le Rouge et le Noir* 18
Honoré de Balzac – *Le Père Goriot* 20
Gustave Flaubert – *Madame Bovary* 22
Guy de Maupassant – *Le Père Milon* 24

Le naturalisme 27
Le roman 27
Émile Zola – *Germinal* 28
Louis-Ferdinand Céline – *Voyage au bout de la nuit* 31
❧ Jean-Aubert Loranger – *Les Atmosphères, Le Passeur, Poèmes et autres Proses* 33

Le Parnasse 36
La poésie 36
Théophile Gautier – *Émaux et Camées* 37
José Maria de Heredia – *Les Trophées* 38
❧ René Chopin – *Le Cœur en exil* 39

Le réalisme populaire 40
La chanson 40
Lucien Boyer – *Les Goélands* 41

La plus belle lettre d'amour d'un auteur réaliste 42
Gustave Flaubert – *De Gustave Flaubert à Louise Colet* 42

Chapitre 2 – Le symbolisme ou l'accès à la modernité 43

La décadence et la modernité 45

Le symbolisme et les arts 47

L'esthétique symboliste 47
Les nabis 48
L'Art nouveau 49

La modernité littéraire 49

Le symbolisme en littérature 50
La poésie symboliste 51
Charles Baudelaire – *Les Fleurs du mal* ; *Le Spleen de Paris* ou *Petits poèmes en prose* 52
Paul Verlaine – *Romances sans paroles* ; *Poèmes saturniens* ; *Sagesse* 55
Arthur Rimbaud – *Poésies* ; *Une saison en enfer* 58
Stéphane Mallarmé – *Poésies* 62
Paul Valéry – *Charmes* 64

♣ Émile Nelligan – *Poésies* 66
♣ Rina Lasnier – *Présence de l'absence* 67

Le roman symboliste 68
Joris-Karl Huysmans – *À rebours* 68
Marcel Proust – *À la recherche du temps perdu. Du côté de chez Swann* 70
Stéphane Heuet – *À la recherche du temps perdu. Combray* 73
André Gide – *Les Faux-Monnayeurs* 76
Fédor Dostoïevski – *L'Idiot* 78

Le théâtre symboliste 79
Alfred Jarry – *Ubu Roi* 80
Paul Claudel – *La Ville* 82

La plus belle lettre d'amour d'un auteur symboliste 84
Stéphane Mallarmé – *De Stéphane Mallarmé à Maria Gerhard* 84

Chapitre 3 – La mouvance surréaliste : de la révolte à la révolution 85

Des « Années folles » à la Seconde Guerre mondiale 87

Le surréalisme et les arts 88
Le fauvisme 88
Le cubisme 89
L'expressionnisme 89
L'art abstrait 90
Le dadaïsme 90
Le surréalisme 91

Un esprit nouveau en littérature 91
Guillaume Apollinaire – *Alcools* 92
Colette – *La Fin de Chéri* 94
♣ Hector de Saint-Denys Garneau – *Regards et jeux dans l'espace* 96

Le mouvement dada (1916-1920) 97
Dada destructeur 97
Dada créateur 98
Tristan Tzara – *Œuvres complètes* 98

Le mouvement surréaliste (1920-1940) 100
La formation et l'évolution du mouvement 100
La révolution surréaliste 100
Des procédés privilégiés pour accéder à la surréalité 101
L'écriture surréaliste 102

La poésie 103
André Breton – *Manifeste du surréalisme ; L'Union libre* 104
Paul Éluard – *Mourir de ne pas mourir ; Capitale de la douleur* 106
Robert Desnos – *Corps et Biens ; Poèmes du bagne* 107
Aimé Césaire – *La Poésie ; Cahier d'un retour au pays natal* 108
Jacques Prévert – *Paroles ; Spectacle* 109
Joyce Mansour – *Cris ; Déchirures* 111
♣ Claude Gauvreau – *Œuvres créatrices complètes* 112

Le récit 113
André Breton – *Arcane 17* 113
Louis Aragon – *Le Paysan de Paris* 114

Le théâtre 114
Antonin Artaud – *L'Ombilic des limbes* 115
Jean Cocteau – *Orphée* 116
Roger Vitrac – *Victor ou les enfants au pouvoir* 118

La chanson 119
Charles Trenet – *Une noix* 119

La plus belle lettre d'amour d'un auteur proche du surréalisme 120
Guillaume Apollinaire – *De Guillaume Apollinaire à Lou* 120

Chapitre 4 – Le temps des engagements : la quête d'un nouvel humanisme 121

La tragédie au cœur du XXe siècle 123

L'éveil du géant américain 125

L'art et l'engagement 127
  Un nouveau réalisme social 127

Une littérature engagée 128
  L'engagement dans le roman 129
    L'engagement chrétien 130
      François Mauriac – *Thérèse Desqueyroux* 131
      Julien Green – *Partir avant le jour* 132
    L'engagement dans l'action 134
      André Malraux – *La Condition humaine* 134
      Antoine de Saint-Exupéry – *Le Petit Prince* 137
    L'engagement existentialiste 138
      Jean-Paul Sartre – *La Nausée* 140
      Simone de Beauvoir – *Le Deuxième Sexe* 142
      Albert Camus – *L'Étranger* 144
      ❖ André Langevin – *Poussière sur la ville* 146
      ❖ Gérard Bessette – *Le Libraire* 147
      Franz Kafka – *Le Procès* 148
      James Joyce – *Ulysse* 151

  L'engagement au théâtre 152
    L'interrogation du passé 152
      Jean Giraudoux – *La Guerre de Troie n'aura pas lieu* 153
      Jean Anouilh – *Antigone* 154
    Le théâtre engagé 155
      Jean-Paul Sartre – *Les Mouches* 156

  L'engagement en poésie 157
      Saint-John Perse – *Neiges* 158
      Blaise Cendrars – *Feuilles de route I* 159
      René Char – *Seuls demeurent*; *Le Poème pulvérisé*; *Fureur et mystère* 160
      Paul Éluard – *Le Phénix* 161
      Louis Aragon – *La Diane française* 162

  La chanson littéraire 164
      Léo Ferré – *L'Homme* 164

Les plus belles lettres d'amour d'écrivains existentialistes 165
      Jean-Paul Sartre – *Lettres au Castor et à quelques autres* 165
      Simone de Beauvoir – *Lettres à Nelson Algren* 166

Chapitre 5 – D'une société industrielle à une société postindustrielle : la liquidation des traditions 167

La mutation sociale et la cassure idéologique 169
  Une société de consommation 169
  Le développement d'une culture adolescente 171
  L'ère de la contestation 171
  Des beatniks aux hippies 172
  Mai 1968 173
  Au Québec 173
  Une crise de civilisation 173
  Une effervescence planétaire 174

L'éclatement des conventions artistiques 175

L'*Action Painting* **175**
Les *Colorfield Painters* **176**
L'art informel **176**
Le retour au primitif : l'art brut **177**

Une littérature qui se remet en question **178**
Le genre romanesque **178**
Des romans différents **178**
  Julien Gracq – *Le Rivage des Syrtes* **179**
  Boris Vian – *L'Écume des jours* **180**
Le Nouveau roman **182**
  Nathalie Sarraute – *Le Planétarium* **185**
  Alain Robbe-Grillet – *Les Gommes* **186**
  Michel Butor – *La Modification* **188**
  Marguerite Duras – *L'Amant* **189**
  Virginia Woolf – *Les Vagues* **190**
L'Oulipo **192**
  Georges Perec – *La Vie mode d'emploi* **192**
  Raymond Queneau – *Zazie dans le métro* **194**
Un antidote au roman élitiste : le roman policier **195**
  Gaston Leroux – *Le Mystère de la chambre jaune* ... **196**
  Georges Simenon – *Le Chien jaune* **198**
  Sébastien Japrisot – *La Dame dans l'auto avec des lunettes et un fusil* ... **200**
  Daniel Pennac – *La Fée carabine* **202**

Le théâtre **203**
De l'absurde existentialiste au théâtre de l'absurde ... **203**
Les caractéristiques du théâtre de l'absurde **204**
  Eugène Ionesco – *Rhinocéros* **206**
  Samuel Beckett – *En attendant Godot* **208**
  Jean Genet – *Les Bonnes* **210**

La poésie **211**
  Francis Ponge – *Le Parti pris des choses* **212**
  Henri Michaux – *Connaissance par les gouffres* ... **213**
  ✠ Gaston Miron – *L'Homme rapaillé* **215**
  ✠ Réjean Ducharme – *L'Avalée des avalés* **216**

La chanson **218**
  Boris Vian – *Je voudrais pas crever* **219**
  Renaud – *Déserteur* **220**
  Jacques Brel – *Les Vieux* **222**
  ✠ Sol – *L'Univers est dans la pomme* **223**

La plus belle lettre d'amour d'une auteure contestataire **224**
  Albertine Sarrazin – *Lettres et poèmes* **224**

Chapitre 6 – *Requiem* pour une civilisation ou la postmodernité **225**

L'individualisme triomphant et le déclin de la modernité **227**
Le corps en représentation **227**
La crise d'autorité et le nivellement des générations ... **228**
Une révolution sexuelle **228**
La famille nucléaire désagrégée **229**
La transformation de la conscience religieuse **229**
La politique discréditée **230**
L'enseignement désorienté **230**
Je consomme, donc je suis **231**
La crise économique et le nouveau libéralisme **232**
La mondialisation et la société de communication **232**
Un individualisme inquiet **233**

Une nouvelle vision du monde 233
Le 11 septembre 2001 234

La postmodernité 235
Les manifestations quotidiennes de la postmodernité 236
Une nouvelle utopie serait-elle en train de germer ? 236

L'art entre modernité et postmodernité 237
Le *Pop Art* 238
Le Nouveau réalisme 238
Les happenings et les performances 239
La sculpture supplantée par les installations 240
Le minimalisme 240
L'art conceptuel 241
L'art postmoderne 241

La littérature comme substitut au réel 242
Le roman 243
Marguerite Yourcenar – *L'Œuvre au noir* 246
Albert Cohen – *Belle du Seigneur* 248
Romain Gary – *La Vie devant soi* 249
Michel Tournier – *Vendredi ou les Limbes du Pacifique* 250
Jean-Marie Gustave Le Clézio – *Onitsha* 251
Patrick Modiano – *Rue des boutiques obscures* 252
Philippe Sollers – *Passion fixe* 254
Annie Ernaux – *Passion simple* 256
Jorge Semprun – *L'Écriture ou la vie* 257
Agota Kristof – *Le Grand Cahier* 259
Jean Echenoz – *Cherokee* 261
Philippe Delerm – *Le Portique* 262
Hervé Guibert – *Le Paradis* 264
Yves Simon – *La Dérive des sentiments* 265
Nancy Huston – *L'Empreinte de l'ange* 266
Michel Houellebecq – *Les Particules élémentaires* 268
Éric-Emmanuel Schmitt – *Lorsque j'étais une œuvre d'art* 270
Amélie Nothomb – *Métaphysique des tubes* 272
Frédéric Beigbeder – *Windows on the World* 274
Fernando Pessoa – *Le Livre de l'intranquillité* 276
Milan Kundera – *La Plaisanterie* 278
La poésie 280
Eugène Guillevic – *Motifs, poèmes (1981-1984)* 280
Yves Bonnefoy – *Ce qui fut sans lumière* 282
Philippe Jaccottet – *Cahier de verdure* 283
Le théâtre 284
Bernard-Marie Koltès – *Dans la solitude des champs de coton* 284
Michel Vinaver – *Les Huissiers* 286
✤ Michel Tremblay – *À toi, pour toujours, ta Marie-Lou* 287
La chanson 289
Alain Souchon – *Allô maman bobo* 289

La dernière plus belle lettre d'amour 290
✤ Alain Grandbois – *Lettres à Lucienne* 290

La dissertation explicative 291
Bibliographie 315
Index des noms propres 316
Index des œuvres 318
Index des notions théoriques 321
Crédits iconographiques 323

Le réalisme, le naturalisme et le Parnasse

ou la contestation du romantisme

En France et dans le monde : de 1830 à 1900

Littérature, arts et culture	Événements politiques et historiques	Sciences et techniques
1829-1847 : Balzac, *La Comédie humaine*.		**1838 :** Daguerre vulgarise le procédé de la photographie.
1830 : Stendhal, *Le Rouge et le Noir*.		
1850 : Millet, *Le Semeur*.	**1851 :** Coup d'État de Louis-Napoléon Bonaparte. À Londres, première grande exposition universelle.	**1849 :** Un physicien mesure la vitesse de la lumière.
1852 : A. Dumas fils, *La Dame aux camélias*.	**1852 :** Début du Second Empire.	**1852 :** Un Français fait décoller le premier dirigeable.
		1853 : Découverte de l'aspirine.
1856 : Hugo, *Les Contemplations*.		**1854 :** Invention de l'ampoule électrique.
1857 : Flaubert, *Madame Bovary*. Champfleury, *Le Manifeste du réalisme*. Duranty fonde *La Revue du réalisme*.		**1857 :** Découvertes de Louis Pasteur.
		1858 : Premier câble télégraphique entre l'Amérique et l'Europe.
1862 : Manet, *Le Déjeuner sur l'herbe*.	**1861 :** Début de la guerre de Sécession aux États-Unis.	**1859 :** Darwin publie *De l'origine des espèces*.
1863 : Ingres, *Le Bain turc*.		**1863 :** À Londres, première rame de métro. Première automobile à pétrole.
1864 : Offenbach, *La Belle Hélène*. Renoir, *La Grenouillère*.	**1864 :** À Londres, fondation de la Iʳᵉ Internationale des travailleurs.	**1865 :** Création de l'Union télégraphique internationale.
1866 : Dostoïevski, *Crime et châtiment*.	**1867 :** Création de la Confédération canadienne.	**1866 :** Alfred Nobel invente la dynamite.
1868 : Courbet, *L'Aumône d'un mendiant*.	**1868 :** Émancipation complète des esclaves aux États-Unis.	**1868 :** Découverte en France de l'homme de Cro-Magnon.
1869 : Flaubert, *L'Éducation sentimentale*.		
1870 : Wagner, *La Walkyrie*.	**1870-1871 :** Guerre franco-prussienne.	**1871 :** Aux États-Unis, invention du marteau-piqueur à air comprimé. Découverte du bacille de la lèpre.
1871-1893 : Zola, *Les Rougon-Macquart*.	**1871 :** Commune de Paris.	
1873 : Daudet, *Contes du lundi*.		
1874 : Hugo, *Quatre-vingt-treize*. Barbey d'Aurevilly, *Les Diaboliques*.	**1875 :** Constitution républicaine.	**1876 :** Alexander Graham Bell invente le téléphone.
1877 : Flaubert, *Trois contes*.		**1877 :** Le poète Charles Cros invente un procédé d'enregistrement des sons sur un phonographe à cylindres.
1880 : Rodin, *Le Penseur*, *La Porte de l'enfer*. Apogée du naturalisme : Zola, *Nana*.		**1879 :** À Berlin, premier tramway électrique. Éclairage électrique des théâtres.
1883 : Maupassant, *Une vie*. Hugo, *La Légende des siècles*. Villiers de l'Isle-Adam, *Contes cruels*.		**1882 :** Le transformateur est mis au point.
1884 : Huysmans, *À rebours*. Leconte de Lisle, *Poèmes tragiques*.		**1884 :** Invention du linotype (machine à composer les textes pour l'impression).
1885 : Zola, *Germinal*. Maupassant, *Bel-Ami*. Van Gogh, *Cimetière des paysans*, *Les Mangeurs de pommes de terre*.		
1886 : Bartholdi, *La Liberté éclairant le monde* (statue). Moréas, *Manifeste socialiste*.		**1886 :** Un pharmacien américain crée la recette du Coca-Cola.
1887 : Fauré, *Requiem*. Maupassant, *Le Horla*.		**1887 :** Aux États-Unis, invention du disque et du gramophone. Mise au point de l'automobile mue par l'essence.
		1889 : Exposition universelle de Paris. Érection de la tour Eiffel.
1893 : Heredia, *Les Trophées*.		**1893 :** Henry Ford construit sa première voiture.
1894 : Le Douanier Rousseau, *La Guerre*.		**1894 :** Louis Lumière invente le cinématographe.
	1896 : À Athènes, premiers Jeux olympiques de l'ère moderne.	**1895 :** Un physicien allemand découvre les rayons X. Première projection cinématographique par les frères Lumière.
	1896-1899 : Affaire Dreyfus.	**1898 :** Marie et Pierre Curie découvrent le radium.

Illustration de la page précédente : Édouard Manet, *Le Déjeuner sur l'herbe*, 1863.

« La science renferme l'avenir de l'humanité. Il viendra un jour où l'humanité
ne croira plus mais où elle saura. »

Ernest Renan

Une nouvelle réalité économique, scientifique et sociale

Les écrivains romantiques avaient poursuivi le grand rêve humanitaire de transformer la société en une république généreuse et égalitaire. Et ils y étaient presque parvenus : le suffrage universel, le droit au travail, l'abolition de la peine de mort et de l'esclavage, l'éducation gratuite, la liberté de la presse constituent les résultats tangibles de leurs luttes. Mais ces acquis sont provisoirement abolis à la suite de la révolution de 1848, qui se termine dans la désillusion et le sang. Cette régression est en fait l'œuvre d'une bourgeoisie soucieuse de sa seule réussite. Nouvelle classe montante qui a définitivement pris la place de l'aristocratie de l'Ancien Régime, la bourgeoisie se méfie des libertés accordées au peuple, qu'elle perçoit comme une masse menaçante. Elle estime qu'il ne peut y avoir qu'une seule légitimité, qu'un seul ordre : l'ordre économique, le pouvoir de l'argent.

De fait, la seconde moitié du XIXe siècle, marquée par la révolution technique et industrielle, se caractérise par une phase de croissance économique rapide et de grande prospérité. Les imposants travaux d'Haussmann transforment Paris, des banques importantes sont fondées, des lois sur la propriété industrielle sont promulguées, les principales routes maritimes sont tracées, les différentes postes nationales étendent leur organisation à un réseau mondial et le libre-échange est instauré entre la France et l'Angleterre : ces indices annoncent déjà une « mondialisation » qui se poursuit depuis lors. La « fée électricité » et le moteur à explosion bouleversent la production et la vie quotidienne. Les chemins de fer et les navires à moteur permettent de multiplier le nombre des usines. Nourris par l'espoir de conditions de vie moins précaires et de réussite pécuniaire, les paysans quittent en grand nombre les campagnes pour venir former les nouvelles masses ouvrières des villes. Ils sont rejoints par des artisans et des ouvriers exerçant des métiers traditionnels dont l'importance ne cesse de décliner. Tant en Europe qu'en Amérique, de nouveaux modes de vie se dessinent, associés à la division du travail, aux relations

Jean Auguste Dominique Ingres,
Portrait de Louis-François Bertin, 1832.

La bourgeoisie, soucieuse de sa seule réussite, estime qu'il ne peut y avoir qu'une seule légitimité, qu'un seul ordre : l'ordre économique, le pouvoir de l'argent.

Jean Louis Ernest Meissonier,
Barricade, rue de la Mortellerie, juin 1848, 1849.

Certains acquis sont provisoirement abolis à la suite de la révolution de 1848, qui se termine dans la désillusion et le sang.

marchandes et à la bureaucratie. On assiste alors à la naissance d'une nouvelle classe sociale, le prolétariat, cette grande masse ouvrière qui n'a pas conscience qu'elle ne sert en fait qu'à enrichir la bourgeoisie.

Un courant de pensée, le scientisme, conforte les espoirs du régime en place, en propageant une foi illimitée dans le progrès: l'humanité serait parvenue à une étape où la science, perçue comme la source fondamentale du progrès, détient la clé de tous les problèmes, aussi bien humains que philosophiques. L'avancée des connaissances paraît telle que la foi dans le progrès supplante bientôt la foi en Dieu. Les idées du scientisme sont largement propagées par la doctrine positiviste[1].

Cette époque de profondes mutations, dominée par le matérialisme, est l'occasion de spectaculaires découvertes scientifiques et médicales. De très nombreux grands noms se démarquent dans le domaine des sciences expérimentales, parmi lesquels Charles Darwin (1809-1882), auteur de la théorie de l'évolution des espèces[2], Claude Bernard (1813-1878), père de nombreuses découvertes physiologiques, et Jean Martin Charcot (1825-1893), dont les travaux donnent une meilleure compréhension des phénomènes névrotiques. Ces découvertes sont si importantes qu'elles en viennent à modifier la perception que l'être humain a de lui-même et de sa place dans l'univers.

Mais une société qui met tous les facteurs du progrès au service d'une infime minorité – laquelle ne pense qu'en termes d'ambition et d'enrichissement personnels – ne peut qu'accentuer les inégalités sociales et contribuer à la dégradation des conditions de vie d'un prolétariat de plus en plus nombreux. Aussi, pendant que la bourgeoisie, appuyée de tout le poids de l'Église, s'efforce d'imposer sa respectabilité et son conformisme, aussi bien moral qu'économique, un autre courant d'idées commence à se manifester dans cette société dont de larges pans sont de plus en plus sensibles à l'esprit laïc. Il s'agit des idées socialistes défendues par des gens qui s'opposent aux nouvelles conditions économiques et sociales, et qui souhaitent l'amélioration du sort des classes défavorisées. La théorie de la lutte des classes connaît sa première grande diffusion en 1848, lorsque le philosophe et économiste allemand Karl Marx (1818-1883) ainsi que le théoricien et homme politique Friedrich Engels (1820-1895) publient leur *Manifeste du parti communiste*.

A. Lernot, *Flaubert disséquant Madame Bovary*, 1869.

Les découvertes des scientifiques donnent une meilleure compréhension des phénomènes psychologiques. Les écrivains, à leur façon, poursuivent cette recherche de mise à nu de l'âme humaine.

Un nouveau courant artistique: le réalisme et ses prolongements

En février 1848, trois journées insurrectionnelles secouent la France et mènent à l'abdication de Louis Philippe: Bonaparte est élu président de la IIe République. Cette révolution politique, qui met définitivement fin au régime que 1789 avait déjà fortement ébranlé, se double d'une révolution artistique.

En effet, dans cette époque dominée par le progrès scientifique et le matérialisme, un art nouveau entend réagir contre le romantisme tout autant que contre le formalisme académique de l'art pompier, qui jouissait alors de la faveur de la classe bourgeoise dirigeante. C'est le réalisme, courant dominant

1. Élaboré essentiellement par Auguste Comte (1798-1857), le positivisme repose sur l'hypothèse que l'expérience directe des faits et le raisonnement sont les seuls fondements du savoir.
2. Cette théorie attaque de front la doctrine chrétienne de l'origine divine de l'homme. Darwin tente de faire accepter l'idée de l'appartenance de l'homme aux espèces animales.

Jean-François Millet, *L'Angélus*, 1857 à 1859.

L'art des peintres réalistes vise à ennoblir les scènes du quotidien; les humbles et les besogneux y trouvent leur place.

de 1850 à 1880. Les tenants de cette esthétique rejettent les conventions et la suffisance de la classe bourgeoise, et s'intéressent plutôt à la nouvelle classe sociale issue de la révolution industrielle, composée des anciens paysans et des artisans devenus ouvriers : le prolétariat. Les prolétaires habitent dans des quartiers généralement sordides et sont exclus de la course vers l'argent et le succès.

L'esthétique réaliste

À l'instar des écrivains réalistes, les peintres refusent la violence passionnée et les somptueuses compositions théâtrales des romantiques. Leur art vise plutôt à ennoblir les scènes du quotidien ; tout le monde des humbles et des besogneux y trouve sa place. Les peintres réalistes s'intéressent aux mœurs de l'époque, comme le fit Balzac ; ils partagent leur souci de l'exactitude avec Flaubert ; ils privilégient le réalisme psychologique comme Stendhal ; enfin, ils pratiquent un réalisme documentaire à l'instar de Maupassant et de Zola. Ils estiment que la laideur est digne d'être représentée et choisissent leurs thèmes, généralement les plus quotidiens, dans la vie de leur époque. Courbet (1819-1877), Millet (1814-1875) et Daumier (1808-1879) figurent parmi les principaux peintres réalistes. On doit bien se garder de confondre leur peinture avec les portraits qu'à l'époque les nouveaux bourgeois font faire d'eux-mêmes, où seule importe la conformité de la peinture et du modèle.

L'impressionnisme

Les peintres réalistes, qui proposent de la réalité sociale une vision toute personnelle, trouvent un prolongement chez les impressionnistes, notamment chez Manet (1832-1883), Renoir (1841-1919), Monet (1840-1926), Seurat (1859-1891), Pissarro (1830-1903) et Sisley (1839-1899), sans oublier Berthe Morisot (1841-1895). Faisant fi des préceptes académiques, ces peintres s'efforcent de traduire les « impressions » évanescentes suscitées par les objets. La perception qu'ils donnent de la réalité reflète autant leur sensibilité que les effets fugitifs de la lumière. Ils en arrivent à libérer la peinture des contraintes du dessin en cessant de tracer le contour des objets, dissolvant ainsi les formes, créant des effets atmosphériques, des impressions qui vont à l'essentiel de ce qu'ils désirent reproduire.

Parallèlement aux écrivains Zola et Maupassant, des peintres témoignent d'une manière particulière de la vie des classes défavorisées, dont Caillebotte (1848-1894) et sa précision documentaire, quasi photographique, Degas (1834-1917) et son regard sans concession sur la misère humaine, de même que Toulouse-Lautrec (1864-1901) et son trait incisif, habile à capter la réalité intérieure de ses modèles. La grande mouvance réaliste de la seconde moitié du XIXᵉ siècle englobe autant des écrivains que

James Abbott McNeill Whistler, *La Mère de l'artiste*, 1871.

Les peintres et les écrivains réalistes partagent le même souci de l'exactitude du détail.

Georges Seurat, *Une baignade à Asnières*, 1884.

Les tableaux des peintres néo-impressionnistes, dont les formes simplifiées baignent dans une atmosphère impalpable, créent une impression de durée, de permanence.

des peintres. Des liens réels existent d'ailleurs entre les uns et les autres. Ainsi, Maupassant et Zola furent des critiques d'art. Ami intime de Cézanne (1839-1906), Zola a, de plus, été représenté sur une toile de Manet, avant de rédiger un roman sur la peinture, *L'Œuvre* (1886), dont le héros, Claude Lantier, est partiellement inspiré par son ami.

Le néo-impressionnisme ou le pointillisme

Comme son nom l'indique, le courant néo-impressionniste découle directement de l'impressionnisme : il reprend, là où son prédécesseur les avait laissés, l'entreprise de décomposition du réel et le travail sur la lumière. Le néo-impressionnisme procède lui aussi par petites touches divisionnistes de couleur pure. Il renonce également aux contours et privilégie les mêmes thèmes, tels les paysages, les scènes de divertissements populaires et le monde du spectacle. Mais, malgré ces apparentes similitudes, le néo-impressionnisme finit par devenir le contraire de l'impressionnisme. Alors que les impressionnistes procèdent de manière intuitive et impulsive pour exprimer la sensation éphémère du moment et de la lumière, les néo-impressionnistes, imprégnés de recherches scientifiques et soucieux de les mettre au service de l'art, contestent et rationalisent ces expériences subjectives et spontanées. Désireux de rejoindre la nature à travers les disciplines scientifiques, les néo-impressionnistes codifient les découvertes fortuites de l'impressionnisme en une méthode raisonnée, fondée sur les nouveaux traités d'optique. La liberté impulsive si chère aux impressionnistes fait place à un travail minutieux en atelier, où l'exécution de chaque tableau est préparée à partir d'études et de nombreuses esquisses. Ces tableaux, dont les formes simplifiées baignent dans une atmosphère impalpable, créent une impression de durée, de permanence. Ils représentent une étape essentielle dans l'histoire de la peinture : l'attention du spectateur délaisse le sujet représenté pour se tourner vers le tableau lui-même. Les principaux représentants en sont Georges Seurat (1859-1891) et Paul Signac (1863-1935).

Un nouvel art : la photographie

Au XIXe siècle, une nouvelle technique s'ajoute à celles qui tentent de saisir la réalité : la photographie. Ce procédé réaliste par excellence permet de reproduire de manière objective la nature et les hommes. Pour la première fois, l'homme marque une victoire sur la fuite du temps : grâce à cette nouvelle technique, il peut produire un cliché qui suspend le temps et donne une pérennité aux

Photographie de Sarah Bernhardt par Nadar, 1859.

Au XIXe siècle, une nouvelle technique : la photographie.

formes éphémères du monde extérieur. La photographie ne représente pas le réel comme le fait la peinture, mais le reproduit, le restitue d'une façon conforme à son apparence concrète, ce qui renforce l'effet de vérité. Ce nouveau mode de représentation bouleverse toutes les pratiques de description et d'enregistrement de la réalité. Un simple « œil » mécanique permet d'éliminer les erreurs de représentation, et celle-ci ne nécessite plus l'intervention d'une volonté de création. Cette nouvelle technique aspire très tôt à devenir un art, à donner le monde à lire comme un texte de lumière. On l'ignore encore au moment de sa création, mais l'écriture photographique du quotidien, avec sa possibilité de reproduction à l'infini, est sur le point d'envahir le champ entier des activités humaines, de créer une nouvelle civilisation, celle de l'image. Rapidement, l'accumulation et la banalisation de l'image imprègnent et bouleversent complètement les habitudes culturelles, modifient comme jamais auparavant la perception qu'ont les hommes de leur monde.

Le principe de la photographie est découvert dans les années 1820 par Niépce (1765-1833), mais c'est Daguerre (1787-1851) qui vulgarise le procédé en 1838, grâce à l'impression sur une plaque de métal (le daguerréotype). Déjà, en 1854, le plus célèbre photographe du XIXᵉ siècle, Nadar (1820-1910), ouvre son premier atelier à Paris : on lui doit, ainsi qu'à Carjat (1828-1906), de remarquables portraits d'écrivains. Pendant que les peintres empruntent à la photographie ses effets optiques et ses compositions acrobatiques (cadrages audacieux, points de vue plongeants ou en contre-plongée, gros plans, etc.), des écrivains réalistes utilisent abondamment cette nouvelle invention : Flaubert et Zola amassent une imposante documentation photographique avant de rédiger leurs ouvrages. Il est important de souligner le nom de deux photographes qui sont à l'origine d'une invention qui, au XXᵉ siècle, en vient à bouleverser l'univers culturel : Étienne Jules Marey (1830-1904) et Eadweard Muybridge (1830-1904), qui juxtaposent des images d'un même mouvement, ce qui permet ultérieurement la naissance du cinéma.

La littérature, témoin des changements

Tout comme les peintres, les écrivains entendent rendre compte de leur société qui vit une très forte croissance industrielle et économique, et est avant tout préoccupée d'enrichissement. Témoins de leur temps, les écrivains ont l'ambition de donner à leur œuvre les dimensions d'une représentation totale de la réalité. Dans cette littérature du vrai, tout est digne d'être cité, en particulier ce qui a trait aux milieux populaires. Cet art de la description, nourri d'objets et de détails matériels du quotidien, vise à créer l'illusion du réel, et la représentation littéraire semble même s'effacer derrière le réel représenté.

Le réalisme littéraire

Le roman et le conte

Il peut sembler paradoxal de parler d'une littérature réaliste, qui prétend montrer la réalité telle quelle et ne pas l'embellir. L'œuvre de l'artiste n'est pourtant jamais une simple reproduction du réel : elle ne peut être qu'une interprétation, une vision personnelle – et

Pierre Auguste Renoir, *Baigneuse aux cheveux longs*, vers 1895-1896.

L'œuvre de l'artiste n'est jamais une simple reproduction du réel : elle ne peut être qu'une interprétation, une vision personnelle – et arbitraire – de ce qu'il voit.

Claude Monet, *Impression, soleil levant*, 1873.

Faisant fi des préceptes académiques, ces peintres s'efforcent de traduire les «impressions» évanescentes suscitées par les objets.

arbitraire – de ce qu'il voit. Le choix du sujet, l'angle d'approche, la technique de représentation sont autant d'éléments paradoxaux qui s'opposent à une interprétation simpliste de la notion de réalisme. Zola affirme même que, pour mériter d'être considérée comme une œuvre d'art, l'œuvre littéraire ne doit pas être une photographie du réel, mais doit plutôt en être une déformation. Maupassant estime, pour sa part, que les auteurs réalistes sont plutôt des «illusionnistes». Que faut-il alors entendre par réalisme?

L'esthétique romanesque des réalistes se démarque d'abord nettement de celle des écrivains romantiques. Ces derniers percevaient la réalité comme une cause d'insatisfaction et de souffrance. Aussi la fuyaient-ils dans les effusions lyriques et l'idéalisme rêveur. Les écrivains réalistes rejettent cette vision du monde. Ils dénoncent la conception même du roman de leurs prédécesseurs. Chez les réalistes, le roman cesse d'être une œuvre romanesque et idyllique, la simple mise en scène d'une histoire inventée. L'imagination n'est plus la qualité maîtresse du roman. Les romanciers réalistes aspirent à décrire la société de manière objective, voire scientifique, et ne se servent de la fiction que pour mieux convaincre le lecteur de la justesse de leur étude morale ou sociale. Informés des récentes découvertes scientifiques, surtout physiologiques, les romanciers confient à la science une partie du rôle dévolu autrefois à l'imagination. Ils se documentent solidement et utilisent comme nouvelle source d'inspiration le réel et le présent, où ils puisent aussi bien leur intrigue que les caractéristiques du milieu social et les traits de caractère de leurs personnages.

Désormais, les cadres spatio-temporels de l'œuvre de fiction tendent à être identiques à ceux que le lecteur de cette époque connaît bien. S'y côtoient des bourgeois en mal de promotion et des défavorisés à qui l'on refuse toute ascension sociale. L'auteur réaliste crée des personnages et des situations qui n'étaient pas considérés jusque-là comme artistiques: des ouvriers, des prostituées, des alcooliques et autres marginaux, souvent décrits dans quelque aspect sordide de leur existence. Soucieux d'exactitude, le romancier privilégie le détail qui «fait vrai» et souvent souligne l'interaction entre le personnage et son milieu. Deux types de héros habitent ces romans. Le premier est

---

1.   On retrouve ce type de héros dans ce que l'on appelle le roman d'apprentissage ou de formation.

un jeune homme issu d'une classe inférieure qui aspire à une rapide ascension sociale[1] et qui, au cours de son apprentissage social, moral, intellectuel et amoureux, se heurte à l'intransigeance de certaines forces de la société. L'autre type de héros est un bourgeois décrit dans toute la médiocrité de son milieu et cette médiocrité sert même à le définir. Ces personnages puisés dans la réalité de tous les jours sont bien davantage des anti-héros que des héros.

Le roman se rapproche donc du document humain. Le romancier témoigne de la réalité de son époque. Il met en scène les principaux acteurs de la révolution industrielle : la classe dirigeante, en pleine décomposition morale, égoïste et hypocrite, et le prolétariat, dont le capital symbolique est de plus en plus important. Se refusant à toute exclusion esthétique ou morale, le romancier porte un regard quasi clinique sur la société dont il dissèque les types sociaux, les rapports de classes, les mœurs, toutes réalités qu'il a lui-même observées et analysées. Quant à l'intrigue, elle est linéaire, calquée sur la vie quotidienne, contrairement à l'intrigue traditionnelle, habituellement construite autour d'une situation de crise. Le style prend dès lors une très grande importance : il doit arriver à intéresser le lecteur à la monotonie et à l'ennui vécus par les personnages. Le romancier réaliste mise énormément sur le style, mais aussi, paradoxalement, il exige que l'écriture s'efface derrière le contenu de l'œuvre, car il veut faire croire à une transposition fidèle du réel.

L'écriture réaliste a comme principales caractéristiques une narration, habituellement à la troisième personne, de l'évolution d'un milieu social ou d'un personnage, de très abondantes descriptions et le recours à un vocabulaire concret. Ces seules caractéristiques ne peuvent toutefois rendre justice au travail immense que l'écrivain doit effectuer pour trouver la subtilité et la nuance qui pourraient créer l'intensité propre à émouvoir le lecteur. Car telle est bien l'intention première des auteurs réalistes : émouvoir plus que ne le ferait le vrai, en donnant l'illusion du vrai.

Evert Larock, *L'Idiot*, 1882.

L'auteur réaliste crée des personnages et des situations qui n'étaient pas considérés jusque-là comme artistiques : des ouvriers, des prostituées, des alcooliques et autres marginaux, souvent décrits dans quelque aspect sordide de leur existence.

Jules Adler, *Les Las*, 1887.

L'intrigue est linéaire, calquée sur la vie quotidienne.

Stendhal (1783-1842)

« Un roman est comme un archet, la caisse du violon qui rend les sons, c'est l'âme du lecteur. »

Orphelin de mère à sept ans, Henri Beyle, dit Stendhal, est en conflit toute sa vie avec son père, un royaliste dévot. Ce républicain anticlérical, qui a mené une vie de dandy avant de faire carrière dans la diplomatie, collectionne les déboires sentimentaux. Aux prises avec de nombreux problèmes financiers, il ne connaît le succès qu'après sa mort.

Stendhal écrit son œuvre en pleine époque romantique[1], mais il dénonce pourtant les effusions lacrymales, dont il se moque souvent dans ses romans par des intrusions directes du narrateur. Son œuvre porte néanmoins certaines marques du romantisme, en particulier la grande sensibilité et le caractère passionné de ses héros, en quête de bonheur et d'authenticité. Mais ce romantisme des caractères est soigneusement contenu par le réalisme du cadre social; son écriture, dont l'intérêt historique est certain, reflète la société réelle, sans gommer l'envers du décor. Pour Stendhal, « le roman est un miroir qui se promène sur une grande route. Tantôt il reflète [aux] yeux [du lecteur] l'azur des cieux, tantôt la fange des bourbiers de la route. » L'écrivain s'inspire d'événements authentiques et utilise un cadre temporel et géographique conforme à la réalité de l'époque, ce qui vient appuyer le jugement sévère qu'il porte sur sa société. Au moyen de personnages qui sont moins des individus que des types sociaux, il dénonce une aristocratie futile, imbue de ses privilèges, une bourgeoisie mesquine, constituée de parvenus grossiers et malhonnêtes, sans oublier une Église conservatrice et méfiante, riche et avide de pouvoir.

L'amour est le grand thème récurrent de l'œuvre de Stendhal[2], en particulier la distance amoureuse et l'amour qui se refuse. Son ouvrage le plus célèbre, *Le Rouge et le Noir*[3] (1830), est à la fois un roman psychologique, une étude de mœurs et une analyse sociale et politique. On y relate l'ascension sociale et sentimentale d'un jeune ambitieux d'origine paysanne, Julien Sorel, qui finit par se retrouver sur l'échafaud pour avoir tenté de tuer l'une des deux femmes qui auraient pu faciliter son ascension. Ce roman rend compte de la montée des couches sociales après le grand bouleversement révolutionnaire et dénonce une société de classes qui ne ménage aucune place aux fils du peuple.

C'est la sobriété qui caractérise l'écriture de Stendhal. Celui-ci prend comme modèle le Code civil, qu'il se plaît à lire et à relire. Il y trouve les éléments marquants de son écriture : simplicité, clarté, logique et précision dans la description de la réalité. Son lyrisme contenu qui refuse les trop longues phrases n'a rien à voir avec le style emphatique et contrasté des romantiques. Ici le réalisme psychologique domine : il s'agit moins de viser la réalité objective que de rendre celle que les personnages perçoivent. À cette fin, Stendhal accumule les faits véridiques anodins (anecdotes, gestes, attitudes, couleurs, vêtements, mots, intonations, etc.) qui révèlent un personnage et expriment sa perception de la réalité. Il recourt aussi à la satire pour dénoncer la médiocrité et l'hypocrisie de la société dans laquelle il vit.

L'extrait que nous présentons est tiré de l'épilogue du roman *Le Rouge et le Noir*. Le corps de Julien, décapité en raison d'une tentative d'assassinat sur son ancienne maîtresse, Mme de Rênal, est gardé par son ami Fouqué. Mathilde de La Mole, que Julien a toujours aimée, organise des funérailles romanesques, reproduisant ainsi le geste de la reine Marguerite de Navarre, qui fut la maîtresse d'un de ses ancêtres.

Le Rouge et le Noir, film réalisé par Claude Autant-Lara, avec Gérard Philipe et Danielle Darrieux, 1954.

---

1. Il a participé à la « bataille d'Hernani » en faveur de Victor Hugo.
2. Stendhal a donné son nom à un concept issu de son œuvre : le beylisme. Il s'agit d'une attitude caractéristique de ses héros : une constante poursuite de l'épanouissement personnel dans une quête du bonheur et de l'amour, qui les fait vivre au rythme des élans de leur cœur plutôt que dans la réalité.
3. Les deux couleurs du titre représentent respectivement la carrière des armes (le rouge), dans laquelle le héros aurait pu réaliser ses ambitions, et la carrière ecclésiastique (le noir), qu'il se voit contraint de choisir à cause de son origine modeste. Claude Autant-Lara a porté ce roman au cinéma en 1954.

Le mauvais air du cachot devenait insupportable à Julien. Par bonheur, le jour où on lui annonça qu'il fallait mourir, un beau soleil réjouissait la nature, et Julien était en veine de courage. Marcher au grand air fut pour lui une sensation délicieuse,
5 comme la promenade à terre pour le navigateur qui longtemps a été à la mer. Allons, tout va bien, se dit-il, je ne manque point de courage.

Jamais cette tête n'avait été aussi poétique qu'au moment où elle allait tomber. Les plus doux moments qu'il avait trouvés
10 jadis dans les bois de Vergy revenaient en foule à sa pensée et avec une extrême énergie.

Tout se passa simplement, convenablement, et de sa part sans aucune affectation.

[...]

— Je veux le voir, lui dit-elle.

15 Fouqué n'eut pas le courage de parler ni de se lever. Il lui montra du doigt un grand manteau bleu sur le plancher ; là était enveloppé ce qui restait de Julien.

Elle se jeta à genoux. Le souvenir de Boniface de La Mole et de Marguerite de Navarre lui donna sans doute un courage
20 surhumain. Ses mains tremblantes ouvrirent le manteau. Fouqué détourna les yeux.

Il entendit Mathilde marcher avec précipitation dans la chambre. Elle allumait plusieurs bougies. Lorsque Fouqué eut la force de la regarder, elle avait placé sur une petite table de marbre, devant elle, la tête de Julien, et la baisait au front...

25 Mathilde suivit son amant jusqu'au tombeau qu'il s'était choisi. Un grand nombre de prêtres escortaient la bière et, à l'insu de tous, seule dans sa voiture drapée, elle porta sur ses genoux la tête de l'homme qu'elle avait tant aimé.

30 Arrivés ainsi vers le point le plus élevé d'une des hautes montagnes du Jura, au milieu de la nuit, dans cette petite grotte magnifiquement illuminée d'un nombre infini de cierges, vingt prêtres célébrèrent le service des morts. Tous les habitants des petits villages de montagne traversés par le convoi l'avaient
35 suivi, attirés par la singularité de cette étrange cérémonie.

Mathilde parut au milieu d'eux en longs vêtements de deuil, et, à la fin du service, leur fit jeter plusieurs milliers de pièces de cinq francs.

Restée seule avec Fouqué, elle voulut ensevelir de ses propres
40 mains la tête de son amant. Fouqué faillit en devenir fou de douleur.

Par les soins de Mathilde, cette grotte sauvage fut ornée de marbres sculptés à grands frais en Italie.

Madame de Rênal fut fidèle à sa promesse. Elle ne chercha
45 en aucune manière à attenter à sa vie ; mais trois jours après Julien, elle mourut en embrassant ses enfants.

Stendhal, *Le Rouge et le Noir*, Paris, 1830.

Quelques citations de Stendhal

« L'amour est un feu qui s'éteint s'il ne s'augmente. »

« La vraie patrie est celle où l'on rencontre le plus de gens qui vous ressemblent. »

« Les discours des hommes ne sont que des masques qu'ils appliquent sur leurs actions. »

« Un peu de passion augmente l'esprit, beaucoup l'éteint. »

« Dans tous les partis, plus un homme a de l'esprit, moins il est de son parti. »

« On ne se console pas des chagrins, on s'en distrait. »

« Le plus grand bonheur que puisse donner l'amour, c'est le premier serrement de main d'une femme qu'on aime. »

« La fidélité des femmes dans le mariage, lorsqu'il n'y a pas d'amour, est probablement une chose contre nature. »

« La bonne musique ne se trompe pas, et va droit au fond de l'âme chercher le chagrin qui nous dévore. »

« La parole a été donnée à l'homme pour cacher sa pensée. »

☐ VERS L'ANALYSE

La tête de l'homme qu'elle avait tant aimé

1. Divisez l'extrait en quatre parties et donnez un titre à chacune.

2. La mort de Julien est traitée sans aucun pathos.
   a) Des notations positives atténuent le caractère dramatique de l'annonce de la mort de Julien. Relevez-les.
   b) Une seule phrase, simple et sobre, évoque la mort de Julien. Relevez-la et expliquez-en la sobriété.

3. Relevez une antithèse qui met en évidence le personnage de Mathilde et sa douleur.

4. a) Relevez les hyperboles associées à l'inhumation de Julien.
   b) Quel effet créent ces hyperboles ?

5. Relevez ce qui prouve l'attachement de Fouqué, Mathilde et Mᵐᵉ de Rênal à Julien.

6. Dans quelle mesure les personnages sont-ils romantiques ?

7. À quelles actions, dans ce dénouement du roman, peut-on reconnaître un hommage de la bourgeoisie à ce fils du monde paysan qu'est Julien ?

Sujet de dissertation explicative

Montrez comment cette fin de roman illustre que l'esthétique de Stendhal emprunte à la fois au romantisme et au réalisme.

Auguste Rodin et Paul Jeanneney, *Tête colossale de Balzac*, vers 1905.

Honoré de Balzac (1799-1850)

« La société française allait être l'historien, je ne devais être que le secrétaire. »

Contre l'avis de ses parents, le jeune Balzac refuse de devenir notaire et choisit l'écriture. Véritable boulimique, il travaille jusqu'à vingt heures par jour, se satisfaisant de quatre heures de sommeil : le plus souvent, il est à l'œuvre dès une heure du matin, soutenu autant par sa confiance en lui-même et en son œuvre que par des litres de café, sans oublier l'urgence de payer ses créanciers. En effet, Balzac est un piètre homme d'affaires, qui accumule des faillites qui le laissent endetté pour la vie.

Comme Stendhal, Balzac produit son œuvre en pleine période romantique et, comme lui, ses héros en portent la marque : ces êtres d'exception doivent se battre dans une société mercantile et sont habités par une force qu'ils ne maîtrisent pas totalement et qui parfois leur devient même fatale.

Mais Balzac rejette le romanesque et entre de plain-pied dans le réel. Il appartient de plein droit au réalisme, par sa peinture implacable de la société de son temps, son constant souci de l'observation et sa quête du fait véritable, anodin et caractéristique (comme si la vie humaine n'était qu'une accumulation de petits détails).

Balzac a conçu le projet d'une fresque gigantesque qui rendrait compte des changements postrévolutionnaires, tant politiques que sociaux, et pénétrerait dans toutes les classes sociales, tous les métiers : *La Comédie humaine* (1829-1847). Cette œuvre de démesure comprend plus de 90 romans, organisés en un vaste ensemble, et au-delà de 2200 personnages, dont 505 reviennent d'un roman à l'autre. Toute la réalité sociale de l'époque (de 1789 à 1847) y est décrite et analysée. Chaque roman présente un environnement créé à l'image du caractère des personnages. Ceux-ci sont des êtres déchirés par des ambitions et des passions, habités par des idées fixes, ce qui contribue à en faire des personnages fortement typés, dont le caractère est parfois grossi. Par ses abondantes descriptions qui s'attachent au moindre détail, Balzac vise ultimement à analyser l'interaction entre l'individu et son milieu, afin de dégager les lois qui régissent chacune des différentes classes sociales et celles qui gouvernent le vaste ensemble social.

Le Père Goriot (1834-1835) fait partie de cette œuvre foisonnante dont l'un des thèmes récurrents est l'argent, qui confère pouvoir ou misère, selon qu'un individu en dispose ou pas. Ce récit décrit l'amour paternel excessif d'un riche marchand qui se laisse dépouiller de ses biens par ses deux filles ingrates et dépensières, jusqu'à vivre dans la misère. Comme toujours, Balzac oppose la vie d'une personne habitée par une passion dévorante à l'existence falote d'êtres médiocres. Alors que chaque personnage est perçu à travers la minutie de ses gestes quotidiens et que le moindre comportement trahit une attitude de vie ou un mode de pensée, le romancier insiste, souvent de façon ironique, sur la symbiose entre l'individu et son milieu. Les lieux deviennent alors la représentation matérielle de la pensée des hommes. À preuve cette description de la pension Vauquer, dans l'exposition du *Père Goriot*, qui illustre l'influence réciproque du lieu sur le personnage et du personnage sur le lieu.

Quelques citations de Balzac

« Un amant a toutes les qualités et tous les défauts qu'un mari n'a pas. »

« En marchant les femmes peuvent tout montrer, mais ne rien laisser voir. »

« Il ne faut pas courir deux lèvres à la fois. »

« Les lois sont des toiles d'araignées à travers lesquelles passent les grosses mouches et où restent les petites. »

« L'amour n'est pas seulement un sentiment, il est aussi un art. »

« Ceux qui sont contents d'eux-mêmes ont bien mauvais goût. »

« Invente, et tu mourras persécuté comme un criminel ; copie, et tu vivras heureux comme un sot. »

« Le vieillard est un homme qui a dîné et qui regarde les autres manger. »

« Une société d'athées inventerait aussitôt une religion. »

« Le misanthrope est presque toujours une grande vanité cachée sous une peau de hérisson. »

TOUTE SA PERSONNE EXPLIQUE LA PENSION

Louis Boulanger, *Portrait de Balzac*, vers 1840.

Balzac a écrit *La Comédie humaine*, une œuvre de démesure qui comprend plus de 90 romans.

Naturellement destiné à l'exploitation de la pension bourgeoise, le rez-de-chaussée se compose d'une première pièce éclairée par les deux croisées de la rue, et où l'on entre par une porte-fenêtre. [...]

5　Cette première pièce exhale une odeur sans nom dans la langue, et qu'il faudrait appeler l'*odeur de pension*. Elle sent le renfermé, le moisi, le rance ; elle donne froid, elle est humide au nez, elle pénètre les vêtements ; elle a le goût d'une salle où l'on a dîné ; elle pue le service, l'office, l'hospice. Peut-être
10　pourrait-elle se décrire si l'on inventait un procédé pour évaluer les quantités élémentaires et nauséabondes qu'y jettent les atmosphères catarrhales et *sui generis* de chaque pensionnaire, jeune ou vieux. Eh bien, malgré ces plates horreurs, si vous le compariez à la salle à manger, qui lui est contiguë,
15　vous trouveriez ce salon élégant et parfumé comme doit l'être un boudoir. Cette salle, entièrement boisée, fut jadis peinte en une couleur indistincte aujourd'hui, qui forme un fond sur lequel la crasse a imprimé ses couches de manière à y dessiner des figures bizarres. Elle est plaquée de buffets gluants sur
20　lesquels sont des carafes échancrées, ternies, des ronds de moiré métallique, des piles d'assiettes en porcelaine épaisse, à bords bleus, fabriquées à Tournai. Dans un angle est placée une boîte à cases numérotées qui sert à garder les serviettes, ou tachées ou vineuses, de chaque pensionnaire. Il s'y rencontre de
25　ces meubles indestructibles, proscrits partout, mais placés là comme le sont les débris de la civilisation aux Incurables. Vous y verriez un baromètre à capucin qui sort quand il pleut, des gravures exécrables qui ôtent l'appétit, toutes encadrées en bois noir verni à filets dorés ; un cartel en écaille incrustée
30　de cuivre ; un poêle vert, des quinquets d'Argand où la poussière se combine avec l'huile, une longue table couverte d'une toile cirée assez grasse pour qu'un facétieux externe y inscrive son nom en se servant de son doigt comme de style, des chaises estropiées, de petits paillassons piteux en sparterie qui se
35　déroule toujours sans se perdre jamais, puis des chaufferettes misérables à trous cassés, à charnières défaites, dont le bois se carbonise. Pour expliquer combien ce mobilier est vieux, crevassé, pourri, tremblant, rongé, manchot, borgne, invalide, expirant, il faudrait en faire une description qui retarderait trop
40　l'intérêt de cette histoire, et que les gens pressés ne pardonneraient pas. Le carreau rouge est plein de vallées produites par le frottement ou par les mises en couleur. Enfin, là règne la misère sans poésie ; une misère économe, concentrée, râpée. Si elle n'a pas de fange encore, elle a des taches ; si elle n'a
45　ni trous ni haillons, elle va tomber en pourriture.

Cette pièce est dans tout son lustre au moment où, vers sept heures du matin, le chat de Mme Vauquer précède sa maîtresse ; saute sur les buffets, y flaire le lait que contiennent plusieurs jattes couvertes d'assiettes, et fait entendre son
50　*rourou* matinal. Bientôt la veuve se montre, attifée de son bonnet de tulle sous lequel pend un tour de faux cheveux mal mis, elle marche en traînassant ses pantoufles grimacées. Sa face
55　vieillotte, grassouillette, du milieu de laquelle sort un nez à bec de perroquet ; ses petites mains potelées, sa personne dodue comme un rat d'église, son corsage trop plein et qui flotte, sont en harmonie avec cette salle où suinte le malheur, où s'est blottie la spéculation, et dont Mme Vauquer respire
60　l'air chaudement fétide sans en être écœurée. Sa figure fraîche comme une première gelée d'automne, ses yeux ridés, dont l'expression passe du sourire prescrit aux danseuses à l'amer renfrognement de l'escompteur, enfin toute sa personne explique la pension, comme la pension implique sa personne.
65　Le bagne ne va pas sans l'argousin, vous n'imaginez pas l'un sans l'autre. L'embonpoint blafard de cette petite femme est le produit de cette vie, comme le typhus est la conséquence des exhalaisons d'un hôpital. Son jupon de laine tricotée, qui dépasse sa première jupe faite avec une vieille robe,
70　et dont la ouate s'échappe par les fentes de l'étoffe lézardée, résume le salon, la salle à manger, le jardinet, annonce la cuisine et fait pressentir les pensionnaires. Quand elle est là, le spectacle est complet.

Honoré de Balzac, *Le Père Goriot*, Paris, 1834-1835.

☐ VERS L'ANALYSE

Toute sa personne explique la pension

1. a) Relevez, sur deux colonnes, les termes neutres et les termes péjoratifs qui désignent le salon et la salle à manger.
   b) Quelle est l'utilité des uns et des autres ?

2. a) Relevez les nombreuses énumérations de l'extrait.
   b) Quel effet crée cette construction ?

3. a) Relevez les quatre passages où Balzac emploie le pronom « vous ».
   b) Quel effet crée l'emploi de ce pronom ?

4. L'opinion du narrateur sur la misère du milieu s'énonce à l'aide d'une gradation suivie d'un parallélisme. Relevez ces figures et expliquez l'effet qu'elles créent.

5. a) Relevez les termes péjoratifs, la métaphore, les trois comparaisons et l'antithèse à l'aide desquels Balzac trace le portrait de Mme Vauquer.
   b) À la lumière de ce qui précède, quelle impression se dégage de l'ensemble du portrait de Mme Vauquer sur les plans physique et moral ?

6. Relevez une métaphore, une comparaison, un chiasme et une double énumération qui soulignent la correspondance étroite entre Mme Vauquer et sa pension.

Sujets de dissertation explicative

1. Comparez les extraits des romans *Le Rouge et le Noir* et *Le Père Goriot* quant aux personnages et aux lieux qui y sont présentés.

2. Expliquez cette affirmation : « [...] cette description de la pension Vauquer [...] illustre l'influence réciproque du lieu sur le personnage et du personnage sur le lieu » (page 20).

Eugène Giraud,
Portrait de Flaubert, 1870.

Gustave Flaubert (1821-1880)

«La morale de l'art consiste dans sa beauté même, et j'estime par-dessus tout d'abord le style, et ensuite le vrai.»

L'écrivain Gustave Flaubert se moque des stéréotypes romantiques, y compris ceux que véhiculent certains de ses personnages. Perfectionniste, jamais satisfait de ce qu'il écrit[1], il prépare chacun de ses romans en effectuant au préalable de vastes enquêtes. Cette préparation minutieuse l'amène à partager la plus grande intimité avec ses personnages: «Quand j'écrivais l'empoisonnement d'Emma Bovary, j'avais le goût de l'arsenic dans la bouche.» Observateur rigoureux de la réalité, il est soucieux de la restituer dans toute son exactitude et son épaisseur. À cette fin, il privilégie les petits détails, mais il refuse de les multiplier comme l'avait fait Balzac et s'en tient à ceux qui traduisent la vérité profonde des êtres. Ce regard lucide et implacable qu'il porte sur la réalité peut expliquer son pessimisme: ses héros, des êtres médiocres et sans envergure, s'enlisent dans la banalité quotidienne et jouent le grand jeu de la bêtise humaine.

Flaubert a fait davantage que ses prédécesseurs de tendance réaliste pour renouveler la technique romanesque. Poussant plus loin qu'eux le réalisme, Flaubert (par l'entremise de ses narrateurs) s'efface devant ce qu'il écrit: «L'écrivain doit demeurer absent de son art comme Dieu reste invisible de sa création.» Toute la place est laissée aux personnages: Flaubert peint moins la réalité que la perception qu'en ont ces derniers, ce qui donne plus de vraisemblance à l'histoire. De plus, Flaubert refuse totalement le romanesque de l'intrigue. À propos de son roman *Madame Bovary*, il écrit: «Ce que j'ai voulu faire, c'est un livre sur rien, un livre sans attache extérieure, qui se tiendrait de lui-même par la force interne de son style, [...] un livre qui n'aurait presque pas de sujet ou du moins où le sujet serait presque invisible si cela se peut. Les œuvres les plus belles sont celles où il y a le moins de matière.» C'est dire l'importance qu'il accorde au style[2], à la justesse des descriptions, à la finesse des observations psychologiques. Pour lui, «une bonne phrase de prose doit être comme un bon vers, *inchangeable*, aussi rythmée, aussi sonore». Il en résulte un roman sans action véritable, sans aventure ni héros, à l'image de la vie et de son usure progressive. Les personnages réagissent à de multiples stimuli extérieurs. Le lecteur ne voit et ne sent que ce que le personnage voit et sent. Un siècle plus tard, cette même technique réapparaît chez les tenants du Nouveau roman.

Récit inspiré d'un fait divers, *Madame Bovary*[3] (1857) est l'ouvrage qui fit la gloire de Flaubert. Ce récit de la vie d'une jeune femme, empêchée d'accéder au bonheur par ses rêveries et ses lectures romantiques, est même à l'origine d'un concept, le bovarysme. Ce concept désigne le comportement d'un individu qui, se croyant victime des platitudes de la vie, est porté à se faire des illusions sur lui-même, à imaginer sa vie autre que ce qu'elle est. Flaubert scrute les moindres états d'âme de ses protagonistes. Pour la première fois, les habitudes des personnages et les objets du quotidien occupent une place essentielle dans un roman. La description d'objets d'apparence anodine finit par révéler leur vitalité inconnue et se faire l'écho de profondes vérités. Dans l'extrait qui suit, le narrateur rappelle un moment de son enfance qu'il partagea avec Charles Bovary, devenu la risée de la classe. La casquette semble plus éloquente que le personnage qu'elle couvre.

Quelques citations de Flaubert

«Madame Bovary, c'est moi!»

«L'avenir est ce qu'il y a de pire dans le présent.»

«Le comble de l'orgueil, c'est de se mépriser soi-même.»

«La parole est un laminoir qui allonge tous les sentiments.»

«Il ne faut pas toucher aux idoles, la dorure en reste aux mains.»

«La manière la plus profonde de sentir quelque chose est d'en souffrir.»

«Il tournait dans son désir, comme un prisonnier dans son cachot.»

«L'alignement des mots, noir sur blanc, est un pli de sombre dentelle qui retient l'infini.»

---

1. N'écrivant que quelques lignes par jour, il les soumet à l'épreuve du «gueuloir»: il en fait la lecture à haute voix à de nombreuses reprises, afin d'atteindre une grande qualité formelle, tant sur le plan du rythme que des sonorités.

2. Mêlant le réel et les idées, il arrive à des formulations d'une indéniable efficacité: «La conversation de Charles était plate comme un trottoir de rue, et les idées de tout le monde y défilaient dans leur costume ordinaire.»

3. En plus de Jean Renoir (en 1933) et de Claude Chabrol (en 1991), les Américains Albert John Ray (en 1932) et Vincente Minelli (en 1949) ainsi que l'Allemand Hans Schott (en 1969) ont chacun réalisé une version cinématographique de ce roman.

Une de ces pauvres choses

Nous étions à l'étude, quand le proviseur entra, suivi d'un nouveau habillé en bourgeois et d'un garçon de classe qui portait un grand pupitre. Ceux qui dormaient se réveillèrent, et chacun se leva comme surpris dans son travail.

5 Le proviseur nous fit signe de nous rasseoir; puis, se tournant vers le maître d'études:

«Monsieur Roger, lui dit-il à demi-voix, voici un élève que je vous recommande, il entre en cinquième. Si son travail et sa conduite sont méritoires, il passera *dans les grands*,
10 où l'appelle son âge.»

Resté dans l'angle, derrière la porte, si bien qu'on l'apercevait à peine, le *nouveau* était un gars de la campagne, d'une quinzaine d'années environ, et plus haut de taille qu'aucun de nous tous. Il avait les cheveux coupés droit sur le front,
15 comme un chantre de village, l'air raisonnable et fort embarrassé. Quoiqu'il ne fût pas large des épaules, son habit-veste de drap vert à boutons noirs devait le gêner aux entournures et laissait voir, par la fente des parements, des poignets rouges habitués à être nus. Ses jambes, en bas bleus, sortaient d'un
20 pantalon jaunâtre très tiré par les bretelles. Il était chaussé de souliers forts, mal cirés, garnis de clous.

On commença la récitation des leçons. Il les écouta, de toutes ses oreilles, attentif comme au sermon, n'osant même croiser les cuisses, ni s'appuyer sur le coude, et, à deux heures, quand
25 la cloche sonna, le maître d'études fut obligé de l'avertir, pour qu'il se mît avec nous dans les rangs.

Nous avions l'habitude, en entrant en classe, de jeter nos casquettes par terre, afin d'avoir ensuite nos mains plus libres; il fallait, dès le seuil de la porte, les lancer sous le banc,
30 de façon à frapper contre la muraille, en faisant beaucoup de poussière; c'était là le *genre*.

Mais, soit qu'il n'eût pas remarqué cette manœuvre ou qu'il n'eût osé s'y soumettre, la prière était finie que le nouveau tenait encore sa casquette sur ses deux genoux. C'était une de
35 ces coiffures d'ordre composite, où l'on retrouve les éléments du bonnet à poil, du chapska, du chapeau rond, de la casquette de loutre et du bonnet de coton, une de ces pauvres choses, enfin, dont la laideur muette a des profondeurs d'expression comme le visage d'un imbécile. Ovoïde et renflée de baleines,
40 elle commençait par trois boudins circulaires; puis s'alternaient, séparés par une bande rouge, des losanges de velours et de poil de lapin; venait ensuite une façon de sac qui se terminait par un polygone cartonné, couvert d'une broderie en soutache compliquée, et d'où pendait, au bout d'un long cordon trop
45 mince, un petit croisillon de fils d'or, en manière de gland. Elle était neuve; la visière brillait.

«Levez-vous», dit le professeur.

Il se leva: sa casquette tomba. Toute la classe se mit à rire.

Il se baissa pour la reprendre. Un voisin la fit tomber d'un
50 coup de coude; il la ramassa encore une fois.

Madame Bovary, film réalisé par Claude Chabrol, avec Isabelle Huppert, 1991.

Flaubert scrute les moindres états d'âme de ses protagonistes.

«Débarrassez-vous donc de votre casque», dit le professeur, qui était un homme d'esprit.

55 Il y eut un rire éclatant des écoliers qui décontenança le pauvre garçon, si bien qu'il ne savait s'il fallait garder sa casquette
60 à la main, la laisser par terre ou la mettre sur sa tête. Il se rassit et la posa sur ses genoux.

«Levez-vous, reprit le
65 professeur, et dites-moi votre nom.»

Le *nouveau* articula, d'une voix bredouillante, un nom inintelligible.

«Répétez!»

Le même bredouillement de syllabes se fit entendre, couvert
70 par les huées de la classe.

«Plus haut! cria le maître, plus haut!»

Le *nouveau*, prenant alors une résolution extrême, ouvrit une bouche démesurée et lança à pleins poumons, comme pour appeler quelqu'un, ce mot: *Charbovari*.

Gustave Flaubert, *Madame Bovary*, Paris, 1857.

☐ Vers l'analyse

Une de ces pauvres choses

1. Qui est le narrateur dans cet extrait du premier chapitre? À quoi le voit-on?

2. a) Qu'est-ce qui, dans la description du «nouveau», trahit son origine modeste?
   b) Quelle comparaison joue le même rôle?

3. Expliquez ce qui montre l'isolement de Charles face à un groupe uni d'élèves.

4. Quels traits psychologiques particuliers la description du comportement du «nouveau» fait-elle ressortir?

5. Deux phrases graphiques concernent la casquette de Charles.
   a) Relevez-les et déterminez-en le propos précis.
   b) Relevez l'énumération qui se trouve dans la première phrase et dites quel effet elle crée.
   c) Relevez les expressions péjoratives associées à la casquette et dites quel effet elles créent.
   d) Quelle comparaison montre que le narrateur se moque autant de la casquette que de la personne à qui elle appartient?
   e) Pourquoi avoir donné une telle importance à la casquette?

6. Relevez les procédés comiques mis en œuvre dans la dernière partie de l'extrait (lignes 55 à 74).

Sujet de dissertation explicative

En quoi les choix de Flaubert quant au type de narrateur, aux thèmes et au style révèlent-ils son souci de réalisme littéraire?

Portrait de Maupassant
par Nadar, 1889.

Claude Monet, *La Maison du pêcheur*, Varangeville, 1882.

Guy de Maupassant (1850-1893)

«Chacun de nous se fait donc simplement une illusion du monde [...] Et l'écrivain n'a d'autre mission que de reproduire fidèlement cette illusion avec tous les procédés d'art qu'il a appris et dont il peut disposer.»

Maupassant a été formé à l'école de Flaubert. Celui-ci, un ami d'enfance de sa mère, devient tôt son père spirituel et son maître à penser. Après une vie de dandy où il multiplie les conquêtes féminines, Maupassant, déjà atteint héréditairement de troubles nerveux, découvre en 1877 qu'il a la syphilis.

Il voit une annonce du sort qui l'attend dans le fait que son frère est interné et meurt dans un asile d'aliénés. À partir de ce moment, l'angoisse habite son œuvre. Il s'identifie même au narrateur de son récit *Le Horla* (1887), obsédé par la présence d'un double qui lui dérobe sa vie.

Auteur de récits fantastiques[1] et de contes réalistes, Maupassant a publié six romans, trois cents contes et nouvelles, sans compter

Quelques citations de Maupassant

«Le baiser est la plus sûre façon de se taire en disant tout.»

«La vie, voyez-vous, ce n'est jamais si bon ni si mauvais qu'on croit.»

«Les grands artistes sont ceux qui imposent à l'humanité leur illusion particulière.»

«Les mots ont une âme.»

«Un baiser légal ne vaut jamais un baiser volé.»

«Si la guerre est une chose horrible, le patriotisme ne serait-il pas l'idée-mère qui l'entretient?»

«Une œuvre d'art n'est supérieure que si elle est, en même temps, un symbole et l'expression exacte de la réalité.»

«La moindre chose contient un peu d'inconnu. Trouvons-le.»

ses deux cents chroniques journalistiques. Son réalisme se distingue de celui de ses prédécesseurs: on ne trouve pas chez lui de volonté de traduire la réalité tout entière, mais plutôt d'en copier les traits les plus caractéristiques, de privilégier «une vérité choisie, plus probante que la vérité elle-même», qui donne une «vision plus complète, plus saisissante, plus probante que la réalité même», une vision plus expressive. L'illusion du vrai, un vrai très visuel, importe davantage que la vérité. À certains moments, ce réalisme pave même la voie au naturalisme: l'homme semble «une bête à peine supérieure aux autres» qui déploie son activité dans une jungle féroce, où l'on ne fait pas de place aux faibles. Les tableaux sans complaisance de Maupassant dévoilent surtout le côté médiocre et tragique de la vie quotidienne. Sa peinture cruelle de la société de son temps met au jour l'hypocrisie et l'arrivisme des uns, et révèle que les autres, ces déclassés pour qui il éprouve une grande compassion, sont voués à la misère et à la solitude.

Maupassant a exercé le métier de journaliste et a su en retenir un style simple et clair, composé de touches brèves et précises dont il se sert pour camper les décors et révéler la psychologie de ses personnages. Aussi est-il à son mieux dans les formes brèves, où la narration est toute tendue vers l'effet final. Le plus souvent banals, ses récits, composés de paragraphes nombreux et courts, reposent sur une trame mince, qui ne fait que montrer la réalité des gens et de la vie. Ils sont cependant si efficaces et leur esprit est si moderne que de nombreux cinéastes y trouvent encore de nos jours matière à scénario. Maupassant privilégie l'enchâssement: l'histoire racontée en cache une seconde, qui est le véritable cœur du récit, comme dans l'extrait présenté, *Le Saut du Berger*, où un geste accompli cache une intransigeance religieuse

---

1. Cet aspect de l'œuvre de Maupassant a déjà été traité dans *Anthologie littéraire, du Moyen Âge au XIXᵉ siècle*, 2ᵉ éd., pages 278 et 279.

De Dieppe au Havre, la côte présente une falaise ininterrompue, haute de cent mètres environ, et droite comme
une muraille. De place en place, cette grande ligne de
rochers blancs s'abaisse brusquement, et une petite vallée
5 étroite, aux pentes rapides couvertes de gazon ras et de joncs
marins, descend du plateau cultivé vers une plage de galet
où elle aboutit par un ravin semblable au lit d'un torrent. La
nature a fait ces vallées, les pluies d'orage les ont terminées
par ces ravins, entaillant ce qui restait de falaise, creusant
10 jusqu'à la mer le lit des eaux qui sert de passage aux hommes.

Quelquefois un village est blotti dans ces vallons, où
s'engouffre le vent du large.

J'ai passé l'été dans une de ces échancrures de la côte, logé
chez un paysan, dont la maison, tournée vers les flots, me
15 laissait voir de ma fenêtre un grand triangle d'eau bleue
encadrée par les pentes vertes du val, et tachée parfois
de voiles blanches passant au loin dans un coup de soleil.

Le chemin allant vers la mer suivait le fond de la gorge,
et brusquement s'enfonçait entre deux parois de marne,
20 devenait une sorte d'ornière profonde, avant de déboucher
sur une belle nappe de cailloux roulés, arrondis et polis par
la séculaire caresse des vagues.

Ce passage encaissé s'appelle le « Saut du Berger ».

Voici le drame qui l'a fait ainsi nommer :

25 On raconte qu'autrefois ce village était gouverné par un
jeune prêtre austère et violent. Il était sorti du séminaire
plein de haine pour ceux qui vivent selon les lois naturelles
et non suivant celles de son Dieu. D'une inflexible sévérité
pour lui-même, il se montra pour les autres d'une implacable
30 intolérance ; une chose surtout le soulevait de colère et de
dégoût : l'amour. S'il eût vécu dans les villes, au milieu des
civilisés et des raffinés qui dissimulent derrière les voiles
délicats du sentiment et de la tendresse, les actes brutaux
que la nature commande, s'il eût confessé dans l'ombre des
35 grandes nefs élégantes les pécheresses parfumées dont les fautes
semblent adoucies par la grâce de la chute et l'enveloppement
d'idéal autour du baiser matériel, il n'aurait pas senti peut-être
ces révoltes folles, ces fureurs désordonnées qu'il avait en
face de l'accouplement malpropre des loqueteux dans la boue
40 d'un fossé ou sur la paille d'une grange.

Il les assimilait aux brutes, ces gens-là qui ne connaissaient
point l'amour, et qui s'unissaient seulement à la façon des
animaux ; et il les haïssait pour la grossièreté de leur âme, pour

le sale assouvissement de leur instinct, pour la gaieté répu-
45 gnante des vieux qui parlaient encore de ces immondes plaisirs.

Peut-être aussi était-il, malgré lui, torturé par l'angoisse
d'appétits inapaisés et sourdement travaillé par la lutte
de son corps révolté contre un esprit despotique et chaste.

Mais tout ce qui touchait à la chair l'indignait, le jetait hors
50 de lui ; et ses sermons violents, pleins de menaces et d'allusions
furieuses, faisaient ricaner les filles et les gars qui se coulaient
des regards en dessous à travers l'église ; tandis que les fermiers
en blouse bleue et les fermières en mante noire se disaient
au sortir de la messe, en retournant vers la masure dont
55 la cheminée jetait sur le ciel un filet de fumée bleue :
« I' ne plaisante pas là-dessus, mo'sieu le curé. »

Une fois même et pour rien il s'emporta jusqu'à perdre
la raison. Il allait voir une malade. Or, dès qu'il eut pénétré
dans la cour de la ferme, il aperçut un tas d'enfants, ceux
60 de la maison et ceux des voisins, attroupés autour de la
niche du chien. Ils regardaient curieusement quelque chose,
immobiles, avec une attention concentrée et muette. Le
prêtre s'approcha. C'était la chienne qui mettait bas. Devant
sa niche, cinq petits grouillaient autour de la mère qui les
65 léchait avec tendresse, et, au moment où le curé allongeait
sa tête par-dessus celles des enfants, un sixième petit toutou
parut. Tous les galopins alors, saisis de joie, se mirent à crier
en battant des mains : « En v'là encore un, en v'là encore
un ! » C'était un jeu pour eux, un jeu naturel où rien d'impur
70 n'entrait : ils contemplaient cette naissance comme ils
auraient regardé tomber des pommes. Mais l'homme à la
robe noire fut crispé d'indignation, et la tête perdue, levant
son grand parapluie bleu, il se mit à battre les enfants. Ils
s'enfuirent à toutes jambes. Alors lui, se trouvant seul en
75 face de la chienne en gésine, frappa sur elle à tour de bras.
Enchaînée elle ne pouvait s'enfuir, et comme elle se débattait
en gémissant, il monta dessus, l'écrasant sous ses pieds, lui fit
mettre au monde un dernier petit, et il l'acheva à coups de
talon. Puis il laissa le corps saignant au milieu des nouveau-nés,
80 piaulants et lourds, qui cherchaient déjà les mamelles.

Il faisait de longues courses, solitairement, à grands pas, avec
un air sauvage.

Or, comme il revenait d'une promenade éloignée, un soir
du mois de mai, et qu'il suivait la falaise en regagnant le
85 village, un grain furieux l'assaillit. Aucune maison en vue,
partout la côte nue que l'averse criblait de flèches d'eau.

La mer houleuse roulait ses écumes ; et les gros nuages sombres accouraient de l'horizon avec des redoublements de pluie. Le vent sifflait, couchait les jeunes récoltes, et secouait l'abbé ruisselant, collait à ses jambes la soutane traversée, emplissait de bruit ses oreilles et son cœur exalté de tumulte.

Il se découvrit, tendant son front à l'orage, et peu à peu il approchait de la descente sur le pays. Mais une telle rafale l'atteignit qu'il ne pouvait plus avancer, et soudain, il aperçut auprès d'un parc à moutons la hutte ambulante d'un berger.

C'était un abri, il y courut.

Les chiens fouettés par l'ouragan ne remuèrent pas à son approche ; et il parvint jusqu'à la cabane en bois, sorte de niche perchée sur des roues, que les gardiens de troupeaux traînent, pendant l'été, de pâturage en pâturage.

Au-dessus d'un escabeau, la porte basse était ouverte, laissant voir la paille du dedans.

Le prêtre allait entrer quand il aperçut dans l'ombre un couple amoureux qui s'étreignait. Alors, brusquement, il ferma l'auvent et l'accrocha ; puis, s'attelant aux brancards, courbant sa taille maigre, tirant comme un cheval, et haletant sous sa robe de drap trempée, il courut, entraînant vers la pente rapide, la pente mortelle, les jeunes gens surpris enlacés, qui heurtaient la cloison du poing, croyant sans doute à quelque farce d'un passant.

Lorsqu'il fut au haut de la descente, il lâcha la légère demeure, qui se mit à rouler sur la côte inclinée.

Elle précipitait sa course, emportée follement, allant toujours plus vite, sautant, trébuchant comme une bête, battant la terre de ses brancards.

Un vieux mendiant blotti dans un fossé la vit passer, d'un élan, sur sa tête et il entendit des cris affreux poussés dans le coffre de bois.

Tout à coup elle perdit une roue arrachée d'un choc, s'abattit sur le flanc, et se remit à dévaler comme une boule, comme une maison déracinée dégringolerait du sommet d'un mont, puis, arrivant au rebord du dernier ravin, elle bondit en décrivant une courbe et, tombant au fond, s'y creva comme un œuf.

On les ramassa l'un et l'autre, les amoureux, broyés, pilés, tous les membres rompus, mais étreints, toujours, les bras liés aux cous dans l'épouvante comme pour le plaisir.

Le curé refusa l'entrée de l'église à leurs cadavres et sa bénédiction à leurs cercueils.

Et le dimanche, au prône, il parla avec emportement du septième commandement de Dieu, menaçant les amoureux d'un bras vengeur et mystérieux, et citant l'exemple terrible des deux malheureux tués dans leur péché.

Comme il sortait de l'église, deux gendarmes l'arrêtèrent.

Un douanier gîté dans un trou de garde avait vu. Il fut condamné aux travaux forcés.

Et le paysan dont je tiens cette histoire ajouta gravement :

« Je l'ai connu, moi, Monsieur. C'était un rude homme tout de même, mais il n'aimait pas la bagatelle. »

Guy de Maupassant, «Le Saut du Berger», conte intégral, Paris, 1882, publié dans le recueil *Le Père Milon*, Paris, 1899.

☐ VERS L'ANALYSE

Le Saut du Berger

1. Divisez cette nouvelle en cinq parties et donnez un titre à chacune.

2. Étudiez la description préliminaire du cadre géographique.
   a) Quels éléments de cette description révèlent un souci de précision ?
   b) Quel est l'intérêt de cette description au regard du drame de la fin ?
   c) Quels éléments de cette description annoncent le propos sexuel du récit ?

3. Le portrait moral du curé est basé sur sa haine du sexe.
   a) Quelle phrase annonce et résume cette haine ?
   b) Dressez le champ lexical de cette haine et de la violence qu'elle provoque chez le curé.
   c) Relevez les expressions et les termes péjoratifs qui désignent la manière dont le curé perçoit les activités sexuelles et ceux qui s'y adonnent.
   d) Expliquez en quoi les deux récits enchâssés dans le conte illustrent la haine du curé pour le sexe.
   e) Les villageois partagent-ils cette haine ? Justifiez votre réponse à l'aide de trois passages précis.

4. Dans le premier récit, Maupassant oppose la réaction des enfants à celle du curé.
   a) Décrivez ces deux réactions.
   b) Relevez une métaphore et une comparaison qui montrent que les enfants jugent banale la mise bas de la chienne.

5. a) Dans le second récit, relevez la figure de style qui tend à rendre plus dramatique le rôle des éléments.
   b) Identifiez les passages où elle est employée.

6. Pourquoi les deux récits peuvent-ils être vus comme l'affrontement entre les forces de la vie et celles de la mort ?

Sujet de dissertation explicative

De quelle façon cette nouvelle illustre-t-elle l'esthétique réaliste et même naturaliste ?

Le naturalisme

Le roman

À la fin des années 1870, le mouvement réaliste se prolonge dans un nouveau courant qui le radicalise, le naturalisme, dont les tenants considèrent la nature comme un principe premier qu'il s'agit de décrire objectivement, en niant l'existence de tout élément surnaturel. Il leur importe, comme aux auteurs réalistes, de restituer intégralement la vie, mais le naturalisme le fait de façon plus exacerbée et avec un plus grand souci de justice sociale. Les réalistes s'intéressaient surtout à la petite bourgeoisie ; les naturalistes portent une attention particulière aux milieux populaires, aux ouvriers, aux mineurs, aux paysans, aux Parisiens moins fortunés. Les naturalistes font apparaître le peuple dans toute sa misère : pauvreté, alcoolisme, violence, prostitution... Cela ne manque pas de choquer certaines bonnes âmes, qui estiment que le naturalisme ne respecte pas les critères du « bon goût ». De fait, l'écriture naturaliste, qui n'hésite pas à décrire les pulsions du corps, brise les tabous de la représentation classique et va à l'encontre de la morale chrétienne en même temps qu'elle brouille les codes esthétiques : il ne s'agit plus de faire beau, mais de faire vrai. Cette nouvelle approche littéraire, qui exploite des territoires jusqu'alors interdits, est même qualifiée par un critique de « littérature putride ». Un autre critique reproche à Émile Zola sa complaisance pour l'obscénité et explique son roman *La Terre* par « une maladie des bas organes de l'écrivain ».

Fernand Pelez, *Sans asile*, 1884.

Les œuvres naturalistes font apparaître le peuple dans toute sa misère.

La visée scientifique est sans doute ce qui distingue le plus le romancier naturaliste de l'écrivain réaliste. Le premier ne se contente pas de reproduire le réel de façon mimétique, il veut aussi expliquer les rouages de la vie[1] à l'aide d'une exploration scientifique. Il a été question précédemment des immenses progrès de la science à cette époque, en particulier la médecine, qui explore des zones d'ombre comme la physiologie, l'hérédité, les névroses, les rêves, les hallucinations et la folie. Les écrivains naturalistes sont surtout marqués par les thèses de Darwin sur la sélection naturelle, par différentes théories sur l'hérédité naturelle et par les découvertes de Claude Bernard dans le domaine physiologique. Convaincus que l'humain ne peut échapper au déterminisme biologique qui régit ses désirs et ses passions, les écrivains naturalistes fondent leur esthétique sur l'étude des lois de l'hérédité de même que sur l'influence du milieu sur la physiologie et la psychologie des personnages. Zola reproduit avec ses personnages ce que les naturalistes font avec les végétaux et les animaux : il applique à la littérature une méthode d'expérimentation scientifique dans laquelle il prétend laisser agir ses personnages selon des lois mécaniques. Dans le vaste cycle romanesque intitulé *Les Rougon-Macquart*, Zola retrace le poids de la folie d'une ancêtre, tante Dide, et l'influence du milieu extérieur sur cinq générations successives, dont il tente de dégager les mécanismes de fonctionnement. Le roman naturaliste devient donc le terrain d'une expérimentation dont ses auteurs prétendent qu'elle est scientifique.

Edgar Degas, *Les Repasseuses*, vers 1884.

L'artiste naturaliste porte une attention particulière aux milieux populaires.

---

1. Les naturalistes ont cependant été précédés sur ce point par Balzac, qui, dans *La Comédie humaine*, a voulu dégager les mécanismes de fonctionnement, physiques et moraux, des diverses classes sociales.

Jean-François Raffaëlli,
Émile Zola, 1887.

Émile Zola (1840-1902)

«J'ai l'hypertrophie du détail vrai, [...] de l'observation exacte. La vérité monte d'un coup d'aile jusqu'au symbole.»

Le foisonnement de l'œuvre d'Émile Zola fait de celui-ci la figure dominante du naturalisme, son théoricien et son meilleur illustrateur. Cet homme, un ardent socialiste, a simultanément deux familles – il vit avec sa femme tout en ayant, avec une jeune ouvrière, deux enfants qui sont adoptés par sa femme à la mort de leur mère. Ses convictions l'amènent à s'engager dans diverses causes, dont une qui déchaîna les passions dans toute la France: son virulent pamphlet «J'accuse», dans lequel il use de toute son autorité et de son prestige pour clamer l'innocence du capitaine juif Alfred Dreyfus (1859-1935), faussement accusé d'espionnage.

Revendiquant un statut quasi scientifique pour le roman, Zola élabore une théorie du «roman expérimental» basée sur *L'Introduction à l'étude de la médecine expérimentale* de Claude Bernard. Il entend surtout illustrer l'influence de l'hérédité sur la formation du caractère ainsi que celle du milieu de vie sur les sens. Cette double influence de l'hérédité et du milieu lui permet d'expliquer des comportements, des attitudes morales, des traits de personnalité, des désirs et des appétits insatiables. Pour y arriver, l'écrivain naturaliste fait perdre sa prééminence à l'imagination («l'humble servante qui se contente de rester au second plan») et a plutôt recours à une abondante documentation, fruit de vastes enquêtes, qui permet une restitution vivante des divers milieux sociaux. Chez Zola, toutes les catégories sociales sont représentées: ouvriers, cheminots, mineurs, politiciens, prostituées, hommes forts des halles... L'écrivain démontre, pour chacun, comment les sens agissent sur l'âme, comment la psychologie est déterminée par la physiologie.

Zola consacre vingt de ses trente romans au cycle des Rougon-Macquart, dans lequel il retrace l'«histoire naturelle et sociale d'une famille sous le Second Empire». Dans cette fresque à l'intérêt à la fois historique et littéraire, qui peint «la déchéance fatale d'une famille ouvrière dans le milieu empesté des faubourgs», une œuvre maîtresse se dégage, *Germinal*[1] (1885), dont nous présentons un extrait. Ce roman aux dimensions épiques et aux images hallucinantes évoque la vie des mineurs et leur révolte contre l'injustice, et annonce la prochaine révolution sociale.

Si Zola aspire à faire œuvre scientifique, son style n'a toutefois rien de la neutralité objective. Chez cet écrivain, la question du style relève du paradoxe: pour arriver à s'exprimer de façon neutre, il utilise une écriture hautement personnelle au symbolisme riche et puissant, qui établit des correspondances entre le milieu extérieur et les états d'âme des personnages. D'apparence austère, le langage ne fait qu'un avec la réalité de chaque personnage pour révéler ce qui se passe sous sa chair: ses plus secrètes obsessions, ses plus secrètes angoisses, cette part de folie présente aussi en chaque lecteur. Ce qu'il révèle des individus, Zola le révèle aussi des collectivités. Sa plume devient alors visionnaire, pour annoncer les «germinations» à venir. Car l'écrivain veut avant tout croire au progrès: s'il montre les plaies d'une société, c'est pour en expliquer les causes et indiquer la voie de la libération.

Dans l'extrait suivant, un tableau épique, des mineurs en grève demandent des comptes à la direction de la compagnie. Le narrateur décrit la foule déchaînée, observée par la femme du directeur de la mine, Mᵐᵉ Hennebeau. Celle-ci est accompagnée des jeunes bourgeoises Lucie, Jeanne et Cécile ainsi que de l'ingénieur Négrel. Ils ont tout juste le temps de se cacher dans une étable.

Germinal, film réalisé par Claude Berri, avec Renaud et Gérard Depardieu, 1993.

Le roman *Germinal*, qui évoque la vie des mineurs et leur révolte contre l'injustice, annonce la prochaine révolution sociale.

---

1. Yves Allégret l'a adapté au cinéma en 1963 et Claude Berri, en 1993 (le chanteur Renaud y tient le rôle principal).

Mme Hennebeau, très pâle, prise d'une colère contre ces gens qui gâtaient un de ses plaisirs, se tenait en arrière, avec un regard oblique et répugné ; tandis que Lucie et Jeanne, malgré leur tremblement, avaient mis un œil à une fente,
5 désireuses de ne rien perdre du spectacle.

Le roulement de tonnerre approchait, la terre fut ébranlée, et Jeanlin galopa le premier, soufflant dans sa corne.

« Prenez vos flacons, la sueur du peuple qui passe ! » murmura Négrel, qui, malgré ses convictions républicaines,
10 aimait à plaisanter la canaille avec les dames.

Mais son mot spirituel fut emporté dans l'ouragan des gestes et des cris. Les femmes avaient paru, près d'un millier de femmes, aux cheveux épars, dépeignés par la course, aux guenilles montrant la peau nue, des nudités de femelles lasses
15 d'enfanter des meurt-de-faim. Quelques-unes tenaient leur petit entre les bras, le soulevaient, l'agitaient, ainsi qu'un drapeau de deuil et de vengeance. D'autres, plus jeunes, avec des gorges gonflées de guerrières, brandissaient des bâtons ; tandis que les vieilles, affreuses, hurlaient si fort que les cordes
20 de leurs cous décharnés semblaient se rompre. Et les hommes déboulèrent ensuite, deux mille furieux, des galibots, des haveurs, des raccommodeurs, une masse compacte qui roulait d'un seul bloc, serrée, confondue, au point qu'on ne distinguait ni les culottes déteintes, ni les tricots de laine en loques,
25 effacés dans la même uniformité terreuse. Les yeux brûlaient, on voyait seulement les trous de bouches noires, chantant *La Marseillaise*, dont les strophes se perdaient en un mugissement confus, accompagné par le claquement des sabots sur la terre dure. Au-dessus des têtes, parmi le hérissement des barres
30 de fer, une hache passa, portée toute droite ; et cette hache unique, qui était comme l'étendard de la bande, avait, dans le ciel clair, le profil aigu d'un couperet de guillotine.

« Quels visages atroces ! » balbutia Mme Hennebeau.

Négrel dit entre ses dents :

35 « Le diable m'emporte si j'en reconnais un seul ! D'où sortent-ils donc, ces bandits-là ? »

Et, en effet, la colère, la faim, ces deux mois de souffrance et cette débandade enragée au travers des fosses, avaient allongé en mâchoires de bêtes fauves les faces placides des houilleurs
40 de Montsou. À ce moment, le soleil se couchait, les derniers rayons, d'un pourpre sombre, ensanglantaient la plaine. Alors, la route sembla charrier du sang, les femmes, les hommes continuaient à galoper, saignants comme des bouchers en pleine tuerie.

Jules Adler, *La Grève*, 1899.

Les œuvres des écrivains naturalistes révèlent les conflits intérieurs des personnages, mais aussi les conflits au sein des collectivités, comme les combats des grévistes.

Quelques citations de Zola

« La science du beau est une drôlerie inventée par les philosophes pour la plus grande hilarité des artistes. »

« Une œuvre d'art est un coin de la création vu à travers un tempérament. »

« Vous mettez l'homme dans le cerveau, je le mets dans tous ses organes. »

« Je n'ai pas seulement soutenu les impressionnistes, je les ai traduits en littérature, par les touches, notes et colorations, par la palette de beaucoup de mes descriptions. »

« Les gouvernements suspectent la littérature parce qu'elle est une force qui leur échappe. »

« Aucun bonheur n'est possible dans l'ignorance, la certitude seule fait la vie calme. »

« La vérité est en marche, et rien ne l'arrêtera. »

« Savoir où l'on veut aller, c'est très bien ; mais il faut encore montrer qu'on y va. »

« Je veux montrer mon héros s'efforçant d'atteindre le bonheur en combattant contre ce qu'il y a en lui de caractéristiques héréditaires et contre l'influence de son environnement. »

45 «Oh! superbe!» dirent à demi-voix Lucie et Jeanne,
remuées dans leur goût d'artistes par cette belle horreur.

Elles s'effrayaient pourtant, elles reculèrent près de
Mme Hennebeau, qui s'était appuyée sur une auge. L'idée
qu'il suffisait d'un regard, entre les planches de cette porte
50 disjointe, pour qu'on les massacrât, la glaçait. Négrel se
sentait blêmir, lui aussi, très brave d'ordinaire, saisi là
d'une épouvante supérieure à sa volonté, une de ces épou-
vantes qui soufflent de l'inconnu. Dans le foin, Cécile ne
bougeait plus. Et les autres, malgré leur désir de détourner
55 les yeux, ne le pouvaient pas, regardaient quand même.

C'était la vision rouge de la révolution qui les emporterait
tous, fatalement, par une soirée sanglante de cette fin de
siècle. Oui, un soir, le peuple lâché, débridé, galoperait
ainsi sur les chemins; et il ruissellerait du sang des bour-
60 geois, il promènerait des têtes, il sèmerait l'or des coffres
éventrés. Les femmes hurleraient, les hommes auraient ces
mâchoires de loups, ouvertes pour mordre. Oui, ce seraient
les mêmes guenilles, le même tonnerre de gros sabots, la
même cohue effroyable, de peau sale, d'haleine empestée,

65 balayant le vieux monde, sous leur poussée débordante de
barbares. Des incendies flamberaient, on ne laisserait pas
debout une pierre des villes, on retournerait à la vie sauvage
dans les bois, après le grand rut, la grande ripaille, où les
pauvres, en une nuit, efflanqueraient les femmes et vide-
70 raient les caves des riches. Il n'y aurait plus rien, plus un
sou des fortunes, plus un titre des situations acquises,
jusqu'au jour où une nouvelle terre repousserait peut-être.
Oui, c'étaient ces choses qui passaient sur la route, comme
une force de la nature, et ils en recevaient le vent terrible
75 au visage.

Un grand cri s'éleva, domina *La Marseillaise*:

«Du pain! du pain! du pain!»

Émile Zola, *Germinal*, Paris, 1885.

Édouard Manet, *Portrait d'Émile Zola*, 1868.

Zola est la figure dominante du naturalisme.

□ Vers l'analyse

La vision rouge de la révolution

1. Divisez l'extrait en deux parties et donnez un titre à chacune.

2. Repérez la métaphore filée qui assure la continuité entre les deux parties,
   relevez-en toutes les composantes et expliquez en quoi son choix est avisé.

3. Quel est le type de narrateur et le type de focalisation dans ce récit?
   Justifiez votre réponse.

4. L'auteur cherche à mettre en lumière, dans ses romans, l'influence du milieu sur
   la psychologie et le comportement des personnages. Dans cette scène, décrivez
   le comportement des cinq personnages observateurs et expliquez en quoi ils
   représentent bien ceux de leur classe sociale, la bourgeoisie.

5. La foule est comparée à des animaux.
   a) Dressez le champ lexical des animaux.
   b) Quel effet crée ce champ lexical?

6. Étudiez la violence dans la première partie de l'extrait (lignes 1 à 55).
   a) Dressez le champ lexical de la violence.
   b) Dans la description des femmes, relevez deux comparaisons
      et une métaphore qui connotent la violence.
   c) Relevez trois autres comparaisons et deux métaphores qui connotent
      la violence.
   d) Quel effet créent ce lexique et toutes ces figures?

7. Le dernier long paragraphe évoque la fin d'un monde.
   a) Quel mode verbal y domine et pourquoi?
   b) Relevez les manifestations de la destruction du monde bourgeois et,
      éventuellement, les figures de style qui les mettent en évidence.
   c) À quoi sert, sur les plans du fond et de la forme, la répétition du mot «oui»
      au début de trois phrases graphiques?

8. L'extrait a une tonalité épique. Relevez les divers procédés qui confèrent
   cette tonalité:
   a) au quatrième paragraphe;
   b) au dernier long paragraphe.

Sujets de dissertation explicative

1. Montrez que, dans cet extrait, le naturalisme de Zola est fondé sur un style
   hautement personnel qui exprime avec justesse les enjeux d'une société
   en mutation.

2. À l'aide du fond et de la forme, montrez que, dans cet extrait, le peuple apparaît
   comme une force sauvage opposée à une bourgeoisie égoïste qu'elle s'apprête
   à détruire.

La postérité du réalisme et du naturalisme

Le réalisme et son prolongement plus radical, le naturalisme, connaissent une abondante postérité durant tout le XXᵉ siècle. En témoigne le cri de rage contre la misère humaine de Céline.

Louis-Ferdinand Céline (1894-1961)

« Je ne suis pas un homme à idées, je suis un homme à style. »

Louis-Ferdinand Destouches, dit Céline, médecin des zones populaires et lui-même blessé à la guerre, a une connaissance directe de la misère humaine. Il est surtout connu pour son *Voyage au bout de la nuit* (1931), un roman d'une violence volcanique. Le protagoniste, Ferdinand Bardamu, un double de l'auteur, y raconte les principales étapes de sa vie mouvementée et errante : abominations de la guerre, barbarie du colonialisme, déshumanisation du travail à la chaîne, routine aliénante des banlieues. L'ensemble donne l'impression d'un virulent pamphlet qui dresse l'inventaire des échecs de notre civilisation. Et, au bout d'une telle nuit, aucune aurore n'est possible : on n'y trouve que bassesse et lâcheté humaines, que mal-être et absurde à hurler, dans un quotidien où la mort est en sursis[1].

Cette désespérante peinture de la détresse humaine s'allie étonnamment à une foi peu commune dans le pouvoir de la langue et de l'art. Céline, l'un des écrivains les plus audacieux du XXᵉ siècle, convie le lecteur à un véritable voyage au bout de l'écriture : le romancier hurle sa souffrance, son dégoût et sa haine dans un style émotif d'une grande âpreté, volontiers argotique et ordurier, où l'invective fusionne avec le lyrisme, où la syntaxe traditionnelle est disloquée. Dans cette écriture emportée, aussi vivante que la parole, le langage écrit se modèle sur les impulsions de la langue parlée, comme pour fusionner l'écriture et la vie, et la

violence du style vient faire écho à la violence du désespoir des personnages, désespoir par ailleurs souvent occulté par le rire de la dérision et de l'absurdité. Néanmoins, sous le choc de cette syntaxe mitrailleuse, les phrases explosent en éclats de vérité qui viennent se ficher dans la bonne conscience du lecteur.

Dans l'extrait qui suit, le personnage central, Bardamu, retourne chez lui. Dans son incessant monologue intérieur se mêlent ce que capte son regard et ses préoccupations pour Bébert, un enfant incurable.

Adolph von Menzel, *Palier sous un éclairage nocturne*, 1848.

Céline, médecin des zones populaires et lui-même blessé à la guerre, a une connaissance directe de la misère humaine. Il en fait la peinture dans ses romans.

---

1. Personnage faisant face à l'absurdité de la vie, Ferdinand Bardamu se réincarne plus tard dans le Roquentin de Sartre et le Meursault de Camus (voir le chapitre 4).

COMME UNE PETITE NUIT DANS UN COIN DE LA GRANDE

Le charcutier, par-derrière dans sa boutique, échangeait des signes et des plaisanteries avec les clients et faisait des gestes avec un grand couteau.

Il était content lui aussi. Il avait acheté le cochon, et attaché pour la réclame. Au mariage de sa fille il ne s'amuserait pas davantage.

5 Il arrivait toujours plus de monde devant la boutique pour voir le cochon crouler dans ses gros plis roses après chaque effort pour s'enfuir. Ce n'était cependant pas encore assez. On fit grimper dessus un tout petit chien hargneux qu'on excitait à sauter et à le mordre à même dans la grosse chair dilatée. On s'amusait alors tellement qu'on ne pouvait plus avancer. Les agents sont venus pour disperser les groupes.

10 Quand on arrive vers ces heures-là en haut du pont Caulaincourt, on aperçoit au-delà du grand lac de nuit qui est sur le cimetière les premières lumières de Rancy. C'est sur l'autre bord Rancy. Faut faire tout le tour pour y arriver. C'est si loin! Alors on dirait qu'on fait le tour de la nuit même, tellement il faut marcher de temps et des pas autour du cimetière pour arriver aux fortifications.

15 Et puis ayant atteint la porte, à l'octroi, on passe encore devant le bureau moisi où végète le petit employé vert. C'est tout près alors. Les chiens de la zone sont à leur poste d'aboi. Sous un bec de gaz, il y a des fleurs quand même, celles de la marchande qui attend toujours là les morts qui passent d'un jour à l'autre, d'une heure à l'autre. Le cimetière, un autre encore, à côté, et puis le boulevard de la
20 Révolte. Il monte avec toutes ses lampes droit et large en plein dans la nuit. Y a qu'à suivre, à gauche. C'était ma rue. Il n'y avait vraiment personne à rencontrer. Tout de même, j'aurais bien voulu être ailleurs et loin. J'aurais aussi voulu avoir des chaussons pour qu'on m'entende pas du tout rentrer chez moi. J'y étais cependant pour rien, moi, si Bébert n'allait pas mieux du tout. J'avais fait mon possible. Rien à
25 me reprocher. C'était pas de ma faute si on ne pouvait rien dans des cas comme ceux-là. Je suis parvenu jusque devant sa porte, et je le croyais, sans avoir été remarqué. Et puis, une fois monté, sans ouvrir les persiennes j'ai regardé par les fentes pour voir s'il y avait toujours des gens à parler devant chez Bébert. Il en sortait encore quelques-uns des visiteurs de la maison, mais ils n'avaient pas le même air qu'hier les
30 visiteurs. Une femme de ménage des environs, que je connaissais bien, pleurnichait en sortant. «On dirait décidément que ça va encore plus mal, que je me disais. En tout cas, ça va sûrement pas mieux… Peut-être qu'il est déjà passé? que je me disais. Puisqu'il y en a une qui pleure déjà!…» La journée était finie.

Je cherchais quand même si j'y étais pour rien dans tout ça. C'était froid et
35 silencieux chez moi. Comme une petite nuit dans un coin de la grande, exprès pour moi tout seul.

De temps en temps montaient des bruits de pas et l'écho entrait de plus en plus fort dans ma chambre, bourdonnait, s'estompait… Silence. Je regardais encore s'il se passait quelque chose dehors, en face. Rien qu'en moi que ça se passait, à me poser
40 toujours la même question.

J'ai fini par m'endormir sur la question, dans ma nuit à moi, ce cercueil, tellement j'étais fatigué de marcher et de ne trouver rien.

Louis-Ferdinand Céline, *Voyage au bout de la nuit*, Paris, 1931, © Éditions Gallimard.

Quelques citations de Céline

«Les gens se vengent des services qu'on leur rend.»

«La vie c'est ça, un bout de lumière qui finit dans la nuit.»

«Faire confiance aux hommes, c'est déjà se faire tuer un peu.»

«La vérité, c'est une agonie qui n'en finit pas. La vérité de ce monde, c'est la mort. Il faut choisir, mourir ou mentir.»

«Une société civilisée, ça ne demande qu'à retourner à rien, déglinguer, redevenir sauvage, c'est un effort perpétuel, un redressement infini.»

«Si les gens sont si méchants, c'est peut-être seulement parce qu'ils souffrent, mais le temps est long qui sépare le moment où ils ont cessé de souffrir de celui où ils deviennent un peu meilleurs.»

☐ VERS L'ANALYSE

Comme une petite nuit dans un coin de la grande

1. Divisez l'extrait en trois parties et donnez un titre à chacune.

2. Quel est le type de narrateur et de focalisation dans ce récit? Justifiez votre réponse.

3. Expliquez en quoi Bardamu, ce double de l'auteur, apparaît comme un homme responsable et socialement engagé.

4. Dans le cinquième paragraphe, quel être humain est réduit à un simple repère spatial?

5. Le thème dominant, dans cet extrait, est la mort. Dressez-en le champ lexical.

6. Un second thème, celui de la nuit, traverse tout l'extrait.
   a) Relevez deux métaphores, deux antithèses et une comparaison qui y sont associées.
   b) Expliquez le symbolisme de la nuit au regard du titre du roman.

7. Relevez les pronoms «on», indiquez leur référent et dites quel effet crée leur emploi.

8. L'auteur pratique, dans son écriture, une forme de réalisme linguistique.
   a) Relevez des ellipses, des suppressions de la négation, des inversions et d'autres cas de transformation de la syntaxe qui rappellent la langue parlée.
   b) Quel effet est ainsi créé?

La littérature réaliste au Québec

La littérature de tendance réaliste se porte si mal dans le Québec clérical d'avant 1930 que les écrivains qui s'y adonnent se voient aussitôt condamnés par une élite bien-pensante, qui estime détenir le monopole de la vérité et du bon goût. *La Scouine*, roman naturaliste d'Albert Laberge (1871-1960), est mis à l'index en 1918, après *Marie Calumet* en 1904, malgré le soin que prend Rodolphe Girard (1879-1956), son auteur, de l'emballer dans plusieurs couches d'un humour délirant. Quant à *Maria Chapdelaine* (1914) de Louis Hémon (1880-1913), la critique littéraire, toute soumise aux idées conservatrices, en travestit complètement la portée. Dans cette situation, Jean-Aubert Loranger (1896-1942) préfère conserver ses récits dans ses tiroirs. Pendant un siècle, les écrivains doivent en fait composer avec des valeurs passéistes qui sont, croit-on généralement à l'époque, le meilleur moyen d'assurer la survie de la collectivité canadienne-française. Cette soumission à l'idéologie produit une littérature essentiellement idéaliste, qu'on fait passer pour du réalisme. Il faudra attendre *Trente arpents* (1938) de Ringuet (1895-1960) et surtout *Bonheur d'occasion* (1945) de Gabrielle Roy (1909-1983) pour que le réalisme ait droit de cité au Québec. Mais si la littérature réaliste accumule des retards jusqu'au milieu du XXe siècle, elle se rattrape bien par la suite, ne serait-ce qu'avec l'œuvre colossale de Michel Tremblay.

Respectueux de la couleur locale, **Jean-Aubert Loranger** met en relief, dans ses contes, les gestes et le caractère des gens de la campagne qu'il enveloppe d'une atmosphère d'humour et de surprise, voire de mystification. *Le Vagabond* est l'histoire d'une imposture : un mendiant qui décide de se faire voleur exploite cyniquement une situation en sa faveur et se transforme en héros.

⚜ LE VAGABOND

Si l'homme, quand il fut sur la route, ne se retourna pas pour un dernier regard au village qu'il venait de traverser, c'est qu'il lui en venait du mépris, pour trop de désillusion qu'il y avait trouvée.

5 Il venait d'y recevoir un refus presque total de repaître par des aumônes la vie dont il avait besoin pour continuer plus loin. On avait mal répondu à ses quêtes pour lesquelles il s'était tant humilié.

En ce moment qu'il en était enfin sorti,
10 une seule chose l'occupait ; s'en éloigner
le plus vite possible, avant que ne se
développe trop l'idée qui s'ébauchait
de retourner en arrière avec tout un plan
de vengeance.

15 La route, avec la fatigue qui s'en ajoute,
promettait d'épuiser en lui par de la distance l'énergie qu'il faut pour une entreprise pleine de difficultés, et il y marchait.

La poussière, comme de la neige, gardait
20 les vestiges de l'homme. Les pas enre-
gistraient à la route la décision
qu'il avait de s'éloigner.

Ce village, il ne l'avait pas voulu, il
n'en avait pas fait son but. Il s'était tout
25 simplement trouvé inévitable à la route,
et il l'avait traversé avec la route.

Marc-Aurèle de Foy Suzor-Côté, *Le Coureur de bois*, 1907.

Aucune intention d'exploitation ne lui en était venue, quoiqu'il fit étalage de richesses et de pleine confiance. Il ne lui avait demandé que la victuaille qu'il faut pour atteindre à un autre village.

Somme toute, une aumône, en ce cas, c'était, croyait-il, une récompense due à son honnêteté, étant donné la facilité que l'on sait à un vagabond de voler.

Aussi, quand il fut de nouveau sur la route, l'homme se jura-t-il de ne plus être dupe de l'appréciation que peut avoir le villageois des bonnes intentions.

Son désenchantement justifiait la résolution qui lui vint de commettre un vol au village suivant, et il y allait.

Ses bras se balançaient dans le rythme de ses jambes, et il marchait d'une allure que soutenait le désir d'atteindre au village suivant de la route, à la nuit.

L'homme marchait sur la route.

De chaque côté de lui, c'était deux paysages qui tournaient lentement sur eux-mêmes, comme sur un pivot; c'étaient au loin, des arbres et des buissons qui se déplaçaient.

Les poteaux du télégraphe qui flanquaient son chemin, et qui l'indiquaient, là-bas, comme une rampe, venaient à lui en de grandes et lentes enjambées, et ils s'additionnaient en une solution énorme et lointaine qui ajoutait à la fatigue qu'il commençait de ressentir.

Au bout de plusieurs heures d'une marche ainsi soutenue, il vint la fin de l'après-midi par où la nuit entrait, il vint aussi, sur le bord de la route, quelques hameaux qui annonçaient la fin du voyage.

L'homme atteignit enfin le sommet d'une côte, et le village lui apparut.

Il restait dans l'air encore trop de clarté pour qu'il lui fût possible d'y pénétrer tout de suite: et quoiqu'il en fût encore assez éloigné, il eut l'impression qu'on le regardait venir. Il sortait des toits de chaume deux petites cheminées, ce qui donnait aux maisons l'air inquiet de têtes de chiens les oreilles dressées.

L'homme attendit la nuit, puis, quand l'ombre se fut percée au loin d'un groupe de lumières, il se dirigea prudemment vers une maison qu'il s'était choisie, une maison à l'écart des autres.

Comme une lampe l'allumait encore quand il en fut à proximité, il pénétra dans la cour.

C'était un grand rectangle dallé, au fond duquel s'ouvrait le rez-de-chaussée de la maison. Une porte et une fenêtre reflétaient sur les dalles blanches leur cadre lumineux et agrandi.

L'homme se blottit dans l'ombre d'une encoignure, et il attendit.

Une famille veillait dans le rez-de-chaussée; il en apercevait les silhouettes mouvantes sur la lumière de la fenêtre. Par intervalles, des sons de voix venaient aussi jusqu'à lui.

Alors, il vint au fond de cet homme, non pas une crainte de ce qu'il allait peut-être ne pas réussir, mais l'angoisse que connaissent ceux qui ne font pas un mauvais coup d'une manière désintéressée. Avec cet esprit de vengeance que la fatigue de la route avait exagéré, il avait peur de ne pouvoir pas maîtriser toute la poussée fiévreuse qui donnait à ses mains une envie d'étranglement. Il aurait volontiers mieux aimé un corps-à-corps brutal, dans lequel se serait assouvi le trop-plein de force qu'il éprouvait, que le travail délicat de dévaliser une maison, sans rien déranger du sommeil du propriétaire. En résumé, l'homme en voulait plus, en ce moment d'attente fiévreuse, à la gorge du propriétaire qu'à sa bourse.

Mais il fallait éviter ça. Cette pensée d'un meurtre le fit frissonner. Il éprouva le malaise de sa chair épouvantée.

Par une brèche du mur, il apercevait au loin les lumières du village qui tremblotaient dans des feuillages. Il les vit s'éteindre une à une, puis après, il n'y eut plus que le silence et l'ombre d'où venait de temps en temps le bruit sec de quelques portes tardives.

Dans le rez-de-chaussée, on veillait encore.

L'homme entendait battre son cœur à ses tempes, et il eut un pressentiment de quelque chose de terrible qui allait se passer.

La nuit en s'épaississant lui devenait intérieure. Pour la première fois de sa vie, il en éprouvait la chose mystérieuse.

Il souffrait de cette attente qu'il n'avait pas prévue aussi pénible et prolongée.

Il fixait toujours la lumière de la fenêtre, avec l'espoir de la voir s'éteindre, quand, tout à coup, sans qu'il pût s'en expliquer le motif, il lui vint une peur grandissante de voir cette lumière s'éteindre, de savoir toute la vie de cette maison endormie. Il se mit à craindre cette nuit qu'il allait devenir.

À cet instant, une forme courbée dans une pose craintive passa devant la fenêtre allumée, et mit, pour une seconde, une ombre gigantesque sur les dalles de la cour.

L'homme retint sa respiration qu'il avait courte et angoissée.

L'ombre repassa près de lui, et c'est alors qu'il reconnut dans le manège de l'autre, une allure sur laquelle il ne pouvait y avoir d'erreur.

115 Ils étaient deux voleurs dans la même cour, dans la même attente.

C'en était trop, on allait lui voler son droit à la vengeance.

Et comme dans l'ombre, il eut sensation d'un corps qui se traînait près de lui, il y bondit.

120 Sous le choc, l'autre roula par terre, et il eut à peine le temps de se relever, qu'il fut embrassé à la taille.

L'homme avait mis dans ses bras toute l'énergie de son corps, et il serrait, comme un qui vivra de ne pas lâcher prise.

L'autre râla, et les deux corps donnèrent contre les dalles.

125 Dans la maison, on avait entendu, et on accourut.

Les deux lutteurs furent déliés de leur embrassement, et il y eut des explications à la lumière d'une lampe qu'on avait apportée.

130 Et pendant qu'on garrottait le voleur, l'homme pensait au prestige qu'il allait avoir le lendemain, pour quêter, avec la nouvelle qu'on
135 allait sans doute répandre de son dévouement.

Jean-Aubert Loranger, «Le Vagabond», *Les Atmosphères, Le Passeur, Poèmes et autres Proses*, Montréal, 1920.

☐ **VERS L'ANALYSE**

Le Vagabond

1. Faites le schéma narratif de ce récit.

2. a) Quel est le type de narrateur dans ce récit? Justifiez votre réponse.
   b) Quel est le type de focalisation dans ce récit? Justifiez votre réponse à l'aide de passages précis.

3. Décrivez les sentiments qui habitent successivement le vagabond.

4. Le narrateur établit une correspondance entre le décor et le vagabond.
   a) Relevez trois personnifications par lesquelles le narrateur attribue au décor les déplacements du vagabond.
   b) Relevez une personnification et une métaphore par lesquelles, dans la même phrase graphique, le narrateur attribue aux maisons le sentiment d'inquiétude du vagabond.

5. Expliquez comment la nuit devient le symbole de l'angoisse du vagabond.

6. Quels éléments du récit contribuent à son suspense?

7. La vitesse de la narration n'est pas la même avant et après le moment où le vagabond aperçoit une ombre. Expliquez.

8. Expliquez le retournement de situation à la fin du récit.

9. Qui est ici mystifié: les villageois, le vagabond ou le lecteur? Justifiez votre réponse.

Sujet de dissertation explicative

Montrez que la manière dont la lutte entre le bien et le mal est décrite dans *Le Vagabond* est radicalement différente de la manière dont elle est décrite dans un autre récit réaliste, *Le Saut du Berger* (page 25).

Marc-Aurèle Fortin, *L'Orme à Pont-Viau*, 1925 à 1930.

Le Parnasse

« Il n'y a de vraiment beau que ce qui ne peut servir à rien, tout ce qui est utile est laid. »

Théophile Gautier

La poésie

La poésie romantique, qui s'est constituée comme une réaction contre le classicisme, suscite à son tour une réaction. En effet, après 1850, une nouvelle génération de jeunes poètes vient donner une orientation nouvelle à la poésie en rejetant, comme l'avaient fait les romanciers réalistes, l'inspiration et les débordements romantiques. Ils refusent autant le vague des passions et l'expression anarchique de la sensibilité exacerbée de leurs aînés que leur engagement social ou politique. Renouant avec les pratiques classiques de l'époque où le poète était un artisan du langage, ils privilégient une poésie descriptive, à la forme impeccable, dont la seule raison d'être est la Beauté. Ils prennent le nom de Parnassiens, en référence au mont Parnasse, montagne sacrée où séjournent les muses protectrices de la littérature et des arts dans la mythologie de la Grèce antique.

Ces poètes recourent à l'impersonnalité pour parer aux excès du Moi et du sentimentalisme romantique, et tournent leur regard vers les sommets de la perfection afin de s'élever au-dessus du monde qui les entoure. Chez ces poètes qui pratiquent un apparent stoïcisme des sentiments, la description des impressions remplace les émois de la sensibilité. Plutôt que les territoires de l'âme, ils explorent les contrées lointaines dont les civilisations ne semblent pas avoir été corrompues par les progrès du matérialisme. Ils en font d'ailleurs une description quasi scientifique à l'aide d'une solide documentation.

Ils entendent accéder à la Beauté par un véritable culte du travail. Condamnant les facilités et les licences des romantiques, ils s'imposent une austère discipline dont ils croient qu'elle devrait les amener à contenir l'inspiration dans le moule d'une forme idéale, caractérisée, selon eux, par sa virtuosité rythmique et sonore. Cette conception ornementale de l'art rejoint le souci formel des auteurs classiques. La technique prend ici le pas sur l'expression des sentiments.

Enfin, les Parnassiens refusent d'inféoder la poésie à quelque cause que ce soit, morale ou politique. L'art doit être gratuit et ne servir que la seule Beauté. Ces poètes prônent la doctrine de « l'art pour l'art », c'est-à-dire créer pour créer, non pour interpréter ni commenter le monde du quotidien. Pour y arriver, ils transforment la poésie en un art élitiste, qui n'a rien en commun avec les distractions banales de leurs contemporains. Aussi se tiennent-ils éloignés du matérialisme ambiant des bourgeois auquel ils opposent l'aristocratie de leur esprit.

Cette conception hautement exigeante de la poésie[1] qui privilégie la forme constitue un maillon nécessaire entre les poètes romantiques et les symbolistes. C'est en effet sur la base de l'apport des Parnassiens que des poètes arrivent à révolutionner la poésie en créant un langage tout à fait nouveau.

William-Adolphe Bouguereau, *Naissance de Vénus*, 1879.

Le Parnasse a une conception ornementale de l'art, qui rejoint le souci formel des auteurs classiques. La technique prend ici le pas sur l'expression des sentiments. On prône « l'art pour l'art ».

---

1. Cette conception est si exigeante, en fait, que la plupart des Parnassiens ne peuvent être qu'infidèles à l'esprit du Parnasse.

Auguste de Châtillon, *Portrait de Théophile Gautier*, 1839.

Théophile Gautier (1811-1872)

« Il est des cœurs épris du triste amour du laid. »

Ami de Nerval, de Hugo et de Baudelaire, Théophile Gautier est un poète épris de rigueur formelle et de beauté plastique que l'on considère comme le précurseur du Parnasse. Il se plaît à évoquer aussi bien les voyages que les arts, et il décrit un art par l'évocation d'un autre. Ses petits poèmes au langage raffiné et ciselé exploitent le pouvoir suggestif des sensations. Grâce à sa maîtrise technique, la beauté formelle rend en quelque sorte un culte à la Beauté elle-même.

Dans le poème suivant, le personnage de la séductrice Carmen, créé à l'origine par Prosper Mérimée (1803-1870), devient l'allégorie de la Beauté et de l'Amour.

☐ VERS L'ANALYSE

Carmen

1. Décrivez la forme du poème : longueur des strophes et des vers, nature, valeur et disposition des rimes.

2. a) Relevez trois termes exotiques dans le poème.
   b) Que connotent-ils ?

3. Carmen est à la fois laide et séduisante, irrésistible même.
   a) Dressez le champ lexical de sa laideur.
   b) Relevez toutes les notations qui traduisent la force de son pouvoir de séduction.
   c) Quels vers confèrent à la séduction de Carmen un caractère surnaturel ?
   d) Quelle antithèse souligne ces deux aspects de Carmen, la laideur et la séduction ?

4. Carmen est aussi à la fois séduisante et dangereuse. Relevez et expliquez une antithèse et un oxymore qui le montrent.

5. a) Donnez les deux définitions possibles des mots «fauve» et «mante» qui se trouvent dans la troisième strophe.
   b) Expliquez pourquoi, dans le contexte, les deux sens des mots peuvent être cumulés.

6. Relevez les notations sensorielles contenues dans le poème.

7. a) Dressez le champ lexical de la couleur rouge dans la quatrième strophe.
   b) Quelle antithèse met cette couleur en évidence ?
   c) Que connote ce rouge ?

Sujet de dissertation explicative

Montrez comment ce portrait de Carmen s'insère bien, autant par le fond que par la forme, dans un recueil intitulé *Émaux et Camées* et qui vise la perfection formelle.

CARMEN

Carmen est maigre, – un trait de bistre
Cerne son œil de gitana.
Ses cheveux sont d'un noir sinistre,
Sa peau, le diable la tanna.

5 Les femmes disent qu'elle est laide.
Mais tous les hommes en sont fous,
Et l'archevêque de Tolède
Chante la messe à ses genoux ;

Car sur sa nuque d'ambre fauve
10 Se tord un énorme chignon
Qui, dénoué, fait dans l'alcôve
Une mante à son corps mignon.

Et, parmi sa pâleur, éclate
Une bouche aux rires vainqueurs ;
15 Piment rouge, fleur écarlate,
Qui prend sa pourpre au sang des cœurs.

Ainsi faite, la moricaude
Bat les plus altières beautés,
Et de ses yeux la lueur chaude
20 Rend la flamme aux satiétés.

Elle a, dans sa laideur piquante,
Un grain de sel de cette mer
D'où jaillit, nue et provocante,
L'âcre Vénus du gouffre amer.

Théophile Gautier, «Carmen»,
Émaux et Camées, Paris, 1852.

Carmen, film réalisé par Carlos Saura, avec Cecilia Narova, 1983.

José Maria de Heredia (1842-1905)

« Dans le vase sans fond s'abreuvent les Chimères. »

Même si Leconte de Lisle (1818-1894) est considéré comme le chef de file de l'école formaliste du Parnasse, c'est plutôt un recueil écrit par José Maria de Heredia, *Les Trophées* (1893), qui est l'expression la plus achevée de ce mouvement. Ce poète d'origine cubaine, qui s'installe à Paris alors qu'il est encore très jeune, se plaît à dépeindre les contrées lointaines aussi bien que les civilisations disparues. Le poète refuse les valeurs du présent et tente de redonner sens aux civilisations passées :

> Les feuilles, l'ombre errante et le soleil qui bouge
> De ce marbre en ruine ont fait un Dieu vivant.

Chacun de ses sonnets arrive à condenser tout un univers grâce à une ingénieuse technique : des détails émouvants sont privilégiés et des mots évocateurs séduisent l'esprit, en attente du dernier vers qui vient frapper l'imagination.

Le poème *Les Conquérants* évoque la conquête du Nouveau Monde. Ici comme dans toute sa poésie, José Maria de Heredia vise la perfection, aussi bien celle de la syntaxe et du lexique que celle de la prosodie.

Quelques vers de Heredia

« La Mer qui se lamente en pleurant les Sirènes ! »

« Le piétinement sourd des légions en marche »

« Les deux Enfants divins, le Désir et la Mort »

« Le soleil, sous la mer, mystérieuse aurore,
Éclaire la forêt des coraux abyssins »

« Vit dans ses larges yeux étoilés de points d'or
Toute une mer immense où fuyaient des galères »

LES CONQUÉRANTS

Comme un vol de gerfauts hors du charnier natal,
Fatigués de porter leurs misères hautaines,
De Palos de Moguer, routiers et capitaines,
Partaient, ivres d'un rêve héroïque et brutal.

5 Ils allaient conquérir le fabuleux métal
Que Cipango mûrit dans ses mines lointaines,
Et les vents alizés inclinaient leurs antennes
Aux bords mystérieux du monde Occidental.

Chaque soir, espérant des lendemains épiques,
10 L'azur phosphorescent de la mer des Tropiques
Enchantait leur sommeil d'un mirage doré ;

Ou penchés à l'avant des blanches caravelles,
Ils regardaient monter en un ciel ignoré
Du fond de l'Océan des étoiles nouvelles.

José Maria de Heredia, « Les Conquérants »,
Les Trophées, Paris, 1893.

☐ VERS L'ANALYSE

Les Conquérants

1. À quel événement historique se réfère ce poème ?

2. Résumez, en une phrase :
   a) les quatrains ;
   b) les tercets.

3. Le poème progresse vers le rêve et le mystère.
   a) Expliquez en quoi l'image des conquérants présentée dans le premier quatrain diffère de celle que l'on trouve dans les tercets.
   b) Relevez les mots qui contribuent à ce contraste.
   c) Comment le deuxième quatrain fait-il la transition entre les deux ?
   d) Quel mot du deuxième quatrain annonce les tercets ?
   e) Étudiez les sonorités du premier quatrain et des deux tercets et expliquez en quoi elles contribuent, elles aussi, au contraste.
   f) Quelle est la tonalité des quatrains, d'une part, et des tercets, d'autre part ? Justifiez votre réponse.

4. Repérez un rejet dans le premier quatrain et dites quel effet il crée.

5. a) Quel est le sens contextuel du mot « antennes » employé au vers 7 ?
   b) Considérant un autre sens possible du mot, expliquez en quoi le choix de ce mot est heureux.

Sujet de dissertation explicative

Montrez que, tant sur le plan du fond que sur celui de la forme, ce poème est un modèle de l'art parnassien.

L'influence parnassienne au Québec

Au Québec, au moins jusqu'aux années 1930, il importe moins de faire de la « belle » littérature que d'en faire de la « bonne ». En effet, on exige des écrivains qu'ils produisent des textes édifiants et aptes à stimuler la ferveur nationale. Dans ce contexte, le but premier de la littérature consiste à apprendre au lecteur à suivre « la bonne voie », celle tracée par son élite. Aussi les thèmes traditionnels, ruraux et religieux, sont-ils toujours de mise, et c'est leur pouvoir de démonstration et de persuasion qui décide de la qualité « littéraire » d'une œuvre.

Quand certains poètes décident de ne plus se conformer à cette littérature proche de la propagande, ils ne manquent pas de faire scandale. C'est en particulier le cas de ceux que l'histoire désigne sous le nom de l'« école de l'exil », à cause de leur amour pour Paris, où ils vont respirer l'air de la liberté. De cette école, on retient surtout les noms de Paul Morin, René Chopin, Marcel Dugas et Guy Delahaye, des poètes qui sont soucieux de la forme à la manière des Parnassiens et qui se distancient de l'idéologie conservatrice de leur époque par leur refus de l'équation entre le bien et le beau, entre la morale et l'art. Grâce à leurs œuvres, le lecteur cesse enfin d'être prisonnier de l'univocité du sens. Un de ces Parnassiens québécois, **René Chopin** (1885-1953), exprime dans le poème suivant la difficulté d'être un poète original dans la société québécoise du début du XXᵉ siècle.

☐ VERS L'ANALYSE

Paysages polaires

1. Divisez l'extrait en trois parties et résumez chacune en une phrase.
2. Relevez deux références mythologiques dans le poème et expliquez-les.
3. Donnez le sens dénoté et le sens connoté du mot « cendrier » au vers 20.
4. a) Énumérez les sentiments successivement exprimés dans le poème.
   b) Expliquez en quoi la manière d'exprimer ces sentiments est conforme à la théorie parnassienne.
5. Le poème oppose la mort et le froid, d'une part, et la vie et la chaleur, d'autre part.
   a) Dressez les champs lexicaux de la mort, du froid et de la chaleur.
   b) Expliquez cette opposition.
6. a) Relevez une métaphore filée dans la troisième strophe.
   b) Étudiez le rythme de cette strophe et expliquez en quoi, avec la métaphore filée, il met en évidence le contenu de la strophe.
7. Expliquez en quoi le sort des Aventuriers du poème représente celui des poètes québécois en exil en France au début du XXᵉ siècle.

Sujets de dissertation explicative

1. Expliquez comment Chopin se sert de l'esthétique parnassienne non seulement pour brosser un tableau saisissant de l'exil universel, mais aussi pour évoquer la situation paradoxale du Canadien français du début du XXᵉ siècle.
2. Comparez ce poème, sur les plans du fond et de la forme, aux *Conquérants* de Heredia (page 38).

Ozias Leduc, *L'Heure mauve*, 1921.

⚜ PAYSAGES POLAIRES

[...] Les fiers Aventuriers, captifs de la banquise,
En leurs tombeaux de glace à jamais exilés,
Avaient rêvé que leur gloire s'immortalise :
Le Pôle comme un Sphinx demeure inviolé.

5 Sur une île neigeuse, avouant la défaite
Et l'amertume au cœur, sans vivres, sans espoir,
Ils gravèrent leurs noms, homicide conquête,
Et tristes, résignés, moururent dans le soir.

Les voiles luxueux d'aurores magnétiques,
10 Déroulant sur le gouffre immense du Chaos
Leurs franges de couleurs aux éclairs prismatiques
Ont enchanté la fin tragique des Héros.

Leur sang se congela, plus de feux dans les tentes,
Dans un songe livide ont-ils revu là-bas
15 Par delà la mer sourde et les glaces flottantes
Le clocher du village où l'on sonne les glas ?

Et, regrets superflus germés dans les Erèbes,
La vigne ensoleillée au pan du toit natal,
Le miracle, à l'été fertile, de la glèbe,
20 Avec le cendrier, l'âtre familial ?

René Chopin, « Paysages polaires », *Le Cœur en exil*, Paris, 1913, © Éditions Georges Crès.

Le réalisme populaire

*L*e poète Charles Cros (1842-1888), qui a déjà découvert en 1869 le procédé de la photographie en couleurs, dépose la même année à l'Académie des sciences la description d'un appareil qui est l'ancêtre du phonographe. Il revient toutefois à l'Américain Thomas Edison (1847-1931) d'avoir réalisé de façon concrète cette idée et mis au point, quelques mois plus tard, le premier phonographe (1877). L'invention de cet appareil amorce une transformation du monde des variétés qui se poursuit au cours du XXᵉ siècle.

La chanson

Mais avant cette révolution technique, plus précisément à partir de la fin du XIXᵉ siècle, la chanson réaliste connaît un vif succès dans les cafés-concerts. Le thème de ce type de chanson, généralement l'amour, y est développé de manière dramatique. On y raconte le plus souvent l'histoire d'une fille au grand cœur et d'un marin, d'un soldat ou d'un mauvais garçon. Les auteurs de ces chansons, souvent chargées de poésie, n'hésitent pas à s'affranchir des conventions du réalisme, comme c'est le cas dans la chanson qui suit. Certaines chanteuses réalistes sont restées célèbres, comme Fréhel, Marie Dubas, Renée Lebas, Édith Piaf et Damia. Cette dernière connut un immense succès avec *Les Goélands*, chanson composée en 1905 par **Lucien Boyer** (1876-1942). Les élans proprement mystiques de cette chanson ne manquent pas de s'apparenter à ceux de *La Légende de saint Julien l'Hospitalier* (1877) de Flaubert.

Henri de Toulouse-Lautrec, *Yvette Guilbert chantant « Linger longer loo »*, 1894.

À partir de la fin du XIXᵉ siècle, la chanson réaliste connaît un vif succès dans les cafés-concerts.

LES GOÉLANDS

Les marins qui meurent en mer
Et que l'on jette au gouffre amer
Comme une pierre,
Avec les chrétiens refroidis
5 Ne s'en vont pas au paradis
Trouver saint Pierre !

Ils roulent d'écueil en écueil
Dans l'épouvantable cercueil
Du sac de toile.
10 Mais fidèle, après le trépas,
Leur âme ne s'envole pas
Dans une étoile.

Désormais vouée aux sanglots
Par ce nouveau crime des flots
15 Qui tant le navre,
Entre la foudre et l'Océan
Elle appelle dans le néant
Le cher cadavre.

Et nul n'a pitié de son sort
20 Que la mouette au large essor
Qui, d'un coup d'aile,
Contre son cœur tout frémissant,
Attire et recueille en passant
L'âme fidèle.

25 L'âme et l'oiseau ne font plus qu'un.
Ils cherchent le corps du défunt
Loin du rivage,
Et c'est pourquoi, sous le ciel noir,
L'oiseau jette avec désespoir
30 Son cri sauvage.

Ne tuez pas le goéland
Qui plane sur le flot hurlant
Ou qui l'effleure,
Car c'est l'âme d'un matelot
35 Qui plane au-dessus d'un tombeau
Et pleure... pleure !

Lucien Boyer, *Les Goélands*, Paris, 1905.

☐ VERS L'ANALYSE

Les Goélands

1. Divisez le poème en deux parties et résumez chacune en une phrase.

2. Quels sont les passages qui trahissent la culture judéo-chrétienne de l'auteur ?

3. a) Dressez le champ lexical de la mort.
   b) De quelle strophe ce thème est-il absent ?

4. Relevez les figures de style suivantes et expliquez-en l'effet :
   a) une comparaison et un euphémisme dans la première strophe ;
   b) une métaphore dans la deuxième strophe ;
   c) une personnification dans les deuxième et troisième strophes ;
   d) une personnification et une métaphore dans la sixième strophe.

5. Décrivez la forme du poème.
   a) Donnez la longueur des strophes et des vers.
   b) Donnez la nature, la valeur et la disposition des rimes.
   c) Comment la métrique concourt-elle à produire un effet rythmique qui imite le bercement de la mer ?

6. Quelle est la tonalité de cette chanson ?

Sujet de dissertation explicative

Expliquez ce qui, dans cette chanson, relève du réalisme et ce qui s'en détourne.

Paul Cézanne, *Les Grandes Baigneuses*, détail, 1898 à 1905.

La plus belle lettre d'amour d'un auteur réaliste

*L*ouise Colet (1810-1876), auteure d'un recueil de poèmes, *Fleurs du Midi* (1836), a, au cours de sa vie, des liaisons avec de grands écrivains du XIXᵉ siècle : Victor Voisin, Alfred de Musset et Gustave Flaubert. Sa rencontre avec ce dernier a lieu dans l'atelier du sculpteur Pradier, en juin 1846 ; le coup de foudre est réciproque. Il s'ensuit une correspondance intime et littéraire du plus haut intérêt. Gustave Flaubert se serait inspiré de la personnalité de Louise Colet pour son personnage d'Emma Bovary.

DE GUSTAVE FLAUBERT À LOUISE COLET

Il y a douze heures nous étions encore ensemble. Hier à cette heure-ci je te tenais dans mes bras... t'en souviens-tu ? Comme c'est déjà loin ! La nuit maintenant est chaude et douce ; j'entends le grand tulipier qui est sous ma fenêtre frémir au
5 vent et, quand je lève la tête, je vois la lune se mirer dans la rivière. Tes petites pantoufles sont là pendant que je t'écris, je les ai sous les yeux, je les regarde. Je viens de ranger, tout seul et bien enfermé, tout ce que tu m'as donné. Tes deux lettres sont dans le sachet brodé, je vais les relire quand j'aurai cacheté
10 la mienne. – Je n'ai pas voulu prendre pour t'écrire mon papier à lettres, il est bordé de noir, que rien de triste ne vienne de moi vers toi ! Je voudrais ne te causer que de la joie et t'entourer d'une félicité calme et continue pour te payer un peu tout ce que tu m'as donné à pleines mains dans la générosité
15 de ton amour. J'ai peur d'être froid, sec, égoïste, et Dieu sait pourtant ce qui à cette heure se passe en moi. Quel souvenir ! et quel désir ! – Ah ! nos deux bonnes promenades en calèche, qu'elles étaient belles ! La seconde surtout avec ses éclairs !
Je me rappelle la couleur des arbres éclairés par les lanternes,
20 et le balancement des ressorts ; nous étions seuls, heureux, je contemplais ta tête dans la nuit, je la voyais malgré les ténèbres, tes yeux t'éclairaient toute la figure. – Il me semble que j'écris mal, tu vas lire ça froidement, je ne dis rien de ce que je veux dire. C'est que mes phrases se heurtent comme des soupirs,
25 pour les comprendre il faut combler ce qui sépare l'une de l'autre, tu le feras n'est-ce pas ? Rêveras-tu à chaque lettre, à chaque signe de l'écriture, comme moi en regardant tes petites pantoufles brunes je songe aux mouvements de ton pied quand il les emplissait et qu'elles en étaient chaudes. Le mouchoir est
30 dedans, je vois ton sang. – Je voudrais qu'il en fût tout rouge.

Ma mère m'attendait au chemin de fer. Elle a pleuré en me voyant revenir. Toi tu as pleuré en me voyant partir. Notre misère est donc telle que nous ne pouvons nous déplacer d'un lieu sans qu'il en coûte des larmes des deux côtés ! C'est
35 d'un grotesque bien sombre. – J'ai retrouvé ici les gazons verts, les arbres et l'eau coulant comme lorsque je suis parti. Mes livres sont ouverts à la même place, rien n'est changé. La nature extérieure nous fait honte, elle est d'une sérénité
40 désolante pour notre orgueil. N'importe, ne songeons ni à l'avenir ni à nous ni à rien. Penser c'est le moyen de souffrir. Laissons-nous aller au vent de notre cœur tant qu'il enflera la voile. Qu'il nous pousse comme il lui plaira et quant aux écueils... ma foi tant pis, nous verrons.

45 Et ce bon X... qu'a-t-il dit de l'envoi ? Nous avons ri hier au soir. – C'était tendre pour nous, gai pour lui, bon pour nous trois. J'ai lu en venant presque un volume. J'ai été touché à différentes places. Je te causerai de ça plus au long. – Tu vois bien que je ne suis pas assez recueilli. La critique me manque
50 tout à fait ce soir. J'ai voulu seulement t'envoyer encore un baiser avant de m'endormir, te dire que je t'aimais. À peine t'ai-je eu quittée et à mesure que je m'éloignais ma pensée revolait vers toi. Elle courait plus vite que la fumée de la loco-motive qui fuyait derrière nous – (il y a du *feu* dans la compa-
55 raison) – pardon de la pointe. Allons, un baiser, vite, tu sais comment, de ceux que dit l'Arioste, et encore un, oh encore, encore et puis ensuite sous ton menton, à cette place que j'aime sur ta peau si douce, sur ta poitrine où je place mon cœur.

Adieu, adieu.

60
Tout ce que tu voudras de tendresses.

Gustave Flaubert, *De Gustave Flaubert à Louise Colet*, Croisset, 1848.

☐ **VERS L'ANALYSE**

De Gustave Flaubert à Louise Colet

1. Que nous apprend cette lettre au sujet du cadre géographique et domestique où vit l'écrivain ?

2. Relevez les faits rapportés par Flaubert qui prouvent son senti-ment amoureux.

3. a) Relevez une comparaison par laquelle Flaubert critique sa propre écriture.
   b) Expliquez en quoi le choix du comparant est heureux.
   c) Relevez les autres passages où Flaubert fait son autocritique.

4. Dans le deuxième paragraphe, une antithèse doublée d'un parallélisme met en évidence l'attachement de Louise Colet et de sa mère pour Flaubert. Repérez-la.

5. Quel est le double sens du mot « feu », à la ligne 54 ?

6. Quels sont les signes de ponctuation qui renforcent le ton lyrique de la lettre ?

Le symbolisme

ou l'accès à la modernité

En France et dans le monde : de 1850 à 1914

Littérature, arts et culture	Événements politiques et historiques	Sciences et techniques
1850 : Wagner, *Lohengrin*.	**1851 :** Coup d'État de Louis-Napoléon Bonaparte. À Londres, première grande exposition universelle.	
	1852 : Début du Second Empire.	**1852 :** Un Français fait décoller le premier dirigeable.
1855 : Nerval, *Aurélia*.	**1855 :** Exposition universelle de Paris.	**1854 :** Invention de l'ampoule électrique.
1857 : Baudelaire, *Les Fleurs du mal*.		**1857 :** Découvertes de Louis Pasteur.
		1858 : Premier câble télégraphique entre l'Amérique et l'Europe.
1859 : Manet, *Le Buveur d'absinthe*.		**1859 :** Darwin publie *De l'origine des espèces*.
	1864 : À Londres, fondation de la Ire Internationale des travailleurs.	**1863 :** À Londres, première rame de métro. Première automobile à pétrole.
	1867 : Création de la Confédération canadienne. Exposition universelle de Paris.	**1866 :** Alfred Nobel invente la dynamite.
1869 : Lautréamont, *Les Chants de Maldoror*. Verlaine, *Les Fêtes galantes*. Mérimée, *Lokis*.	**1870-1871 :** Guerre franco-prussienne.	**1868 :** Découverte en France de l'homme de Cro-Magnon.
1873 : Rimbaud, *Une saison en enfer*.	**1871 :** Commune de Paris.	
1874 : Verlaine, *Romances sans paroles*.	**1875 :** Constitution républicaine.	**1876 :** Alexander Graham Bell invente le téléphone.
		1877 : Le poète Charles Cros invente un phonographe à cylindres.
	1878 : Exposition universelle de Paris.	**1879 :** À Berlin, premier tramway électrique. Éclairage électrique des théâtres.
		1886 : Un pharmacien américain crée la recette du Coca-Cola.
1888 : Strindberg, *Mademoiselle Julie*. Van Gogh, *Les Tournesols*.		**1887 :** Aux États-Unis, invention du disque et du gramophone. Première automobile mue par l'essence.
1890 : Claudel, *Tête d'or*. Valéry, *Narcisse*.		**1889 :** Exposition universelle de Paris. Érection de la tour Eiffel.
1893 : Mallarmé, *Vers et Prose*.		**1893 :** Henry Ford construit sa première voiture.
1895 : Gide, *Paludes*.		**1894 :** Louis Lumière invente le cinématographe.
		1895 : Un physicien allemand découvre les rayons X. Première projection cinématographique par les frères Lumière.
1896 : Jarry, *Ubu Roi*. Proust, *Les Plaisirs et les jours*. Picasso, *Le Mendiant*.	**1896 :** À Athènes, premiers Jeux olympiques de l'ère moderne.	
1897 : Gide, *Les Nourritures terrestres*. Péguy, *Jeanne d'Arc*. Rostand, *Cyrano de Bergerac*.	**1896-1899 :** Affaire Dreyfus.	
1898 : Rodin, *Balzac*.		**1898 :** Marie et Pierre Curie découvrent le radium.
1900 : Colette, *Claudine à l'école*. Puccini, *La Tosca*. Ravel, *Jeux d'eau*.		**1900 :** Découverte des groupes sanguins. Freud publie *L'Interprétation des rêves*.
1901 : Mann, *Les Buddenbrook*.		**1901 :** Marconi établit le premier lien de télégraphie sans fil transatlantique.
1902 : Debussy, *Pelléas et Mélisande*. Gide, *L'Immoraliste*.		**1902 :** Pavlov postule que l'être humain peut être conditionné.
1903 : Musique : Satie, Schönberg. Peinture : Cézanne, Kandinsky, Picasso. Rilke, *Lettres à un jeune poète*. Claudel, *La Ville*.		**1903 :** Premier vol en avion par les frères Wright.
1904 : Tchekhov, *La Cerisaie*. Conrad, *Nostromo*. Mahler, *Mondrian*. Fondation de *L'Humanité* par Jaurès.	**1905 :** Première révolution en Russie.	**1905 :** Einstein révolutionne la physique par sa théorie de la relativité : le temps et la distance ne sont pas absolus.
1906 : Galsworthy, début de *La Saga des Forsyte*. Claudel, *Le Partage de midi*.	**1906 :** Réhabilitation de Dreyfus.	**1906 :** Un Québécois, Reginald Aubrey Fessenden, transmet des paroles et de la musique sur les ondes d'une radio AM.
1907 : Picasso, *Les Demoiselles d'Avignon*.		
1908 : Début du cubisme.		
1909 : London, *Martin Eden*.		
1910 : Rilke, *Les Cahiers de Malte Laurids Brigge*. Stravinski, *L'Oiseau de feu*. Delaunay, *La Tour Eiffel*.		**1910 :** Premier poste de radio.
1912 : Mann, *La Mort à Venise*. Kafka, *La Métamorphose*.	**1912 :** Naufrage du *Titanic*.	
1913 : Proust, *Du côté de chez Swann*. Apollinaire, *Alcools*. Alain-Fournier, *Le Grand Meaulnes*. Stravinski, *Le Sacre du printemps*. Duchamp, *Nu descendant un escalier*.	**1914-1918 :** Première Guerre mondiale.	**1913 :** À Chicago, invention du réfrigérateur.

Illustration de la page précédente : Georges Seurat, *Un dimanche après-midi à l'Île de la Grande Jatte*, 1884 à 1885.

« Il faut être absolument moderne. »

Arthur Rimbaud

La décadence et la modernité

Dans les dernières décennies du XIXe siècle, la France connaît une grave crise de valeurs morales qui donne l'impression d'une société agonisante. Les espoirs de progrès social sont anéantis dans l'échec de la Commune (1871), un soulèvement populaire dont la répression sanglante vient confirmer le pouvoir de la bourgeoisie. Les brasseurs d'argent, capitaines d'industrie et autres spéculateurs immobiliers, n'ont cure des valeurs intellectuelles et esthétiques[1], et ils imposent leurs lois et leurs idées. Quant aux belles certitudes du scientisme, elles sont ébranlées: à cette époque, la tuberculose et la syphilis font des centaines de milliers de victimes et l'on perd la confiance absolue qu'on avait placée dans la science, qui semblait détenir la solution à tous les problèmes. Le doute qui en résulte ne manque pas de susciter un attrait pour des religions orientales comme le bouddhisme, et même un certain irrationalisme parareligieux, comme dans le cas de l'occultisme. L'industrialisation massive s'intègre mal aux mentalités des populations, ce qui ébranle les structures sociales et entraîne une longue période de dépression économique. Les conditions de vie du prolétariat sont alors inacceptables et les conditions d'hygiène, épouvantables. Le pouvoir politique est une fois de plus secoué par diverses crises, dont l'affaire Dreyfus[2], qui divise les Français et suscite une agitation nationaliste et antisémite; la droite nationaliste et catholique et la gauche républicaine s'opposent de façon virulente. Cette période dite de décadence explique le pessimisme général de nombreux écrivains, pour qui «la vraie vie est absente» (Rimbaud) et qui refusent d'adhérer aux valeurs de leur époque.

Toutefois, le tournant du siècle semble apporter de grands espoirs. La gauche prend le pouvoir (1899) et tente bientôt d'appliquer les doctrines humanitaires de Jean Jaurès. L'affaire Dreyfus voit son aboutissement: l'officier est blanchi de tout soupçon au moment où le pouvoir politique vient de voter la séparation de l'Église et de l'État (1905). La même année, Einstein repense la géométrie de l'univers et propose sa théorie de la relativité, et deux ans plus tard, en 1907, la science de la biologie humaine découvre les groupes sanguins. D'abondantes inventions modifient les conditions de vie de façon spectaculaire: les applications de l'électricité se multiplient; les chemins de fer relient maintenant les principales villes de l'Europe; à Paris, Ville lumière et capitale universelle des arts, on creuse le métropolitain, dont la première ligne est ouverte en 1900. On se déplace de plus en plus en automobile alors que Louis Blériot accomplit la première traversée aérienne de la Manche (1909) et Roland Garros, la première traversée

Edvard Munch, *Le Cri*, 1893.

Dans les dernières décennies du XIXe siècle, la France connaît une grave crise de valeurs morales et une longue période de dépression économique. De nombreux écrivains expriment leur pessimisme et leur révolte contre cette société.

---

1. Ils n'apprécient que l'art académique, qui leur propose servilement une image flatteuse d'eux-mêmes.
2. Alfred Dreyfus (1859-1935), un officier français de confession juive, est injustement condamné pour espionnage en 1894.

Ernst Ludwig Kirchner, *Scène de rue à Berlin*, 1913.

Durant la Belle Époque, les bourgeois se livrent, dans les villes, à une vie mondaine brillante et frivole.

de la Méditerranée (1913). Grâce à Méliès et aux frères Lumière, les premières salles de cinéma ouvrent leurs portes et ce nouvel art commence à concurrencer le théâtre. Les durées et les distances s'abrègent tant pour la circulation des humains que pour celle de l'information (téléphone et radio). On entre dans une ère nouvelle, caractérisée, entre autres, par l'accroissement accéléré des villes et la perte de vitesse du mode de vie rural.

Cette période de transformation profonde porte le nom de « Belle Époque ». La vie mondaine s'y fait aussi brillante que frivole. On assiste alors au triomphe de la société urbaine et bourgeoise, formée de nouvelles couches sociales moyennes. Dans cette ère de prospérité et d'innovation, l'essor fulgurant des sciences et de la technologie ainsi que les richesses apportées par l'expansion coloniale créent une certaine euphorie. Les cabarets et les guinguettes font fureur, on commence à suivre les modes vestimentaires et même à se déplacer de loin pour aller prendre des bains de mer. Mais on constate bientôt que cette apparente frénésie voile un profond malaise : on voudrait croire que la science peut mener à une sorte d'éden terrestre, mais on perd vite ses illusions quand on constate qu'elle n'arrive même pas à réconcilier l'être humain avec lui-même. Cette Belle Époque est en réalité bien sombre : ce qu'on prend pour de l'espoir n'est en fait qu'une fuite éperdue qui mène à la grande boucherie de la guerre de 1914-1918.

Alors qu'on parcourt le monde plus vite, qu'on le voit de plus haut et de plus loin, de nouvelles idées apparaissent : l'être humain modifie sa façon de concevoir son identité et sa place dans l'univers. Après Copernic, qui a prouvé que la Terre n'est pas le centre de l'univers, après Darwin, qui a affirmé que l'homme est le produit de l'évolution d'espèces animales et que toutes les formes de vie ont une origine commune, après Marx et Nietzsche, qui proclament la mort de Dieu, voici que Sigmund Freud s'immisce dans l'esprit humain, lève le voile sur l'inconnu de la conscience et démontre que l'être humain n'est pas maître de lui-même. Selon Freud, il est plutôt habité en permanence par des désirs qui le poussent à agir à son insu. Ses pensées et ses actions sont motivées par sa vie mentale, dont il est en très grande partie inconscient, puisque sa vie consciente n'est qu'une surface qui recouvre une infinité de passions secrètes et tyranniques. Cette fracture de l'édifice de la rationalité inflige une blessure narcissique certaine à tous ceux qui se croient maîtres d'eux-mêmes, mais ouvre aussi l'accès à un continent jusque-là inconnu de l'expérience humaine, que l'homme s'empresse alors d'explorer. Cette théorie devient vite incontournable et permet la plus grande expérience psychologique, littéraire, culturelle et philosophique du XXᵉ siècle.

On utilise le concept de modernité pour désigner le changement des mentalités qui découle de cette période de remise en question et persiste presque jusqu'à la fin du XXᵉ siècle. La vie de l'homme moderne est désormais articulée autour du changement, et la rupture elle-même devient une valeur. L'homme s'ouvre davantage à l'invention, à l'originalité et aux promesses d'innovations que laisse entrevoir l'avenir sur le plan matériel, certes, mais bien plus encore sur le plan de l'esprit, qui s'initie à de nouvelles libertés. Ayant perdu ses belles assurances de l'époque où il croyait habiter un monde conçu par Dieu, l'être humain découvre, à la suite de Marx et de Nietzsche, que le monde qu'il habite est sans bornes. Ce changement de perspective l'amène à développer un sens plus aigu de la vie, à aviver le regard qu'il porte sur elle, à le faire porter davantage sur la réalité du sensible et du paraître. À la même époque, paradoxalement, l'être humain découvre grâce à Freud que, dans son rapport à lui-même et dans ses relations avec les autres, il ne peut se fier aux apparences, car elles sont le plus souvent trompeuses. Malgré l'angoisse qu'elle suscite, cette nouvelle relativité qui touche de nombreux domaines indique à l'homme moderne qu'il peut désormais, s'il le veut, diriger sa vie d'une façon libre et personnelle.

Le symbolisme et les arts

Après les expérimentations des impressionnistes et des pointillistes, qui projetèrent la peinture dans la modernité, trois grands innovateurs s'affirment, qui cherchent à explorer des voies nouvelles, à aller au-delà de la modernité telle qu'on l'a expérimentée avant eux: Paul Cézanne (1839-1906), Paul Gauguin (1848-1903) et Vincent Van Gogh (1853-1890). On parle d'abord de postimpressionnisme à leur sujet. Chacun de ces peintres découvre à sa manière la force expressive de la couleur et de la forme, qu'il libère définitivement des contraintes de la représentation. La pein-

ture s'émancipe encore davantage de son impératif de reproduction de la réalité tangible et devient l'écho des sentiments et des émotions de l'artiste. Le temps n'est pas loin où elle pourra conquérir son autonomie pour ne plus figurer qu'elle-même. L'influence de ces trois innovateurs sur l'évolution picturale de tout le XXᵉ siècle est déterminante.

Vincent Van Gogh, *Montagnes*, 1889.

Les peintres découvrent la force expressive de la couleur et de la forme, qu'ils libèrent définitivement des contraintes de la représentation. La peinture devient l'écho des sentiments et des émotions de l'artiste.

L'esthétique symboliste

À partir des années 1880, un nouveau courant artistique, le symbolisme, entend se démarquer nettement du courant précédent, l'impressionnisme, et libérer l'art de tout son poids de matérialisme. Les artistes symbolistes se désolent de voir les rapides avancées de la science, car ce progrès se fait, selon eux, au détriment de l'humain, et celui-ci, par conséquent, perd sa symbiose avec la vie. Les symbolistes considèrent que le nouvel univers des machines et de l'industrie amène la dissolution de la civilisation et l'usure de ses valeurs. Leur inquiétude est nourrie par les conditions économiques et sociales désastreuses qu'engendre le progrès industriel et par la difficile adaptation à ce monde de plus en plus éclaté dans lequel l'homme se sent étranger. Ils déplorent l'idéologie dominante, qui estime que la spiritualité de l'humain est un phénomène désuet et inutile. En réaction à l'étouffant matérialisme bourgeois, ces idéalistes proposent un renouvellement des valeurs spirituelles. Ils reprennent de façon exacerbée la révolte des romantiques et remettent en cause les valeurs fondatrices et les conceptions esthétiques du réalisme, de l'impressionnisme et du néo-impressionnisme. Ils préconisent la primauté de la subjectivité, par opposition à ces mouvements qui fondent leur esthétique sur l'observation de la réalité concrète.

Tournés vers le monde mystérieux de la vie intérieure et des idées, ils pratiquent un art volontiers onirique et allégorique, mystique et fantastique, et cherchent à exprimer autant la nostalgie d'un idéal que le désespoir existentiel. Ils rompent avec les valeurs de leur société dont ils transgressent les tabous, se passionnent pour l'ésotérisme et se tournent volontiers vers le passé, entre autres pour interroger les mythes de l'Antiquité ou du Moyen Âge, pour y chercher des signes et des correspondances avec leur présent. Parmi les peintres symbolistes, plusieurs grands se démarquent : Gustave Moreau (1826-1898), l'initiateur de la peinture symboliste en France, Odilon Redon (1840-1916), Pierre Puvis de Chavannes (1824-1898), Henri Fantin-Latour (1836-1904), Paul Gauguin (1848-1903), l'Autrichien Gustav Klimt (1862-1918), l'Allemand Carlos Schwabe (1866-1929), le Norvégien Edvard Munch (1863-1944) ainsi que le graveur anglais Aubrey Beardsley (1872-1898).

Les nabis

*I*nscrits dans la mouvance symboliste, les nabis attribuent à l'art moderne la mission de synthétiser tous les arts. Désireux d'intégrer l'art à la vie, d'abolir les limites qui séparent les arts décoratifs du tableau de chevalet, ils peignent des tableaux, des murs, des paravents, des vitraux, des affiches et des décors de théâtre. Contrairement aux impressionnistes, à qui ils reprochent d'être trop assujettis aux apparences, les nabis prennent comme point de départ de leur travail non pas la nature mais une idée, dont ils cherchent des équivalents plastiques et colorés dans la nature. Cette dernière, transposée dans le domaine de l'intelligence et de l'imagination, transfigurée par le passage à travers le rêve ou l'émotion, est réduite à des formes symboliques qui en synthétisent l'idée. Les nabis fondent personnages et décors dans une texture commune,

Gustave Moreau, *Le Poète et la sirène*, 1867.

Les artistes se tournent volontiers vers le passé, entre autres pour interroger les mythes de l'Antiquité ou du Moyen Âge, pour y chercher des signes et des correspondances avec leur présent.

et leur font ainsi perdre tout caractère de conformité avec le réel. Ils sont grandement influencés par l'art des estampes japonaises et, surtout, par l'esthétique de Gauguin. Symbolistes comme lui, ils tentent de révéler une vérité située au-delà de la simple perception optique du réel.

Dans leurs tableaux intimistes, les nabis privilégient les scènes du quotidien et simplifient les formes, même si l'abondance d'arabesques témoigne d'un grand souci de composition. Les couleurs pures sont posées en larges aplats sur des surfaces planes, sans modelé ni perspective linéaire. Cette esthétique nouvelle cherche à donner une forme au mystère de la vie, à saisir la poésie de la réalité.

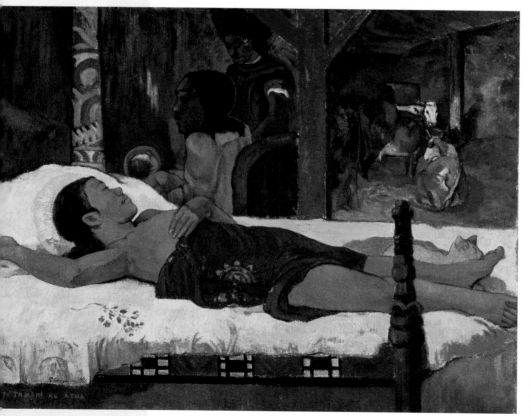

Paul Gauguin, *La Naissance du Christ*, 1896.

Gauguin tente de saisir la poésie de la réalité, de révéler une vérité située au-delà de la simple perception optique du réel.

Paul Sérusier (1864-1927), Pierre Bonnard (1867-1947), Édouard Vuillard (1868-1940) et Maurice Denis (1870-1943) en sont les principaux représentants.

L'Art nouveau

La démarche des nabis est poussée plus loin par l'Art nouveau, qui s'impose, à la fin du XIXᵉ siècle, dans toutes les grandes métropoles européennes. Ce mouvement artistique éclectique met fin à la séparation traditionnelle entre les arts appliqués et les beaux-arts. Dans l'Art nouveau, tous les genres d'expression sont permis, aussi bien le symbolisme que le néo-impressionnisme. Les tenants de ce mouvement font sortir l'art de son isolement aristocratique pour l'adapter à la nouvelle culture de masse, dont ils prennent en compte tout le cadre de vie. L'Art nouveau privilégie les thèmes associés au quotidien et au plein air, et partage avec le symbolisme sa prédilection pour la thématique de la femme. Cependant, fortement marqué par l'engouement général pour le japonisme, il devient un art essentiellement décoratif qui introduit partout des courbes inspirées de la nature, irrationnelles et fluides, gracieuses, ondulantes et mouvantes. Ces lignes sinueuses d'une asymétrie systématique foisonnent, se métamorphosent et font s'enlacer les végétaux dans des constructions dont le raffinement est capricieux. Indiscutablement original, cet art ludique et romantique s'inscrit dans la grande entreprise de renouvellement qu'est l'art moderne.

Au nombre des principales réussites de l'Art nouveau, on compte les séduisantes affiches d'Alfons Mucha et d'Henri de Toulouse-Lautrec, ainsi que l'élégant art graphique d'Aubrey Beardsley. En peinture, tous les nabis portent la marque de l'Art nouveau, et l'influence de ce mouvement se retrouve même dans la souplesse décorative des contours accusés de Paul Gauguin. Mais c'est sûrement Gustav Klimt qui a porté à son apogée la luxuriance décorative de l'Art nouveau, lui dont les femmes fleurs dégagent un érotisme aussi raffiné que trouble. Dans le domaine de l'architecture, les principaux représentants de cet art sont Antonio Gaudi en Espagne, Victor Horta en Belgique et le dessinateur des fameuses bouches du métro de Paris, Hector Guimard.

La modernité littéraire

« Plonger au fond du gouffre.
   Enfer ou Ciel
     qu'importe !
Au fond de l'inconnu
   Pour y trouver
     du nouveau ! »

Baudelaire

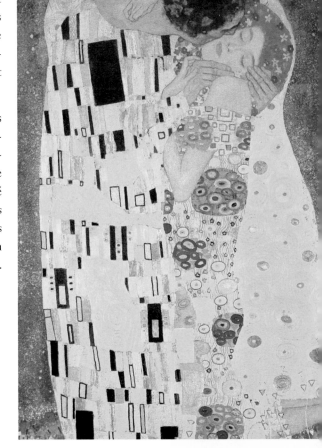

Gustav Klimt, *Le Baiser*, 1907 à 1908.

Gustav Klimt a porté à son apogée la luxuriance décorative de l'Art nouveau.

En littérature, l'émergence du concept de modernité n'a pas lieu dans la deuxième moitié du XIXᵉ siècle, mais bien avant. Qu'on se souvienne de la « querelle des Anciens et des Modernes » des XVIIᵉ et XVIIIᵉ siècles. À cette époque, les auteurs classiques représentaient les Anciens, alors que dans la deuxième moitié du XIXᵉ siècle, ce sont aussi bien les écrivains romantiques que les réalistes qui tiennent ce rôle contre les Modernes. Ces derniers se préoccupent moins que leurs prédécesseurs de ce qui leur paraît être la réalité ; ils préfèrent investir les vastes territoires de l'intériorité humaine. Ils proposent une nouvelle vision du monde qui refuse les conventions et les formules, et demeure irréconciliable avec l'idéologie bourgeoise. S'interrogeant sur la nature de leur existence et sur leur

Egon Schiele, *Nu assis*, 1911.

Les artistes symbolistes veulent dépasser les apparences immédiates pour accéder à la connaissance d'un mystère intérieur, de vérités situées hors du temps.

destin, les écrivains modernes mettent au jour l'essence singulière de leur personnalité et proposent un humanisme rajeuni. Ces nouveaux créateurs, considérés longtemps après leur époque comme les phares de la littérature et de l'esprit français, posent les prémices de formes d'écriture et d'une esthétique novatrices. La poésie, le roman et le théâtre connaissent alors un véritable bouleversement. La modernité se confond momentanément avec le symbolisme. Les écrivains symbolistes cessent d'être les simples héritiers d'une civilisation qu'on leur demande de perpétuer. Leur art devient une valeur en soi et ils le tiennent pour supérieur à la vie, alors qu'avant eux les artistes se contentaient de reproduire la vie. L'autre nouveauté importante est que le lecteur est dorénavant appelé à jouer un rôle beaucoup plus important : un réel travail d'interprétation, voire de déchiffrement, lui est demandé. Les auteurs symbolistes ont en effet tendance à adopter un style obscur, parfois même hermétique.

Le symbolisme en littérature

« Vêtir l'idée d'une forme sensible. »

Jean Moréas

Le symbolisme est né d'une réaction contre les excès du réalisme, contre la froideur et la solennité de l'école parnassienne et contre le monde logique et rationnel qu'impose la pensée scientifique. Les auteurs symbolistes invitent le lecteur à s'évader de la laideur du matérialisme ambiant par les voies de la sensibilité, de l'imaginaire et du rêve. S'ils fuient les apparences du réel, celui-là même que les auteurs réalistes ont peint, c'est dans le but de mieux investir l'essentiel, de progresser dans la connaissance d'un mystère intérieur. Les écrivains réalistes voulaient peindre la réalité ; les symbolistes privilégient plutôt les idées.

Certes, toute littérature est symbolique, puisqu'elle représente autre chose qu'elle-même, qu'elle réfère à une réalité absente. Mais les auteurs de ce courant poussent la réflexion plus loin. Pour eux, le symbole, représentation analogique et synthétique d'une réalité, transpose une notion et par le fait même lui fait acquérir un caractère spirituel[1] ; il établit une correspondance entre un objet et la perception qu'on a d'une notion, entre une réalité sensible et une idéalité surréelle. Par exemple, un auteur emploie le mot « flamme » pour désigner l'amour ou utilise l'albatros moqué par les marins pour symboliser le destin du poète solitaire et incompris. Le symbole exprime indirectement une idée par l'intermédiaire d'une image. Il permet à l'écrivain d'évoquer, d'insinuer, de suggérer, de faire sentir, plutôt que d'affirmer. L'auteur ne cherche pas à décrire ce qui semble être, mais bien ce qui se cache au fond de la réalité, donc de lui-même.

Pour les écrivains symbolistes, l'utilisation des symboles est l'occasion d'adopter une perspective idéaliste. L'écriture fait surgir un monde idéal, qui entend mettre au pas la désespérante réalité au profit d'une réalité supérieure, celle des idées, qui ne connaît pas les contradictions du monde ambiant. Cette réalité idéale se cache derrière les mots, dans l'attente du symbole qui pourrait la faire naître. Ces écrivains estiment que le monde visible des choses et des êtres n'est que le reflet d'un monde transcendant, libéré de toutes les contraintes du présent et que les symboles permettent d'atteindre. Comme ils préfèrent le mystère au rationnel, les symbolistes se proposent donc de révéler un univers inconnu, de décrypter les apparences matérielles du monde. Cette quête de vérités situées hors des

---

1. Paul Valéry définit le symbolisme comme « une manière de religion dont l'émotion poétique eût été l'essence ».

prises du temps les amène à rejeter l'usage courant du langage, trop associé à une vision utilitaire et superficielle de la réalité.

La poésie symboliste

« **Nommer un objet, c'est supprimer les trois quarts de la jouissance du poème qui est faite de deviner peu à peu ; le suggérer, voilà le rêve. C'est le parfait usage de ce mystère qui constitue le symbole.** »

Stéphane Mallarmé

Le poète romantique était un mage qui recevait son don des dieux ; le symboliste est plutôt un marginal qui en vient à se percevoir comme un « poète maudit ». Le premier, aux prises avec le « mal du siècle », se livrait à des confidences personnelles et voulait que sa conscience éclaire le peuple. Le second refuse de se laisser aller au sentimentalisme ; il éprouve un mal beaucoup plus radical, une sorte d'« ennui du siècle », un pessimisme existentiel qu'il doit à son extrême lucidité et qui procède directement d'une expérience du néant. Dans ces conditions, il ne peut que déplorer la rigidité de la société et la médiocrité de la vie de ses contemporains. Le poète symboliste rompt donc assez nettement avec le romantisme ; il conserve néanmoins, des poètes parnassiens, le culte de la beauté.

Ne pouvant se satisfaire de la déchéance et du matérialisme ambiants, le poète symboliste centre son art sur l'expression de ses émotions, sur sa vie intérieure. Il convoque davantage son intelligence intuitive que son intelligence émotionnelle pour trouver, dans les territoires de l'inconscient et de l'inconnaissable, des similitudes qui permettent des alliances imprévisibles et établissent un rapport entre le monde visible et un au-delà inaccessible. Ces « correspondances » lui permettent de percer la vacuité des apparences et d'accéder aux vérités du monde intérieur, à l'essence spirituelle des êtres et des choses. Cette quête d'un absolu esthétique l'amène à favoriser les thèmes du rêve, de la Femme – à qui il accorde des majuscules – et du poète désespéré, en proie à une mélancolie sans remède.

Cette poésie qui refuse la société de son temps est également en rupture avec les règles de la poésie métrique : les codes de la versification sont totalement bousculés. En même temps qu'il renonce à toute narrativité, le poète invente une forme soucieuse de traduire les mouvements intérieurs de sa pensée. Le vers est libéré de la rime et celle-ci est remplacée par des assonances et des allitérations. Les règles gouvernant la longueur du vers sont aussi assouplies : on privilégie le nombre de syllabes impair et même le vers libre, c'est-à-dire un vers sans rime et dont le nombre de syllabes est variable. Il importe au poète symboliste de débarrasser son œuvre de toute entrave afin de retrouver la liberté des rythmes et des souffles, et d'atteindre cette langue nouvelle, musicale, si chère à ses oreilles. L'éclatement du moule rythmique et syntaxique du vers ouvre la voie au poème en prose. Le renouvellement de l'esthétique par le symbolisme trace un sillon dans lequel s'inscrira une bonne partie de la poésie du siècle suivant.

Pierre Puvis de Chavannes, *Le Rêve*, 1883.

Cette quête d'un absolu esthétique amène le poète à favoriser les thèmes du rêve, de la Femme – à qui il accorde des majuscules – et du poète désespéré, en proie à une mélancolie sans remède.

Charles Baudelaire (1821-1867)

« Cette vie est un hôpital où chaque malade est possédé du désir de changer de lit. »

La petite enfance de Baudelaire est heureuse, mais il voit sa vie chavirer à la suite de la mort de son père et du remariage rapide de sa mère. Il connaît très tôt la vie de bohème, jugée scandaleuse par son entourage et contraire à la morale bourgeoise. Tout au long de son existence tourmentée, ce frère spirituel d'Edgar Allan Poe reste déchiré entre le Bien et le Mal, entre la spiritualité et la sensualité, entre son aspiration à un idéal inaccessible et les vertiges du spleen. Il éprouve dans son âme même la tragédie de l'existence humaine, qui lui apparaît marquée par une sorte de malédiction. Dans ce combat, l'appel du gouffre est souvent si fort qu'il empêche le poète d'entendre celui de l'idéal.

L'une des particularités de l'art baudelairien est l'incarnation exacerbée du combat entre le Bien et le Mal, dont nul ne sort vainqueur, sinon l'esthétique. La Beauté demeure l'unique objet de sa quête, et il la débusque aussi bien dans les quartiers mal famés de Paris que dans une charogne. Le poète dépasse ainsi les apparences pour mieux accomplir son rôle : déchiffrer le monde et révéler le spirituel à travers la matérialité. À cette fin, il crée des associations symboliques et des correspondances qui unissent souvent les cinq sens entre eux, essentiellement par les outils rhétoriques suivants : la métaphore, le symbole, la comparaison et l'allégorie[1]. Il cultive l'ellipse, ce qui lui permet d'accentuer le rapprochement entre les pôles des correspondances. Il innove en proposant une vision du monde basée sur l'unité de la vie psychique, où tous les éléments qui semblaient divisés, voire opposés, arrivent à « correspondre » entre eux, où l'homme aux prises avec le chaos trouve, enfouie dans son imaginaire, une unité harmonieuse. Avant Baudelaire, la poésie cherchait à exprimer les rapports entre l'homme et le monde ; avec lui, elle devient un moyen de changer ce rapport. La situation des poètes romantiques était sans issue ; celle de Baudelaire permet l'accès à une réalité infinie, à laquelle il donne le nom de Beauté.

La poésie de Baudelaire résiste aux étiquettes, mais elle peut être rattachée à la fois au romantisme et au courant parnassien. Le poète est d'abord éminemment romantique par son tempérament et par la personnalisation de sa sensibilité. Il partage avec les romantiques une extrême sensibilité à la solitude et à la souffrance, et se fait la plus haute idée de son art :

> Le poète est semblable au prince des nuées
> Qui hante la tempête et se rit de l'archer ;
> Exilé sur le sol au milieu des huées,
> Ses ailes de géant l'empêchent de marcher.

Cependant, contrairement aux poètes de ce mouvement, il refuse les épanchements lyriques trop personnels. Aussi, la nature n'est plus pour lui qu'un immense réservoir d'analogies, et sa conception du rêve n'a plus rien en commun avec eux. Baudelaire partage aussi certains éléments de l'esthétique parnassienne : le refus de la confidence et de la morale, ainsi que le culte de la rigueur formelle. Il reste que Baudelaire dépasse les uns et les autres par l'étonnante puissance de son langage. Celui-ci crée par des symboles évocateurs et riches un équilibre entre la sensualité et l'intellect. Il se fait aussi médiateur entre la réalité et les idées, entre les images concrètes et les sensations. Il intègre également l'infini dans la vie immédiate. Ce langage est d'une telle force et d'une telle justesse qu'encore aujourd'hui ses lecteurs reconnaissent leur propre désarroi dans cette poursuite de l'inaccessible bonheur qu'a peinte Baudelaire poème après poème.

Dans son œuvre maîtresse, *Les Fleurs du mal* (1857), Baudelaire décrit son itinéraire personnel, celui d'un homme lucide en proie à d'éternelles hantises liées à la solitude et à la fuite du temps. Deux des poèmes que nous présentons sont tirés de ce recueil. Le premier, *L'Invitation au voyage*, associe étroitement le désir du voyage et celui de la femme, l'être qui procure la plus grande évasion. Dans le deuxième poème, *L'Ennemi*, le poète exprime son angoisse existentielle. Quant au troisième poème que nous présentons, *Enivrez-vous*, il provient d'un autre recueil, celui-là de poèmes en prose, intitulé *Le Spleen de Paris* ou encore *Petits poèmes en prose*. Ce poème porte sur l'ivresse, un autre thème cher au poète.

---

1. Ces figures sont fréquemment utilisées dans la poésie moderne et deviennent même, chez certains poètes, des moyens incontournables.

L'Invitation au voyage

Mon enfant, ma sœur,
Songe à la douceur
D'aller là-bas vivre ensemble !
Aimer à loisir,
5 Aimer et mourir
Au pays qui te ressemble !
Les soleils mouillés
De ces ciels brouillés
Pour mon esprit ont les charmes
10 Si mystérieux
De tes traîtres yeux,
Brillant à travers leurs larmes.

Là, tout n'est qu'ordre et beauté,
Luxe, calme et volupté.

15 Des meubles luisants,
Polis par les ans,
Décoreraient notre chambre ;
Les plus rares fleurs
Mêlant leurs odeurs
20 Aux vagues senteurs de l'ambre,
Les riches plafonds,
Les miroirs profonds,
La splendeur orientale,
Tout y parlerait
25 À l'âme en secret
Sa douce langue natale.

Là, tout n'est qu'ordre et beauté,
Luxe, calme et volupté.

Vois sur ces canaux
30 Dormir ces vaisseaux
Dont l'humeur est vagabonde ;
C'est pour assouvir
Ton moindre désir
Qu'ils viennent du bout du monde.
35 – Les soleils couchants
Revêtent les champs,
Les canaux, la ville entière,
D'hyacinthe et d'or ;
Le monde s'endort
40 Dans une chaude lumière.

Là, tout n'est qu'ordre et beauté,
Luxe, calme et volupté.

Charles Baudelaire, « L'Invitation
au voyage », *Les Fleurs du mal*, Paris, 1857.

Quelques vers de Baudelaire

« Hypocrite lecteur, – mon semblable, – mon frère ! »

« C'est la mort qui console, hélas ! et qui fait vivre. »

« Je sais que la douleur est la noblesse unique… »

« Je suis belle, ô mortels ! comme un rêve de pierre. »

« Je hais le mouvement qui déplace les lignes […] »

« Ô toi que j'eusse aimée, ô toi qui le savais ! »

« Tu m'as donné ta boue et j'en ai fait de l'or. »

James Ensor, *Mon portrait entouré de masques* ou *Autoportrait aux masques*, 1899.

Avec Baudelaire, la poésie change les rapports entre l'homme et le monde.

☐ VERS L'ANALYSE

L'Invitation au voyage

1. À l'aide des déterminants possessifs, des pronoms et de certains noms, décrivez la situation de l'énonciation : qui parle ? à qui ?

2. Résumez, en une phrase, le propos du poème.

3. a) Relevez les indications de lieu dans chacune des strophes.
   b) À partir de ces indications, analysez la progression d'une strophe à l'autre.

4. Quel verbe, d'une part, et quel mode verbal, d'autre part, se réfèrent au rêve ?

5. Dans la première strophe, Baudelaire compare la femme et le paysage.
   a) Quel vers l'indique explicitement ?
   b) Qu'est-ce qui est précisément comparé ?
   c) Quelle caractéristique est commune à la femme et au paysage ?

6. Plusieurs personnifications prolongent cette correspondance de la première strophe entre le paysage et un être humain. Relevez-les.

7. Baudelaire aime employer des correspondances. L'une s'exprime par un oxymore, une autre, par une métonymie et une troisième relie le monde concret et le monde spirituel. Quelles sont-elles ?

8. Les notations sensorielles abondent dans ce poème.
   a) Relevez-les.
   b) Quel effet créent-elles ?

9. En étudiant la longueur des strophes et des vers ainsi que les caractéristiques de la rime (nature et valeur), expliquez comment Baudelaire obtient un effet de bercement ou de balancement.

10. Les poètes symbolistes se voulaient musiciens du langage. Relevez les assonances et les allitérations qui confèrent une unité sonore à chacune des strophes.

11. Relisez les pages 50 et 51 et établissez un lien entre ce poème et le symbolisme du point de vue de la thématique.

Sujet de dissertation explicative

Montrez que, dans ce poème, Baudelaire met sa théorie des correspondances au service d'un thème qui lui est cher, celui du rêve.

L'Ennemi

1. Quelle est l'idée principale de chaque strophe ?

2. Observez les signes de ponctuation. En quoi sont-ils bien adaptés à l'idée développée dans chacune des strophes ?

3. Le poème oppose la vie au vieillissement et à la mort.
   a) Quel hémistiche exprime explicitement cette idée ?
   b) Quels éléments de la nature sont des symboles de la vie dans le poème ?
   c) Lesquels sont des symboles de la mort ?
   d) Quelle comparaison introduit l'idée de la mort dans le poème ?

4. En vous attardant au choix des déterminants possessifs et des pronoms personnels, montrez que le poème évolue de l'expression d'une situation personnelle à celle de la condition humaine.

5. Dans la première strophe, relevez une métaphore et une antithèse. Quel effet créent-elles ?

6. En quoi les deux quatrains s'opposent-ils ?

7. En quoi le premier tercet s'oppose-t-il aux deux quatrains ?

8. En quoi les deux tercets s'opposent-ils ?

9. Identifiez l'ennemi dont il est question dans le poème.

10. Repérez, dans la dernière strophe, les procédés qui expriment le caractère tragique de la condition humaine marquée par le passage du temps.

Sujet de dissertation explicative

En vous basant sur la thématique et sur les procédés stylistiques mis en œuvre dans ce poème, montrez qu'on y retrouve les deux mêmes aspects antithétiques que dans «Spleen et idéal», section du recueil *Les Fleurs du mal* à laquelle il appartient.

■ **VERS L'ANALYSE**

Enivrez-vous

1. Résumez en une phrase le propos du poème.

2. Le poème emploie le ton du commandement. Quelles sont les marques de ce commandement ?

3. a) Relevez deux énumérations qui sont reprises.
   b) Relevez d'autres reprises, même si elles ne sont pas identiques.
   c) Relevez un redoublement.
   d) Quel effet produisent ces reprises et ce redoublement ?

4. Relevez les deux passages qui servent à justifier l'enivrement.

5. a) Dressez le champ lexical de la douleur.
   b) Quelle est son utilité ?

6. L'énumération du troisième paragraphe renferme un élément qui apparaît incongru de prime abord.
   a) Quel est cet élément ?
   b) En quoi apparaît-il incongru ?
   c) Compte tenu d'un thème important du poème, en quoi ne l'est-il pas ?

7. Qu'est-ce qui est personnifié dans le poème ?

8. L'ivresse dont il est question est-elle purement physique ? Justifiez votre réponse.

Sujet de dissertation explicative

À l'aide du plan et de la forme, montrez que *L'Ennemi* évoque la douleur du temps qui passe, tandis que *Enivrez-vous* suggère un remède à cette douleur.

L'ENNEMI

Ma jeunesse ne fut qu'un ténébreux orage,
Traversé çà et là par de brillants soleils ;
Le tonnerre et la pluie ont fait un tel ravage,
Qu'il reste en mon jardin bien peu de fruits vermeils.

5 Voilà que j'ai touché l'automne des idées,
Et qu'il faut employer la pelle et les râteaux
Pour rassembler à neuf les terres inondées,
Où l'eau creuse des trous grands comme des tombeaux.

Et qui sait si les fleurs nouvelles que je rêve
10 Trouveront dans ce sol lavé comme une grève
Le mystique aliment qui ferait leur vigueur ?

— Ô douleur ! ô douleur ! Le Temps mange la vie,
Et l'obscur Ennemi qui nous ronge le cœur
Du sang que nous perdons croît et se fortifie !

Charles Baudelaire, «L'Ennemi», *Les Fleurs du mal*, Paris, 1857.

ENIVREZ-VOUS

Il faut être toujours ivre. Tout est là : c'est l'unique question. Pour ne pas sentir l'horrible fardeau du Temps qui brise vos épaules et vous penche vers la terre, il faut vous enivrer sans trêve.

Mais de quoi ? De vin, de poésie ou de vertu, à votre guise.
5 Mais enivrez-vous.

Et si quelquefois, sur les marches d'un palais, sur l'herbe verte d'un fossé, dans la solitude morne de votre chambre, vous vous réveillez, l'ivresse déjà diminuée ou disparue, demandez au vent, à la vague, à l'étoile, à l'oiseau, à l'horloge, à tout ce qui fuit, à tout ce qui
10 gémit, à tout ce qui roule, à tout ce qui chante, à tout ce qui parle, demandez quelle heure il est ; et le vent, la vague, l'étoile, l'oiseau, l'horloge, vous répondront : «Il est l'heure de s'enivrer ! Pour n'être pas les esclaves martyrisés du Temps, enivrez-vous ; enivrez-vous sans cesse ! De vin, de poésie ou de vertu, à votre guise.»

Charles Baudelaire, «Enivrez-vous»,
Le Spleen de Paris ou *Petits poèmes en prose*, Paris, 1864.

Paul Verlaine (1844-1896)

« Le Malheur a percé mon vieux cœur de sa lance. »

Habité par un pathétique désir d'absolu, Paul Verlaine ne cesse pourtant de se perdre dans des abîmes de détresse. Le parcours de ce Villon moderne et tourmenté, affligé de la prescience de son destin malheureux, est pour le moins sinueux. Il se marie, a des enfants, partage une passion turbulente avec Rimbaud et est emprisonné deux ans pour avoir tiré des coups de feu sur son ami, avant de finalement sombrer dans la déchéance éthylique. Sa vie de « poète maudit » est un drame marqué par la fatalité.

L'originalité de l'écriture de Paul Verlaine tient dans sa capacité à traduire les états d'âme troubles et troublés de son univers désespéré en vers musicaux à l'harmonie feutrée. Il est le grand initiateur de la libération du rythme et enlève au vers français sa rigidité héritée du classicisme. Afin de donner souplesse et musicalité au vers, le poète cultive l'irrégularité du rythme, par exemple en amputant régulièrement une syllabe au vers pour que son décompte soit impair, et en multipliant les rejets et les enjambements audacieux. Il ne respecte pas aveuglément, en outre, la contrainte de la rime. Tout en nuances, ses poèmes suggèrent les images les plus subtiles, créent des atmosphères en demi-teintes, deviennent le lieu d'une incantation, d'un envoûtement, où fusionnent poésie et musique.

De ce poète habile à saisir les premières pulsations de l'être à la naissance du désir, sur un mode le plus souvent impressionniste et musical, nous avons retenu les poèmes suivants : *Il pleure dans mon cœur*, l'un de ses poèmes les plus représentatifs, qui exprime toute son angoisse ; *Mon rêve familier*, où il recourt à la forme classique du sonnet pour traduire un désir de paix et de pureté ; et *Le Ciel est par-dessus le toit*, qui illustre que l'art de Verlaine est d'abord celui de la simplicité.

IL PLEURE DANS MON CŒUR

Il pleure dans mon cœur
Comme il pleut sur la ville.
Quelle est cette langueur
Qui pénètre mon cœur ?

5　Ô bruit doux de la pluie
Par terre et sur les toits !
Pour un cœur qui s'ennuie,
Ô le chant de la pluie !

Il pleure sans raison
10　Dans ce cœur qui s'écœure.
Quoi ! nulle trahison ?
Ce deuil est sans raison.

C'est bien la pire peine
De ne savoir pourquoi,
15　Sans amour et sans haine,
Mon cœur a tant de peine !

Paul Verlaine, « Ariettes oubliées »,
Romances sans paroles, Paris, 1874.

☐ VERS L'ANALYSE

Il pleure dans mon cœur

1. a) Quelle question se pose le poète ?
   b) Quelle est sa réponse ?
   c) Quel sentiment suscite cette réponse ?

2. a) Que symbolise la pluie ?
   b) Quelle comparaison met ce symbole en évidence ?

3. Dans le premier vers, au lieu de dire « je pleure », le poète emploie une tournure impersonnelle : « Il pleure ». Expliquez l'intérêt de cette tournure sur le plan du fond et de la forme.

4. Dressez le champ lexical de la douleur.

5. a) Relevez une antithèse.
   b) Quel effet crée-t-elle ?

6. À partir des deux mots-clés, « pleure » et « pluie », relevez les allitérations et les assonances et montrez qu'elles créent une unité dans le poème.

7. a) Relevez une rime intérieure.
   b) Quel effet crée-t-elle ?

8. a) Ce poème appartient à une section du recueil *Romances sans paroles*, intitulée « Ariettes oubliées ». Définissez le mot « ariette ».
   b) En quoi est-il approprié ici ?

9. Les coupes sont généralement placées au milieu du vers.
   a) Quel vers de la troisième strophe fait exception ?
   b) Quel effet crée ce rythme différent ?

10. Les impressionnistes sont les peintres de l'atmosphère ; ils suggèrent plutôt qu'ils ne montrent. Expliquez de quelle façon Verlaine apparaît ici comme le poète de l'atmosphère émotive.

Sujet de dissertation explicative

Montrez que ce poème renferme les caractéristiques de l'art verlainien : expression de la mélancolie, simplicité et harmonie musicale.

MON RÊVE FAMILIER

Je fais souvent ce rêve étrange et pénétrant,
D'une femme inconnue, et que j'aime, et qui m'aime,
Et qui n'est, chaque fois, ni tout à fait la même
Ni tout à fait une autre, et m'aime et me comprend.

5 Car elle me comprend, et mon cœur, transparent
Pour elle seule hélas! cesse d'être un problème
Pour elle seule, et les moiteurs de mon front blême,
Elle seule les sait rafraîchir en pleurant.

Est-elle brune, blonde ou rousse? – Je l'ignore.
10 Son nom? Je me souviens qu'il est doux et sonore
Comme ceux des aimés que la Vie exila.

Son regard est pareil au regard des statues,
Et, pour sa voix, lointaine, et calme, et grave, elle a
L'inflexion des voix chères qui se sont tues.

Paul Verlaine, «Mon rêve familier», *Poèmes saturniens*, Paris, 1866.

Quelques vers de Verlaine

«Le vent de l'autre nuit a jeté bas
l'Amour»

«L'Art, mes enfants, c'est d'être
absolument soi-même.»

«De la musique avant toute chose.»

«Écoutez la chanson bien douce
Qui ne pleure que pour vous plaire.»

«Nous étions seul à seule et marchions
en rêvant,
Elle et moi, les cheveux et la pensée
au vent.»

«Prends l'éloquence et tords-lui
le cou!»

«Et tout le reste est littérature.»

Gustave Moreau, *Le Poète voyageur*, 1891.

Assailli par ses rêves, le poète exprime
la mélancolie étrange qui l'afflige et dont
il ne connaît pas la raison.

☐ VERS L'ANALYSE

Mon rêve familier

1. Résumez chaque strophe en une phrase.

2. a) Quelle conjonction de coordination est maintes fois
      répétée?
   b) Quel effet cette répétition crée-t-elle?

3. a) Dans le premier quatrain, relevez des parallélismes.
   b) Quel parallélisme est doublé d'un chiasme?
   c) Lequel est doublé d'une antithèse?
   d) Quel effet créent les parallélismes sur le plan rythmique?
   e) Quel effet créent ces différents procédés?

4. a) Dans le deuxième quatrain, relevez une répétition,
      une anaphore et un enjambement.
   b) Quel effet créent-ils?

5. Quels termes concrets symbolisent les souffrances du poète?

6. a) Relevez une inversion au huitième vers.
   b) Quel intérêt présente-t-elle par rapport à la césure?

7. a) Relevez deux comparaisons et une métaphore au sujet
      de la femme.
   b) Quelle impression créent-elles?

8. En quoi la femme évoquée dans ce poème apparaît-elle
   comme une femme idéale?

9. Expliquez en quoi le poème confirme l'affirmation du premier
   vers voulant que le rêve du poète soit à la fois «étrange»
   et «pénétrant».

Sujet de dissertation explicative

Comparez l'image de la femme dans les poèmes *L'Invitation
au voyage* et *Mon rêve familier*.

LE CIEL EST PAR-DESSUS LE TOIT

Le ciel est, par-dessus le toit,
Si bleu, si calme !
Un arbre, par-dessus le toit,
Berce sa palme.

5 La cloche, dans le ciel qu'on voit,
Doucement tinte.
Un oiseau sur l'arbre qu'on voit
Chante sa plainte.

Mon Dieu, mon Dieu, la vie est là
10 Simple et tranquille.
Cette paisible rumeur-là
Vient de la ville.

— Qu'as-tu fait, ô toi que voilà
Pleurant sans cesse,
15 Dis, qu'as-tu fait, toi que voilà,
De ta jeunesse ?

Paul Verlaine, « Le Ciel est par-dessus
le toit », *Sagesse*, Paris, 1881.

Michael Ayrton, *Pour « Verlaine »*, gravure.

Paul Verlaine accompagné d'Arthur Rimbaud.

☐ VERS L'ANALYSE

Le Ciel est par-dessus le toit

1. Ce poème propose un itinéraire qui va de l'extérieur vers l'intérieur et de la sensation vers l'émotion, en deux moments. Retracez ce parcours.

2. Quelles sensations sont évoquées dans les deux premières strophes ?

3. a) Quelles émotions sont exprimées dans les deux dernières strophes ?
   b) Quels procédés traduisent ces émotions ?

4. La quatrième strophe se présente comme un discours direct. Qui parle à qui ?

5. Décrivez la forme du poème : longueur des strophes et des vers, nature et disposition des rimes, coupes.

6. Expliquez en quoi le rythme et les nombreuses répétitions créent un effet de bercement.

7. Deux tons se succèdent dans ce poème. Quels sont-ils ?

Sujet de dissertation explicative

À la lumière des trois poèmes précédents, définissez les caractéristiques thématiques et formelles de la poésie de Verlaine.

Arthur Rimbaud (1854-1891)

**« Maintenant, je m'encrapule le plus possible. Pourquoi ?
Je veux être poète, et je travaille à me rendre voyant. »**

Les Fleurs du mal de Baudelaire se terminent par l'invitation suivante : « Plonger […] Au fond de l'Inconnu pour trouver du nouveau ! » Rimbaud prend à cœur ces vers de Baudelaire, qui deviennent le point de départ de toute son œuvre. Poète précoce, habité par la fureur de vivre, Rimbaud rédige tous ses poèmes entre l'âge de quinze et vingt ans. Alors qu'il est adolescent, ce vagabond survolté n'a qu'une seule intention : exprimer sa révolte contre le conformisme social et transformer la vie. La sienne est surtout marquée par son amitié passionnelle pour Verlaine. Puis, lorsqu'il constate que la poésie ne lui apporte que d'amères ivresses et qu'elle ne peut changer sa vie pas plus que le monde, cet « homme aux semelles de vent » défroque : il quitte sa poésie exaltée et entre dans la « réalité » tangible. L'adolescent génial meurt alors, pour laisser naître un autre Rimbaud qui, le reste de sa vie, se nourrit frugalement et mène en Afrique une vie monacale dans une grande maison servant d'entrepôt à son commerce de café, d'ivoire et d'armes. Il a écrit auparavant, dans *Une saison en enfer* : « Je reviendrai avec des membres de fer, la peau sombre, l'œil furieux. Sur mon masque, on me jugera d'une race forte. J'aurai de l'or. » La réalité est tout autre : il revient en France pour être amputé d'une jambe et mourir.

Rimbaud reprend le principe des correspondances baudelairiennes, qu'il exploite pleinement, et il pousse encore plus loin la superposition des images et des diverses sensations. Ce poète désire moins produire une œuvre d'art que susciter un accroissement essentiel de l'homme par la poésie, et le moyen qu'il choisit pour y arriver consiste justement à lâcher la bride à tous les sens, jusqu'à atteindre l'hallucination. Ce jeune artiste à l'insolence fougueuse n'est pas un homme des demi-mesures. Il est tourmenté par l'urgence de faire jaillir l'inconnu des troublantes profondeurs de son inconscient, cette matière brute libérée de toute contrainte, non encore

souillée par l'esprit et le conscient, afin d'obtenir cette « alchimie du verbe » sur laquelle se fonde son écriture poétique. Et pour donner plus de force aux images nouvelles qui naissent de ses fulgurantes révélations, Rimbaud les amalgame à de multiples effets rythmiques et sonores. Il établit des correspondances entre la couleur et la valeur musicale des lettres pour donner leur pleine puissance suggestive aux couleurs. Sa magie verbale l'amène à inventer le vers libre, qu'il laisse bientôt pour passer au poème en prose. Son don de la formule lui permet de figer certains instants et de les faire accéder momentanément à l'intemporel :

> Elle est retrouvée !
> — Quoi ? — L'Éternité.
> C'est la mer mêlée
> Au soleil.

Rimbaud considère son expérience humaine comme un échec, mais la richesse exceptionnelle de sa langue fait triompher sa poésie. À preuve, cette poésie, à laquelle Rimbaud renonce pourtant rapidement, exerce une profonde influence sur toute la poésie moderne. En outre, le paria qu'il est de son vivant devient par la suite un des plus grands mythes de la littérature moderne. Les insurgés de toutes les époques peuvent se reconnaître en lui, des surréalistes jusqu'aux étudiants de mai 1968 avec leur Rimbaud au pochoir, sans oublier les enfants révoltés que nos villes engendrent. Comment pourraient-ils ne pas se reconnaître dans cette poésie si sensuelle où ne compte que l'instant présent :

> Par les soirs bleus d'été, j'irai dans les sentiers
> Picoté par les blés, fouler l'herbe menue
> Rêveur, j'en sentirai la fraîcheur à mes pieds
> Je laisserai le vent baigner ma tête nue
>
> Je ne parlerai pas, je ne penserai rien
> Mais l'amour infini me montera dans l'âme
> Et j'irai loin, bien loin, comme un bohémien
> Par la Nature, heureux comme avec une femme[1].

Les deux premiers poèmes que nous présentons sont les œuvres d'un adolescent : Rimbaud les écrit alors qu'il n'a environ que dix-sept ans. Le premier, *Roman*, allie l'apparente légèreté de la jeunesse à la lucidité du poète, tandis que le deuxième, *Le Dormeur du val*, évoque les horreurs de la guerre. Dans le troisième poème, *Alchimie du verbe*, le poète raconte son ambition de créer un langage nouveau ; il est loisible de croire que c'est à partir de son abécédaire d'enfant qu'il a déterminé le choix de ses couleurs.

---

1. Rimbaud n'a que quinze ans lorsqu'il écrit ce poème intitulé *Sensation*.

Gustave Moreau, *Orphée*, 1865.

Rimbaud est tourmenté par l'urgence de faire jaillir l'inconnu des troublantes profondeurs de son inconscient, cette matière brute libérée de toute contrainte, non encore souillée par l'esprit et le conscient, afin d'obtenir cette «alchimie du verbe» sur laquelle se fonde son écriture poétique.

ROMAN

I

On n'est pas sérieux, quand on a dix-sept ans.
– Un beau soir, foin des bocks et de la limonade,
Des cafés tapageurs aux lustres éclatants!
– On va sous les tilleuls verts de la promenade.

5 Les tilleuls sentent bon dans les bons soirs de juin!
L'air est parfois si doux, qu'on ferme la paupière;
Le vent chargé de bruits, – la ville n'est pas loin, –
A des parfums de vigne et des parfums de bière…

II

– Voilà qu'on aperçoit un tout petit chiffon
10 D'azur sombre, encadré d'une petite branche,
Piqué d'une mauvaise étoile, qui se fond
Avec de doux frissons, petite et toute blanche…

Nuit de juin! Dix-sept ans! – On se laisse griser.
La sève est du champagne et vous monte à la tête…
15 On divague; on se sent aux lèvres un baiser
Qui palpite là, comme une petite bête…

III

Le cœur fou Robinsonne à travers les romans,
– Lorsque, dans la clarté d'un pâle réverbère,
Passe une demoiselle aux petits airs charmants,
20 Sous l'ombre du faux-col effrayant de son père…

Et, comme elle vous trouve immensément naïf
Tout en faisant trotter ses petites bottines,
Elle se tourne, alerte et d'un mouvement vif…
– Sur vos lèvres alors meurent les cavatines…

IV

25 Vous êtes amoureux. Loué jusqu'au mois d'août.
Vous êtes amoureux. – Vos sonnets La font rire.
Tous vos amis s'en vont, vous êtes *mauvais goût*.
– Puis l'adorée, un soir, a daigné vous écrire…!

– Ce soir-là,… – vous rentrez aux cafés éclatants,
30 Vous demandez des bocks ou de la limonade…
– On n'est pas sérieux, quand on a dix-sept ans
Et qu'on a des tilleuls verts sur la promenade.

Arthur Rimbaud, «Roman», *Poésies*, Paris, 1870.

☐ VERS L'ANALYSE

Roman

1. Rimbaud a divisé son poème en quatre parties. En quelques mots, résumez l'essentiel du propos de chacune.

2. Le titre du poème est justifié parce qu'il renferme un récit. Déterminez les éléments de ce récit: cadre spatiotemporel, personnages et schéma narratif.

3. Décrivez la structure circulaire du poème.

4. Relevez et expliquez:
   a) un mot familier;
   b) un néologisme;
   c) un mot recherché.

5. a) Faites valoir la sensualité de ce poème en relevant les diverses sensations évoquées.
   b) Relevez l'unique évocation d'un sentiment.
   c) Quel effet crée l'abondance de ces sensations par rapport à cet unique sentiment?

6. a) Quel adjectif est souvent répété dans les parties II et III?
   b) Quel effet crée l'usage répété de cet adjectif?
   c) Relevez deux vers qui forment une antithèse avec l'adjectif en question.

7. À plusieurs reprises, le poète emploie les pronoms «on» et «vous».
   a) Relevez les passages où il le fait.
   b) Dans l'ensemble, qui ces pronoms désignent-ils?
   c) Quel effet l'emploi de ces pronoms crée-t-il par rapport au «je» que le poète aurait pu utiliser?
   d) Le «on» des vers 1 et 31 a une valeur différente des autres «on». Laquelle?

8. Déterminez tout ce qui confère une tonalité légère au poème.

9. Relevez les points d'exclamation et de suspension et dites quel effet ils créent.

Sujets de dissertation explicative

1. Montrez que Rimbaud donne une portée universelle à une expérience individuelle.

2. À l'aide du fond et de la forme, montrez que l'expérience amoureuse relatée dans *Roman* est plus sensorielle que sentimentale.

LE DORMEUR DU VAL

C'est un trou de verdure où chante une rivière
Accrochant follement aux herbes des haillons
D'argent; où le soleil, de la montagne fière,
Luit: c'est un petit val qui mousse de rayons.

5 Un soldat jeune, bouche ouverte, tête nue,
Et la nuque baignant dans le frais cresson bleu,
Dort; il est étendu dans l'herbe, sous la nue,
Pâle dans son lit vert où la lumière pleut.

Les pieds dans les glaïeuls, il dort. Souriant comme
10 Sourirait un enfant malade, il fait un somme:
Nature, berce-le chaudement: il a froid.

Les parfums ne font pas frissonner sa narine;
Il dort dans le soleil, la main sur sa poitrine
Tranquille. Il a deux trous rouges au côté droit.

Arthur Rimbaud, «Le Dormeur du val», *Poésies*, Paris, 1870.

☐ **VERS L'ANALYSE**

Le Dormeur du val

1. Le poème progresse selon un mouvement de travelling avant qui va d'un plan d'ensemble à un plan de plus en plus rapproché. Expliquez cette progression.

2. a) Relevez les notations qui annoncent la révélation finale de la mort du soldat.
   b) Pourquoi le dernier vers est-il si saisissant?

3. Que connote la couleur rouge du dernier vers?

4. Le sonnet est construit sur une métaphore filée amorcée dès le titre.
   a) Quelle est-elle?
   b) Dressez-en le champ lexical.

5. a) Le sonnet est construit sur une antithèse entre l'apparence et la réalité, d'une part, et entre la nature et le drame du soldat, d'autre part. Expliquez cette antithèse.
   b) Relevez, dans le premier tercet, une antithèse qui s'inscrit bien dans cette antithèse globale.
   c) Relevez tous les termes qui contribuent au caractère serein du poème et tous ceux qui contribuent à son caractère dramatique.

6. En quoi cette métaphore filée et cette antithèse contribuent-elles à l'effet percutant du poème?

7. À la lumière de la dernière strophe, expliquez en quoi le choix du mot «trou» au premier vers est particulièrement heureux.

8. a) Relevez quatre rejets dans le poème.
   b) Relevez un contre-rejet.
   c) Quel effet produisent-ils?

Sujet de dissertation explicative

Ce sonnet a été écrit en 1870 alors qu'une guerre opposait la France à la Prusse. Montrez que ce poème dénonce, d'une façon à la fois discrète et efficace, l'horreur de la guerre.

Quelques vers et citations de Rimbaud

«Ô que ma quille éclate!
Ô que j'aille à la mer!»

«Et j'ai vu quelques fois
ce que l'homme a cru voir.»

«J'aimai le désert, les vergers brûlés, les boutiques fanées, les boissons tiédies… et les yeux fermés je m'offrais au soleil, dieu de feu.»

«Il s'agit d'arriver à l'inconnu par le dérèglement de *tous les sens*. Les souffrances sont énormes, mais il faut être fort, être né poète, et je me suis reconnu poète. Ce n'est pas du tout ma faute. C'est faux de dire: Je pense: on devrait dire on me pense. — Pardon du jeu de mots. JE est un autre.»

«Je dis qu'il faut être *voyant*, se faire *voyant*.

Le poète se fait *voyant* par un long, immense et raisonné dérèglement de tous les sens. Toutes les formes d'amour, de souffrance, de folie; il cherche lui-même, il épuise en lui tous les poisons, pour n'en garder que les quintessences. [...]

Donc le poète est vraiment voleur de feu.

Il est chargé de l'humanité, des *animaux* même; il devra faire sentir, palper, écouter ses inventions; si ce qu'il rapporte de *là-bas* a forme; si c'est informe, il donne de l'informe. Trouver une langue [qui] sera de l'âme pour l'âme, résumant tout, parfums, sons, couleurs, de la pensée accrochant la pensée et tirant. Le poète définirait la quantité d'inconnu s'éveillant en son temps dans l'âme universelle.»

Gustave Courbet,
L'Homme blessé, 1855.

ALCHIMIE DU VERBE

À moi. L'histoire d'une de mes folies.

Depuis longtemps je me vantais de posséder tous les paysages possibles, et trouvais dérisoires les célébrités de la peinture et de la poésie moderne.

J'aimais les peintures idiotes, dessus de portes, décors, toiles de saltimbanques,
5   enseignes, enluminures populaires ; la littérature démodée, latin d'église, livres érotiques sans orthographe, romans de nos aïeules, contes de fées, petits livres de l'enfance, opéras vieux, refrains niais, rythmes naïfs.

Je rêvais croisades, voyages de découvertes dont on n'a pas de relations, républiques sans histoires, guerres de religion étouffées, révolutions de mœurs,
10   déplacements de races et de continents : je croyais à tous les enchantements.

J'inventai la couleur des voyelles ! – *A* noir, *E* blanc, *I* rouge, *O* bleu, *U* vert. – Je réglai la forme et le mouvement de chaque consonne, et, avec des rythmes instinctifs, je me flattai d'inventer un verbe poétique accessible, un jour ou l'autre, à tous les sens. Je réservais la traduction.

15   Ce fut d'abord une étude. J'écrivais des silences, des nuits, je notais l'inexprimable. Je fixais des vertiges.

Arthur Rimbaud, «Alchimie du verbe», *Une saison en enfer*, Paris, 1873.

☐ **VERS L'ANALYSE**

Alchimie du verbe

1. Quelles sont les étapes de l'expérience poétique de Rimbaud ?

2. Montrez que les verbes qui ouvrent chaque paragraphe, à partir du deuxième, témoignent d'une progression.

3. Rimbaud adopte un ton contestataire. Expliquez-le.

4. a) Relevez les mots et expressions péjoratifs.
   b) À quoi servent-ils ?

5. Quelles notations indiquent que la poétique de l'auteur résulte d'une véritable recherche ?

6. a) Quel est le sens propre du mot «alchimie» contenu dans le titre du texte ?
   b) Quel est le sens figuré que lui donne ici Rimbaud ?

Henri Rousseau, *La Guerre ou la chevauchée de la discorde*, 1894.

Rimbaud rompt avec les valeurs de la société, à laquelle il reproche, entre autres, les carnages causés par la guerre.

Édouard Manet,
*Portrait de
Mallarmé*, 1876.

Stéphane Mallarmé (1842-1898)

**«Je dis fleur! et […] musicalement se lève,
idée même et suave, l'absente de tous bouquets.»**

Stéphane Mallarmé passe toute sa vie loin de la politique et du monde, retranché parmi les artistes et les poètes. À partir de 1880, son salon devient le rendez-vous de l'avant-garde parisienne; la jeune génération, celle des Gide, Valéry et Claudel, en fait son maître incontesté. Habité par une haute exigence de perfection formelle, Mallarmé ne laisse que de rares poèmes, extrêmement ciselés.

Ce poète cherche à opposer à la réalité insatisfaisante une beauté esthétique tellement raffinée qu'elle devient pratiquement inaccessible. Sa poésie, qu'il veut désincarnée, dépouillée de tout lyrisme, tente de capter les mystères de l'être, des choses et des sensations: «Peindre non la chose, écrit-il, mais l'effet qu'elle produit.»

La structure de ses poèmes est souvent complexe; les images sont surchargées; les oppositions et les ellipses, multipliées; et les mots courants, détournés de leur sens habituel. Les structures syntaxiques sont déroutées. Par-dessus tout, le poète confère aux sonorités un puissant pouvoir suggestif par lequel il vise à créer musicalement un langage qui aurait la perfection et l'autonomie de celui du rêve. Cette poésie, qui cultive la préciosité, est cependant d'un accès difficile. Elle reste l'apanage de quelques initiés. Il faut dire que, pour Mallarmé, le sens importe peu: «Le sens de mon poème, s'il en a un…», écrit-il dans une lettre à son ami Cazalis. Ce qui importe bien davantage, ce sont les mots, qui devraient se suffire à eux-mêmes, à la manière de la couleur et des formes dans une toile abstraite, sans avoir toujours à rendre des comptes au réel, à ce qui est identifiable.

Dans *Brise marine*, le poème le plus célèbre de Mallarmé, le personnage du poète tente d'échapper à l'ennui qui pèse sur sa vie, et il exprime sa tentation de fuir le présent, pour accéder au pays de l'Idéal.

Paul Cézanne, *Le Mont Sainte-Victoire vu des Lauves*, 1902 à 1906.

La poésie de Mallarmé tente de capter les mystères de l'être, des choses et des sensations: «Peindre non la chose, écrit-il, mais l'effet qu'elle produit.»

Brise marine

La chair est triste, hélas! et j'ai lu tous les livres.
Fuir! là-bas fuir! Je sens que des oiseaux sont ivres
D'être parmi l'écume inconnue et les cieux!
Rien, ni les vieux jardins reflétés par les yeux
5 Ne retiendra ce cœur qui dans la mer se trempe
Ô nuits! ni la clarté déserte de ma lampe
Sur le vide papier que la blancheur défend
Et ni la jeune femme allaitant son enfant.
Je partirai! Steamer balançant ta mâture,
10 Lève l'ancre pour une exotique nature!
Un ennui, désolé par les cruels espoirs,
Croit encore à l'adieu suprême des mouchoirs!
Et, peut-être, les mâts, invitant les orages
Sont-ils de ceux qu'un vent penche sur les naufrages
15 Perdus, sans mâts, sans mâts, ni fertiles îlots…
Mais, ô mon cœur, entends le chant des matelots!

Stéphane Mallarmé, «Brise marine», *Poésies*, Paris, 1887.

Léon Bakst, *Prélude à l'après-midi d'un faune*, 1912.

Pour Mallarmé, ce sont les mots qui importent:
ils doivent se suffire à eux-mêmes, à la manière
de la couleur et des formes dans une toile abstraite.

☐ Vers l'analyse

Brise marine

1. Résumez le propos du poème en une phrase ou deux.

2. Expliquez en quoi les premier et dernier vers constituent véritablement le point de départ et le point d'arrivée du poème.

3. Le premier vers fait allusion à deux aspects de l'être humain. Quels sont-ils?

4. Le poème est construit sur une antithèse. Qu'est-ce que le poète oppose dans ce poème?

5. Dressez le champ lexical de l'aspect négatif de l'existence que le poète veut fuir.

6. À quoi s'oppose l'ivresse des oiseaux du deuxième vers?

7. Donnez les deux sens de l'adjectif «suprême» et expliquez en quoi, au vers 12, il peut cumuler les deux sens.

8. Relevez deux passages où le poète crée un effet de distanciation en employant la troisième personne, là où l'on pourrait attendre la première.

9. a) Le poème renferme plusieurs enjambements. Relevez-les.
   b) Quel effet créent-ils?
   c) Relevez un rejet.
   d) Quel effet crée-t-il?

10. a) Relevez un redoublement.
   b) Quel effet crée-t-il?

11. a) Quel débat intérieur agite le poète à la fin du poème?
   b) Comment ce débat trouve-t-il sa résolution?

12. Que symbolise la brise dont il est question dans le titre?

13. Quel sens philosophique peut être donné à ce poème?

Sujet de dissertation explicative

Comparez les poèmes *L'Invitation au voyage* de Baudelaire et *Brise marine* de Mallarmé quant au thème du voyage et à la manière de le développer.

Paul Valéry (1871-1945)

«**Je soupçonne perfectible tout ce qui vient du premier coup.**»

Paul Valéry est un homme poly-valent, à la fois poète, philosophe et mathématicien. Sa notoriété de penseur est d'ailleurs aussi grande que celle de poète. Cet esprit éclectique produit une œuvre abondante où la raison met au pas l'inspiration. C'est que Valéry ne croit pas à la conception romantique de l'inspiration : l'œuvre d'art serait plutôt le produit d'une discipline, d'un exercice intellectuel, le fruit

d'un long travail, et pour lui, c'est justement cette caractéristique qui confère à la création toute sa noblesse.

La poésie de ce ciseleur de vers se nourrit abondamment de culture antique et de grands mythes, auxquels il donne une portée symbolique personnelle. Son écriture classique met en œuvre toutes les ressources de la métrique et de la rhétorique. Chez lui, la sensualité s'allie à l'acuité de l'intelligence dans un travail d'invention métaphorique dont l'audace est toute moderne. Le son s'y fait plus expressif et plus efficace que le sens, comme si, pour le poème, il importait moins de dire que d'être.

Tiré d'un recueil de poèmes d'amour sensuels, *La Dormeuse* allie lyrisme et réflexion métaphysique.

Edvard Munch, *La Danse de la vie*, 1900.

Valéry produit une œuvre abondante où la raison met au pas l'inspiration.

Quelques vers et citations de Valéry

«La mer, la mer, toujours recommencée!»

«Entre deux mots il faut choisir le moindre.»

«Chaque baiser présage une neuve agonie»

«Un silence est la source étrange des poèmes»

«Nous autres, civilisations, nous savons maintenant que nous sommes mortelles.»

«Un homme qui renonce au monde se met dans la condition de le comprendre.»

«Tout système est une entreprise de l'esprit contre soi-même.»

«Un homme seul est toujours en mauvaise compagnie.»

LA DORMEUSE

Quels secrets dans son cœur brûle ma jeune amie,
Âme par le doux masque aspirant une fleur ?
De quels vains aliments sa naïve chaleur
Fait ce rayonnement d'une femme endormie ?

5 Souffle, songes, silence, invincible accalmie,
Tu triomphes, ô paix plus puissante qu'un pleur,
Quand de ce plein sommeil l'onde grave et l'ampleur
Conspirent sur le sein d'une telle ennemie.

Dormeuse, amas doré d'ombres et d'abandons,
10 Ton repos redoutable est chargé de tels dons,
Ô biche avec langueur longue auprès d'une grappe,

Que malgré l'âme absente, occupée aux enfers,
Ta forme au ventre pur qu'un bras fluide drape,
Veille ; ta forme veille, et mes yeux sont ouverts.

Paul Valéry, «La Dormeuse», *Charmes*, Paris, 1922.

☐ **VERS L'ANALYSE**

La Dormeuse

1. Décrivez la situation de l'énonciation. Identifiez le locuteur et les destinataires, et relevez les pronoms et les noms qui les désignent.

2. Le sommeil est présenté comme le vainqueur de la femme endormie.
   a) Dressez le champ lexical de la guerre qui sous-tend l'idée d'une lutte entre le sommeil et la femme.
   b) Quel vers indique ce que le sommeil a précisément vaincu ?
   c) Expliquez comment le rythme de ce vers met la victoire du sommeil en évidence.
   d) Dans la deuxième strophe, quelles allitérations mettent en évidence le sommeil, d'une part, et ce qu'il a vaincu, d'autre part ?
   e) Montrez que la longueur des phrases graphiques met en évidence l'ampleur de plus en plus grande du sommeil.

3. Relevez deux allitérations, dans la troisième strophe, et expliquez l'effet que crée chacune.

4. a) Relevez une antithèse dans le deuxième tercet.
   b) Quel effet crée-t-elle ?

5. a) Relevez les trois procédés qui mettent en évidence l'idée de veille du corps de la femme.
   b) Qu'est-ce qui semble le plus important : le sommeil de l'âme ou la veille du corps de la femme ? Justifiez votre réponse.

Sujet de dissertation explicative

Il est écrit, à la page 64, au sujet de la poésie de Valéry : «Le son s'y fait plus expressif et plus efficace que le sens [...]» Expliquez cette assertion à l'aide de *La Dormeuse*.

Delphin Enjolras,
Jeune femme endormie.

La Dormeuse allie lyrisme
et réflexion métaphysique.

Le symbolisme au Québec

Émile Nelligan.

L'enfermement dans lequel se maintient la société québécoise durant le XIXᵉ siècle et la première moitié du XXᵉ siècle permet d'expliquer que peu de poètes canadiens-français se hasardent à faire porter à leur écriture les stigmates des «poètes maudits». Ce n'est pourtant pas faute d'idéalisme. Au contraire, l'élite clérico-bourgeoise entretient soigneusement un idéal de vie épurée et dédaigne les laideurs du matérialisme et de l'argent, tout orientée vers la préservation de valeurs depuis longtemps désuètes, comme si le salut collectif pouvait être obtenu uniquement grâce à des valeurs spirituelles. Ce qui distingue fondamentalement cet idéalisme de celui des symbolistes, c'est la fuite en avant, le caractère rassurant, bien qu'utopique et aliénant, de sa démarche. Les poètes symbolistes proposent, au contraire, une plongée dans la troublante profondeur de l'inconscient, pour y découvrir l'âme humaine en même temps que leur propre fragilité.

Parmi les poètes québécois qui portent la marque du symbolisme, on compte ceux qui sont associés au mouvement parnassien[1] (René Chopin, Paul Morin, Marcel Dugas et Guy Delahaye), auxquels on doit ajouter les noms d'Alfred Desrochers (1901-1978) et d'**Émile Nelligan** (1879-1941). L'histoire littéraire compare souvent le destin de ce dernier, jeune poète génial et déchu, à celui d'Arthur Rimbaud. Il ne faut cependant pas oublier celle dont l'œuvre est la plus apparentée au lyrisme de Paul Claudel, **Rina Lasnier** (1915-1997). Fidèle à l'âme religieuse et au messianisme de son peuple, Lasnier échappe à la solitude et à l'angoisse par le recours au mysticisme. Comme chez Claudel, toute sa poésie est construite sur des séries de pôles opposés: amour et Amour, fécondité et stérilité, présence et absence, parole et silence, angoisse et présence divine.

Rina Lasnier.

---
1. Voir le chapitre 1.

⚜ LA PASSANTE

Hier, j'ai vu passer, comme une ombre qu'on plaint,
En un grand parc obscur, une femme voilée:
Funèbre et singulière, elle s'en est allée,
Recélant sa fierté sous son masque opalin.

5 Et rien que d'un regard, par ce soir cristallin,
J'eus deviné bientôt sa douleur refoulée;
Puis elle disparut en quelque noire allée
Propice au deuil profond dont son cœur était plein.

Ma jeunesse est pareille à la pauvre passante:
10 Beaucoup la croiseront ici-bas dans la sente
Où la vie à la tombe âprement nous conduit;

Tous la verront passer, feuille sèche à la brise
Qui tourbillonne, tombe et se fane en la nuit;
Mais nul ne l'aimera, nul ne l'aura comprise.

Émile Nelligan, «La Passante», *Poésies*, Montréal, 1896-1899.

☐ VERS L'ANALYSE

La Passante

1. a) Divisez le sonnet en deux parties et donnez un titre à chacune.
   b) Résumez brièvement chacune des strophes du sonnet.

2. Sur quelle allégorie repose le poème?

3. Dressez les trois champs lexicaux suivants:
   a) la douleur et la mort;
   b) le mystère;
   c) la nuit.

4. a) La passante est une femme à la fois souffrante et mystérieuse. Expliquez pourquoi.
   b) Quelle comparaison met en évidence ces deux aspects de la passante?
   c) Quelle métaphore renforce son mystère?

5. Relevez une comparaison et une métaphore qui concernent la jeunesse du poète.

6. Identifiez deux procédés qui, dans le deuxième tercet, renforcent l'idée de l'absence d'amour et de compréhension.

7. a) Celui qui regarde, dans les quatrains, devient celui qui est regardé, dans les tercets, ce qui revient à dire que «je» et «elle» désignent, en fait, la même personne. Expliquez.
   b) Quel vers permet le passage de l'un à l'autre?

Sujet de dissertation explicative

Comparez les poèmes *L'Ennemi* de Baudelaire et *La Passante* de Nelligan sur les plans formel et thématique.

⚜ ANGOISSE

Tout est trop loin du cœur, sauf de souffrir ;
Tout est trop loin de l'âme, sauf de faillir ;
Ôtez-moi, dessus le masque, cette surcharge de face humaine,
Déchargé de ma propre présence, je cherche l'épure ancienne,

5 Que reste-t-il des ciels flambés sinon le charbon de la nuit ?
– Les ciels moins brûlés de ciels que les regards de regards aimés –
Nous ne lisons plus l'avenir au cœur d'un oiseau crucifié !
Ôtez-moi ce cœur et ce poids à mollir le genou !
Sauf haïr tout est trop loin de l'amour.

10 Quand j'étais un pâtre que la montagne marie au silence,
– Toutes les montagnes luisent à l'arête de leur silence…
J'ai entendu l'agnelle égorgée, mais son cri n'assèche point le pré.
Nulle vision n'oriente le pasteur, mais la cécité du sang.

Rina Lasnier, «Angoisse», *Présence de l'absence*, Montréal, 1992,
© Éditions de l'Hexagone, succession Rina Lasnier.

☐ VERS L'ANALYSE

Angoisse

1. Dressez le champ lexical de l'angoisse dont il est question dans le titre du poème.

2. Quels signes de ponctuation contribuent à l'expression de cette angoisse ?

3. Le poème est construit autour de répétitions. Relevez :
   a) une anaphore ;
   b) un parallélisme ;
   c) une reprise ;
   d) un pléonasme ;
   e) En quoi ces figures contribuent-elles à l'angoisse ?

4. Le poème renferme également un grand nombre de figures d'opposition.
   a) Relevez des antithèses.
   b) Relevez un chiasme (attention ! les vers ne se suivent pas).
   c) En quoi ces figures contribuent-elles à mettre l'angoisse en évidence ?

5. a) Définissez le mot «épure» au vers 4.
   b) Que signifie-t-il dans le contexte du poème ?

Marc-Aurèle de Foy Suzor-Côté, *Un coin de mon village, Arthabasca*, vers 1918.

Les poètes québécois influencés par le symbolisme sont fidèles à leur réalité, mais en opèrent la transmutation par le recours aux symboles et au mysticisme.

Comme les poètes, les romanciers de la fin du XIXe siècle et du début du XXe siècle remettent eux aussi en question leur art. Même si, sur le plan de la forme, la grande majorité des romans ne rompent pas avec ceux du XIXe siècle, quelques auteurs ne craignent pas d'innover. L'ère des romans naturalistes est maintenant révolue. Le regard posé sur le monde devient plus important que le monde lui-même ; il s'agit désormais moins de faire voir que de faire partager la saveur particulière de certains instants.

Gustave Flaubert a été un innovateur, le lointain initiateur du roman moderne. Le premier, il a souhaité que la force du roman réside dans le style : «Ce qui me semble beau, ce que je voudrais faire, c'est un livre sur rien, sans attache extérieure, qui se soutiendrait de lui-même par la force interne de son style.» À sa suite, mais de manière différente, Joris-Karl Huysmans, Marcel Proust et André Gide font franchir au roman un pas de plus dans la modernité. Ils remettent en question le rôle habituellement dévolu à la fiction et laissent le style prendre le pas sur le récit.

Jean-Louis Forain,
Portrait de Huysmans.

Joris-Karl Huysmans (1848-1907)

« Il faudrait se faire puisatier de l'âme. »

À partir des années 1870, une tendance artistique appelée «décadentisme» se développe en Europe : elle regroupe des esthètes marginaux qui refusent leur époque en raison de ses valeurs matérialistes. Tournés vers le passé, ils souhaitent libérer l'art de la morale, de la politique et des considérations sociales. Après avoir cherché le «rare» sous toutes ses formes et en avoir parcouru toutes les sphères, ces esprits décadents aboutissent à une méditation sur la vanité de l'existence humaine. C'est des cendres de ce mouvement antinaturaliste que naît le symbolisme dans les années 1880. Alors que les décadentistes, marginaux et originaux, chantent mélancoliquement le mal de vivre, les symbolistes tentent plutôt d'atteindre le mystère des choses en passant «à travers une forêt de symboles», selon l'expression de Baudelaire. Le roman *À rebours* (1884) de Joris-Karl Huysmans fait l'apologie des valeurs de ce courant éphémère.

Considéré par certains comme le premier des anti-romans, *À rebours* devient vite un roman-culte. Son personnage Des Esseintes semble annoncer le Bardamu de Céline (1932) et le Roquentin de Sartre (1938). Ce roman constitue une sorte de catalogue des goûts et des aspirations de la sensibilité «fin de siècle». Il tourne résolument le dos à tout ce qui semblait jusqu'alors être l'essence même du romanesque : on n'y trouve pas d'intrigue, pas de fresque sociale à la manière de Zola, pas davantage d'analyse psychologique.

Dernier rejeton d'une lignée de ducs, Des Esseintes est un esthète maladif et rongé par l'ennui. Il se retire du monde et s'enferme

Gustave Moreau,
La Chimère, 1865.

Les symbolistes tentent d'atteindre le mystère des choses en passant «à travers une forêt de symboles», selon l'expression de Baudelaire.

dans sa maison pour y vivre avec ses écrivains préférés, ceux de la décadence romaine, Pétrone et Apulée. Cet anti-héros organise autour de lui tout un monde d'artifices, cultivant tout ce qui va à l'encontre du sens commun. Ce monde est peuplé de mots rares et insolites : le narrateur utilise un vocabulaire luxuriant où les «correspondances» sont fréquemment appelées à contribution.

Des Esseintes buvait une goutte, ici, là, se
jouait des symphonies intérieures, arrivait à
se procurer, dans le gosier, des sensations analogues à celles que la musique verse à l'oreille.

5 Du reste, chaque liqueur correspondait, selon
lui, comme goût, au son d'un instrument. Le
curaçao sec, par exemple, à la clarinette dont
le chant est aigrelet et velouté ; le kummel[1],
au hautbois dont le timbre sonore nasille ;
10 la menthe et l'anisette, à la flûte, tout à la fois
sucrée et poivrée, piaulante et douce ; tandis
que, pour compléter l'orchestre, le kirsch sonne
furieusement de la trompette ; le gin et le whisky
emportent le palais avec leurs stridents éclats
15 de pistons et de trombones, l'eau-de-vie de
marc fulmine avec les assourdissants vacarmes
des tubas, pendant que roulent les coups
de tonnerre de la cymbale et de la caisse
frappés à tour de bras, dans la peau de la
20 bouche, par les rakis[2] de Chio et les mastics[3] !

Il pensait aussi que l'assimilation pouvait
s'étendre, que des quatuors d'instruments à
cordes pouvaient fonctionner sous la voûte palatine[4], avec
le violon représentant la vieille eau-de-vie, fumeuse et fine,
25 aiguë et frêle ; avec l'alto simulé par le rhum plus robuste,
plus ronflant, plus sourd ; avec le vespétro[5] déchirant et
prolongé, mélancolique et caressant comme un violoncelle ;
avec la contrebasse, corsée, solide et noire comme un pur
et vieux bitter. On pouvait même, si l'on voulait former
30 un quintette, adjoindre un cinquième instrument, la harpe,
qu'imitait, par une vraisemblable analogie, la saveur
vibrante, la note argentine, détachée et grêle du cumin sec.

La similitude se prolongeait encore ; des relations de tons
existaient dans la musique des liqueurs ; ainsi pour ne citer
35 qu'une note, la bénédictine figure, pour ainsi dire, le ton
mineur de ce ton majeur des alcools que les partitions
commerciales désignent sous le signe de
chartreuse verte.

Ces principes une fois admis, il était parvenu, grâce à
40 d'érudites expériences, à se jouer sur la langue de silencieuses
mélodies, de muettes marches funèbres à grand spectacle,
à entendre, dans sa bouche, des soli de menthe, des duos
de vespétro et de rhum.

Il arrivait même à transférer dans sa mâchoire de véritables
45 morceaux de musique, suivant le compositeur, pas à pas,

Edvard Munch, *Autoportrait à la bouteille de vin*, 1906.

rendant sa pensée, ses effets, ses nuances, par des unions
ou des contrastes voisins de liqueurs, par d'approximatifs
et savants mélanges.

Joris-Karl Huysmans, *À rebours*, Paris, 1884.

___

1. Alcool parfumé au cumin. **2.** Alcool parfumé à l'anis. **3.** Sucs résineux du lentisque.
4. Voûte du palais. **5.** Liqueur qui a la propriété de faire expulser les gaz intestinaux.

☐ VERS L'ANALYSE

*Chaque liqueur correspondait, [...] comme goût,
au son d'un instrument*

1. Résumez chaque paragraphe.

2. Montrez qu'on assiste à un crescendo dans le deuxième paragraphe.

3. Relevez, dans le deuxième paragraphe, les verbes qui, employés
de façon métaphorique, permettent les associations de sensations.

4. a) Quelle autre classe de mots, très souvent employée dans l'extrait,
permet principalement ces associations ?
b) Relevez-les.

5. Relevez et expliquez deux oxymores dans le troisième paragraphe.

Sujet de dissertation explicative

Comparez le traitement des sensations dans *L'Invitation au voyage*
de Baudelaire, et dans les extraits des romans *À la recherche du temps
perdu* de Proust (voir la page 71) et *À rebours*.

Jacques-Émile Blanche,
Portrait de Proust, 1892.

Marcel Proust (1871-1922)

« La vraie vie, la vie enfin découverte et éclaircie, la seule vie par conséquent réellement vécue, c'est la littérature. »

Marcel Proust est l'auteur de ce qui est vraisemblablement la plus grande œuvre du XXᵉ siècle[1], remarquable tant par sa densité humaine que par sa perfection esthétique. De santé fragile, ce dandy déserte, à quarante ans, les salons où il brille pour consacrer toutes ses énergies, jusqu'à sa mort, à l'écriture d'une œuvre monumentale en sept parties, *À la recherche du temps perdu*[2] (1913-1927). Cette suite de romans, chronique d'une société et d'une époque en train de se désagréger, n'est pas centrée sur une intrigue ou une action, mais sur une conscience, un « je » narratif observateur des « intermittences du cœur », du passage du temps sur les corps et les consciences. Après Proust, les écrivains ne peuvent plus concevoir le roman de la même manière : la description du monde cède la place à une interrogation du monde.

Dans toute son œuvre, Proust tente de juguler le sentiment douloureux de la conscience du temps qui assiège l'homme et l'entraîne inexorablement vers la mort. *À la recherche du temps perdu* illustre différents moyens de se prémunir contre l'écoulement du temps. Le narrateur suggère d'abord la pleine adhésion à la réalité de l'instant, ce qui consiste à faire corps avec la sensation qui se présente, jusqu'à ce qu'il n'y ait plus de place pour la conscience anxieuse. C'est ce que fait le narrateur lui-même lorsqu'il sent le parfum du lilas un soir d'orage ou qu'il entend la phrase musicale d'une sonate. Mais ces instants sont rares, d'autant plus qu'on ne vit le plus souvent qu'en périphérie de soi-même. La passion amoureuse semble elle aussi être un moyen d'apporter un baume à la fuite du temps. Mais le changement perpétuel affecte aussi les amants. De plus, l'être aimé est bien moins une individualité que la projection des pensées et des rêves de la personne qui aime et admire. Ce que l'on aime chez l'autre, ce sont les qualités qu'on lui prête et l'idée qu'on se fait de lui, bien plus que ses qualités intrinsèques. La passion amoureuse est donc le plus souvent décevante – sauf quand elle s'appelle tendresse – et elle renvoie l'homme à sa solitude et à son angoisse.

L'écrivain considère une autre possibilité : échapper au temps en retrouvant le « temps perdu », en donnant au passé révolu les couleurs de l'actuel. Un moment intensément vécu par une personne a une vie propre : il dure à l'intérieur d'elle, enfoui dans son inconscient, et un hasard de la vie peut, à la faveur d'une association de sensations, le faire resurgir dans le présent. Sous l'action de cette « mémoire involontaire » se produit alors une fusion entre le passé et le présent si intense qu'on a l'impression de s'affranchir de l'ordre du temps, et donc du tourment de se savoir mortel. L'épisode de la madeleine (voir l'extrait *De la même façon qu'opère l'amour*) témoigne de ce moment de total accord avec la vie. Mais, ici encore, ces moments privilégiés sont rares. Reste la solution de Proust : recourir à l'art pour fixer ces moments de plénitude, demander à l'écriture de trouver des formes qui prolongent ces moments essentiels et permettent de surmonter les intuitions tragiques de notre temporalité. La vie fugitive fixée par l'œuvre littéraire, voilà ce qui soutient, explique et accomplit *À la recherche du temps perdu*. Selon Proust, la vraie vie ne peut être atteinte que dans l'œuvre qui la recrée.

La modernité de Proust tient d'abord à l'originalité de sa démarche. Axé sur un narrateur qui laisse affleurer ses souvenirs, le récit devient l'histoire d'une conscience : le moi superficiel et apparent des romans usuels cède la place au moi profond et authentique, celui de la psychologie des profondeurs. Pour la première fois, un homme, dans le regard de qui viennent se réfracter les êtres et les événements, raconte, dans un mélange de complicité attentive et de distanciation ironique, le cheminement de sa conscience. Mais la singularité est encore plus grande sur le plan de l'écriture. Le romancier joue sur tous les ressorts de la sensibilité et de la sensualité pour traduire les aspects du réel et les profondeurs de l'âme. Le narrateur adopte un style d'analyste qui saisit moins le contour des choses que l'intériorité même de la vie. Il laisse ses phrases suivre les courbes de la pensée et épouser les rythmes du sentiment : elles sont foisonnantes, amples, chargées de détails, coupées d'incises, adaptées à la minutie de la démarche introspective. Proust cherche sans cesse à faire surgir des correspondances entre le réel et les profondeurs de l'âme. Les métaphores sont donc nombreuses, de même que les épithètes, souvent doublées ou triplées, fréquemment opposées les unes aux autres, toujours inattendues, chargées d'émotion et de sens. Le romancier renouvelle et rehausse donc la prose narrative par la dimension poétique qu'il lui apporte. Parce qu'il exige de son art qu'il transfigure sa vision du monde et celle de ses lecteurs, Proust rejoint le grand mouvement symboliste amorcé par Baudelaire, qui entendait trouver un absolu hors des prises du temps.

---

1. À la même époque, Antonio Gaudi dresse les plans de la cathédrale Sagrada Familia de Barcelone, une autre aventure sans pareille, cette fois dans l'histoire des bâtisseurs.
2. En 1983, le cinéaste Volker Schlöndorff a tourné *Un amour de Swann*, d'après le roman *Du côté de chez Swann*, qui constitue la première partie de cette fresque.

DE LA MÊME FAÇON QU'OPÈRE L'AMOUR

Je trouve très raisonnable la croyance celtique que les âmes de ceux
que nous avons perdus sont captives dans quelque être inférieur, dans
une bête, un végétal, une chose inanimée, perdues en effet pour nous
jusqu'au jour, qui pour beaucoup ne vient jamais, où nous nous trouvons
5 passer près de l'arbre, entrer en possession de l'objet qui est leur prison.
Alors elles tressaillent, nous appellent, et sitôt que nous les avons
reconnues, l'enchantement est brisé. Délivrées par nous, elles
ont vaincu la mort et reviennent vivre avec nous.

Il en est ainsi de notre passé. C'est peine perdue que nous cherchions
10 à l'évoquer, tous les efforts de notre intelligence sont inutiles. Il est
caché hors de son domaine et de sa portée, en quelque objet matériel
(en la sensation que nous donnerait cet objet matériel) que nous
ne soupçonnons pas. Cet objet, il dépend du hasard que nous le
rencontrions avant de mourir, ou que nous ne le rencontrions pas.

15 Il y avait déjà bien des années que, de Combray, tout ce qui n'était pas
le théâtre et le drame de mon coucher, n'existait plus pour moi, quand
un jour d'hiver, comme je rentrais à la maison, ma mère, voyant que
j'avais froid, me proposa de me faire prendre, contre mon habitude,
un peu de thé. Je refusai d'abord et, je ne sais pourquoi, me ravisai.
20 Elle envoya chercher un de ces gâteaux courts et dodus appelés
Petites Madeleines qui semblent avoir été moulés dans la valve rainurée
d'une coquille de Saint-Jacques. Et bientôt, machinalement, accablé
par la morne journée et la perspective d'un triste lendemain, je
portai à mes lèvres une cuillerée du thé où j'avais laissé s'amollir
25 un morceau de madeleine. Mais à l'instant même où la gorgée mêlée
des miettes du gâteau toucha mon palais, je tressaillis, attentif à ce
qui se passait d'extraordinaire en moi. Un plaisir délicieux m'avait
envahi, isolé, sans la notion de sa cause. Il m'avait aussitôt rendu
les vicissitudes de la vie indifférentes, ses désastres inoffensifs,
30 sa brièveté illusoire, de la même façon qu'opère l'amour, en me
remplissant d'une essence précieuse : ou plutôt cette essence n'était
pas en moi, elle était moi. J'avais cessé de me sentir médiocre,
contingent, mortel. D'où avait pu me venir cette puissante joie ?
Je sentais qu'elle était liée au goût du thé et du gâteau, mais
35 qu'elle le dépassait infiniment, ne devait pas être de même nature.
D'où venait-elle ? Que signifiait-elle ? Où l'appréhender ? Je bois
une seconde gorgée où je ne trouve rien de plus que dans la première,
une troisième qui m'apporte un peu moins que la seconde. Il
est temps que je m'arrête, la vertu du breuvage semble diminuer.
40 Il est clair que la vérité que je cherche n'est pas en lui, mais en moi.

Marcel Proust, À la recherche du temps perdu.
Du côté de chez Swann, Paris, 1913.

Kees Van Dongen, *Le Salon Verdurin – À la recherche du temps perdu*, 1946.

Plusieurs artistes ont été inspirés par l'œuvre de Proust.
Kees van Dongen a illustré l'édition Gallimard de 1946.

☐ VERS L'ANALYSE

De la même façon qu'opère l'amour

1. Cet extrait comporte deux parties, l'une théorique,
   l'autre narrative.
   a) Identifiez-les et donnez un titre à chacune.
   b) Divisez chaque partie en sections et résumez chacune
   en une phrase.

2. a) Quelle expérience banale devient ici une grande source
   de joie ?
   b) Quel adverbe traduit le caractère banal de cette expérience ?
   c) Quel adjectif forme une antithèse avec cet adverbe
   et montre l'importance de l'expérience ?

3. Relevez une énumération, une gradation et une comparaison qui
   traduisent l'importance de l'expérience vécue par le narrateur.

4. Une sensation provoque, chez le narrateur, une émotion qui,
   à son tour, provoque un questionnement.
   a) Expliquez cette affirmation.
   b) Relevez les phrases qui marquent ces étapes.

5. a) Essentiellement, que cherche à savoir le narrateur ?
   b) Pourquoi est-ce si important ?

6. À la lumière du deuxième paragraphe et du début du troisième
   paragraphe de l'extrait, quelle réponse peut-on supposer que
   Proust donnera à la question de savoir d'où lui vient la joie que
   lui procure le goût de la madeleine trempée dans le thé ?

7. À la lumière de la bande dessinée (pages 74 et 75), quelle
   réponse Proust donne-t-il effectivement à la même question ?

8. a) Expliquez ce que cette réponse éveille d'autre en lui.
   b) Quelle comparaison introduit cette autre chose ?

Sujet de dissertation explicative

À l'aide des extraits du roman et de la bande dessinée, expliquez
comment Proust montre que le passé peut resurgir d'un objet
ou d'une sensation.

Le « questionnaire de Proust »

À quatorze ans, le jeune Marcel Proust se lie d'amitié avec une jeune fille qui possède un album anglais très à la mode à cette époque et dont le titre est *Confessions, an Album to Record Thoughts, Feelings, etc.* Il s'agit, en fait, d'un jeu de société pour les jeunes filles de bonnes familles victoriennes. Proust se prête alors à ce jeu et répond à une série de questions qui plus tard deviennent célèbres et prennent le nom de « questionnaire de Proust ». L'auteur y répond à nouveau lorsqu'il atteint vingt ans. Les réponses que nous présentons ici sont celles du Proust de quatorze ans.

Quel est le principal trait de votre caractère ?
— Le besoin d'être aimé et, pour préciser, le besoin d'être caressé et gâté bien plus que le besoin d'être admiré.

La qualité que vous préférez chez un homme ?
— Des charmes féminins. L'intelligence, le sens moral.

Chez une femme ?
— La franchise dans la camaraderie. La douceur, le naturel, l'intelligence.

Ce que vous appréciez le plus chez vos amis ?
— D'être tendres pour moi, si leur personne est assez exquise pour donner un grand prix à leur tendresse.

Votre principal défaut ?
— Ne pas savoir, ne pas pouvoir « vouloir ».

Votre occupation préférée ?
— Aimer.

Votre rêve de bonheur ?
— Je n'ose pas le dire, j'ai peur de le détruire en le disant.

Quel serait votre plus grand malheur ?
— Ne pas avoir connu ma mère ni ma grand-mère.

Ce que vous voudriez être ?
— Moi, comme les gens que j'admire me voudraient.

Le pays où vous désireriez vivre ?
— Au pays de l'idéal, ou plutôt de mon idéal. Au pays où les tendresses seraient toujours partagées.

La fleur que vous aimez ?
— La sienne – et après, toutes.

L'oiseau que vous préférez ?
— L'hirondelle.

Vos héros dans la fiction ?
— Les héros romanesques, poétiques, ceux qui sont un idéal plutôt qu'un modèle. Hamlet.

Vos héroïnes favorites dans la fiction ?
— Celles qui sont plus que des femmes sans sortir de leur sexe. Bérénice.

Vos poètes favoris ?
— Baudelaire, Musset et Vigny.

Quels sont vos compositeurs préférés ?
— Beethoven, Wagner, Schumann.

Vos peintres favoris ?
— Léonard de Vinci, Rembrandt.

Vos héroïnes dans l'histoire ?
— Cléopâtre.

Ce que vous détestez par-dessus tout ?
— Ce qu'il y a de mal en moi. Les gens qui ne sentent pas ce qui est bien, qui ignorent les douceurs et l'affection.

Le don de la nature que vous voudriez avoir ?
— La volonté, et des séductions.

Comment aimeriez-vous mourir ?
— Meilleur – et aimé.

L'état présent de votre esprit ?
— L'ennui d'avoir pensé à moi pour répondre à toutes ces questions.

Les fautes qui vous inspirent le plus d'indulgence ?
— Celles que je comprends.

Votre devise ?
— Je n'ose la formuler ; j'aurais trop peur qu'elle ne me porte malheur.

Julius Schmid, *Franz Schubert au piano lors d'une soirée « Schubert » dans un salon de Vienne*, 1897.

Dans *À la recherche du temps perdu*, Proust dépeint la vie des salons.

Stéphane Heuet
(né en 1957)

Bien longtemps après Proust, quand la littérature a épuisé toutes les virevoltes avant-gardistes du XXᵉ siècle, des écrivains sentent le besoin de retourner à la source vive du passé pour y puiser leur inspiration. C'est ainsi qu'on a transposé en bande dessinée cette œuvre à nulle autre incomparable, *À la recherche du temps perdu*. En effet, le scénariste, illustrateur et coloriste de bande dessinée **Stéphane Heuet** a tellement été séduit par l'œuvre de Marcel Proust qu'il a décidé d'adapter la totalité de ses récits sous forme de bande dessinée. À ce jour, trois des douze ouvrages prévus sont parus. Les phrases utilisées dans les cases sont extraites du texte même de Proust; quant aux dialogues figurant dans les bulles, ils sont également composés de textes originaux ou de transpositions en style direct des longues phrases de Proust.

Dans le premier tome, intitulé *À la recherche du temps perdu. Combray*, le narrateur est transporté dans le temps lorsqu'il porte à ses lèvres une cuillerée de thé dans lequel trempait un morceau de madeleine.

Giovanni Boldini, *Le Comte Robert de Montesquiou*, 1897.

Proust décrit dans ses moindres détails la vie aristocratique parisienne du début du XXᵉ siècle.

Quelques citations de Proust

«Notre personnalité sociale est une création de la pensée des autres.»

«L'amour le plus exclusif pour une personne est toujours l'amour d'autre chose.»

«Il y a toujours moins d'égoïsme dans l'imagination que dans le souvenir.»

«La possession de ce qu'on aime est une joie plus grande encore que l'amour.»

«Ainsi qu'au début il est formé par le désir, l'amour n'est entretenu, plus tard, que par l'anxiété douloureuse.»

«Il est vraiment rare qu'on se quitte bien, car si on était bien, on ne se quitterait pas.»

«Les vrais paradis sont ceux qu'on a perdus.»

«Le style, pour l'écrivain aussi bien que pour le peintre, est une œuvre non de technique mais de vision.»

«Le bonheur est salutaire pour le corps, mais c'est le chagrin qui développe les forces de l'esprit.»

«Notre amour de la vie n'est qu'une vieille liaison dont nous ne savons pas nous débarrasser.»

«Une heure n'est pas qu'une heure, c'est un vase rempli de parfums, de sons, de projets et de climats.»

Tiens ! une madeleine ?

oui, Nicolas a couru chez le pâtissier.

"... bonjour, tante Léonie..."

?

... Un plaisir délicieux m'avait envahi, isolé, sans notion de sa cause.

Certes, ce qui palpite au fond de moi, ce doit être l'image, le souvenir visuel, qui, lié à cette saveur, tente de la suivre jusqu'à moi.

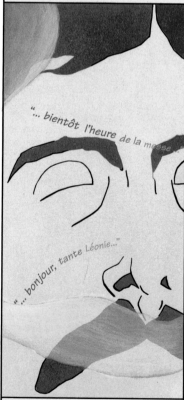

"... bientôt l'heure de la messe..."

"... bonjour, tante Léonie..."

D'où avait pu me venir cette puissante joie ?

Il est clair que la vérité que je cherche n'est pas en lui, mais en moi. Il l'y a éveillée ...

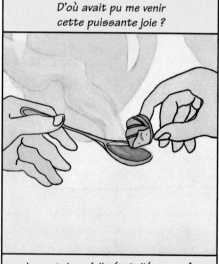

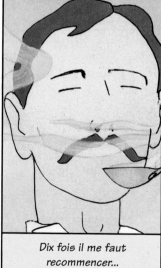

Je sentais qu'elle était liée au goût du thé et du gâteau, mais qu'elle le dépassait infiniment, ne devait pas être de même nature.

Dix fois il me faut recommencer...

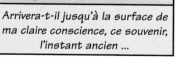

Arrivera-t-il jusqu'à la surface de ma claire conscience, ce souvenir, l'instant ancien ...

Marcel Proust, *À la recherche du temps perdu. Combray*, adaptation et dessins de Stéphane Heuet, Delcourt, 1998.

Et tout d'un coup le souvenir m'est apparu.

Ce goût, c'était celui du petit morceau de madeleine que, le dimanche matin à Combray, ma tante Léonie m'offrait après l'avoir trempé dans son infusion de thé ou de tilleul...

bonjour, tante Léonie !

... Et comme dans ce jeu où les Japonais s'amusent à tremper dans un bol de porcelaine rempli d'eau, de petits morceaux de papier jusque-là indistincts qui, à peine y sont-ils plongés s'étirent, se contournent, se colorent, se différencient, deviennent des fleurs, des maisons, des personnages consistants et reconnaissables, de même maintenant toutes les fleurs de notre jardin et celles du parc de M. Swann, et les nymphéas de la Vivonne, et les bonnes gens du village et leurs petits logis et l'église et tout Combray et ses environs, tout cela qui prend forme et solidité, est sorti, ville et jardins, de ma tasse de thé.

Paul-Émile Bécat, *Portrait d'André Gide*, 1919.

André Gide (1869-1951)

«Inquiéter, tel est mon rôle. Le public préfère toujours qu'on le rassure, il en est dont c'est le métier, il n'en est que trop.»

Élevé dans un climat de dévotion intransigeante et de morale puritaine, André Gide doit, très tôt, refouler ses pulsions et les élans de sa personnalité. Ce n'est que dans la vingtaine, après son mariage, qu'il découvre l'ivresse des sens et la liberté d'une sexualité sans honte avec des personnes de son sexe. Cet homme de ferveur se fait dès lors éveilleur de consciences et oblige ses lecteurs à remettre perpétuellement en question leurs idées, leurs principes et leurs certitudes, de façon à ce qu'ils évitent la sclérose de l'esprit et deviennent toujours davantage conscients et réfléchis. Sa philosophie de l'immédiat et de l'instantané l'amène à faire voler en éclats toutes les contraintes et l'hypocrisie de la morale puritaine, et il préfère à celle-ci la religion de l'expansion toujours plus grande de l'individualité. Il ne considère pas qu'il faut réprimer ses instincts ni les suivre aveuglément, et il lui importe de faire la distinction entre les instincts nobles et les instincts vils, les premiers étant au service de la bonté, de la générosité et du gouvernement de soi. «Il est bon de suivre sa pente, écrit Gide, pourvu que ce soit en montant.» Cet homme qui possède une intelligence aiguë et une forte personnalité exerce une importante influence sur la mentalité de son époque.

L'œuvre d'André Gide est considérable. Alors que certains de ses récits se contentent de faire éclater le corset de fer des convenances et de la morale, d'autres proposent une importante innovation dans l'art romanesque. *Les Faux-Monnayeurs* (1925) entrent dans la deuxième catégorie. Dans ce roman, l'écrivain recourt à un procédé emprunté à l'héraldique et repris par les peintres flamands[1] : la mise en abyme, qui consiste à enchâsser un récit dans un autre récit, ordinairement celui d'un narrateur en train d'écrire lui-même un roman. Ainsi, l'histoire des *Faux-Monnayeurs*, qui fait s'entrecroiser de nombreuses intrigues, est contée à travers une multiplicité de personnages et de points de vue : on y trouve alternativement un récit narratif usuel, le journal d'un personnage, un extrait du roman de ce personnage et des interventions de l'écrivain dans sa fiction, et cette profusion de voix fait que la limite entre les différentes frontières de ces imaginaires devient poreuse. Dans cette œuvre, Gide s'attaque à l'illusion réaliste et à la fiction romanesque. Il tient à construire un roman «purgé de tous les éléments qui n'apparti[enn]ent pas spécifiquement au roman». Ainsi, la place de l'intrigue, du décor et du portrait physique des personnages devient si réduite qu'on pourrait parler d'un anti-roman. La construction du temps romanesque est telle qu'elle ne permet pas de recomposer clairement une chronologie linéaire. Gide ne vise bien sûr pas à «concurrencer l'état civil», comme se le proposait Balzac, mais plutôt à peindre l'intériorité d'un personnage, son essence même. Le narrateur omniscient, si répandu au XIXᵉ siècle, n'est plus crédible et laisse sa place à une voix qui s'énonce à partir de sa seule subjectivité : tout ce qu'un personnage ne peut voir demeure dans le non-dit. Autre caractéristique de ce type de roman prodigieusement neuf : son dénouement est ouvert, non conclusif, ce qui demande au lecteur de participer activement à l'élaboration du sens, exigence qui devient par la suite monnaie courante dans tout l'art contemporain. Cette vision du romancier annonce bien que dorénavant, le sort de la littérature se joue sur la question du langage. Les romanciers qui suivent la trace ouverte par Gide le prouvent et, dans leurs œuvres, le fossé entre les mots et le réel ne cesse de se creuser. Le renouvellement de l'art romanesque entrepris par Gide connaît son aboutissement dans ce qu'on appelle le Nouveau roman. Dans l'extrait que nous présentons, un *alter ego* de l'auteur, le romancier Édouard, tente d'expliquer le projet romanesque des *Faux-Monnayeurs*.

Quelques citations de Gide

«La sagesse n'est pas dans la raison, mais dans l'amour.»

«Toute théorie n'est bonne qu'à condition de s'en servir pour passer outre.»

«Le monde ne sera sauvé, s'il peut l'être, que par des insoumis.»

«Que l'importance soit dans le regard, non dans la chose regardée.»

«Familles, je vous hais ! foyers clos, portes refermées ; possessions jalouses du bonheur.»

«Dans un monde où chacun triche, c'est l'homme vrai qui fait figure de charlatan.»

«On dit qu'il y a des routes sur la mer ; mais elles ne sont pas tracées.»

«L'important n'est pas tant d'être franc que de permettre à l'autre de l'être.»

«Je n'aime pas les hommes ; j'aime ce qui les dévore.»

«On ne fait pas de bonne littérature avec de bons sentiments.»

---

1. Le tableau comprend un miroir dans lequel se reflète une partie du tableau.

Mon roman n'a pas de sujet

— Et... le sujet de ce roman?

— Il n'en a pas, repartit Édouard brusquement; et c'est là ce qu'il a de plus étonnant peut-être. Mon roman n'a pas de sujet. Oui, je sais bien; ça a l'air stupide ce que je dis là. Mettons si vous préférez qu'il n'y aura pas *un* sujet...
5 «Une tranche de vie», disait l'école naturaliste. Le grand défaut de cette école, c'est de couper sa tranche toujours dans le même sens; dans le sens du temps, en longueur. Pourquoi pas en largeur? ou en profondeur? Pour moi, je voudrais ne pas couper du tout. Comprenez-moi: je voudrais tout y faire entrer, dans ce roman. Pas de coup de ciseaux pour arrêter, ici plutôt
10 que là, sa substance. Depuis plus d'un an que j'y travaille, il ne m'arrive rien que je n'y verse, et que je n'y veuille faire entrer: ce que je vois, ce que je sais, tout ce que m'apprend la vie des autres et la mienne...

— Et tout cela stylisé? dit Sophroniska, feignant l'attention la plus vive, mais sans doute avec un peu d'ironie. Laura ne put réprimer un sourire. Édouard
15 haussa légèrement les épaules et reprit:

— Et ce n'est même pas cela que je veux faire. Ce que je veux, c'est présenter d'une part la réalité, présenter d'autre part cet effort pour la styliser, dont je vous parlais tout à l'heure.

— Mon pauvre ami, vous ferez mourir d'ennui vos lecteurs, dit Laura;
20 ne pouvant plus cacher son sourire, elle avait pris le parti de rire vraiment.

— Pas du tout. Pour obtenir cet effet, suivez-moi, j'invente un personnage de romancier, que je pose en figure centrale; et le sujet du livre, si vous voulez, c'est précisément la lutte entre ce que lui offre la réalité et ce que, lui, prétend en faire.

André Gide, *Les Faux-Monnayeurs*, Paris, 1925, © Éditions Gallimard.

□ **Vers l'analyse**

Mon roman n'a pas de sujet

1. Dans sa première réplique, Édouard fait de l'ironie au détriment de l'école naturaliste.
   a) Relevez et expliquez le mot, attribué à l'école naturaliste, sur lequel porte l'ironie.
   b) Expliquez l'ironie du propos.
   c) Quels sont les deux reproches qu'Édouard adresse à l'école naturaliste?

2. a) Pourquoi le roman imaginé par Édouard ne peut-il pas avoir un sujet unique?
   b) S'il n'a pas un sujet unique, à quoi, selon vous, ressemblera sa composition?

3. a) Relevez le passage par lequel le romancier fait allusion au procédé de mise en abyme.
   b) Expliquez comment ce procédé est mis en œuvre dans l'extrait proposé.

4. Qu'est-ce qui caractérise le roman d'Édouard sur le plan du fond et de la forme?

5. a) Comment réagissent Sophroniska et Laura aux explications d'Édouard?
   b) Qui représentent-elles?

6. a) Définissez le terme «faux-monnayeur».
   b) Considérant que le mot a ici un sens métaphorique, qui sont les faux-monnayeurs de l'extrait?

Sujet de dissertation explicative

Quelles sont, d'après Gide, les caractéristiques du roman idéal et en quoi s'opposent-elles à celles du roman naturaliste?

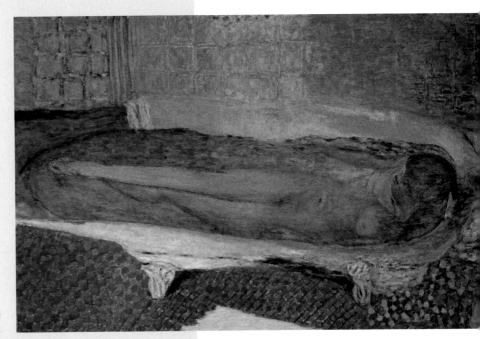

Pierre Bonnard, *Nu dans la baignoire*, 1937.

Vasili Grigorevich Perov, *Portrait de Dostoïevski*, 1872.

Fédor Dostoïevski (1821-1881)

L'écrivain russe Dostoïevski, dont les premières traductions paraissent en France dans les années 1880, exerce une influence déterminante sur la littérature du XXe siècle : Proust et Malraux l'admirent, Gide prononce de nombreuses conférences sur son œuvre, les romans de Bernanos, de Green et de Mauriac, entre autres, portent son empreinte. Sa découverte de l'inconscient, bien avant que Freud n'en formule la théorie, transforme l'approche romanesque, qui tend de plus en plus à devenir une vaste évocation psychologique. Ses personnages sont des êtres complexes et pathétiques, des consciences désarmées livrées à un monde hostile, assiégées par la solitude et la mort, perdues dans des abîmes qui sont aussi ceux de tous les hommes. Cet écrivain soulève les questions les plus troublantes et innove également dans sa compréhension du présent historique, conçu comme un moment précaire, chargé de changements. Dostoïevski laisse après sa mort une œuvre qui contient en germe toutes les folies et toutes les fureurs des romans futurs.

Tiré de *L'Idiot*[1] (1869), l'extrait que nous présentons est un passage d'une longue lettre lue par un personnage ; Dostoïevski y dévoile les dessous de l'âme humaine.

---

1. Le Français Georges Lampin en a produit une version cinématographique en 1946 ; le Japonais Akir Kuwosama, en 1951 ; et le Russe Ivan Pyriev, en 1958.

EN QUOI CONSISTE LE BONHEUR ?

Oh ! À présent, tout m'est égal. Je n'ai plus le temps maintenant de me mettre en colère ; mais alors, alors, je le répète ! la nuit je rongeais littéralement mon oreiller et déchirais de rage ma couverture ! Oh ! combien rêvais-je, combien désirais-je alors qu'on me chassât tout à coup
5 dans la rue tel que j'étais, un adolescent de dix-huit ans, à peine vêtu, à peine couvert, et qu'on me laissât tout seul, sans logement, sans travail, sans une croûte de pain, sans parents, sans un seul ami dans cette ville immense, ayant faim, battu (tant mieux !) mais... se portant bien et alors, alors, j'aurais démontré !...

[...]

10 Que celui qui aura trouvé mon « explication » et qui aura la patience de la lire jusqu'au bout, me prenne pour un fou, pour un collégien, ou mieux que cela, pour un condamné à mort, auquel il semble naturellement que les autres n'attachent pas un grand prix à la vie, qu'ils ont pris l'habitude de la gaspiller sans compter ; qu'ils en usent d'une façon trop paresseuse
15 ou trop malhonnête et que par conséquent tous jusqu'au dernier, ils n'en sont pas dignes ! Eh bien ! je déclare que le lecteur aura tort, et que mes convictions sont indépendantes de mon verdict de mort. Demandez-leur seulement, à tous jusqu'au dernier, en quoi consiste le bonheur ? Oh ! soyez certain que Colomb était heureux, non après avoir découvert l'Amérique,
20 mais au moment où il la découvrit ! Croyez-moi, son bonheur avait peut-être atteint son apogée exactement trois jours avant la découverte du nouveau monde, lorsque l'équipage en révolte avait manqué de faire rebrousser chemin au navire et de rentrer en Europe. D'ailleurs, la question n'est pas là, dût-il disparaître, ce nouveau monde ! Colomb mourut n'en
25 ayant pas aperçu grand-chose et, pour dire vrai, ne sachant même pas ce qu'il avait découvert. Le plus important, c'est la vie, la vie seule, le fait de la découvrir continuellement et éternellement et non la découverte elle-même. Mais à quoi bon parler ? Je présume que tout ce que je dis maintenant ressemble tellement à des lieux communs, qu'on va me prendre pour un
30 élève d'une classe inférieure, qui présente une composition sur « le lever du soleil » ou bien on prétendra que, peut-être, j'avais l'intention de dire quelque chose, mais, malgré tout mon désir, je n'ai pas su m'« expliquer ». J'ajouterai néanmoins qu'il y a dans chaque pensée humaine, qu'elle soit géniale et neuve, ou tout simplement sérieuse, quelque chose qu'on ne peut
35 traduire en paroles, dussiez-vous écrire des volumes entiers ou l'expliquer aux hommes pendant trente-cinq ans ! il restera toujours quelque chose qui ne voudra pas sortir de votre crâne et qui y demeurera à jamais ; et vous mourrez sans avoir communiqué aux autres ce qui constitue peut-être l'essentiel de votre idée.

Fédor Dostoïevski, *L'Idiot*, Moscou, 1869, Traduction de N. Poltavtzev et F. Martin.

En quoi consiste le bonheur ?

1. Citez une phrase du texte qui résume l'essentiel des idées de l'auteur et expliquez-la.

2. a) Pourquoi ce texte est-il de type argumentatif ?
   b) Relevez au moins cinq procédés, propres à l'argumentation, employés par le narrateur.

3. Le narrateur emploie plusieurs figures d'insistance.
   a) Dans le premier paragraphe, relevez un redoublement répété, un parallélisme et une hyperbole.
   b) Dans le deuxième paragraphe, relevez deux hyperboles et une répétition.
   c) Quel effet créent toutes ces figures ?

4. a) Quels sentiments exprime successivement le narrateur ?
   b) Quels signes de ponctuation témoignent de la vivacité des sentiments du narrateur ?

5. a) Quelle figure de style montre, à deux reprises, que l'opinion des autres importe beaucoup au narrateur ?
   b) Quelle réaction suscite cette hantise ?

6. À quoi tient la tonalité pathétique de ce texte ?

Sujet de dissertation explicative

Comparez les procédés qu'emploient les narrateurs des *Faux-Monnayeurs* et de *L'Idiot* pour affirmer leurs idées.

Le théâtre symboliste

Le théâtre symboliste naît alors que le théâtre français arrive à un carrefour et qu'il prend plusieurs visages à la fois. Las des drames romantiques, ténébreux et parfois difficiles à monter, un nouveau public, issu de la bourgeoisie, réclame un théâtre plus réaliste, dans lequel il pourrait se reconnaître. Ainsi commence l'époque des comédies dites sérieuses, où l'observation passe avant le comique et où l'on restitue sur scène des situations empruntées à la réalité contemporaine. Ces pièces sont souvent moralisantes : on y affirme, par exemple, qu'une grande passion peut être salvatrice. C'est *La Dame aux camélias* (1852) d'Alexandre Dumas fils qui obtient le plus grand succès parmi les pièces de ce type.

D'autres auteurs font plutôt triompher le théâtre de boulevard. Ils veulent que leurs comédies soient drôles et spirituelles, mais elles tombent parfois dans la vulgarité. Elles amènent le public à rire des maux dont souffre la société : la hiérarchie des classes et le triomphe de la médiocrité, le pouvoir de l'argent, les institutions en péril, notamment le mariage. L'adultère, le divorce et le triangle amoureux y sont des thèmes récurrents. Plusieurs auteurs de ce type de théâtre connaissent le succès, dont Eugène Labiche (1815-1888), Georges Courteline (1858-1929), Georges Feydeau (1862-1921) et Jules Renard (1864-1910), mais aucun d'eux n'atteint le triomphe qu'a remporté Edmond Rostand avec la pièce néoromantique *Cyrano de Bergerac* (1897).

En dehors de la France, le théâtre se renouvelle, à cette époque, grâce au Norvégien Ibsen (*Hedda Gabler*, 1890), au Russe Tchekhov (*La Mouette*, 1896), au Suédois Strindberg (*La Danse de mort*, 1900) et à l'Italien Pirandello (*Chacun sa vérité*, 1916). En France, deux grands novateurs viennent annoncer la fin d'un certain type de théâtre : Alfred Jarry et Paul Claudel.

Ubucycle (1989) d'après Alfred Jarry, Théâtre Ubu, Montréal.

Jarry peint, de manière symbolique et burlesque, un troublant tableau de la condition humaine.

F. A. Cazals,
Portrait d'Alfred Jarry, 1899.

Alfred Jarry (1873-1907)

«Merdre!»

Quelques citations de Jarry

«L'indiscipline aveugle et de tous les instants fait la force de l'homme libre.»

«L'oubli est la condition indispensable de la mémoire.»

«L'amour est un acte sans importance, puisqu'on peut le faire indéfiniment.»

«Ô le désespoir de Pygmalion, qui aurait pu créer une statue et qui ne fit qu'une femme!»

Alfred Jarry est un écrivain très particulier. Miné par l'absinthe, il meurt à trente-quatre ans. Comme dernières paroles sur son lit de mort, il aurait réclamé un cure-dents. Cet homme iconoclaste, dont la vie est indissociable de l'humour noir de son œuvre, multiplie constamment les défis, les provocations et les mystifications[1]. La version originale de sa première pièce, *Ubu Roi* (1896), une farce épique parsemée de souvenirs shakespeariens, est une satire que le lycéen écrit pour se moquer de son professeur de physique, chahuté par ses élèves. Totalement affranchi de l'influence des dramaturges contemporains, Jarry dénonce le théâtre de son époque, en particulier le théâtre de boulevard, qu'il considère tout juste bon pour favoriser la digestion.

Dans *Ubu Roi*, l'écrivain se montre sans pitié pour le spectateur, qui ne dispose plus d'aucun des repères traditionnels qui pourraient lui permettre de se raccrocher à la réalité. Les situations sont caricaturées et le langage est dramatique, bouleversé. Parfois, le texte paraît même secondaire par rapport à certains éléments scéniques comme les cris, les masques, les mimes et les écriteaux. Cette fantaisie débridée et déroutante ne cherche pas à plaire au public, mais à l'agresser. Le comique gestuel y est «hénaurme», exagéré jusqu'à l'outrance, et la langue, qui mélange les styles et fait s'entrechoquer les registres, privilégie le truculent et le trivial: un retentissant «Merdre!» ouvre la pièce et y est répété trente-trois fois.

Ce théâtre exploite les délires de la déraison et critique de façon virulente une société en pleine décadence. Jarry, héritier de Lautréamont et de Rimbaud, utilise l'absurde pour railler l'esprit petit-bourgeois et son idéal de vie qui se limite au confort domestique. Devant l'opprobre général qui accueille sa pièce, Jarry affirme: «Il n'est pas étonnant que le public ait été stupéfait à la vue de son double ignoble.» Il semble qu'*Ubu Roi* libère l'inconscient du spectateur parce qu'il lui fait voir une partie peu glorieuse de sa personnalité. En effet, les héros (ou anti-héros) de Jarry – aussi bien le dérisoire et monstrueux père Ubu, bouffi de vices et de prétentions, que la mère Ubu, une mégère calculatrice – sont des caricatures des bourgeois matérialistes et satisfaits de leur sort.

Cette pièce pleine de créativité, qui propose paradoxalement le salut par la dérision, suscite un rire tout à fait nouveau au théâtre. Jarry écrit de la poésie symboliste et son théâtre s'inscrit dans ce mouvement de contestation du réalisme, mais il le dépasse et annonce le théâtre de l'absurde du XXᵉ siècle. *Ubu Roi* est une mystification symboliste qui constitue sans doute la première pièce que l'on peut rattacher à l'avant-garde. Elle ne cherche ni à reproduire la réalité ni à brosser un tableau de rêve: elle peint, de manière symbolique et burlesque, un troublant tableau de la condition humaine. En plus de tracer la voie au surréalisme, Jarry, émule de Rabelais et de Molière, annonce déjà Ionesco et le théâtre de l'absurde.

Max Ernst,
Ubu Imperator, 1923.

Le théâtre de Jarry exploite les délires de la déraison et utilise l'absurde pour railler l'esprit petit-bourgeois et son idéal de vie qui se limite au confort domestique.

---

1. Un jour qu'il était attablé dans un restaurant, La Closerie des lilas, il tire un coup de feu dans un miroir au-dessus d'une jeune femme à qui il déclare alors: «Maintenant que la glace est rompue, causons!»

Père Ubu. — Merdre!

Mère Ubu. — Oh! voilà du joli, Père Ubu, vous estes un fort grand voyou.

Père Ubu. — Que ne vous assom'je, Mère Ubu!

5 **Mère Ubu.** — Ce n'est pas moi, Père Ubu, c'est un autre qu'il faudrait assassiner.

Père Ubu. — De par ma chandelle verte, je ne comprends pas.

Mère Ubu. — Comment, Père Ubu, vous estes content de votre sort?

10 **Père Ubu.** — De par ma chandelle verte, merdre, madame, certes oui, je suis content. On le serait à moins: capitaine de dragons, officier de confiance du roi Venceslas, décoré de l'ordre de l'Aigle Rouge de Pologne et ancien roi d'Aragon, que voulez-vous de mieux?

15 **Mère Ubu.** — Comment! Après avoir été roi d'Aragon vous vous contentez de mener aux revues une cinquantaine d'estafiers armés de coupe-choux, quand vous pourriez faire succéder sur votre fiole la couronne de Pologne à celle d'Aragon?

Père Ubu. — Ah! Mère Ubu, je ne comprends rien 20 de ce que tu dis.

Mère Ubu. — Tu es si bête!

Père Ubu. — De par ma chandelle verte, le roi Venceslas est encore bien vivant; et même en admettant qu'il meure, n'a-t-il pas des légions d'enfants?

25 **Mère Ubu.** — Qui t'empêche de massacrer toute la famille et de te mettre à leur place?

Père Ubu. — Ah! Mère Ubu, vous me faites injure et vous allez passer tout à l'heure par la casserole.

Mère Ubu. — Eh! pauvre malheureux, si je passais par 30 la casserole, qui te raccommoderait tes fonds de culotte?

Père Ubu. — Eh vraiment! et puis après? N'ai-je pas un cul comme les autres?

Mère Ubu. — À ta place, ce cul, je voudrais l'installer sur un trône. Tu pourrais augmenter indéfiniment tes richesses, man-35 ger fort souvent de l'andouille et rouler carrosse par les rues.

Père Ubu. — Si j'étais roi, je me ferais construire une grande capeline comme celle que j'avais en Aragon et que ces gredins d'Espagnols m'ont impudemment volée.

Mère Ubu. — Tu pourrais aussi te procurer un parapluie 40 et un grand caban qui te tomberait sur les talons.

Père Ubu. — Ah! je cède à la tentation. Bougre de merdre, merdre de bougre, si jamais je le rencontre au coin d'un bois, il passera un mauvais quart d'heure.

45 **Mère Ubu.** — Ah! bien, Père Ubu, te voilà devenu un véritable homme.

Père Ubu. — Oh non! moi, capitaine de dragons, massacrer le roi de Pologne! plutôt mourir!

Mère Ubu, *à part.* — Oh! merdre! *(Haut.)* Ainsi, tu vas rester gueux comme un rat, Père Ubu?

50 **Père Ubu.** — Ventrebleu, de par ma chandelle verte, j'aime mieux être gueux comme un maigre et brave rat que riche comme un méchant et gras chat.

Mère Ubu. — Et la capeline? et le parapluie? et le grand caban?

55 **Père Ubu.** — Eh bien, après, Mère Ubu?

(Il s'en va en claquant la porte.)

Mère Ubu, *seule.* — Vrout, merdre, il a été dur à la détente, mais vrout, merdre, je crois pourtant l'avoir ébranlé. Grâce à Dieu et à moi-même, peut-être dans huit jours serai-je reine 60 de Pologne.

Alfred Jarry, *Ubu Roi*, scène I, Paris, 1896.

☐ **VERS L'ANALYSE**

De par ma chandelle verte

1. La première scène d'une pièce de théâtre, dite scène d'exposition, vise à donner aux spectateurs des renseignements qui leur permettront de comprendre la pièce.
   a) Que nous apprend cette scène de l'intrigue?
   b) Que nous apprend-elle de la psychologie des deux personnages?

2. a) Décrivez le père Ubu d'un point de vue social.
   b) Son statut social vous apparaît-il vraisemblable?

3. a) À quoi rêvent le père et la mère Ubu lorsqu'ils songent à la possibilité d'usurper le trône?
   b) Ces rêves vous apparaissent-ils cohérents par rapport au statut de roi?

4. a) Relevez des mots et expressions familiers et vulgaires, des jurons et des impropriétés.
   b) En quoi ces mots et expressions contribuent-ils à l'aspect caricatural de la scène?

5. a) Quels pronoms emploient les personnages lorsqu'ils s'adressent la parole?
   b) Quel effet crée cet emploi?

6. Le père Ubu vous apparaît-il cohérent dans ses prises de position? Justifiez votre réponse en citant des répliques précises.

7. a) Quels sont les aspects du pouvoir que Jarry dénonce à travers cette scène?
   b) Jarry se sert de la caricature pour faire cette dénonciation. Relevez des hyperboles qui servent cette caricature.

8. À quoi tient le côté burlesque de la scène?

Sujet de dissertation explicative

Montrez que la pièce tourne en dérision à la fois le pouvoir politique et le théâtre réaliste.

Paul Claudel (1868-1955)

« L'œuvre n'est pas le produit de l'artiste, l'artiste est l'instrument de l'œuvre. »

Paul Claudel connaît, en 1886, une double révélation : la lecture de l'œuvre de Rimbaud fait basculer sa vie dans la poésie et, durant la nuit du 25 décembre, celui qui a cessé toute pratique religieuse six ans plus tôt connaît une intense émotion spirituelle qui lui fait recouvrer la foi.

Cette figure mystique et solitaire mène de front une brillante carrière diplomatique et littéraire. Certains n'hésitent pas à le comparer à Shakespeare. Son œuvre de démesure procède d'une ardente inspiration chrétienne, et il semble s'en servir pour rappeler à l'homme la grandeur de son destin spirituel.

À la suite de tous les symbolistes, Claudel récuse le matérialisme ambiant, qui empêche de porter le regard vers l'idéal. En outre, il affirme l'existence de correspondances entre Dieu et l'homme. Son théâtre aussi bien que sa poésie cherchent à montrer la main invisible du Créateur derrière la réalité visible du monde et à dévoiler comment le divin s'enracine dans l'individu pour l'aider à supporter le caractère tragique de la destinée humaine. Ses drames établissent des dialogues entre les forces contraires qui assiègent l'âme humaine : esprit et chair, ordre et passion, liberté et fatalité, bien et mal, bonheur terrestre et dessein de la Providence. Tiraillé entre les passions humaines et les aspirations religieuses, Claudel choisit l'idéal du sacrifice. Dans ses pièces, il affirme d'ailleurs que le bonheur réside non pas dans la réalisation de l'amour, mais dans le renoncement à l'amour, dans son dépassement et sa sublimation.

Le talent de Claudel n'est vraiment reconnu qu'en 1943, avec le succès du *Soulier de satin*, mais sa première pièce, *La Ville*, date de

1893. Dans cette pièce baroque où la vraisemblance s'efface au profit de la puissance du souffle créateur, la beauté et la sensualité de la langue s'unissent à la noblesse des personnages pour révéler la présence divine au cœur de l'âme humaine. Le lyrisme, caractérisé par la densité des images, y est contenu dans une forme littéraire particulière, le verset, constitué d'une longue phrase ou d'une suite de phrases sans rimes, à la limite entre le vers et la strophe. Proches des versets des psaumes de la *Bible*, qui épousent la durée du souffle respiratoire, les versets de Claudel sont portés par des rythmes qui associent l'humain au divin.

Dans l'extrait de la deuxième version[1] de *La Ville*, le dramaturge tente de dégager le sens d'une scène de rue qui l'a profondément impressionné. Avare est le nom du leader de cette manifestation qui se déroule à New York.

Camille Claudel, *La Valse*, 1895.

Dans l'œuvre de Paul Claudel, la vraisemblance s'efface au profit de la puissance du souffle créateur : la beauté et la sensualité de la langue s'unissent à la noblesse des personnages pour révéler la présence divine au cœur de l'âme humaine.

---

1. Claudel ne cesse de modifier ses pièces, dont il existe par conséquent plusieurs versions.

Avare. — À New-York, jadis, comme je traversais la baie
sur un bac, me tenant à côté d'un cheval,
Je vis tout le port avec les bateaux et les collines et au loin
la ligne de la mer
5 Se peindre en violet dans ce gros œil tabac.
Pour moi, si tu regardes entre mes paupières,
Tu verras une foule qui se presse et qui bouge,
Montrant des visages seulement.

Lâla. — Certes, bien que tu gardes le silence, la foule,
10 quand tu parais, se tourne vers toi. Quoi de nouveau?

Avare. — La cloche ne sonne pas et la porte de l'usine
reste fermée.
Les feux sont éteints et le mécanicien a retiré la courroie
de la roue.
15 Le marchand n'a point ôté ses volets. Rien ne roule dans
les rues immenses.
La Ville s'est retirée de son travail, le peuple,
Se tenant en repos, résout d'attendre un jour et deux jours.
[...]

Lâla. — Qu'attendent-ils?

20 **Avare.** — Que moi, je parle.
La multitude aux bouches vagues attend la forme de la parole.
Et telle est la force de celui qui seul, ayant conçu ce dont
pense la foule stérile, profère l'Idée,
Et, voyant ce qu'il veut, voulant de ce qui veut en elle,
25 ne doute point de prononcer : *Il le faut,*
Et, participant à la nécessité de son propre syllogisme,
ayant posé le principe, impose la conclusion.

Lâla. — Que proposes-tu?

Avare. — Ce peuple s'ennuie.
30 Ni sa nourriture ne le réjouit, ni l'eau-de-vie et la débauche
ne l'a consolé.
Et je te donnerai l'explication.
Jadis l'ouvrier tenait son ouvrage tout entier entre ses mains;
Et comme le cœur s'égaie à la vue de la couleur,
35 Trouvant de la beauté à son œuvre, il se complaisait dans
son travail même;
Et, connaissant l'acheteur, il l'avait dans une vue particulière.
Mais aujourd'hui toute grâce du travail, et tout honneur,
et tout génie, lui a été retiré.
40 Et l'homme n'a plus pour but de satisfaire à un autre homme,
mais de fournir à des besoins généraux,
Et son œuvre n'a plus pour mérite que son utilité,
et les machines la font pour lui.

De ce fait, déjà deux libertés sont retirées, du choix dans
45 les moyens, de l'ordre dans le travail.
Et en outre, je dis qu'un double consentement est refusé :
De l'intelligence qui, envisageant la fin, résout de l'atteindre,
Et de la volonté qui, s'attachant à l'œuvre, oublie le travail.
Et ainsi quel que soit le salaire, l'ouvrier fait un ouvrage servile,
50 Et, étant esclave, il désire la liberté.

Paul Claudel, *La Ville*, 2ᵉ version, Paris, 1898,
© Éditions Mercure de France.

Quelques vers et citations de Claudel

« Tu n'expliques rien, ô poète, mais toutes choses par toi nous deviennent explicables. »

« Encore ! encore la mer qui revient me chercher comme une barque »

« Ô ce monde ennuyeux ! l'homme, comme un fœtus parmi les glaires, se repaît de son imbécillité. »

« L'écriture a ceci de mystérieux qu'elle parle. »

« L'homme connaît le monde non point par ce qu'il y dérobe mais par ce qu'il y ajoute. »

« Ô mon Dieu [...] Je suis libre, délivre-moi de la liberté ! »

« C'est le mal seul à dire vrai qui exige un effort, puisqu'il est contre la réalité. »

☐ VERS L'ANALYSE

La multitude aux bouches vagues

1. Considérant la longueur et le contenu des répliques, quel est le rôle de Lâla par rapport à Avare ?

2. Résumez, par une phrase brève, le propos de chacune des quatre répliques d'Avare.

3. a) De quel événement concret Avare rend-il compte dans sa deuxième réplique ?
   b) Par quels procédés le fait-il ? Répondez en tenant compte du champ lexical et des tournures de phrases.
   c) Expliquez le caractère symbolique de ce compte rendu.

4. Identifiez quelques procédés littéraires qui produisent, dans l'écriture claudélienne, un effet de noblesse et de grandeur.

5. Pourquoi Claudel a-t-il écrit cette apparente erreur : « ce dont pense la foule » (lignes 22 et 23) ?

6. a) Résumez la différence de situation, expliquée par Avare, entre le travail de l'ouvrier d'hier et celui d'aujourd'hui.
   b) Sa conception du travail de l'ouvrier d'aujourd'hui vous apparaît-elle toujours actuelle en ce début de millénaire ?

7. a) Relevez un parallélisme à la fin de la dernière réplique d'Avare.
   b) En quoi est-il remarquable ?

8. Comment cet extrait s'inscrit-il dans le mouvement symboliste et s'apparente-t-il à la littérature sacrée ?

Sujet de dissertation explicative

Expliquez en quoi les deux extraits de pièces de théâtre de ce chapitre s'opposent radicalement.

La plus belle lettre d'amour
d'un auteur symboliste

Malgré l'intérêt indéniable de la correspondance échangée entre Charles Baudelaire et madame Sabatier, nous avons privilégié une lettre que Stéphane Mallarmé écrit à celle qu'il épouse un an plus tard. On peut constater ici que le poète et Mallarmé l'amoureux ne font qu'un.

DE STÉPHANE MALLARMÉ À MARIA GERHARD

Mademoiselle,

Voici plusieurs jours que je ne vous ai vue.

À mesure qu'une larme tombait de mes yeux, il était doux à ma tristesse que je prisse une feuille de papier et je m'efforçasse
5 d'y traduire ce que cette larme contenait d'amertume, d'angoisse, d'amour, et, je le dirai franchement, d'espérance.

Aujourd'hui, elles ne sont plus faites que de désespoir.

Ces lettres, je les gardais et je les entassais chaque matin, pensant vous les remettre et osant croire, non pas que vous
10 les liriez toutes, mais simplement que vous jetteriez les yeux au hasard sur quelques phrases, et que de ces quelques phrases monterait à vous cette clarté qui vous enivre et qu'on ressent lorsqu'on est aimé.

Ce rayon devait faire ouvrir en votre cœur la fleur bleue
15 mystérieuse, et le parfum qui naîtrait de cet épanouissement, espérais-je, ne serait pas ingrat.

Je le respirerais !

On l'appelle l'amour, ce parfum.

Aujourd'hui, la désillusion est presque venue et j'ai brûlé
20 ces lettres qui étaient les mémoires d'un cœur.

Du reste, elles étaient trop nombreuses, et cela vous eût fait rire de voir que je vous aimais tant !

Je les remplace, ces sourires et ces soupirs, par ce papier banal et vague que je vous remettrai je ne sais quand et Dieu sait où !
25 Toute la gamme de ma passion ne sera pas scrupuleusement notée, comme elle l'était, je me contenterai d'écrire ici les trois phrases qui sont toute son harmonie : «Je t'aime ! Je t'adore ! Je t'idolâtre !»

— Pardonnez-moi, ô ma reine, de vous avoir tutoyée dans
30 cette litanie extatique. C'est que, voyez-vous, je suis comme fou, et égaré depuis quelques jours. Quand une flèche se plante dans une porte, la porte vibre longtemps après : un trait d'or m'a frappé, et je tremble, éperdu.

Retirez-le ou enfoncez-le plus avant, mais ne vous amusez
35 pas à en fouiller mon cœur. Dites oui ou non, mais parlez. Répondez ! Cela vous amuse donc bien de me faire souffrir ?

Je pleure, je me lamente, je désespère. Pourquoi cette sévérité ? Est-ce un crime de vous aimer ? Vous êtes adorable et vous voulez qu'on vous trouve détestable, car il faudrait vous trouver
40 détestable pour ne pas vous aimer, — vous qui êtes un regard divin et un sourire céleste !

Vous êtes punie d'être un ange : je vous aime. Pour me punir à mon tour de vous aimer, il faudrait n'être plus un ange, et vous ne le pouvez pas.

45 Donc laissez-moi vous contempler et vous adorer, – et espérer !

Adieu, je vous embrasse avec des larmes dans les yeux : séchez-les avec un baiser, ou un sourire au moins.

Je vous aime ! Je vous aime ! c'est tout ce que je sache dire
50 et penser.

Écrivez par la poste à cette adresse – «Monsieur SM. – Poste restante, à Sens» – cela me parviendra ainsi. J'attends ma sentence.

J'irai encore vous voir au Lycée, je suis heureux de vous voir,
55 même de loin, il me semble, quand vous tournez la rue, que je vois un fantôme de lumière et tout rayonne.

Stéphane Mallarmé, *De Stéphane Mallarmé à Maria Gerhard*, Sens, 1862.

☐ VERS L'ANALYSE

De Stéphane Mallarmé à Maria Gerhard

1. Mallarmé exprime à la fois de l'amour et du désespoir.
   a) Relevez une antithèse et une gradation qui expriment son désespoir.
   b) Relevez une gradation, une métaphore et un redoublement par lesquels il exprime son sentiment amoureux.

2. À quels indices peut-on voir que la visée de cette lettre est d'abord incitative ?

3. À un certain stade, la lettre se fait même argumentative.
   a) Relevez le passage argumentatif de la lettre.
   b) Montrez que le raisonnement qui y est énoncé sert la visée de l'amoureux.

4. a) Relevez les notations à connotation religieuse de la lettre.
   b) Quelle image véhiculent-elles de la femme ?
   c) Quel passage concret contraste avec ces notations ?

5. a) Relevez une métaphore juridique vers la fin de la lettre.
   b) À quel mot, précédemment employé, fait-elle écho ?
   c) En quoi est-elle percutante ?

La mouvance surréaliste:
de la révolte à la révolution

En France et dans le monde : de 1914 à 1938

Littérature, arts et culture	Événements politiques et historiques	Sciences et techniques
	1914-1918 : Première Guerre mondiale.	
1918 : Apollinaire, *Calligrammes*. Tzara, *Manifeste dada*.	**1917 :** Révolution d'Octobre en URSS.	
1919 : Breton et Soupault, *Les Champs magnétiques*. Peinture : Léger, Mondrian, Miró.	**1919 :** Création de la Société des Nations (ancêtre de l'ONU). La grippe espagnole cause 20 millions de morts.	
1920 : Agatha Christie crée Hercule Poirot. Exposition dada à Cologne.		**1920 :** Premier sachet de thé. À Berlin, première autoroute. Invention du polygraphe (détecteur de mensonges).
1921 : Pirandello, *Six personnages en quête d'auteur*.		
1922 : Joyce, *Ulysse*. Eliot, *The Waste Land*. Valéry, *Le Cimetière marin*. Martin du Gard, *Les Thibault*.	**1922 :** Mussolini prend le pouvoir en Italie.	**1922 :** Découverte de l'insuline. Mise au jour du tombeau de Toutankhamon.
1923 : Radiguet, *Le Diable au corps*.		
1924 : Mann, *La Montagne magique*. Foster, *La Route des Indes*. Cholokhov commence *Le Don paisible*. Breton, *Manifeste du surréalisme*.		**1924 :** Invention du mouchoir de papier.
		1925 : Invention du microphone. Invention du ruban adhésif.
		1926 : Transmission d'une première image télévisée par l'Écossais John Baird. Cinéma parlant : *The Jazz Singer*.
1927 : Gance, *Napoléon*. Hesse, *Le Loup des steppes*. Michaux, *Qui je fus*.		**1927 :** Découverte des premiers restes de l'*Homo erectus*. Charles Lindbergh effectue le premier vol sans escale entre l'Amérique et l'Europe (33 h 30 min). Un Belge conçoit la théorie du *big bang*.
1928 : Lawrence, *L'Amant de lady Chatterley*. Breton, *Nadja*. Vitrac, *Victor ou les enfants au pouvoir*. Pagnol, *Topaze*. Première exposition de Dalí.		**1928 :** Découverte de la pénicilline et de la vitamine C.
1929 : Cocteau, *Les Enfants terribles*. Simenon, le premier des 102 Maigret, intitulé *Piotr-le-Letton*.	**1929 :** Krach boursier de Wall Street. Staline prend le pouvoir en URSS.	**1929 :** L'astronome Hubble affirme que l'univers est en expansion.
1930 : Cocteau, *Le Sang des poètes*. Musil, *L'Homme sans qualités*.		**1930 :** Conception du premier radar (*Radio Detection And Ranging*). Première vente de pain tranché. Invention de la bande magnétique : premiers enregistrements.
1931 : Woolf, *Les Vagues*.		**1931 :** Premier microsillon 33 tours : la *Cinquième* de Beethoven. Invention du fréon pour les réfrigérateurs.
1932 : Huxley, *Le Meilleur des mondes*. Roth, *La Marche de Radetzky*. Artaud, *Manifeste du théâtre de la cruauté*.		**1932 :** Premier homme dans la stratosphère : en ballon à 16 200 mètres.
	1933 : Hitler est nommé chancelier d'Allemagne.	**1933 :** Premier avion de ligne : Boeing 247.
1934 : Miller, *Tropique du Cancer*. Éluard, *La Rose publique*.		
1935 : Claudel, *Jeanne d'Arc au bûcher*. Giraudoux, *La Guerre de Troie n'aura pas lieu*.		**1935 :** Gallup mesure les humeurs du peuple. Première guitare électrique. Invention de l'échelle de Richter. Konrad Lorenz invente l'éthologie (science du comportement animal).
1936 : Chaplin, *Les Temps modernes*. Mitchell, *Autant en emporte le vent*.	**1936-1939 :** Guerre civile en Espagne.	**1936 :** En Angleterre, début d'une programmation régulière à la télévision.
1937 : Breton, *L'Amour fou*. Saint-Denys Garneau, *Regards et jeux dans l'espace*.		**1937 :** Invention du nylon. Nescafé : café en poudre.
1938 : Prokofiev, Kandinsky, Calder, Giacometti, Buffet.		**1938 :** Découverte de l'effet de serre, de l'acide lysergique (LSD) et de la fission nucléaire, et invention du stylo à bille.

Illustration de la page précédente : Amedeo Modigliani, *Nu couché les bras ouverts*, vers 1917.

« Transformer le monde selon Marx ; changer la vie selon Rimbaud. »

André Breton

Des « Années folles » à la Seconde Guerre mondiale

Les premières années du XXᵉ siècle, connues sous le nom de la « Belle Époque », sont marquées par un progrès triomphant : une partie de l'élite veut croire, malgré la persistance des pires inégalités sociales, que les nouvelles découvertes et leurs innombrables applications permettront enfin à l'humanité d'aborder une nouvelle ère, celle d'une vie agréable et légère. Mais la guerre met bientôt fin à cet optimisme béat qui n'a pas su voir la montée du péril. Déclenchée en 1914, la Première Guerre mondiale oblige soixante-cinq millions de soldats à aller au front. À la fin de l'hécatombe, en 1918, plus de huit millions de ces soldats sont morts sur les champs de bataille, et environ dix millions de civils ont péri en raison du conflit. L'horreur de cette guerre, qui a transformé les tranchées en charniers, marque profondément les esprits. Certains voient, dans ce sacrifice absurde où la barbarie a triomphé, un échec des valeurs humanistes, une faillite morale de la civilisation occidentale de laquelle ils entendent se distancier. D'autres, plus nombreux, s'efforcent de conjurer le cauchemar de la guerre ; pour eux, il importe seulement d'oublier, de s'amuser, de faire la fête. On recommence donc à tout prendre à la légère, du moins jusqu'au krach boursier de 1929, qui met fin à l'euphorie qui suit la guerre. Les dix années qui suivent la fin de la Première Guerre mondiale portent d'ailleurs le nom d'« Années folles ».

Au cours de cette période où la fête succède à l'héroïsme, les gens reprennent goût à la vie, les modes deviennent plus audacieuses, les mœurs se libèrent. Pour les femmes, l'audace et la liberté se manifestent notamment par des coupes de cheveux « à la garçonne » et des jupes plus courtes, qu'elles font tourner sur des airs de charleston. Le monde de la publicité prend de l'importance, indice que la standardisation du travail a amené la production de masse. De nouveaux modes d'expression apparaissent : la radiodiffusion est inventée et le disque se répand. En 1927, le cinéma sort de son mutisme, deux ans avant la naissance de la bande dessinée, tandis que le jazz triomphe avec la découverte de Sidney Bechet. Paris est encore la capitale artistique du monde : des artistes de tous les pays font la fête à Montparnasse. Parmi eux, Foujita, Zadkine, Soutine, Van Dongen et des écrivains américains comme Ernest Hemingway, Ezra Pound et Henry Miller viennent y oublier le puritanisme de leur pays. D'influents écrivains allemands et autrichiens, dont Stefan Zweig, Thomas Mann et Rainer Maria Rilke, se voient partagés entre la fidélité à leur patrie et leur profonde sympathie pour la France.

Max Beckmann, *Bar dansant à Baden-Baden,* 1923.

On a nommé les « Années folles » la décennie qui suivit la Première Guerre mondiale.

Étant donné leur rôle primordial durant la Première Guerre mondiale, les États-Unis sont maintenant considérés comme la nation la plus puissante du monde. C'est d'ailleurs à ce moment que naît le mythe américain : tout homme de bonne volonté, d'où qu'il vienne, est assuré d'y faire fortune. Un symbole, cadeau de la France, vient cristalliser ce rêve : la statue de la Liberté, qu'on dresse sur une île de façon à ce qu'elle soit le premier contact visuel qu'ont les nouveaux arrivants avec cette terre d'accueil. Pendant ce temps, en Russie, après la révolution de 1917, un empire millénaire s'écroule. Le régime soviétique qui le remplace exerce une grande fascination sur de nombreux intellectuels français, qui y voient une expression avancée de la révolution sociale, voire un nouvel âge d'or pour l'humanité. C'est la naissance de l'utopie communiste. Durant les décennies 1920 et 1930, des signes avant-coureurs d'un nouveau désastre se manifestent, mais la plupart des citoyens ne veulent pas y croire. Un peu partout, des régimes totalitaires s'installent, puis s'affirment : répressions staliniennes en URSS, fascisme mussolinien en Italie, arrivée au pouvoir d'Hitler et des nazis en Allemagne, guerre civile en Espagne sous Franco, répressions dirigées par Salazar au Portugal…

En septembre 1939, le « plus jamais ça » qui avait suivi la Première Guerre est devenu illusoire : la Seconde Guerre mondiale est déclenchée.

Le surréalisme et les arts

Les écrivains surréalistes métamorphosent l'écriture afin d'en extirper toutes les conventions formelles qui l'étouffaient depuis toujours. Parallèlement à leur démarche, les artistes – peintres, sculpteurs ou musiciens – se libèrent des formes matérielles traditionnelles. Pour les uns et les autres, il s'agit d'aller au-delà de la réalité, d'arriver à traduire les valeurs de l'âme humaine cachées sous les apparences formelles. La réalité, selon ces artistes, est autant celle de leur intériorité que celle de l'extériorité des objets reproduits. Dans leur démarche, qui aboutira à l'art abstrait, ces artistes expriment de moins en moins leurs goûts et toujours davantage les émotions dictées par leur spontanéité.

Le fauvisme

Comme l'impressionnisme est devenu un art officiel, un grand nombre de peintres tiennent à s'en démarquer et partent à la recherche d'une expression nouvelle. Certains d'entre eux découvrent les immenses possibilités antirationalistes de l'art nègre et libèrent la couleur des contraintes de la représentation. On les nomme les Fauves. Ils bousculent toutes les pratiques concernant la forme et le sujet, et semblent substituer une énergie brutale à la technique du dessin. Leur art assimile toutes les recherches picturales effectuées depuis Manet et les pousse à leur point extrême. Ils insufflent à la peinture intuitive et spontanée des impressionnistes un rythme et un lyrisme beaucoup plus véhéments. Ils empruntent à Gauguin ses couleurs pures posées en aplats et sa grande liberté d'expression. Ils n'oublient pas les couleurs violentes et le coup de pinceau de Van Gogh qui fait exploser la lumière. Mais alors que Gauguin et Van Gogh avaient cherché un absolu à travers leur art, les Fauves font de leur art un absolu. Ils partagent le culte de la lumière de Cézanne et sa liberté dans l'utilisation des couleurs, mais en viennent à bouleverser toutes les apparences au

Robert Delaunay, *La Tour Eiffel*, 1911.

Les artistes surréalistes se libèrent des formes matérielles traditionnelles.

profit de l'expression. C'est d'ailleurs cette dernière caractéristique qui les lie au grand mouvement de l'expressionnisme européen, même s'ils s'en démarquent par l'absence de contenu tragique. Parmi les plus illustres représentants du fauvisme, on compte Matisse, Rouault, Derain, Vlaminck, Dufy et Braque.

Le cubisme

Aux couleurs nouvelles succèdent les formes nouvelles. Avec le cubisme, la conception des volumes et des espaces est bouleversée, remodelée. La représentation de la réalité fait place à la décomposition du mouvement et des formes. Le réel est transformé par le cubisme en formes géométriques. Les peintres de ce mouvement se détachent de la réalité première de la vision pour décomposer un objet en ses différentes parties et le reconstruire sur la toile sous des angles différents. Les cubistes affectionnent également les collages de divers matériaux, les rapprochements inattendus qui provoquent un effet de surprise. La toile *Les Demoiselles d'Avignon* (1907) de Picasso est considérée comme la première œuvre cubiste.

Pablo Picasso, *Autoportrait*, 1907.

Le cubisme transforme le réel en formes géométriques.

Pablo Picasso et Georges Braque sont les principaux représentants du cubisme. L'esthétique cubiste a fortement marqué deux courants, le futurisme et l'orphisme, où se démarquent Robert Delaunay et Giacomo Balla. Les peintres de ces courants héritent des formes géométriques et fragmentées des cubistes, mais se les approprient pour mieux célébrer l'effervescence et l'intensité du monde contemporain, traduire le rythme de la ville et de la vie moderne.

L'expressionnisme

Certains peintres empruntent une autre voie pour se démarquer de l'impressionnisme : plutôt que de traduire l'impression éprouvée à la vue de la réalité (ce qu'avaient fait les impressionnistes avant eux), ils se tournent vers la réalité intérieure de leur conscience tourmentée et tentent de l'exprimer. Ces peintres, les expressionnistes, empruntent aux Fauves l'intensité et la violence de leurs couleurs, et aux cubistes leurs formes étranges, hallucinées. Van Gogh, Munch et Klimt sont considérés comme des précurseurs de l'expressionnisme. Art éminemment expressif, l'expressionnisme épouse les passions et les angoisses de l'artiste révolté face aux malaises d'une civilisation qu'il veut faire progresser, amener à un état de mieux-être. Les expressionnistes mettent leurs préoccupations plastiques au service d'une réflexion sur la précarité de l'existence et sur le tragique de la condition humaine régie par l'irrationnel.

Gustav Klimt, *Salomé*, 1909.

L'expressionnisme et l'art nouveau empruntent au fauvisme l'intensité et la violence des couleurs, et au cubisme les formes étranges, hallucinées.

Vassily Kandinsky, *Improvisation aux formes froides*, 1914.

Avec Kandinsky débute l'art abstrait : la peinture ne semble plus représenter la réalité.

L'art abstrait

À la même époque, le peintre Kandinsky ouvre une nouvelle voie : il traite les contours d'une façon telle que la peinture ne semble plus représenter la réalité. Avec lui, l'art abstrait débute. Cette peinture beaucoup plus spontanée, instinctive et subjective métamorphose les formes matérielles pour mieux exprimer les angoisses de l'âme. L'art devient ainsi une valeur en soi, supérieure à la vie qu'il tente, selon d'autres esthétiques, de simplement reproduire. L'abstraction, qui s'impose bientôt comme un des moyens d'expression les plus caractéristiques du XXᵉ siècle, au même titre que le jazz et le cinéma, est cependant l'aboutissement ultime d'une lente évolution picturale vers la schématisation, la déconstruction du réel, la dissolution de la matière, voire l'effondrement de toute forme lisible. On retrouve cette évolution dans les œuvres de Turner et, surtout, dans les *Nymphéas* de Monet. Elle s'exprime aussi à travers les « abstractions » de Cézanne, l'arbitraire et la discontinuité de la couleur des Fauves, le fractionnement de la masse des cubistes et l'orphisme de Delaunay. À chacune des étapes de cette recherche, les peintres poussent plus loin leur réflexion sur la finalité de la peinture, délaissent de plus en plus la forme pour passer à l'informe ; ils finissent même par prôner et pratiquer l'autonomie de l'image picturale par rapport à ses attaches figuratives. Cette « peinture pure » cesse de représenter une réalité identifiable pour exprimer, avec ses seuls moyens plastiques – des lignes, des formes et des couleurs –, une sensation ou une idée. À la manière des symbolistes qui s'efforcent de rendre visible le monde invisible, les tenants de l'art abstrait se préoccupent essentiellement de correspondances, cette fois entre la forme et la couleur, pour produire non plus des images du monde, mais pour en inventer un autre.

Le dadaïsme

Devant les hécatombes démentielles de la guerre, nombreux sont ceux qui ont l'impression d'assister à la mort de la raison. Aussi, un peu partout en Europe, des pacifistes radicaux reprennent la dénonciation expressionniste et la poussent encore plus loin, jusqu'à s'insurger contre les fondements mêmes de la civilisation occidentale qui a permis un tel carnage. Un grand nombre de ces contestataires se rallient au mouvement nihiliste Dada, créé par le poète Tristan Tzara. Dada érige l'audace en dogme et raille la faillite absolue de toutes les valeurs morales, sociales et culturelles de la bourgeoisie. Les dadaïstes se moquent de tous les codes et de toutes les conventions à la base de l'art en Occident, et contestent, avec une vigueur provocatrice et iconoclaste, les prétendus pouvoirs humanistes de l'art et de la littérature, dans lesquels ils ne voient que mystification. Du même coup,

Raoul Haussman,
L'Esprit de notre temps, 1919.

Les dadaïstes se moquent de tous les codes et de toutes les conventions à la base de l'art en Occident.

Dada signe la fin du diktat de l'avant-gardisme selon lequel l'art serait en progrès constant. Dada proclame la mort de l'art et fait descendre l'artiste de son piédestal pour le ramener au niveau de la vie. Ce mouvement renie toute notion de chef-d'œuvre artistique et fait table rase des acquis du passé pour s'intéresser davantage aux gestes de l'artiste qu'à son œuvre. « Tout ce que crache l'artiste est de l'art », déclare Kurt Schwitters avec cynisme.

Le surréalisme

*P*ar sa révolte tous azimuts, Dada voulait faire table rase de toute référence culturelle au passé, provoquer un chaos social si destructeur qu'il ne pourrait conduire qu'à un nouveau commencement. Le surréalisme reprend à son compte l'ambition déstabilisatrice de Dada, mais plutôt que de procéder par le sarcasme, la dérision ou le scandale, il élabore une synthèse de ce que Dada a mis en œuvre et propose même une méthode pour y arriver. Dans ce courant plus structuré, la subversion

Max Ernst, *Au rendez-vous des amis*, 1922.

Duchamp, Picasso, Miró, Arp, Delvaux, Ernst, Magritte, Tanguy, Picabia, Chirico, Giacometti et Dalí figurent parmi les principaux artistes surréalistes.

contre l'ordre établi se fait plus subtile : chacun est invité à explorer les profondeurs abyssales de son inconscient pour y débusquer toutes les entraves, toutes les formes d'aliénation et de censure qui empêchent la liberté et les vertus humanistes de triompher. Parce qu'il propose un tout nouveau rapport de l'homme avec le réel, le surréalisme appelle à une véritable révolution spirituelle qui entraîne à son tour une révolution sociale et collective. Ce courant artistique, véritable lame de fond qui traverse presque tout le XXe siècle et dont l'esprit subsiste encore aujourd'hui, se propose donc moins de produire de l'art que d'aller en deçà du spectacle du monde pour susciter une nouvelle vision du réel et un nouveau mode d'être. Les images, que les surréalistes veulent les plus étonnantes possible, constituent les outils privilégiés de ce projet. Duchamp, Picasso, Miró, Arp, Delvaux, Ernst, Magritte, Tanguy, Picabia, Chirico, Giacometti et Dalí figurent parmi les principaux artistes qui ont participé à cette grande révolution picturale qui donne à voir le rêve et l'imaginaire, l'insolite et l'arbitraire.

Un esprit nouveau en littérature

*A*u début du XXe siècle, les mœurs et les goûts se transforment. Une nouvelle disposition d'esprit apparaît aussi chez les écrivains. Ceux-ci reprochent à la génération précédente, celle des symbolistes, d'avoir rêvé la vie plutôt que de l'avoir vécue, d'avoir chanté l'homme dans ses symboles et dans ses rêves plutôt que dans sa réalité. Ils s'affranchissent donc rapidement de cette attitude et prennent le parti de substituer au rêve de la réalité la réalité même, d'exprimer ce qu'elle leur fait vivre dans leurs pensées, leurs sentiments et leurs sensations. Alors que les symbolistes trouvaient que le matérialisme et les innovations technologiques dégradaient le monde, la nouvelle génération s'émerveille de cette transformation, chante les prouesses du monde moderne et célèbre la vitesse. C'est ainsi que les réalisations du monde industriel et technique, comme la tour Eiffel, les gares et les rails, les automobiles et les avions, deviennent de nouvelles sources d'inspiration. Ce qui sous-tend cette pensée nouvelle, c'est le sentiment d'étonnement et de surprise qui anime sans cesse les écrivains comme s'ils émergeaient d'un long songe pour se laisser fasciner par l'imprévu et la frénésie de la vie. Ce sentiment perdure d'ailleurs durant tout le XXe siècle, où les artistes seront constamment tentés par de nouvelles aventures, de nouvelles inventions, de nouveaux territoires.

Giorgio De Chirico,
*Portrait prémonitoire
d'Apollinaire*, 1914.

Guillaume Apollinaire (1880-1918)

« La surprise est le grand ressort nouveau. »

Wilhelm Apollinaris de Kostrowitzky, dit Guillaume Apollinaire, est le principal représentant de la nouvelle sensibilité poétique. Il ne cesse de rappeler son plaisir et sa douleur de vivre, d'aimer et d'écrire. Poète novateur et ambassadeur des grandes passions, cet amoureux fou, souvent éconduit, consacre à celles qu'il aime ses plus beaux vers. Ainsi, *La Chanson du mal-aimé* évoque sa passion, violente et malheureuse, pour l'indifférente Annie Playden, alors que *Le Pont Mirabeau* souligne la fin de sa liaison avec l'artiste-peintre Marie Laurencin.

Chaque poète reprend le travail d'écriture dans l'état où ses prédécesseurs l'ont laissé ; il remet le poème sur le même métier, y ajoute des fils, en modifie la trame. Les poètes symbolistes avaient créé le vers libre ; Apollinaire libère totalement le poème de la métrique et l'arrache en même temps à l'hermétisme dans lequel il avait été enfermé. Ancré dans le présent et à l'écoute de l'avenir, Apollinaire signe la fin de l'ère des « poètes maudits » en chantant la vie, l'amour et l'érotisme. Il se plaît à surprendre le lecteur par de nouveaux thèmes puisés dans les gestes familiers, les banalités quotidiennes et le décor de Paris. Tous les domaines qui permettent d'exalter les manifestations de la vie le fascinent, même le monde industriel, qu'il fait entrer dans la poésie. Chez lui, la puissance de l'image tend à se substituer à la forme musicale et mélodieuse caractéristique de ses prédécesseurs, les symbolistes.

Redevable aux symbolistes, contemporain des cubistes et précurseur du surréalisme[1], Apollinaire fait de la surprise la source

---

1. C'est Apollinaire qui, en 1917, a inventé le mot « surréaliste » : il a sous-titré « drame surréaliste » sa pièce à scandale *Les Mamelles de Tirésias* pour ainsi marquer la première apparition de l'esprit nouveau qu'il appelait de tous ses vœux.
2. Un exemple de calligramme est donné à la page 120.

principale de son art, tout comme le font d'ailleurs à la même époque Picasso en peinture et Stravinski en musique. Passionné par la violence des couleurs des Fauves et par l'antirationalisme de l'art nègre, le poète transpose aussi certains procédés cubistes dans ses vers : écriture discontinue et utilisation de blancs dans la disposition typographique, rupture de tons et superposition d'images. Ce dernier procédé est une application des techniques du collage utilisées alors par les peintres. Cette esthétique du discontinu fait coexister plusieurs réalités et rend ainsi compte du caractère changeant, fragmenté et imprévisible du monde. La tonalité qui en résulte alterne entre le grave et le léger, et se rattache simultanément à plusieurs registres : lyrique, épique et pathétique. Devançant les surréalistes, Apollinaire établit des associations imprévisibles, insolites. Il réunit des mots dont on considère normalement qu'ils sont sans relation, comme dans les vers « soleil cou coupé » et « le troupeau des ponts ». Il produit aussi d'étonnantes comparaisons : « Mon verre s'est brisé comme un éclat de rire. » Dans l'esthétique qu'il propose, les poèmes sont formés de vers hétérogènes et l'assonance remplace souvent la rime. Apollinaire supprime systématiquement la ponctuation et compte sur le rythme et la coupe des vers pour la remplacer. Il pousse encore plus loin l'audace en écrivant des calligrammes (du grec *kalos* : beau et *gramma* : lettre), des poèmes à regarder autant qu'à lire, où les vers reconstituent la forme des objets évoqués et produisent ainsi de nouveaux effets de sens[2]. Considéré comme l'un des plus grands poètes de son siècle, Apollinaire ouvre résolument plusieurs nouvelles voies que ses nombreux héritiers empruntent depuis lors.

Paru en 1913, *Alcools* révèle toute l'originalité et tout le génie poétique d'Apollinaire. Dans ce recueil où le poète fusionne des éléments du réel captés sur le vif et d'autres rappelés par le souvenir, le temps et l'eau occupent une place centrale et symbolisent l'urgence de vivre. Le poème *Zone*, qui décrit un monde allant s'accélérant, ouvre le recueil, alors que le poème *Le Pont Mirabeau* développe le thème de l'amour perdu dans le registre élégiaque.

Quelques vers d'Apollinaire

« Mon beau navire ô ma mémoire »

« Mon verre est plein d'un vin trembleur comme une flamme »

« Les souvenirs sont cors de chasse
Dont meurt le bruit parmi le vent »

« Du rouge au vert tout le jaune se meurt »

« La fenêtre s'ouvre comme une orange
Le beau fruit de la lumière »

« Ses cheveux sont d'or on dirait
Un bel éclair qui durerait »

« Jamais les crépuscules ne vaincront les aurores »

« Malgré les sommeils éternels, il y a des yeux où se reflètent des humanités semblables à des fantômes divins et joyeux »

ZONE

À la fin tu es las de ce monde ancien

Bergère ô tour Eiffel le troupeau des ponts bêle ce matin

Tu en as assez de vivre dans l'antiquité grecque et romaine

Ici même les automobiles ont l'air d'être anciennes

5 La religion seule est restée toute neuve la religion

Est restée simple comme les hangars de Port-Aviation

Seul en Europe tu n'es pas antique ô Christianisme

L'Européen le plus moderne c'est vous Pape Pie X

Et toi que les fenêtres observent la honte te retient

10 D'entrer dans une église et de t'y confesser ce matin

Tu lis les prospectus les catalogues les affiches qui chantent tout haut

Voici la poésie ce matin et pour la prose il y a les journaux

Il y a les livraisons à 25 centimes pleines d'aventures policières

Portraits des grands hommes et mille titres divers

15 J'ai vu ce matin une jolie rue dont j'ai oublié le nom

Neuve et propre du soleil elle était le clairon

Les directeurs les ouvriers et les belles sténo-dactylographes

Du lundi matin au samedi soir quatre fois par jour y passent

Le matin par trois fois la sirène y gémit

20 Une cloche rageuse y aboie vers midi

Les inscriptions des enseignes et des murailles

Les plaques les avis à la façon des perroquets criaillent

J'aime la grâce de cette rue industrielle

Située à Paris entre la rue Aumont-Thiéville et l'avenue des Ternes

Guillaume Apollinaire, «Zone», *Alcools*, Paris, 1913.

LE PONT MIRABEAU

Sous le pont Mirabeau coule la Seine

    Et nos amours

    Faut-il qu'il m'en souvienne

La joie venait toujours après la peine

5   Vienne la nuit sonne l'heure

    Les jours s'en vont je demeure

Les mains dans les mains restons face à face

    Tandis que sous

    Le pont de nos bras passe

10 Des éternels regards l'onde si lasse

    Vienne la nuit sonne l'heure

    Les jours s'en vont je demeure

L'amour s'en va comme cette eau courante

    L'amour s'en va

15   Comme la vie est lente

Et comme l'Espérance est violente

    Vienne la nuit sonne l'heure

    Les jours s'en vont je demeure

Passent les nuits et passent les semaines

20   Ni temps passé

    Ni les amours reviennent

Sous le pont Mirabeau coule la Seine

    Vienne la nuit sonne l'heure

    Les jours s'en vont je demeure

Guillaume Apollinaire, «Le Pont Mirabeau», *Alcools*, Paris, 1913.

☐ VERS L'ANALYSE

Zone

1. Observez le choix des pronoms et décrivez la situation de l'énonciation: qui parle? à qui?

2. Les trois premiers vers reposent sur une antithèse.
   a) Qu'est-ce qui est opposé?
   b) Expliquez comment l'image du deuxième vers entremêle les deux pôles de l'opposition.
   c) En quoi la forme même du premier vers représente-t-elle le «monde ancien» dont le poète fait mention?

3. Décrivez l'homophonie en fin de vers.

4. Quels détails évoquent le milieu urbain?

5. a) Comment Apollinaire aborde-t-il le thème de la religion?
   b) Quel adjectif témoigne du fait que le christianisme appartient au monde moderne?
   c) Quelle comparaison établit un rapport entre le monde moderne et la religion?

6. Quel vers exprime une conception nouvelle de la poésie?

7. a) Relevez, à partir du vers 15, les mots appartenant au champ lexical du son.
   b) Qu'évoquent-ils?

8. a) Donnez un titre aux vers 15 à 24.
   b) En quoi ces vers sont-ils inusités pour la poésie du début du siècle?

9. En quoi le mot «matin», fréquemment employé dans le poème, a-t-il une importance symbolique?

10. Lisez le deuxième paragraphe, à la page 92, et expliquez en quoi ce poème constitue le manifeste esthétique d'Apollinaire.

Le Pont Mirabeau

1. Décrivez la forme du poème.

2. a) Quel est le symbole du passage de l'amour?
   b) Quelle comparaison l'affirme explicitement?
   c) Quelle anaphore accentue l'idée de ce passage?

3. Expliquez en quoi le verbe «coule», au premier vers, a un sens à la fois propre et figuré.

4. a) Relevez les mots qui constituent les champs lexicaux de l'eau, du temps et du passage.
   b) Quel lien ces champs lexicaux entretiennent-ils avec le thème de l'amour?

5. a) Quel symbole s'oppose à celui de l'eau et évoque, au contraire, la stabilité?
   b) Quels sont les trois vers où on le retrouve?

6. a) Relevez les antithèses.
   b) Que mettent-elles en évidence?

7. Expliquez le sens de l'adjectif «violente» au vers 16.

8. Quel effet crée l'absence de ponctuation?

Sujets de dissertation explicative

1. Expliquez le caractère moderne de la poésie d'Apollinaire à partir des poèmes *Zone* et *Le Pont Mirabeau*.

2. À l'aide du fond et de la forme, comparez le traitement du thème du temps qui passe dans les poèmes *L'Ennemi* de Baudelaire (page 54) et *Le Pont Mirabeau* d'Apollinaire.

Le féminisme

Comme les valeurs humanistes n'ont pas pu empêcher le déclenchement d'une guerre absurde, une importante partie de la population décide de tourner le dos à la morale caduque et austère qui a conduit à cette déchéance. Il lui importe maintenant de rechercher la liberté et d'y trouver son plaisir. Ce vent d'émancipation qui souffle sur les années qui suivent la Première Guerre mondiale permet aux femmes de s'affranchir de leur rôle traditionnel. Elles refusent désormais d'être considérées comme d'éternelles mineures, soumises à l'autorité d'un mari. Pendant la guerre, les femmes ont travaillé dans les usines et ce sont elles qui ont pris toutes les décisions dans la famille, puisque les maris étaient absents. Elles ont ainsi acquis plus de confiance en leurs moyens. De plus, après la guerre, un nombre considérable de couples sont contraints de se séparer tant cette expérience a transformé les soldats, qui restent hantés par l'horreur des champs de bataille. Il arrive souvent que les femmes deviennent le seul soutien de leur famille. Aussi, tant dans les romans que dans la société, la morale conjugale se desserre et une nouvelle image de la femme est véhiculée : plus indépendante dans sa vie quotidienne et plus libre dans ses relations amoureuses, elle peut maintenant choisir un compagnon avec lequel partager une relation égalitaire, dans une « union libre » de toute tutelle maritale.

Colette (1873-1954)

« L'odeur orientale et comestible de mille roses vineuses… »

En tant que romancière, mais aussi en tant que femme, Sidonie Gabrielle Colette, dite Colette, joue un rôle important dans les mutations relationnelles que connaîtra le XXe siècle. Après un premier mariage éprouvant et désastreux, cette femme éprise d'indépendance décide de ne plus rien laisser entraver son accomplissement personnel. On affirme que, soucieuse de décider elle-même de ses priorités, Colette aurait un jour refusé une invitation à un cocktail parce qu'elle attendait la floraison imminente d'une rose. Pour gagner sa vie après la séparation, elle devient artiste de music-hall, puis comédienne au théâtre, et bientôt journaliste et romancière. Ses romans sont le miroir de sa vie mouvementée et fascinante, et ses héroïnes, le reflet assez fidèle de ce qu'elle est.

Colette fait de la femme le pivot de son œuvre ; elle y examine l'âme féminine, ses relations avec le monde masculin et avec la vie. Dans un roman de mœurs en deux volets, *Chéri* (1920) et *La Fin de Chéri* (1926), elle traduit le désarroi des années qui suivent la Première Guerre mondiale en même temps qu'elle exprime les troubles de la femme mûre séduite par l'adolescence. Chéri est le surnom d'un éphèbe qui, après son retour de la guerre, est dégoûté de la vie, malgré son amour pour Léa, une femme beaucoup plus âgée que lui. Alors que l'amant, désabusé et emporté par d'impitoyables tristesses, glisse vers le suicide, l'amante prend conscience de l'irréversibilité du temps qui mène à sa destruction physique. Ce roman contient les deux grands thèmes les plus présents dans l'œuvre de Colette : d'une part, une célébration de la sensualité, voire de l'érotisme, une incitation à profiter goulûment de la vie dans une forme d'hédonisme païen ; d'autre part, une menace toute proche, une pulsion de mort qui vient s'opposer à celle du désir. Freud a donné à ces deux pulsions les noms d'éros et de thanatos. La poignante vérité de ce drame d'amour, situé en marge de toute convention morale, a fasciné toute la génération de la période qui suit la Première Guerre. Dans l'extrait qui suit, alors que les amants sont sur le point de se séparer, on perçoit la détresse de Chéri, qui ne trouve plus sa place dans la société, pas même auprès de Léa.

LE PONT QUI SOUDE DEUX SONGES

— Je te laisse, dit-il à voix haute.
Il ajouta sur le ton d'une finesse
banale : « et je remporte mon paquet
de gâteaux. »

5 Un soupir d'allègement souleva
le débordant corsage de Léa.

— À ta guise, mon petit. Mais,
tu sais ? toujours à ta disposition
si tu as un ennui.

10 Il sentit la rancune sous la fausse
obligeance, et l'énorme édifice de chair, couronné d'une herbe argentée,
rendit encore une fois un son féminin, tinta tout entier d'une harmonie
intelligente. Mais le revenant, rendu à sa susceptibilité de fantôme, exigeait,
malgré lui, de se dissoudre.

15 — Bien sûr, répondit Chéri. Je te remercie.

À partir de cet instant, il sut, sans faute ni recherche, comment il devait
s'en aller, et les paroles convenables sortirent de lui, facilement, rituellement.

— Tu comprends, je suis venu aujourd'hui… pourquoi aujourd'hui plutôt
qu'hier ?… Il y a longtemps que j'aurais dû le faire… Mais tu m'excuses…

20 — Naturellement, dit Léa.

— Je suis encore plus braque qu'avant la guerre, tu comprends, alors…

— Je comprends, je comprends.

Parce qu'elle l'interrompait, il pensa qu'elle avait hâte de le voir partir. Il y
eut encore entre eux, pendant la retraite de Chéri, quelques paroles, le bruit
25 d'un meuble heurté, un pan de lumière, bleue par contraste, que versa une
fenêtre ouverte sur la cour, une grande main bossuée de bagues qui se leva
à la hauteur des lèvres de Chéri, un rire de Léa, qui s'arrêta à mi-chemin
de sa gamme habituelle ainsi qu'un jet d'eau coupé dont la cime, privée
soudain de sa tige, retombe en perles espacées… L'escalier passa sous
30 les pieds de Chéri ainsi que le pont qui soude deux songes, et il retrouva
la rue Raynouard qu'il ne connaissait pas.

Il remarqua que le ciel rose se mirait dans le ruisseau, gorgé encore de pluie,
sur le dos bleu des hirondelles volant à ras de terre, et parce que l'heure
devenait fraîche, et que traîtreusement le souvenir qu'il emportait se retirait
35 au fond de lui-même pour y prendre sa force et sa dimension définitives,
il crut qu'il avait tout oublié et il se sentit heureux.

Colette, *La Fin de Chéri*, Paris, 1926, © Éditions Flammarion.

Paul Delvaux, *Une rue la nuit*, 1947.

Le vent d'émancipation qui souffle sur les années
qui suivent la Première Guerre mondiale permet
aux femmes de s'affranchir de leur rôle traditionnel.

☐ **VERS L'ANALYSE**

Le pont qui soude deux songes

1. Divisez cet extrait en deux parties et résumez
chacune en une phrase.

2. Nous assistons à une scène de rupture.
Dressez le champ lexical de la rupture.

3. Dans la deuxième partie du texte, quel point
de vue est privilégié ?

4. a) Relevez deux comparaisons.
   b) La première comparaison renferme
      deux métaphores. Relevez-les.
   c) Expliquez les deux comparaisons.

5. a) Relevez les notations de sentiments.
   b) Où sont-elles situées dans l'extrait ?
   c) Qui les exprime ?

6. Les personnages eux-mêmes n'expriment pas leurs
sentiments.
   a) Dans la première partie, quels mots soulignent
      le caractère artificiel des paroles qu'ils échangent ?
   b) Quels signes de ponctuation rendent compte
      du non-dit ?
   c) Relevez un redoublement à la fin du dialogue.
      Quel effet crée-t-il ?

7. Une certaine froideur se dégage de la scène.
   a) Quelles métaphores de la première partie
      de l'extrait contribuent à déshumaniser Léa ?
   b) Dans l'avant-dernier paragraphe, quels procédés
      créent un effet de distanciation ?
   c) Montrez que, dans ce même paragraphe,
      les personnages sont déshumanisés et que,
      par contre, deux objets sont personnifiés,
      ce qui accentue la froideur de la scène.

Sujet de dissertation explicative

Expliquez ce qui, sur les plans du fond et de la forme,
contribue à créer l'impression de froideur qui se dégage
de cette scène de rupture.

Hector de Saint-Denys Garneau (1912-1943)

À l'instar d'Apollinaire en France, Saint-Denys Garneau fait entendre au Québec une voix distincte qui trace l'un des sillons dans lesquels germe la poésie québécoise du XXᵉ siècle. Ce grand précurseur dit son incapacité à accepter la réalité de la société puritaine et à s'accepter lui-même, et son appel reprend celui d'un autre poète épris d'absolu, Émile Nelligan. Mais Saint-Denys Garneau, contrairement à Nelligan, renouvelle totalement l'écriture poétique : il se débarrasse de la rime, libère la versification afin d'exprimer ses émotions avec plus de liberté, abandonne la ponctuation et recourt à un langage moderne, sans grandiloquence, tout près de la prose, bien loin des formes lyriques qu'il rejette.

❧ JE NE SUIS PAS BIEN...

Je ne suis pas bien du tout assis sur cette chaise
Et mon pire malaise est un fauteuil où l'on reste
Immanquablement je m'endors et j'y meurs.

Mais laissez-moi traverser le torrent sur les roches
5 Par bonds quitter cette chose pour celle-là
Je trouve l'équilibre impondérable entre les deux
C'est là sans appui que je me repose.

Hector de Saint-Denys Garneau, «Je ne suis pas bien...»,
Regards et jeux dans l'espace, Montréal, 1937.

❧ ON DIRAIT QUE SA VOIX...

On dirait que sa voix est fêlée
Déjà ?
Il rejoint parfois l'éclat du rire
Mais quand il est fatigué
5 Le son n'emplit pas la forme
C'est comme une voix dans une chaudière
Cela s'arrête au milieu
Comme s'il ravalait le bout déjà dehors
Cela casse et ne s'étend pas dans l'air
10 Cela s'arrête
        et c'est comme si ça n'aurait pas dû commencer
C'est comme si rien n'était vrai

Moi qui croyais que tout est vrai à ce moment
Déjà ?
15 Alors, qu'est-ce qui lui prend de vivre
Et pourquoi ne s'être pas en allé ?

Hector de Saint-Denys Garneau, «On dirait que sa voix...»,
Regards et jeux dans l'espace, Montréal, 1937.

☐ VERS L'ANALYSE

Je ne suis pas bien...

1. Le poème repose sur une opposition entre l'immobilité et le mouvement.
   a) Dressez le champ lexical de ces deux thèmes.
   b) Quels sont les symboles de chacun de ces thèmes ?
   c) Comment la structure du poème traduit-elle cette opposition ?

2. Relevez les allitérations des vers 3 et 4 et dites quel effet crée chacune.

3. Expliquez en quoi le rythme des vers 4 et 5 convient bien à l'idée exprimée.

4. Expliquez l'ambiguïté et le sens des deux derniers vers.

Sujet de dissertation explicative

Définissez les malaises exprimés dans les deux poèmes de Saint-Denys Garneau et comparez les moyens utilisés pour les traduire.

☐ VERS L'ANALYSE

On dirait que sa voix...

1. Le thème principal de ce poème est celui de la voix. En rapport avec ce thème :
   a) relevez un terme péjoratif ;
   b) relevez des tournures négatives ;
   c) relevez des mots appartenant au champ lexical de l'interruption ;
   d) relevez des comparaisons.
   e) À la lumière des constatations précédentes, quelle image le poète donne-t-il de la voix et quel est le propos du poème ?

2. a) Que désigne le pronom indéfini «cela» ?
   b) Quel effet crée l'emploi de ce pronom ?

3. Le poème traite essentiellement du son de la voix.
   a) Quels sont les deux vers qui font plutôt allusion à ce qui est dit ?
   b) Quelle antithèse exprime le doute ?

4. Expliquez en quoi ce poème exprime l'échec de la poésie.

Le mouvement dada (1916-1920)

« Je détruis les tiroirs du cerveau et ceux de l'organisation sociale : démoraliser partout et jeter la main du ciel en enfer, les yeux de l'enfer au ciel. »

Tristan Tzara

L'a Belle Époque, on l'a vu, s'est terminée avec la guerre et ses horreurs. De jeunes poètes clament leur profonde révolte contre cette absurdité destructrice des hommes et du monde, qui porte à croire que plus rien de stable ou de permanent ne subsiste. C'est pendant la guerre même que naît Dada[1], un mouvement d'avant-garde anarchisante qui exprime son aversion pour tous les stéréotypes dominants et qui veut balayer tous les vestiges de l'esthétique, de la philosophie et de l'éthique qui ont mené à cette barbarie. Né à Zurich en 1916, ce mouvement de subversion généralisée est introduit à Paris en 1920.

Le dadaïsme n'est cependant pas aussi spontané qu'il pourrait le paraître. Le XVIIe siècle avait établi les règles de la culture classique, dominée par la beauté, l'ordre et la raison. Or, les deux siècles suivants avaient permis le jaillissement des passions, donc l'émergence de la déraison et du chaos. Dans leur lutte contre l'académisme, les romantiques avaient fait primer l'authenticité sur tout et avaient même réussi à substituer le laid au beau en certaines occasions. Dada suit les traces de l'anarchiste Rimbaud et s'inscrit donc dans une continuité, celle d'une véritable révolution culturelle, en germination depuis longtemps, qui vise à faire éclater l'esthétique et la culture anciennes pour leur substituer une nouvelle éthique.

Dada destructeur

D ans leur volonté de liquidation nihiliste, les dadaïstes prônent la destruction de toutes les valeurs occidentales, car ils estiment que ce sont ces valeurs qui ont conduit à la boucherie qui ensanglante alors l'Europe entière. Ils méprisent tout esprit de système et d'organisation, et rompent ainsi avec les institutions et les idéologies. Ils ridiculisent toutes les conventions d'ordre social, religieux ou moral qui régissent la civilisation moderne, rassurent les bien-pensants et les confortent dans leur hypocrisie. En outre, ils condamnent toutes les formes d'art de cette civilisation qu'ils considèrent comme déshonorée par la guerre. Leur volonté de dérision et de déraison les amène à multiplier les actions spectaculaires et provocatrices qui font hurler un public indigné. Ainsi, après la représentation d'un sketch scandaleux, ils font subir aux spectateurs un bombardement d'œufs, de tomates et d'ironie assassine. La peinture et la sculpture n'échappent pas à cette violence destructrice. Dans l'intention de ridiculiser les œuvres cultes, le peintre Marcel Duchamp appose des moustaches à la Joconde[2], invite à « se servir d'un Rembrandt comme d'une planche à repasser » et fait parvenir à une exposition artistique de New York, en 1917, un urinoir ironiquement baptisé *Fountain*.

Raoul Hausmann, *La Critique d'art*, 1919.

La révolte dadaïste provoque, bouleverse et remet en question les conventions sociales et le langage.

Cette révolte généralisée touche bien sûr le langage et y provoque un profond bouleversement, qui s'ajoute à la remise en question du sens des mots. Les dadaïstes reprochent au langage et à sa logique d'être trompeurs : ils considèrent que le langage est l'instrument des gouvernements, qui l'utilisent comme outil de « bourrage de crâne » pour berner les populations. Les artistes s'en servent donc pour dynamiter les institutions et les croyances sur lesquelles elles s'appuient. Pour eux, les

---

1. Mot risible trouvé par Tzara au hasard dans un dictionnaire.
2. Il inaugure ainsi l'ère où les graffitis sont élevés au rang d'œuvre.

mots, *a priori* vides de sens, ont d'abord une fonction phonétique et ils doivent être utilisés pour conduire à l'irrationnel. Les poèmes dadaïstes sont imprimés dans une typographie irrégulière et sont truffés de publicités, d'entrefilets de journal ou de pages d'annuaire téléphonique. Les tenants de Dada se moquent aussi des formes figées du langage, comme celles que l'on trouve dans les proverbes, qu'ils s'amusent à parodier, comme dans cet exemple: «Qui avale son parapluie marche forcément droit.» Et ils affirment, contre toute logique, le droit à la continuelle contradiction, dans des formules frappantes comme la suivante: «Les vrais dadas sont contre DADA.» Le mouvement dada vise à atteindre l'humain profondément et à en dévoiler la part d'incohérence.

Dada créateur

Cette ambition de faire table rase de tout comporte des aspects positifs. Ce qui amène les dadaïstes à rejeter toutes les catégories et toutes les étiquettes est une volonté désespérée de renouer avec une intégrité primitive. Ils entendent détruire tout ce qui est vicié dans la construction de la société, afin de retrouver des assises solides. Ils veulent tout transformer, après avoir détruit le bourbier actuel et ce qui l'a provoqué. Aussi, s'ils s'attaquent à un certain langage, c'est pour renouer avec l'innocence première et la vérité de la spontanéité, ce qui explique d'ailleurs le goût des dadaïstes pour les arts dits primitifs. Quant à leur refus de tous les modèles culturels, de toute hiérarchie sociale et esthétique, d'aucuns pourraient affirmer qu'il favorise le pouvoir créateur et la fantaisie de chaque artiste. On constate aujourd'hui que ce mouvement artistique et poétique qui prône l'expérience des limites et une rupture radicale avec tout ce qui précède, comme pour renouer avec la respiration première de l'art, a exercé une grande fascination sur les esprits libertaires tout au long du XXᵉ siècle.

Marcel Janco, *Masque*, portrait de Tzara, 1919.

Tristan Tzara (1896-1963)

«Liberté: DADA DADA DADA, hurlement des douleurs crispées, entrelacement des contraires et de toutes les contradictions, des grotesques, des inconséquences: LA VIE.»

Né en Roumanie, Samuel Rosenstock, dit Tristan Tzara, fonde à Zurich, en 1916, le mouvement dada. Deux ans plus tard, il publie

le premier *Manifeste dada*, dans lequel il exprime la nécessité de s'en remettre aux bizarreries de l'automatisme et du hasard. Les dadaïstes rient de tout, contestent tout; ils ouvrent le règne du tout-est-permis, pourvu que ce soit pour réfuter les vieilles conceptions de la morale et de l'esthétique. À l'invitation d'André Breton, qui a pris connaissance de ce manifeste, Tzara s'installe en France où, après le sabordement de Dada, il participe activement au mouvement surréaliste. Chez lui, l'entreprise de dislocation du langage poétique et la volonté révolutionnaire font cause commune. Il lui importe de balayer tous les vestiges de l'esthétique, de la philosophie et de la morale, d'annihiler toutes ces anciennes valeurs responsables des millions de morts de la guerre et de la ruine de l'Europe.

Dans l'extrait retenu, Tzara décrit, de façon dérisoire et peu élogieuse pour les poètes, la manière dadaïste de créer un poème.

Pour faire un poème dadaïste :

Prenez un journal.
Prenez des ciseaux.
Choisissez dans ce journal un article ayant la longueur que vous comptez
donner à votre poème.
5 Découpez l'article.
Découpez ensuite avec soin chacun des mots qui
forment cet article et mettez-les dans un sac.
Agitez doucement.
Sortez ensuite chaque coupure l'une après l'autre dans l'ordre où elles ont
10 quitté le sac.
Copiez consciencieusement.
Le poème vous ressemblera.
Et vous voilà « un écrivain infiniment original et d'une sensibilité charmante
encore qu'incomprise du vulgaire ».

Tristan Tzara, « Pour faire un poème dadaïste : »,
Œuvres complètes, Paris, 1920, © Éditions Flammarion.

☐ VERS L'ANALYSE

Pour faire un poème dadaïste :

1. a) Par quels procédés ce poème s'apparente-t-il à une recette ?
   b) Expliquez en quoi ce choix de la recette sert bien l'opposition de Tzara à la poésie traditionnelle.

2. Expliquez en quoi le poème joue sur une opposition entre la précision dans la méthode proposée et l'imprécision dans le résultat.

3. Expliquez en quoi ce poème tourne en dérision la croyance en la nécessité de l'inspiration et du travail.

4. Pourquoi Tzara propose-t-il de découper les mots dans un journal plutôt qu'ailleurs ?

5. Quel lien peut-on faire entre ce poème et *Zone* de Guillaume Apollinaire ?

6. Les guillemets de la fin du poème indiquent une citation. Qui Tzara cite-t-il ?

7. Quelle est la tonalité des deux dernières phrases graphiques ? Justifiez votre réponse pour chacune.

8. Peut-on encore parler de poésie ?

Sujet de dissertation explicative

Montrez que ce texte rend bien compte du « projet » dadaïste.

Marcel Janco, *Mouvement dada*, affiche, 1919.

Dans son *Manifeste dada*, Tristan Tzara exprime la nécessité de
s'en remettre aux bizarreries de l'automatisme et du hasard.

Le mouvement surréaliste (1920-1940)

« Surréalisme – N. m. Automatisme psychique pur par lequel on se propose d'exprimer, soit verbalement, soit par écrit, soit de toute autre manière, le fonctionnement réel de la pensée. Dictée de la pensée, en l'absence de tout contrôle exercé par la raison, en dehors de toute préoccupation esthétique ou morale. »

André Breton

La formation et l'évolution du mouvement

Certains dadaïstes, André Breton en tête, se lassent des provocations gratuites et contre-productives de leur mouvement et le délaissent. Ils ne renient pas complètement Dada : ils continuent de réagir avec indignation aux horreurs de la Première Guerre mondiale et sont animés par la même révolte contre tout ordre moral et social, contre toute image rationnelle du monde. Cependant, ils se proposent de substituer une action porteuse de sens à la volonté strictement nihiliste de Dada. Pour y arriver, ils préconisent d'investir les contrées de l'inconscient, dans le but de permettre à l'homme de se réconcilier avec lui-même et de reconquérir sa liberté perdue. Et c'est ainsi que la stérile révolte dadaïste devient le point de départ d'une véritable révolution à laquelle on donne le nom de surréalisme.

Meret Oppenheim, *Le Déjeuner en fourrure*, 1936.

Le surréalisme bouleverse l'art et la littérature.

La dissension dans les rangs dada commence dès 1919, lors de la fondation de la revue *Littérature* par André Breton, Louis Aragon et Philippe Soupault. La rupture est consommée en 1922, et le surréalisme adopte son credo au moment de la parution du premier *Manifeste du surréalisme* en 1924. Le surréalisme connaît une atmosphère de crise permanente sous la direction d'André Breton, qui décide des nouvelles adhésions et prononce continuellement des exclusions, ce qui permet au mouvement, paradoxalement, de se renouveler. Pour plusieurs écrivains, le surréalisme n'est qu'un lieu de passage, mais celui-ci marque toute leur œuvre. De ce fait, le surréalisme devient le plus important des mouvements littéraires et artistiques du XXᵉ siècle. Il bouleverse l'art et la littérature, surtout durant son apogée, entre 1924 et 1939, mais son appel est entendu jusqu'en mai 1968, lors du soulèvement étudiant. Sa dissolution, en tant que groupe organisé, n'est proclamée officiellement qu'en 1969[1].

La révolution surréaliste

Le surréalisme est un vaste mouvement de pensée qui dépasse largement la littérature : pour ses tenants, concevoir une nouvelle vision du monde est plus important que de créer des œuvres artistiques originales. Ils estiment qu'il est nécessaire de mettre fin aux cadres de pensée mutilants que sont les croyances ainsi qu'aux vieux dogmes sociaux, pour permettre à chacun de se libérer et d'accéder à une connaissance de soi telle que son rapport aux autres et sa compréhension de l'univers en soient changés. Breton résume ainsi ce programme : « Transformer le monde selon Marx ; changer la vie selon Rimbaud », et, pourrait-on ajouter, arriver à produire une authentique révolution du cœur. Les nouvelles valeurs défendues, qui toutes échappent à la raison, sont celles de la révolte, de l'instinct,

---

1. Ce mouvement d'une incroyable inventivité a radicalement transformé notre vision du monde. Il est à déplorer que ce qui, à l'origine, était une réaction contre la bêtise et la tyrannie soit devenu, aujourd'hui, un outil aux mains des tyrans économiques. En effet, les ressources surréalistes sont abondamment utilisées de nos jours par des publicitaires. Ceux-ci sont très habiles à conditionner et à manipuler l'humain, à le réduire à l'état de simple consommateur, à l'aliéner et à lui faire perdre ce qui était pourtant la raison d'être du surréalisme : la primauté de la spontanéité et du désir, et la non-soumission aux modèles dominants. Il s'agit là d'un détournement à la source.

du rêve, de l'amour et du désir. Car la libération passe, pour les surréalistes, par la proclamation de la légitimité de tous les désirs. Réfuter la prédominance de la raison, c'est rendre ses lettres de noblesse à la vie psychique et laisser surgir des profondeurs la parole intérieure. C'est aussi accéder à la surréalité, ce lieu où l'état de veille et l'état de rêve ne sont plus perçus comme contradictoires, où le réel et l'irréel collaborent à l'élaboration de l'homme total. L'existence de cette « surréalité » – que les artistes cherchent à atteindre – est précisément l'un des postulats de ce mouvement, comme l'explique Breton : « Tout porte à croire qu'il existe un certain point de l'esprit d'où la vie et la mort, le réel et l'imaginaire, le passé et le futur, le communicable et l'incommunicable, le haut et le bas cessent d'être perçus contradictoirement. » Ce mouvement n'est donc pas tant un projet poétique qu'un vaste projet révolutionnaire visant à changer la vie (entre autres, par le recours aux théories freudiennes) et le monde (par l'adhésion au marxisme).

Afin d'accéder à la partie insaisissable et inconsciente de l'individu et de la faire affleurer à la conscience, les surréalistes recourent aux théories de Sigmund Freud. Pour ce dernier, une part importante de la personnalité humaine échappe à la conscience : celle qui se manifeste par les rêves, les actes manqués, les lapsus, les erreurs et les pulsions instinctives. Freud estime que ces phénomènes sont des symptômes révélant des souvenirs, des désirs, des impulsions emmagasinés à notre insu depuis l'enfance. Les surréalistes décident de mettre à profit cette théorie et d'investir les régions obscures de l'inconscient afin de mettre au jour ce riche matériau et de renouer ainsi avec une imagination libérée de la multitude des interdits accumulés depuis l'enfance. Le mouvement surréaliste commence quand Breton entrevoit la possibilité de faire profiter l'expression artistique en général, et la littérature en particulier, de la méthode freudienne.

Les surréalistes entendent changer non seulement la vie individuelle, mais aussi la société et le monde. Pour mener à bien cette dernière entreprise, plusieurs s'engagent de façon militante dans l'action révolutionnaire marxiste. La révolution bolchevique de 1917 apparaît à un grand nombre de ces intellectuels comme une réincarnation de l'idéal révolutionnaire de 1789 et elle leur apporte un immense espoir. Ils y voient même un moyen de juguler le pourrissement de l'Europe. Ils remarquent que le Parti communiste français est le seul à dénoncer les guerres coloniales, par exemple l'offensive coordonnée des forces françaises et espagnoles dans le Rif marocain, au début des années 1920. Cette parenté de vues avec les communistes explique l'engagement politique de nombreux surréalistes, leur fascination pour Moscou – qui les rend aveugles aux excès et à la violence du stalinisme – et leur adhésion au Parti communiste français, ainsi que les innombrables exclusions, dissensions ou schismes au sein du mouvement surréaliste.

Des procédés privilégiés pour accéder à la surréalité

« Il ne tient qu'à nous de s'appartenir tout entier, c'est-à-dire de maintenir à l'état anarchique la bande chaque jour plus redoutable de ses désirs. »

André Breton

Valentine Hugo, *Le Surréalisme*, 1932.

Portrait surréaliste d'Éluard, Breton, Tzara, Char, Péret et Crevel.

L'intention première des surréalistes est de traquer l'inconscient, de l'explorer systématiquement et d'en dégager les énergies psychiques latentes afin de libérer l'esprit et de laisser émerger sa véritable identité, celle qui n'est pas prisonnière de la raison ni du conditionnement social. Parmi les expériences permettant d'accéder à ce qu'ils nomment la « surréalité », ils privilégient la passion amoureuse : la libération des énergies sexuelles amène une perte du sentiment d'identité, ce qui invite au dépassement de soi dans la fusion avec l'autre. L'amour possède aussi une valeur révolutionnaire, car il libère des désirs inconscients; les surréalistes louent d'ailleurs sans relâche la femme idéale. L'humour, en particulier l'humour noir, leur permet également d'établir différemment leur relation aux êtres et aux choses. La distance qu'ils prennent à l'égard du réel les fait accéder à un niveau où l'insolite, le mystérieux, le merveilleux et le fantastique perdent leur caractère d'étrangeté; ce qui pourrait être tout à fait invraisemblable paraît alors normal, et l'esprit critique disparaît. Les surréalistes s'abandonnent également au hasard, qui trahit parfois une causalité psychique cachée. Ils s'intéressent aussi vivement à la folie et au rêve, dans lesquels les catégories de la logique sont abolies et les frontières du moi deviennent floues. Le rêve apparaît comme un moyen de connaissance tout autant que la pensée; les créateurs l'explorent intensément, en particulier lors de nombreuses séances de sommeil hypnotique. Quant à la folie et aux états hallucinatoires qui l'accompagnent, ils donnent accès à un monde apparemment absurde aux yeux de l'homme de raison, mais exceptionnellement riche en ce qu'ils livrent une part de la réalité intérieure.

En ce qui concerne l'écriture, les surréalistes pratiquent l'automatisme dans l'acte créateur. Sans souci de logique, d'esthétique ou de morale, et en l'absence de tout contrôle de la volonté, ils laissent couler de leur plume les images et les pensées qui montent spontanément à la surface de leur conscience. Cette «écriture automatique», cette dictée directe de l'inconscient produit des associations insolites, des rapprochements inédits qu'un esprit contrôlé par la logique ne se serait jamais permis. Les écrivains surréalistes favorisent également un vaste éventail de jeux, dont le plus connu est celui du «cadavre exquis». Ce jeu consiste à composer à plusieurs une phrase ou un dessin, chacune des personnes ignorant ce que les autres ont écrit ou tracé, au risque que le hasard ne débouche sur l'incohérence. Cette écriture collective produit des phrases comme celles-ci:

«Le cadavre – exquis – boira – le vin – nouveau.»
«La vapeur – ailée – séduit – l'oiseau – fermé – à clé.»
«Le mille-pattes – amoureux – et frêle – rivalise – de méchanceté – avec le cortège – languissant.»

L'écriture surréaliste

«L'image est une création pure de l'esprit. Elle ne peut naître d'une comparaison, mais du rapprochement de deux réalités plus ou moins éloignées. Plus les rapports des deux réalités rapprochées seront lointains et justes, plus l'image sera forte, plus elle aura de puissance émotive et de réalité poétique.»

Pierre Reverdy

Joan Miró, *Paysage en mouvement,* 1935.

La distance que prennent les surréalistes à l'égard du réel les fait accéder à un niveau où l'insolite, le mystérieux, le merveilleux et le fantastique perdent leur caractère d'étrangeté.

Libérée de toutes les contraintes liées au goût, à la morale et à la raison, l'écriture surréaliste est considérée comme le moyen privilégié pour atteindre les vérités cachées de l'irrationnel. Les surréalistes lui attribuent, comme précurseurs, tous ceux qui ont fait du langage un instrument subversif servant à explorer la réalité invisible de l'homme. Héritier de Dada, le surréalisme, annoncé par la fantaisie imaginative d'Apollinaire, se reconnaît dans l'«alchimie du verbe» et la «voyance» de Rimbaud, dans la vision de Lautréamont envoûté par ses fantasmes et ses cauchemars, sans oublier celle de Baudelaire, dont les correspondances sont porteuses d'une nouvelle réalité. Les surréalistes revendiquent également l'héritage de Jarry, qui renonça à tout réalisme et fit de l'absurde un instrument d'introspection individuelle et de contestation sociale, de même que celui de Nerval, dont l'écriture a révélé les rêves et les hallucinations d'un homme guetté par la folie. Enfin, l'imaginaire de Sade, en qui les surréalistes trouvent un maître en matière d'érotisme, exerce une influence non négligeable sur eux.

Le surréalisme, comme d'ailleurs tout nouveau mouvement, est donc loin d'être entièrement gratuit et spontané. Ses prémisses étaient déjà inscrites dans les courants qui l'ont précédé. Du romantisme, les écrivains surréalistes retiennent la priorité de l'inspiration sur le travail de l'écriture, de même que le goût pour le rêve, le mystère et l'étrange. En ce sens,

René Magritte, *Le Double Secret*, 1927.

Le réel que les surréalistes découvrent diffère de celui des réalistes: il est psychique, insaisissable et déroutant.

on peut voir dans la révolution surréaliste l'aboutissement ultime du romantisme. Les surréalistes tirent aussi des leçons du réalisme littéraire. Alors que les écrivains de ce dernier mouvement saisissaient la réalité par l'entremise de la science, les surréalistes, eux, explorent le réel à l'aide des découvertes de la psychanalyse. Le réel que les surréalistes découvrent ainsi diffère de celui des réalistes: il est psychique, insaisissable et déroutant. Du symbolisme, les écrivains surréalistes retiennent la nécessité d'entreprendre une quête, celle d'un ailleurs situé au-delà de la réalité. Ils poussent cependant plus loin que leurs prédécesseurs la recherche des correspondances, qui deviennent des images fulgurantes. Bien enracinée dans ce terreau, l'écriture surréaliste, qui jaillit à l'état sauvage des profondeurs de l'esprit, se propose de livrer les secrets les plus insolites et les plus mystérieux de l'inconscient. L'abandon des règles et des contraintes, le refus de la volonté et la réfutation de la raison permettent aux surréalistes d'exprimer l'inexprimé et de réinventer de toutes pièces l'écriture.

La poésie

«La poésie véritable est incluse dans tout ce qui ne se conforme pas à cette morale qui, pour maintenir son ordre, son prestige, ne sait construire que des banques, des casernes, des prisons, des églises, des bordels.»

Paul Éluard

Les frontières entre les différents genres littéraires sont toujours floues, la littérature étant par essence une forme de recherche, et non une réponse toute prête à l'avance. Cela est encore plus vrai dans le cas des écrivains qui entendent écrire (et vivre) hors de tous les conformismes. Comme pour le reste, les surréalistes demandent à la poésie de laisser l'inconscient se dévoiler afin de réconcilier l'homme avec lui-même. Ils s'abandonnent donc à l'écriture, en dehors des entraves du (bon) goût et des réflexes rationnels, et en font un instrument de connaissance qui réhabilite l'imagination et le merveilleux, et qui permet de «changer la vie». Force est de constater que les œuvres elles-mêmes semblent moins importantes que l'esprit surréaliste qu'elles servent.

André Breton (1896-1966)

**« Il faut désocculter l'occulte
et occulter tout le reste. »**

La vie d'André Breton, fondateur, chef de file et théoricien du surréalisme, fait entièrement corps avec ce mouvement. C'est sa personnalité hors du commun qui en symbolise la permanence. Toute sa vie durant, il en détermine les orientations et décide des exclusions, des adhésions et des alliances. Ouvert à toute forme de sacré dont l'origine n'est pas une religion institutionnelle, Breton voit dans l'art un moyen de sacraliser l'imaginaire. Homme du désir, le poète chante la femme, l'amour et la révolution. Dans son écriture, il crée moins les images qu'il ne se laisse porter par elles. Il ne sépare jamais l'activité poétique d'une manière d'être au monde, et il s'entiche des jeux sur l'écriture et des expériences de sommeil hypnotique.

Dans le premier extrait présenté, Breton tend à débarrasser le langage de sa fonction utilitaire ; ce texte pourrait être comparé à celui de Tzara, à la page 99. La litanie amoureuse du second texte rappelle la force du désir et de l'érotisme, qui sont les voies royales de « l'amour fou ».

COMPOSITION SURRÉALISTE ÉCRITE, OU PREMIER ET DERNIER JET

Faites-vous apporter de quoi écrire, après vous être établi en un lieu aussi favorable que possible à la concentration de votre esprit sur lui-même. Placez-vous dans l'état le plus passif, ou réceptif, que vous pourrez. Faites abstraction de votre génie, de vos talents et de ceux de tous les autres.

5 Dites-vous bien que la littérature est un des plus tristes chemins qui mènent à tout. Écrivez vite sans sujet préconçu, assez vite pour ne pas retenir et ne pas être tenté de vous relire. La première phrase viendra toute seule, tant il est vrai qu'à chaque seconde il est une phrase étrangère à notre pensée consciente qui ne demande qu'à s'extérioriser. Il est assez

10 difficile de se prononcer sur le cas de la phrase suivante ; elle participe sans doute à la fois de notre activité consciente et de l'autre, si l'on admet que le fait d'avoir écrit la première entraîne un minimum de perception. Peu doit vous importer, d'ailleurs ; c'est en cela que réside, pour la plus grande part, l'intérêt du jeu surréaliste. Toujours est-il que la ponctuation

15 s'oppose sans doute à la continuité absolue de la coulée qui nous occupe, bien qu'elle paraisse aussi nécessaire que la distribution des nœuds sur une corde vibrante. Continuez autant qu'il vous plaira. Fiez-vous au caractère inépuisable du murmure. Si le silence menace de s'établir pour peu que vous ayez commis une faute : une faute, peut-on dire,

20 d'inattention, rompez sans hésiter avec une ligne trop claire. À la suite du mot dont l'origine vous semble suspecte, posez une lettre quelconque, la lettre *l* par exemple, toujours la lettre *l*, et ramenez l'arbitraire en imposant cette lettre pour initiale au mot qui suivra.

André Breton, « Composition surréaliste écrite, ou premier et dernier jet »,
Manifeste du surréalisme, Paris, 1954, © Éditions Pauvert.
© SNE Pauvert. Département des Éditions Fayard.

☐ VERS L'ANALYSE

Composition surréaliste écrite, ou premier et dernier jet

1. Énumérez :
   a) les conditions à respecter pour que l'exercice d'écriture soit réussi ;
   b) les interdits formulés par Breton.

2. a) Quel est le mode verbal le plus utilisé dans le texte ?
   b) Pourquoi ?

3. Relevez tous les termes qui appartiennent au champ lexical de la psychologie.

4. Breton veut accéder à l'inconscient.
   a) Relevez les notations qui se réfèrent à l'inconscient sans pourtant le nommer.
   b) Relevez deux métaphores qui se réfèrent au caractère continu de la pensée inconsciente.
   c) Expliquez le sens du mot « murmure » (ligne 18).
   d) Expliquez le sens de l'expression « faute [...] d'inattention » (lignes 19 et 20).

5. Breton traite ici de l'écriture automatique. En quoi est-elle « automatique » ?

6. Selon vous, quelle est la principale difficulté que pose ce « jeu surréaliste » ?

7. a) En quoi la méthode proposée ici par Breton ressemble-t-elle à celle préconisée par Tzara à la page 99 ?
   b) En quoi s'en distingue-t-elle ?

Sujet de dissertation explicative

Comparez les méthodes d'écriture proposées par Breton et par Tzara.

MA FEMME À LA CHEVELURE DE FEU DE BOIS

Ma femme à la chevelure de feu de bois
Aux pensées d'éclairs de chaleur
À la taille de sablier
Ma femme à la taille de loutre entre les dents du tigre
5 Ma femme à la bouche de cocarde et de bouquet d'étoiles
de dernière grandeur
Aux dents d'empreintes de souris blanche sur la terre blanche
À la langue d'ambre et de verre frottés
Ma femme à la langue d'hostie poignardée
10 À la langue de poupée qui ouvre et ferme les yeux
À la langue de pierre incroyable
Ma femme aux cils de bâtons d'écriture d'enfant
Aux sourcils de bord de nid d'hirondelle
Ma femme aux tempes d'ardoise de toit de serre
15 Et de buée aux vitres
Ma femme aux épaules de champagne
Et de fontaine à têtes de dauphins sous la glace
Ma femme aux poignets d'allumettes
Ma femme aux doigts de hasard et d'as de cœur
20 Aux doigts de foin coupé
Ma femme aux aisselles de martre et de fênes
De nuit de la Saint-Jean
De troène et de nid de scalares
Aux bras d'écume de mer et d'écluse
25 Et de mélange du blé et du moulin
Ma femme aux jambes de fusée
Aux mouvements d'horlogerie et de désespoir
Ma femme aux mollets de moelle de sureau
Ma femme aux pieds d'initiales
30 Aux pieds de trousseaux de clé, aux pieds de calfats qui
boivent
Ma femme au cou d'orge imperlé
Ma femme à la gorge de Val d'or
Du rendez-vous dans le lit même du torrent
35 Aux seins de nuit
Ma femme aux seins de taupinière marine
Ma femme aux seins de creuset du rubis
Aux seins de spectre de la rose sous la rosée
Ma femme au ventre de dépliement d'éventail des jours
40 Au ventre de griffe géante
Ma femme au dos d'oiseau qui fuit vertical
Au dos de vif-argent
Au dos de lumière
À la nuque de pierre roulée et de craie mouillée
45 Et de chute d'un verre dans lequel on vient de boire
Ma femme aux hanches de nacelle
Aux hanches de lustre et de pennes de flèche

Et de tiges de plumes de paon blanc
De balance insensible
50 Ma femme aux fesses de grès et d'amiante
Ma femme aux fesses de dos de cygne
Ma femme aux fesses de printemps
Au sexe de glaïeul
Ma femme au sexe de placer et d'ornithorynque
55 Ma femme au sexe d'algue et de bonbons anciens
Ma femme au sexe de miroir
Ma femme aux yeux pleins de larmes
Aux yeux de panoplie violette et d'aiguille aimantée
Ma femme aux yeux de savane
60 Ma femme aux yeux d'eau pour boire en prison
Ma femme aux yeux de bois toujours sous la hache
Aux yeux de niveau d'eau de niveau d'air de terre et de feu.

André Breton, « Ma femme à la chevelure de feu de bois »,
L'Union libre, Paris, 1931, © Éditions Gallimard.

Quelques citations de Breton

« Le seul mot de liberté est tout ce qui m'exalte encore. »

« Le langage peut et doit être arraché à son servage. »

« Je cherche l'or du temps. » (Phrase inscrite sur le faire-part du décès de Breton)

« En poésie, en peinture, le surréalisme a fait l'impossible pour multiplier [les] courts-circuits. »

« La beauté sera convulsive ou ne sera pas. »

« Ce qu'il y a d'admirable dans le fantastique, c'est qu'il n'y a plus de fantastique : il n'y a que le réel. »

☐ VERS L'ANALYSE

Ma femme à la chevelure de feu de bois

1. Dans quel ordre les parties du corps de la femme sont-elles évoquées ?

2. a) Sur quelles parties du corps Breton met-il l'accent ?
   b) Quelle image de la femme est ainsi privilégiée ?

3. Relevez l'anaphore la plus fréquente et expliquez l'effet qu'elle produit.

4. Outre les parties du corps, relevez les principaux champs lexicaux.

5. a) Quelques images sont plutôt traditionnelles. Donnez-en quelques exemples et expliquez-les.
   b) Expliquez en quoi la majorité des images sont cependant surréalistes.
   c) Donnez quelques exemples d'images surréalistes.

6. Expliquez le sens du dernier vers.

Sujet de dissertation explicative

Montrez que, même si le thème principal et certains procédés stylistiques de ce poème appartiennent à la poésie de tous les temps, la facture en est résolument surréaliste.

Paul Éluard (1895-1952)

« La terre est bleue comme une orange »

Paul-Eugène Grindel, dit Paul Éluard, est un poète épris d'amour et de liberté. Tour à tour dadaïste, surréaliste, communiste et résistant pendant la Seconde Guerre mondiale, il produit une œuvre riche et abondante qui reflète ces différents engagements. Éluard excelle particulièrement à chanter la sensualité et le bonheur d'aimer. La justesse touchante et inattendue de ses images, colorées des vérités de l'âme, suscite de grandes émotions. Les poèmes d'amour d'Éluard figurent parmi les plus beaux de la langue française.

Salvador Dalí, *Persistance de la mémoire*, 1931.

L'AMOUREUSE

Elle est debout sur mes paupières
Et ses cheveux sont dans les miens,
Elle a la forme de mes mains,
Elle a la couleur de mes yeux,
5 Elle s'engloutit dans mon ombre
Comme une pierre sur le ciel.

Elle a toujours les yeux ouverts
Et ne me laisse pas dormir.
Ses rêves en pleine lumière
10 Font s'évaporer les soleils,
Me font rire, pleurer et rire,
Parler sans avoir rien à dire.

Paul Éluard, « L'Amoureuse », *Mourir de ne pas mourir*, Paris, 1924, © Éditions Gallimard.

VERS L'ANALYSE

L'Amoureuse

1. Divisez le poème en deux parties et donnez un titre à chacune.

2. a) Relevez un parallélisme dans la première strophe.
   b) Quel effet crée-t-il?
   c) Expliquez-en le sens.

3. a) Relevez une antithèse.
   b) Qu'exprime-t-elle?

4. a) Relevez les images que l'on pourrait qualifier de surréalistes.
   b) Qu'évoquent-elles?

LA COURBE DE TES YEUX…

La courbe de tes yeux fait le tour de mon cœur,
Un rond de danse et de douceur,
Auréole du temps, berceau nocturne et sûr,
Et si je ne sais plus tout ce que j'ai vécu
5 C'est que tes yeux ne m'ont pas toujours vu.

Feuilles de jour et mousse de rosée,
Roseaux du vent, sourires parfumés,
Ailes couvrant le monde de lumière,
Bateaux chargés du ciel et de la mer,
10 Chasseurs des bruits et sources des couleurs,
Parfums éclos d'une couvée d'aurores
Qui gît toujours sur la paille des astres,
Comme le jour dépend de l'innocence
Le monde entier dépend de tes yeux purs
15 Et tout mon sang coule dans leurs regards.

Paul Éluard, « La Courbe de tes yeux… », *Capitale de la douleur*, Paris, 1926, © Éditions Gallimard.

VERS L'ANALYSE

La Courbe de tes yeux…

1. Que symbolisent les yeux dans ce poème?

2. a) Quelle figure géométrique domine la première strophe?
   b) Dressez-en le champ lexical.

3. Les yeux sont associés au monde entier. Dressez le champ lexical:
   a) des sensations;
   b) de la nature.

4. Dressez également le champ lexical:
   a) de la naissance et du renouveau;
   b) de la pureté.

5. Quelle image de l'amour pouvez-vous dégager de ce poème?

Sujet de dissertation explicative

Ces deux poèmes de Paul Éluard appartiennent à sa période surréaliste. Expliquez-en le caractère surréaliste.

Georges Alexandre Malkine,
Portrait de Desnos, 1926.

Robert Desnos (1900-1945)

«Ils étaient quatre qui n'avaient plus de tête, quatre à qui l'on avait coupé le cou, on les appelait les quatre sans cou.»

Ami d'Apollinaire, Robert Desnos participe aux mouvements dadaïste et surréaliste. Véritable génie de l'automatisme verbal, il s'intéresse particulièrement à la quête de l'inconscient par l'écriture automatique et des expériences de sommeil hypnotique. Sa poésie est marquée par la fantaisie, l'humour et le lyrisme. Pendant la Seconde Guerre mondiale, Desnos est déporté et meurt dans un camp de concentration.

Le premier poème présenté ici rappelle, sur le rythme d'une chanson, le souvenir d'un ami perdu. Le second, adressé à une femme qu'il a aimée, est un murmure pathétique que Desnos écrit alors qu'il est interné dans un camp de la mort.

C'ÉTAIT UN BON COPAIN

Il avait le cœur sur la main
Et la cervelle dans la lune
C'était un bon copain
Il avait l'estomac dans les talons
5 Et les yeux dans nos yeux
C'était un triste copain
Il avait la tête à l'envers
Et le feu là où vous pensez
Mais non quoi il avait le feu au derrière
10 C'était un drôle de copain
Quand il prenait ses jambes à son cou
Il mettait son nez partout
C'était un charmant copain
Il avait une dent contre Étienne
15 À la tienne Étienne à la tienne mon vieux
C'était un amour de copain
Il n'avait pas sa langue dans la poche
Ni la main dans la poche du voisin
Il ne pleurait jamais dans mon gilet
20 C'était un copain
C'était un bon copain.

Robert Desnos, «C'était un bon copain», *Corps et Biens*, Paris, 1930.

PLUS OMBRE QUE L'OMBRE

J'ai rêvé tellement fort de toi,
J'ai tellement marché, tellement parlé,
Tellement aimé ton ombre,
Qu'il ne me reste plus rien de toi.
5 Il me reste d'être l'ombre parmi les ombres
D'être cent fois plus ombre que l'ombre,
D'être l'ombre qui viendra et reviendra
    dans ta vie ensoleillée.

Robert Desnos, «Plus ombre que l'ombre», *Poèmes du bagne*, Paris, 1945.

☐ VERS L'ANALYSE

C'était un bon copain

1. Le poème est construit comme une chanson. Expliquez-le en en décrivant la construction.

2. a) Quelles expressions toutes faites reconnaissez-vous dans ce poème?
   b) Trois vers déforment quelque peu trois expressions. Lesquels?

3. Décrivez le niveau de langue employé.

4. Quelle est la tonalité dominante du poème?

Plus ombre que l'ombre

1. a) Divisez ce poème en deux parties.
   b) Dans chaque partie, relevez un mot sur lequel l'auteur met l'accent.
   c) Expliquez le contraste ainsi créé.

2. Étudiez la succession des différents temps de verbe et dites à quoi chacun correspond.

3. Donnez tous les sens que prend le mot «ombre» dans le poème.

4. Montrez que le regret évoqué dans le poème est réciproque.

5. a) Relevez une antithèse.
   b) Quel effet crée-t-elle?

6. En quoi Desnos est-il conscient de son destin?

7. Peut-on parler ici de surréalisme?

Le surréalisme est un mouvement surgi des décombres de la Première Guerre mondiale – ses membres fondateurs avaient vingt ans à cette époque – qui proclame l'urgence de l'insurrection de l'imagination. Pendant les décennies suivantes, cet appel est entendu par de très nombreux écrivains animés par un authentique désir de révolution morale, sociale et artistique. Les trois prochains poètes que nous présentons, Aimé Césaire, Jacques Prévert et Joyce Mansour, sont on ne peut plus dissemblables, mais restent animés par la même passion.

Aimé Césaire (né en 1913)

« Le surréalisme, c'est le point de l'esprit où l'Europe et l'Afrique peuvent se rejoindre. »

Toute sa vie, le Martiniquais Aimé Césaire concilie la littérature et la politique. Député et maire de Fort-de-France, membre un temps du Parti communiste, il défend la cause des Noirs maintenus dans la servitude coloniale et célèbre son pays avec ferveur et lyrisme. Son premier recueil, *Cahier d'un retour au pays natal* (1939), est préfacé par André Breton. L'écriture exubérante et dansante y est d'esprit surréaliste, les images se télescopent et évoquent une féerie tropicale. Chez Césaire, des images touchantes et sans pareilles viennent rappeler, dans ce qui s'apparente souvent à un cri de révolte, la nostalgie du paradis perdu africain.

Dans les deux poèmes retenus, Aimé Césaire emprunte au surréalisme ses audaces et ses splendeurs.

LA ROUE

La roue est la plus belle découverte de l'homme et la seule
il y a le soleil qui tourne
il y a la terre qui tourne
il y a ton visage qui tourne sur l'essieu de ton cou quand
5   tu pleures
mais vous minutes n'enroulerez-vous pas sur la bobine à
vivre le sang lapé
l'art de souffrir aiguisé comme des moignons
d'arbre par les
10   couteaux de l'hiver
la biche saoule de ne pas boire
qui me pose sur la margelle inattendue ton
visage de goélette démâtée
ton visage
15   comme un village endormi au fond d'un lac
et qui renaît au jour de l'herbe et de l'année
germe

Aimé Césaire, «La Roue», *La Poésie*, Paris, 1994, © Seuil.

LES FILS AÎNÉS DU MONDE

[...] véritablement les fils aînés du monde
poreux à tous les souffles du monde
aire fraternelle de tous les souffles du monde
lit sans drain de toutes les eaux du monde
5   étincelle du feu sacré du monde
chair de la chair du monde palpitant du mouvement même
du monde !
      Tiède petit matin de vertus ancestrales

Sang ! Sang ! tout notre sang ému par le cœur mâle du soleil
10   ceux qui savent la féminité de la lune au corps d'huile
l'exaltation réconciliée de l'antilope et de l'étoile
ceux dont la survie chemine en la germination de l'herbe !
Eia[1] parfait cercle du monde et close concordance !

Écoutez le monde blanc
15   horriblement las de son effort immense
ses articulations rebelles craquer sous les étoiles dures
ses raideurs d'acier bleu transperçant la chair mystique
écoute ses victoires proditoires[2] trompeter ses défaites
écoute aux alibis grandioses son piètre trébuchement
20   Pitié pour nos vainqueurs omniscients et naïfs !

Aimé Césaire, «Les Fils aînés du monde», *Cahier d'un retour
au pays natal*, Paris, 1939, © Éditions Présence Africaine.

1. Cri d'enthousiasme. **2.** Qui ont le caractère de la trahison.

☐ VERS L'ANALYSE

Les Fils aînés du monde

1. Décrivez la situation de l'énonciation : qui parle ? au nom de qui ? à qui ?

2. Quelle est l'idée principale de chacune des strophes du poème ?

3. Expliquez le dernier vers.

4. a) Relevez les mots à connotation péjorative qui désignent les Blancs.
   b) Quelle image renvoient-ils du « monde blanc » ?

5. D'après ce poème, qu'est-ce qui oppose principalement les Noirs et les Blancs ?

6. a) Relevez les antithèses.
   b) Expliquez-les.

7. a) Quel est l'unique signe de ponctuation du poème ?
   b) Quel effet crée cet emploi unique ?

8. Peut-on parler d'un imaginaire surréaliste ?

Sujet de dissertation explicative

Montrez que ce poème exprime, autant par le fond que par la forme, un profond désir de liberté.

La Roue

1. Au début de son poème, le poète passe d'un constat général à une remarque personnelle.
   a) Quel est le constat général ?
   b) Quelle est la remarque personnelle ?
   c) Quels procédés stylistiques permettent d'associer la seconde au premier ?

2. Deux thèmes s'opposent dans le poème : la souffrance et la renaissance.
   a) Relevez les notations de souffrance.
   b) Quels verbes traduisent la renaissance ?
   c) Relevez et expliquez une métaphore et une comparaison qui se suivent et qui mettent cette opposition en évidence.

3. À la lumière de l'opposition entre ces thèmes, que symbolise la roue dans le poème ?

Jacques Prévert (1900-1977)

« Le temps nous égare
Le temps nous étreint
Le temps nous est gare
Le temps nous est train »

Le poète le plus populaire de la seconde moitié du XXᵉ siècle est assurément Jacques Prévert.

Il n'a fait partie du mouvement surréaliste que de 1925 à 1929, mais toute sa poésie en porte la marque. Doté d'un don exceptionnel pour l'image poétique, il observe les détails du quotidien, qu'il colore de sa fantaisie et de son humour, parfois féroce, à l'aide de mots de tous les jours auxquels adhèrent même les enfants. La limpidité du message n'enlève toutefois rien à sa profondeur. Prévert assume le rôle de conscience de son temps et prend la parole au nom de gens simples qui ne peuvent le faire[1].

Deux hommes coexistent en Prévert. Il y a d'abord l'anarchiste, révolté contre la sottise humaine, qui constate l'absence de solidarité entre les hommes, par exemple dans le premier des poèmes retenus, *Il ne faut pas…* Il existe aussi un autre Prévert, celui qui est l'ami délicat des amoureux, des pauvres et des humiliés, comme dans les deux autres poèmes présentés : *Les Enfants qui s'aiment*[2], où le poète observe les adultes qui envient la spontanéité et l'amour des jeunes, et *Le Désespoir est assis sur un banc*.

---

1. Les gens pour qui Prévert parle sont semblables à ceux qu'on retrouve dans les photographies de Robert Doisneau (1912-1994).
2. Écrit pour le film *Les Portes de la nuit* de Marcel Carné (1946).

☐ VERS L'ANALYSE

Il ne faut pas…

1. Quel est le propos de ce poème ?

2. a) Quelle forme emprunte ce poème ?
   b) À quoi le voit-on ?
   c) Pourquoi Prévert a-t-il privilégié cette forme ?

3. À qui Prévert associe-t-il les intellectuels dans le premier vers ?

4. Quel est l'effet produit par l'orthographe du mot « Messieurs » aux lignes 4 et 12 ?

5. a) Quelle syllabe est répétée tout au long du poème ?
   b) Quel effet crée cette répétition ?

6. Quelle est la tonalité du poème ?

IL NE FAUT PAS…

Il ne faut pas laisser les intellectuels jouer avec les
  allumettes
Parce que Messieurs quand on le laisse seul
Le monde mental Messsssieurs
5   N'est pas du tout brillant
Et sitôt qu'il est seul
Travaille arbitrairement
S'érigeant pour soi-même
Et soi-disant généreusement en l'honneur des travailleurs
  [du bâtiment
10

Un auto-monument
Répétons-le Messssssieurs
Quand on le laisse seul
Le monde mental
15 Ment
Monumentalement.

Jacques Prévert, « Il ne faut pas… », *Paroles*,
Paris, 1949, © Éditions Gallimard.

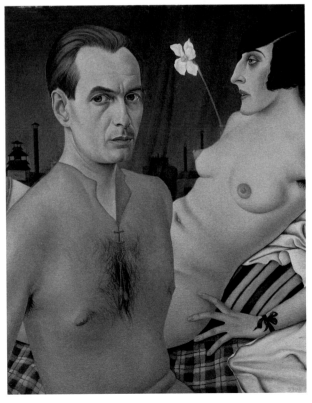

Christian Schad, *Autoportrait au modèle*, 1927.

LES ENFANTS QUI S'AIMENT

Les enfants qui s'aiment s'embrassent debout
Contre les portes de la nuit
Et les passants qui passent les désignent du doigt
Mais les enfants qui s'aiment
5 Ne sont là pour personne
Et c'est seulement leur ombre
Qui tremble dans la nuit
Excitant la rage des passants
Leur rage leur mépris leurs rires et leur envie
10 Les enfants qui s'aiment ne sont là pour personne
Ils sont ailleurs bien plus loin que la nuit
Bien plus haut que le jour
Dans l'éblouissante clarté de leur premier amour.

Jacques Prévert, «Les Enfants qui s'aiment», *Spectacle*,
Paris, 1951, © Éditions Gallimard.

☐ VERS L'ANALYSE

Les Enfants qui s'aiment

1. a) Qui est opposé dans ce poème?
   b) Quels sentiments les opposent?

2. Les sentiments des passants sont ambigus.
   a) Quels sont ces sentiments?
   b) Quel procédé permet à Prévert de mettre cette ambiguïté en évidence?

3. a) Relevez une métaphore qui désigne l'amour des jeunes.
   b) Avec quoi forme-t-elle une antithèse?
   c) Quel effet créent ces deux figures?

4. a) Relevez les notations qui indiquent une certaine absence des enfants qui s'aiment.
   b) Que signifie cette absence?

5. a) Expliquez le sens de ce poème.
   b) En quoi permet-il de le rattacher au surréalisme?

6. Quelle est la tonalité de ce poème?

Le Désespoir est assis sur un banc

1. Divisez le poème en trois parties et résumez chacune en une phrase.

2. Identifiez et expliquez la figure de style qui domine dans le poème.

3. L'image que projette l'homme assis sur le banc est-elle inquiétante? Justifiez votre réponse.

4. Le poème oppose l'immobilité au mouvement.
   a) Dressez les champs lexicaux de ces thèmes.
   b) Qui est associé à chacun des thèmes?
   c) Que symbolise chacun de ces thèmes?

5. a) Prévert emploie des figures d'insistance (un redoublement, des répétitions et un pléonasme) et de répétition syntaxique (une anaphore et deux parallélismes); il emploie aussi un chiasme. Repérez toutes ces figures.
   b) Toutes ces figures créent le même effet. Lequel?

6. Qu'évoquent les enfants, les passants et les oiseaux à qui ne ressemblera plus celui qui s'est assis sur le banc?

Sujet de dissertation explicative

Comparez les thèmes de l'immobilité et du mouvement dans les poèmes *Le Désespoir est assis sur un banc* de Prévert et *Je ne suis pas bien...* de Saint-Denys Garneau, à la page 96.

LE DÉSESPOIR EST ASSIS SUR UN BANC

Dans un square sur un banc
Il y a un homme qui vous appelle quand on passe
Il a des binocles un vieux costume gris
Il fume un petit ninas il est assis
5 Et il vous appelle quand on passe
Ou simplement il vous fait signe
Il ne faut pas le regarder
Il ne faut pas l'écouter
Il faut passer
10 Faire comme si on ne le voyait pas
Comme si on ne l'entendait pas
Il faut passer presser le pas
Si vous le regardez
Si vous l'écoutez
15 Il vous fait signe et rien personne
Ne peut vous empêcher d'aller vous asseoir près de lui
Alors il vous regarde et sourit
Et vous souffrez atrocement
Et l'homme continue de sourire
20 Et vous souriez du même sourire
Exactement
Plus vous souriez plus vous souffrez
Atrocement
Plus vous souffrez plus vous souriez
25 Irrémédiablement
Et vous restez là
Assis figé
Souriant sur le banc
Des enfants jouent tout près de vous
30 Des passants passent
Tranquillement
Des oiseaux s'envolent
Quittant un arbre
Pour un autre
35 Et vous restez là
Sur le banc
Et vous savez vous savez
Que jamais plus vous ne jouerez
Comme ces enfants
40 Vous savez que jamais plus vous ne passerez
Tranquillement
Comme ces passants
Que jamais plus vous ne vous envolerez
Quittant un arbre pour un autre
45 Comme ces oiseaux.

Jacques Prévert, «Le Désespoir est assis sur un banc», *Paroles*, Paris,
1949, © Éditions Gallimard.

Joyce Mansour (1928-1987)

« Au matin
L'angoisse se nourrit de boue. »

Dans les œuvres des surréalistes, la femme est surtout présentée sous les traits d'une muse ou d'une inspiratrice, comme un objet d'amour. Mais certaines femmes ne se contentent pas de se laisser adorer et donnent au surréalisme quelques-unes de ses très belles œuvres. C'est le cas notamment de Joyce Mansour. Née en Angleterre de parents égyptiens, elle passe son enfance au Caire avant de s'installer à Paris dans les années 1940. Son premier recueil de poèmes, *Cris* (1953), est salué par André Breton. On peut y noter la grande liberté que se permet l'auteure dans le choix de ses images.

NE MANGEZ PAS…

Ne mangez pas les enfants des autres
Car leur chair pourrirait dans vos bouches bien
    garnies
Ne mangez pas les fleurs rouges de l'été
5 Car leur sève est le sang des enfants crucifiés
Ne mangez pas le pain noir des pauvres
Car il est fécondé par leurs larmes acides
Et prendrait racine dans vos corps allongés
Ne mangez pas afin que vos corps se flétrissent et
10   meurent
Créant sur la terre en deuil
L'automne

Joyce Mansour, « Ne mangez pas… », *Cris*,
Paris, 1953, © Éditions Seghers.

LA NUIT JE SUIS LE VAGABOND…

La nuit je suis le vagabond dans le pays du cerveau
Étiré sur la lune en béton
Mon âme respire domptée par le vent
Et par la grande musique des demi-fous
5 Qui mâchent des pailles de métal lunaire
Et qui volent et qui volent et qui tombent sur ma tête
À corps perdu

Je danse la danse de la vacuité
Je danse sur la neige blanche de mégalomanie
10 Tandis que toi derrière la fenêtre sucrée de rage
Tu souilles ton lit de rêves en m'attendant

Joyce Mansour, « La Nuit je suis le vagabond… », *Déchirures*,
Paris, 1955, © Éditions de Minuit.

☐ VERS L'ANALYSE

Ne mangez pas…

1. Décrivez la construction du poème.
2. Quels procédés concourent à donner au poème la forme d'une série de commandements ?
3. Même si le poème ne renferme aucune ponctuation, divisez-le en phrases graphiques et déterminez le commandement qui est donné dans chacune.
4. Expliquez en quoi le dernier commandement constitue un retournement de situation.
5. À qui, croyez-vous, ces commandements s'adressent-ils ?
6. a) Dressez le champ lexical de la mort.
   b) Quelle tonalité concourt-il à créer ?

La Nuit je suis le vagabond…

1. De quoi est-il essentiellement question dans ce poème ?
2. La deuxième strophe est construite sur une antithèse.
   a) Quel marqueur de relation introduit l'opposition ?
   b) Qui est opposé ?
   c) Qu'est-ce qui est opposé ?
   d) Résumez l'opposition en une phrase.
   e) Quel terme péjoratif concerne le destinataire ?
3. Quel est le ton de ce poème ?
4. a) Identifiez les procédés de répétition employés par Mansour.
   b) Quel effet créent-ils ?

Sujet de dissertation explicative

Expliquez en quoi ces deux poèmes de Joyce Mansour sont surréalistes.

La poésie surréaliste au Québec

À partir des années 1940, la littérature québécoise connaît elle aussi son grand balayage surréaliste. En 1948, des peintres et des poètes publient un manifeste, *Refus global*, qui permet enfin d'entrevoir la lumière au bout du tunnel dans lequel la société québécoise est engagée depuis plus d'un siècle. Chaque « Canadien français », comme on disait à l'époque, y est invité à devenir responsable de soi et « de la foule de ses frères ». Et, comme dans le cas des surréalistes français, chacun doit, pour y arriver, se libérer des contraintes associées à la raison et assumer pleinement le dynamisme de ses passions.

Des écrivains rattachés à l'automatisme, comme Claude Gauvreau, Paul-Marie Lapointe, Roland Giguère, Gilles Hénault et Thérèse Renaud, font de leur écriture un territoire d'expérimentation et secouent l'imaginaire de sa torpeur. Ces poètes formulent leurs images de façon à ce qu'elles trouvent un écho dans les replis de l'inconscient du lecteur. Ils tiennent à parler bien davantage à l'émotion du lecteur qu'à son intellect, comme l'avaient fait leurs prédécesseurs, les surréalistes français. L'influence des automatistes se poursuit encore aujourd'hui.

Claude Gauvreau (1925-1971)

Claude Gauvreau est sans doute celui qui, au Québec, a poussé le plus loin la subversion du langage. Refusant toute compromission aussi bien avec la société qu'avec le réalisme et l'organisation rationnelle de la littérature, il laisse les mots s'appeler les uns les autres et crée ainsi une langue imaginaire d'une grande inventivité, dont le climat sonore est envoûtant. L'extrait suivant a été écrit entre 1944 et 1946.

 ## AU CŒUR DES QUENOUILLES

Les satrapes me poursuivent comme un jaune dans
une rigole abrupte.

Dans une corne de bélier.

Le sang me bouscule dans le temps oublié une pleine galoche
5   de sang.

La rivière naine comme un corps de nouille et les quenouilles.
Je suis poursuivi, je suis un homme poursuivi, poursuivi un
homme, un poursuivi, poursuite poursuivie, un homme poursuivi.

Je cours, couleur rouge, loin des bras qui me cherchent,
10 qui m'attendent. Les bras qui me veulent.

Rigoles de sang sur les tempes, chair de femme dépecée,
chair d'homme flétrie.

Je suis un criminel imminent.

Mon corps flotte dans l'eau, dans l'eau de la barque, dans la barque
15 de l'eau.

Qui m'arrêtera danseur de danse nègre ? Ma substance s'allonge,
je m'étends au loin, plus loin que le loin, je vais rejoindre le bout de
l'infini, cordon infini ou bras rouge, j'imite la couleur rouge d'une
toile qui se dissipe dans les barres comme d'arc-en-ciel infinies,
20 avant de finir de naître. Avant de naître je m'étends dans l'infini.

J'échappe à ceux qui me poursuivent, j'effectue mon évasion.

J'ai des têtes imaginaires pendues à mes petits doigts. Je respire ensanglanté.
Les têtes sont couvertes de sang.

Je suis un homme couché sur un lit fait de pamplemousses accumulés,
25 j'ai choisi les pamplemousses car j'ai choisi la couleur des pamplemousses,
j'ai choisi de coucher dans le jaune, mon esprit dans le jaune toujours,
mon esprit est couché dans le jaune et mon corps est dans la chaloupe.

Mon enfance, mon enfance triée.

Claude Gauvreau, « Au cœur des quenouilles », *Œuvres créatrices complètes*,
Montréal, 1977, © Succession Claude Gauvreau.

☐ VERS L'ANALYSE

Au cœur des quenouilles

1. Résumez le propos du texte.

2. a) Quel mot, avec des variantes, est répété le plus souvent dans le texte ?
   b) Quel effet crée la répétition de ce mot ?
   c) Relevez les phrases qui décrivent le poète comme un fugitif.

3. Le texte est empreint de violence.
   a) Relevez les notations de violence qu'il renferme.
   b) Quel signe extérieur de la violence est le plus important ?

   c) Quelle couleur le connote ?
   d) À quelle autre couleur s'oppose-t-elle ?

4. Quel mot, répété aux lignes 18 à 20, évoque le désir d'absolu du poète ?

5. Gauvreau privilégie souvent la forme plutôt que le fond.
   a) Relevez trois associations de mots fondées sur les sonorités.
   b) Relevez deux comparaisons dont le sens n'est pas clair.

6. Étudiez la construction des phrases.
   a) Relevez des phrases nominales.
   b) Relevez une phrase incidente.
   c) Relevez les parallélismes.
   d) Relevez les chiasmes.

«Ce qui est montré dans le roman est l'ombre sans quoi vous ne verriez pas la lumière.»

Louis Aragon

L'anticonformisme créateur à la base de la doctrine surréaliste favorise peu la littérature narrative. En effet, il est difficile de concilier la spontanéité de l'inconscient et les techniques narratives qui permettent de raconter une histoire. Aussi les surréalistes récusent-ils le roman réaliste et le roman psychologique, dont les personnages leur paraissent trop anecdotiques, gratuits, logiques et prévisibles. À vrai dire, seul le roman noir trouve grâce à leurs yeux, en raison de la large place qu'il accorde à l'onirisme et au fantastique. Ces réticences envers la narration n'empêchent toutefois pas deux membres fondateurs du mouvement surréaliste, André Breton et Louis Aragon, de produire d'intéressants récits où la surprise, l'émotion et l'imagination sont maîtres.

André Breton (1896-1966)

André Breton passe en Amérique les cinq années de la Seconde Guerre mondiale. Pendant deux mois en 1944, il voyage au Québec, soit en Gaspésie, dans les Laurentides et à Montréal. Il y trouve le décor pour son dernier ouvrage en prose romanesque, *Arcane 17* (1947), qui se déroule en Gaspésie et au lac des Sables, à Sainte-Agathe. L'extrait présente le tout début du récit, alors que Breton se remémore sa première expédition vers l'île Bonaventure à Percé.

L'ÎLE BONAVENTURE

Dans le rêve d'Élisa, cette vieille gitane qui voulait m'embrasser et que je fuyais, mais c'était l'île Bonaventure, un des plus grands sanctuaires d'oiseaux de mer qui soient au monde. Nous en avions fait le tour le matin même, par
5 temps couvert, sur un bateau de pêche toutes voiles dehors et nous étions plu, au départ, à l'arrangement tout fortuit, mais à la Hogarth, des flotteurs faits d'un baril jaune ou rouge, dont le fond s'ornait au pinceau de signes d'apparence cabalistique, baril surmonté d'une haute tige au
10 sommet de laquelle flottait un drapeau noir (le rêve s'est sans doute emparé de ces engins, groupés en faisceaux irréguliers sur le pont, pour vêtir la bohémienne). Le claquement des drapeaux nous avait accompagnés tout du long, au moment près où notre attention avait été captée
15 par l'aspect, bravant l'imagination, qu'offrait l'abrupte paroi de l'île frangée de marche en marche d'une écume de neige vivante et sans cesse recommencée à capricieux et larges coups de truelle bleue. Oui, pour ma part, ce spectacle m'avait embrassé: durant un beau quart d'heure mes pen-
20 sées avaient bien voulu se faire tout avoine blanche dans cette batteuse. Parfois une aile toute proche, dix fois plus longue que l'autre, consentait à épeler une lettre, jamais la même, mais j'étais aussitôt repris par le caractère exorbitant de toute l'inscription. On a pu parler de symphonie à propos
25 de l'ensemble rocheux qui domine Percé, mais c'est là une image qui ne prend de force qu'à partir de l'instant où l'on découvre que le repos des oiseaux épouse les anfractuosités de cette muraille à pic, en sorte que le rythme organique se superpose ici de justesse au rythme inorganique comme
30 s'il avait besoin de se consolider sur lui pour s'entretenir. Qui se fût avisé de prêter le ressort des ailes à l'avalanche!

André Breton, *Arcane 17*, Paris, 1947, © Éditions Pauvert, 1971.
© SNE Pauvert. Département des éditions Fayard, 2000.

☐ VERS L'ANALYSE

L'île Bonaventure

1. Quels sont les deux éléments qui retiennent successivement l'attention de Breton dans cet extrait?

2. a) Breton emploie trois expressions concrètes pour décrire l'île. Lesquelles?
   b) Quelle impression donnent-elles de l'île?

3. Il utilise cependant surtout des images pour la décrire. Expliquez les deux images suivantes:
   a) «l'abrupte paroi de l'île frangée [...] d'une écume de neige vivante et sans cesse recommencée à capricieux et larges coups de truelle bleue» (lignes 15 à 18).
   b) «mes pensées avaient bien voulu se faire tout avoine blanche dans cette batteuse» (lignes 19 à 21).
   c) De quelle figure de style s'agit-il?

4. Breton fait aussi des associations avec le monde des arts.
   a) Qui est Hogarth (ligne 7) et à quoi Breton l'associe-t-il?
   b) Relevez les mots qui appartiennent au champ lexical de la peinture, de la littérature et de la musique.
   c) Quel effet créent-ils?

5. Par quelle personnification Breton traduit-il la fascination qu'exerce le paysage sur lui?

6. Étudiez la construction des phrases et décrivez l'effet produit.

7. En dehors du paysage, quels éléments du texte le rattachent à l'imaginaire surréaliste?

Sujet de dissertation explicative

Montrez que la description que fait Breton de l'île Bonaventure n'est pas réaliste, mais qu'elle emprunte au surréalisme son imaginaire et ses procédés.

Louis Aragon (1897-1982)

« Le roman, c'est la clef des chambres interdites de notre maison. »

Surréaliste de la première heure, Louis Andrieux, dit Louis Aragon, met sa plume au service de l'idéologie communiste, puis de la Résistance, avant de se vouer à la célébration de la femme qu'il aime, Elsa Triolet[1]. Son œuvre surréaliste est abondante; elle comporte de nombreux poèmes et récits. *Le Paysan de Paris* (1926) est l'un de ces récits. De facture impressionniste, il raconte une exploration parisienne. À la fin de sa quête de la surréalité, Aragon trouve le désir et l'exaltation amoureuse.

---

1. Nous présentons deux de ses poèmes sur l'amour dans le prochain chapitre.

QUEL FOSSÉ DE LUEURS

Ils m'ont dit que l'amour est risible. Ils m'ont dit: c'est facile, et m'ont expliqué le mécanisme de mon cœur. Il paraît. Ils m'ont dit de ne pas croire au miracle, si les tables tournent c'est que quelqu'un les pousse du pied. Enfin on m'a montré un homme qui est amoureux sur commande,
5 vraiment amoureux, il s'y trompe, amoureux que voulez-vous de mieux, amoureux on sait ce que c'est depuis que le monde est monde.

Pourtant vous ne vous rendez pas compte de ma crédulité. Maintenant prêt à tout croire, les fleurs pourraient pousser à ses pas, elle ferait de la nuit le grand jour, et toutes les fantasmagories de l'ivresse et de l'imagination,
10 que cela n'aurait rien d'extraordinaire. S'ils n'aiment pas c'est qu'ils ignorent. Moi j'ai vu sortir de la crypte le grand fantôme blanc à la chaîne brisée. Mais eux n'ont pas senti le divin de cette femme. Il leur paraît naturel qu'elle soit là, qui va, qui vient, ils ont d'elle une connaissance abstraite, une connaissance d'occasion. L'inexplicable ne leur saute pas
15 aux yeux, n'est-ce pas.

De quel ravin surgit-elle, par quelle sente aux pieds des arbres résineux, quel fossé de lueurs, quelle piste de mica et de menthe a-t-elle suivi jusqu'à moi? Il fallait à tous les carrefours, entre les mêmes perspectives répétées de briques et de macadam, qu'elle choisît toujours le couloir
20 couleur orage pour, de sulfure en sulfure, délaissant des feuillages minéraux, des abricots pétrifiés sous les cascades calcaires, des fleuves de murmures où des ombres mobiles l'appelaient, enfin s'engager dans le défilé magnétique, entre les éclats de l'acier doux, sous l'arche rouge. Je n'osais pas la regarder venir. J'étais cloué, j'étais rivé à l'abstraite vie
25 diamantaire. Il avait neigé ce jour-là…

Louis Aragon, *Le Paysan de Paris*, Paris, 1926, © Éditions Gallimard.

☐ **VERS L'ANALYSE**

Quel fossé de lueurs

1. Résumez l'idée principale de chaque paragraphe.

2. a) Qui est désigné par les pronoms «ils», «on» et «eux» dans les deux premiers paragraphes?
   b) Qui s'oppose à ces «ils»?

3. a) Relevez, dans le premier paragraphe, une métaphore et un exemple emprunté à une pratique occulte.
   b) Que mettent-ils en évidence?

4. a) Dressez le champ lexical du surnaturel.

b) Quelle conception de l'amour met-il en évidence? Justifiez votre réponse par des passages significatifs du texte.

5. Le mot «crédulité» a souvent une connotation péjorative. Est-ce le cas ici, à la ligne 7? Justifiez votre réponse.

6. En quoi s'opposent le «je» et les «ils» de l'extrait?

7. La femme est associée à la fois au monde végétal et au monde minéral.
   a) Dressez le champ lexical de ces deux mondes.
   b) Quel effet crée ce mélange des deux mondes?

8. Décrivez l'opposition, présente dans le dernier paragraphe, entre le mouvement et l'immobilité.

9. Pourquoi ce texte est-il surréaliste?

Sujet de dissertation explicative

Rimbaud disait que le poète doit se faire «voyant», qu'il doit voir plus loin que les apparences du quotidien. Montrez que ce texte d'Aragon illustre bien la pensée de Rimbaud.

Le théâtre

Au théâtre, l'esthétique surréaliste donne lieu à une écriture onirique, à des excès de langage et à des décors incongrus, éléments qui étaient déjà présents dans la pièce *Ubu Roi* d'Alfred Jarry. Certains auteurs dramatiques privilégient la fantaisie, pratiquent la libre association des mots et des idées, et semblent faire de la scène le lieu d'un songe. D'autres, dont l'esprit se rattache davantage au dadaïsme, se font beaucoup plus provocateurs et remettent en cause la distance habituelle qui sépare les comédiens des spectateurs. Trois noms se démarquent dans ce type de théâtre: le poète et théoricien du théâtre Antonin Artaud, l'inclassable Jean Cocteau et le dramaturge Roger Vitrac.

Antonin Artaud (1896-1948)

« Que me fait à moi toute la Révolution du monde si je sais demeurer éternellement douloureux et misérable au sein de mon propre charnier. »

Antonin Artaud est un homme polyvalent, à la fois poète, comédien, metteur en scène, fondateur de troupes, théoricien du théâtre et dramaturge. Dès l'enfance, il est assailli de troubles nerveux congénitaux qui l'obligent à une interminable bataille contre son corps et ses nerfs. De cette angoisse, il tente de tirer un art nouveau, caractérisé par l'urgence de dire, à l'aide de signes et non de mots. Pour ce dramaturge, les mots n'importent plus que pour leur valeur matérielle, leur poids sonore ; ils constituent de simples éléments parmi d'autres, au même titre que le décor, l'éclairage ou les costumes. Artaud veut mettre fin au rôle privilégié de la littérature dans l'espace théâtral et espère la naissance d'un théâtre nouveau qui laisserait la parole au corps des acteurs. Il propose un « théâtre de la cruauté » qui choquerait et transformerait le spectateur, l'extirperait de son plaisir et de son confort, le libérerait de son « inconscient pétrifié ». L'influence de sa métaphysique, de sa gestuelle et de son dispositif scénique n'est pas immédiate ; elle ne se fait vraiment sentir qu'à partir de la génération du « théâtre de l'absurde ».

Dans l'extrait que nous proposons, Artaud explique, dans une langue écorchée et vibrante, sa conception de la littérature.

DES GLAÇONS DANS L'ESPRIT

Là où d'autres proposent des œuvres je ne prétends pas autre chose que de montrer mon esprit.

La vie est de brûler les questions.

Je ne conçois pas d'œuvre comme détachée de la vie.

5 Je n'aime pas la création détachée. Je ne conçois pas non plus l'esprit comme détaché de lui-même. Chacune de mes œuvres, chacun des plans de moi-même, chacune des floraisons glacières de mon âme intérieure bave sur moi.

Je me retrouve autant dans une lettre écrite pour expliquer le rétrécissement intime de mon être et le châtrage insensé de ma vie, que dans un essai extérieur
10 à moi-même, et qui m'apparaît comme une grossesse indifférente de mon esprit.

Je souffre que l'Esprit ne soit pas dans la vie et que la vie ne soit pas dans l'Esprit, je souffre de l'Esprit-organe, de l'Esprit-traduction, ou de l'Esprit-intimidation-des-choses pour les faire entrer dans l'Esprit.

Ce livre je le mets en suspension dans la vie, je veux qu'il soit mordu par
15 les choses extérieures, et d'abord par tous les soubresauts en cisaille, toutes les cillations *de mon moi à venir*.

Toutes ces pages traînent comme des glaçons dans l'esprit. Qu'on excuse ma liberté absolue. Je me refuse à faire de différence entre aucune des minutes de moi-même. Je ne reconnais pas dans l'esprit de plan.

20 Il faut en finir avec l'Esprit comme avec la littérature. Je dis que l'Esprit et la vie communiquent à tous les degrés. Je voudrais faire un Livre qui dérange les hommes, qui soit comme une porte ouverte et qui les mène où ils n'auraient jamais consenti à aller, une porte simplement abouchée avec la réalité.

Et ceci n'est pas plus une préface à un livre, que les poèmes par exemple
25 qui le jalonnent ou le dénombrement de toutes les rages du mal-être.

Ceci n'est qu'un glaçon aussi mal avalé.

Antonin Artaud, *L'Ombilic des limbes*, Paris, 1925.

☐ **VERS L'ANALYSE**

Des glaçons dans l'esprit

1. a) Quels mots sont répétés tout au long du texte ?
   b) En quoi ces mots résument-ils le propos de l'extrait ?

2. a) Cherchez les différents sens du mot « minutes » dans un dictionnaire et choisissez la définition qui convient au contexte de la ligne 18.
   b) Expliquez le sens contextuel du mot.

3. Relevez les verbes qui traduisent la subjectivité d'Artaud.

4. En vous appuyant sur des phrases du texte, phrases que vous citerez, dites ce que doit être l'œuvre littéraire selon Artaud.

5. Pourquoi met-il une majuscule au mot « Livre », à la ligne 21 ?

6. a) Définissez le mot « manifeste ».
   b) À la lumière de cette définition, peut-on qualifier le texte d'Artaud de manifeste ?

7. Quel lien peut-on faire entre ce texte et le surréalisme ?

Sujet de dissertation explicative

Définissez la littérature selon Antonin Artaud.

Jean Cocteau (1889-1963)

«La beauté déteste les idées, elle se suffit à elle-même. Une œuvre est belle comme quelqu'un est beau. Cette beauté dont je parle provoque une élévation de l'âme. Une érection ne se discute pas.»

Touche-à-tout génial qui marque la littérature du XXe siècle, Jean Cocteau ne reconnaît qu'une morale, celle de l'esthétique. Collaborateur, un temps, de Dada et du surréalisme, il s'affranchit de ces mouvements, mais tout son univers littéraire, de caractère fantaisiste et merveilleux, porte l'influence de son passage chez les surréalistes.

Cocteau est double. On le connaît d'abord comme écrivain – poète, romancier, dramaturge, parolier, scénariste, épistolier et essayiste –, mais il est aussi artiste: dessinateur, peintre et décorateur de chapelles. Créateur à tout faire, il réalise également des films devenus des classiques et se passionne pour la musique et la danse. Les musiciens Satie, Milhaud, Honegger, Auric et Poulenc composent pour lui, alors que le peintre Picasso dessine des décors pour ses pièces. Ce créateur, dont l'œuvre semble située dans une contrée où dialoguent la vie et la mort, fait preuve de virtuosité et d'excellence dans tout ce qu'il touche.

Cocteau est attiré par les grands mythes, qu'il actualise. Ainsi, dans sa pièce *Orphée* (1926), il reprend, dans un contexte moderne incluant des motos et des autos, le thème du poète qui doit «mourir plusieurs fois pour naître». Dans l'extrait que nous présentons, Orphée, préoccupé par la présence d'un cheval qui incarne l'inspiration poétique, a négligé sa femme Eurydice. Lorsqu'il rentre chez lui, il apprend, par le vitrier Heurtebise, qu'elle est morte.

J'IRAI LA CHERCHER JUSQU'AUX ENFERS

La voix d'Orphée. — Vous ne la connaissez pas. Vous ne savez pas de quoi elle est capable. Ce sont des comédies pour me faire rentrer à la maison.

(La porte s'ouvre, ils entrent. Heurtebise se précipite vers
5 *la chambre, regarde, recule et se met à genoux sur le seuil.)*

Orphée. — Où est-elle? Eurydice!... Elle boude. Ah! ça… je deviens fou! Le cheval! où est le cheval? *(Il découvre la niche.)* Parti! – Je suis perdu. On lui aura ouvert la porte, on l'aura effrayé; ce doit être un coup d'Eurydice. Elle me le payera!

10 *(Il s'élance.)*

Heurtebise. — Halte!

Orphée. — Vous m'empêchez d'entrer chez ma femme!

Heurtebise. — Regardez.

Orphée. — Où?

15 **Heurtebise.** — Regardez à travers mes vitres.

Orphée. *Il regarde.* — Elle est assise. Elle dort.

Heurtebise. — Elle est morte.

Orphée. — Quoi?

Heurtebise. — Morte. Nous sommes arrivés trop tard.

20 **Orphée.** — C'est impossible. *(Il frappe aux vitres.)* Eurydice! ma chérie! réponds-moi!

Heurtebise. — Inutile.

Orphée. — Vous! laissez-moi entrer. *(Il écarte Heurtebise.)* Où est-elle? *(À la cantonade.)* Je viens de la voir, assise, près
25 du lit. La chambre est vide. *(Il rentre en scène.)* Eurydice!

Heurtebise. — Vous avez cru la voir. Eurydice habite chez la Mort.

Orphée. — Ah! peu importe le cheval! Je veux revoir Eurydice. Je veux qu'elle me pardonne de l'avoir négligée,
30 mal comprise. Aidez-moi. Sauvez-moi. Que faire? Nous perdons un temps précieux.

Heurtebise. — Ces bonnes paroles vous sauvent, Orphée…

Orphée, *pleurant, effondré sur la table.* — Morte. Eurydice est morte. *(Il se lève.)* Eh bien… je l'arracherai à la Mort !
S'il le faut, j'irai la chercher jusqu'aux enfers !

Heurtebise. — Orphée… écoutez-moi. Du calme.
Vous m'écouterez…

Orphée. — Oui… je serai calme. Réfléchissons.
Trouvons un plan…

Heurtebise. — Je connais un moyen.

Orphée. — Vous !

Heurtebise. — Mais il faut m'obéir et ne pas perdre une minute.

Orphée. — Oui.

(Toutes ces répliques d'Orphée, il les prononce dans la fièvre et la docilité. La scène se déroule avec une extrême vitesse.)

Heurtebise. — La Mort est entrée chez vous pour prendre Eurydice.

Orphée. — Oui…

Heurtebise. — Elle a oublié ses gants de caoutchouc.
(Un silence. Il s'approche de la table, hésite et prend les gants de loin comme on touche un objet sacré.)

Orphée, *avec terreur.* — Ah !

Heurtebise. — Vous allez les mettre.

Orphée. — Bon.

Heurtebise. — Mettez-les. *(Il les lui passe. Orphée les met.)*
Vous irez voir la Mort sous prétexte de les lui rendre et grâce à eux vous pourrez parvenir jusqu'à elle.

Orphée. — Bien…

Heurtebise. — La Mort va chercher ses gants. Si vous les lui rapportez, elle vous donnera une récompense. Elle est avare, elle aime mieux prendre que donner et comme elle ne rend jamais ce qu'on lui laisse prendre, votre démarche l'étonnera beaucoup. Sans doute vous obtiendrez peu, mais vous obtiendrez toujours quelque chose.

Orphée. — Bon.

Heurtebise. *Il le mène devant le miroir.* — Voilà votre route.

Orphée. — Ce miroir ?

Heurtebise. — Je vous livre le secret des secrets. Les miroirs sont les portes par lesquelles la Mort va et vient. Ne le dites à personne. Du reste, regardez-vous toute votre vie dans une glace et vous verrez la Mort travailler comme des abeilles dans une ruche de verre. Adieu. Bonne chance !

Orphée. — Mais un miroir, c'est dur.

Heurtebise, *la main haute.* — Avec ces gants vous traverserez les miroirs comme de l'eau.

Orphée. — Où avez-vous appris toutes ces choses redoutables ?

Heurtebise, *sa main retombe.* — Vous savez, les miroirs, ça rentre un peu dans la vitre. C'est notre métier.

Orphée. — Et une fois passée cette… porte…

Heurtebise. — Respirez lentement, régulièrement. Marchez sans crainte devant vous. Prenez à droite, puis à gauche, puis à droite, puis tout droit. Là, comment vous expliquer…
Il n'y a plus de sens… on tourne : c'est un peu pénible au premier abord.

Orphée. — Et après ?

Heurtebise. — Après ? Personne au monde ne peut vous renseigner. La Mort commence.

Orphée. — Je ne la crains pas.

Heurtebise. — Adieu ! Je vous attends à la sortie.

Orphée. — Je serai peut-être long.

Heurtebise. — Long… pour vous. Pour nous, vous ne ferez guère qu'entrer et sortir.

Orphée. — Je ne peux croire que cette glace soit molle.
Enfin, j'essaye.

Heurtebise. — Essayez. *(Orphée se met en marche.)*
D'abord les mains !

(Orphée, les mains en avant, gantées de rouge, s'enfonce dans la glace.)

Orphée. — Eurydice !… *(Il disparaît.)*

Jean Cocteau, *Orphée*, scène VII, Paris, 1927, © Éditions Stock.

☐ **VERS L'ANALYSE**

J'irai la chercher jusqu'aux enfers

1. Quelle figure de style domine la scène ?

2. Résumez la scène en quelques phrases.

3. Faites une recherche et résumez la légende d'Orphée et d'Eurydice.

4. Cocteau emprunte des éléments à la fois au mythe et au quotidien.
   a) Qu'est-ce qui relève du surnaturel ?
   b) Relevez deux répliques qui introduisent brusquement le quotidien dans la scène.
   c) Deux objets font le lien entre le monde quotidien et le monde surnaturel. Expliquez.
   d) Quel effet est ainsi créé ?

5. Tracez le portrait de la Mort.

6. a) Relevez une comparaison employée par Heurtebise au sujet de la Mort.
   b) Que signifie-t-elle ?

7. Quelles répliques montrent que la mort est un état hors de l'espace et hors du temps ?

8. Pourquoi Cocteau précise-t-il, à la ligne 45, que la scène doit se dérouler «avec une *extrême vitesse* » ?

Sujet de dissertation explicative

Expliquez comment Cocteau actualise le mythe d'Orphée.

Roger Vitrac (1899-1952)

« La vie elle est. »

Le poète et dramaturge Roger Vitrac fonde, avec Antonin Artaud, le théâtre Alfred-Jarry par lequel ils visent à créer un « théâtre total » et à abolir les frontières entre l'esprit et le corps ainsi que celles entre les comédiens et les spectateurs. Vitrac y fait jouer deux de ses pièces : *Les Mystères de l'amour* (1927) et *Victor ou les enfants au pouvoir* (1928), une satire corrosive et dérangeante qui s'attaque aux valeurs bourgeoises. Son théâtre, riche en surprises et en provocations, écrit dans une langue souvent incohérente et absurde, annonce déjà Ionesco.

L'extrait proposé est tiré de *Victor ou les enfants au pouvoir*, une pièce d'inspiration dadaïste qui présente un univers de rêve et de déraison. Victor, un enfant de neuf ans qui mesure un mètre quatre-vingt-dix et est « terriblement intelligent », vient de briser délibérément un vase. Il tente d'en faire porter la responsabilité à Lili, la bonne.

☐ VERS L'ANALYSE

Le fameux dada qui devait naître du gros coco

1. a) Qu'observez-vous au sujet de la longueur des répliques ?
   b) Qu'en déduisez-vous par rapport à l'importance de chaque personnage dans la scène ?

2. Quelles caractéristiques psychologiques décrivent le mieux le personnage de Victor ?

3. À quoi voit-on que Victor est « terriblement intelligent » ?

4. Expliquez comment Victor arrive à interchanger les rôles entre Lili et lui.

5. Quels procédés Victor utilise-t-il pour parodier :
   a) la pensée logique ?
   b) ses parents ?
   c) la religion ?

6. En quoi les didascalies aident-elles à comprendre l'aspect parodique de la scène ?

7. a) De quelles valeurs se moque Victor ?
   b) Peut-on dire que le propos de l'auteur est subversif ?

8. Comment expliquez-vous la dernière réplique ?

Sujet de dissertation explicative

Montrez que cet extrait constitue une satire de la bourgeoisie et de ses valeurs.

LE FAMEUX DADA QUI DEVAIT NAÎTRE DU GROS COCO

Victor. — On ne me croirait pas, parce que je n'ai jamais rien cassé de ma vie. Pas un piano, pas un biberon. Tandis que toi, tu as déjà à ton actif la pendule, la théière, la bouteille d'eau de noix, etc. Si je m'accuse, voilà mon père : Le cher enfant, il veut sauver Lili. Et
5 ma mère : Victor, ce que tu fais là est très bien ; vous, Lili, je vous chasse. Parce qu'il y aura du monde, on ne t'insultera pas davantage. Que veux-tu, tu as cassé le vase, je n'y peux rien. Rien du tout. Car, puisque je ne puis pas être coupable, je ne peux pas l'avoir cassé.

Lili. — Pourtant, il est cassé.

10 **Victor.** — Oui, tu as eu tort. *(Un temps.)* Sans doute, je pourrais dire que c'est le cheval…

Lili. — Le cheval ?

Victor. — Oui, le fameux dada qui devait naître du gros coco. Si j'avais trois ans, je le dirais, mais j'en ai neuf, et je suis terriblement
15 intelligent.

Lili. — Ah ! si j'avais cassé le verre seulement…

Victor. — Je suis terriblement intelligent. *(S'approchant de Lili et imitant la voix de son père.)* Ne pleurez pas, Lili, ne pleurez pas, chère petite fille.

20 **Lili.** — Victor ! qu'est-ce qui te prend ?

Victor, *même jeu.* — Je vous en supplie ne pleurez pas. Madame veut vous congédier, mais madame n'est rien ici. C'est moi qui suis le maître. D'ailleurs madame m'adore, moins pourtant que je ne vous aime. Je plaiderai pour vous, et j'obtiendrai gain de cause. Je
25 vous le jure. Chère Lili. *(Il l'embrasse.)* Je vous sauverai. Comptez sur moi, et au petit jour, je vous apporterai moi-même la bonne nouvelle dans votre chambre. Cher agneau de flamme ! Tour du soir ! Rose de David ! Bergère de l'étoile ! *(Il se lève d'un bond et se met à crier de toutes ses forces, les bras levés.)*

30 Priez pour nous, priez pour nous, priez pour nous ! *(Puis il part d'un grand éclat de rire.)*

Lili, *se parlant à elle-même, rageusement.* — Non, non, non. Je partirai, je partirai. Je veux partir tout de suite. Victor est devenu fou. Ce n'est plus un enfant.

35 **Victor.** — Il n'y a plus d'enfants. Il n'y a jamais eu d'enfants.

Roger Vitrac, *Victor ou les enfants au pouvoir*, Paris, 1928, © Éditions Gallimard.

La France a créé un type de chansons qui lui est spécifique, qui marie étroitement la poésie et la musique. Les chansons françaises sont écrites comme si les paroliers avaient décidé de renouer avec leurs prédécesseurs d'avant le XVIᵉ siècle, alors que toute poésie était chantée. Plusieurs des chansons du XXᵉ siècle portent l'empreinte du surréalisme, par exemple celles de Boris Vian, dont le riche univers est bien connu. L'univers de Charles Trenet contient également d'authentiques trésors.

Charles Trenet (1913-2001)

À la fin des années 1930, celui qu'on appelle le « fou chantant » fait descendre la poésie dans la rue et introduit le surréalisme dans la chanson. Cet auteur-compositeur-interprète, qui recouvre fréquemment la détresse d'un masque de gaieté, exprime les aspirations et la sensibilité de ses contemporains. Il inspire toute une nouvelle génération de chanteurs, qui créent un son nouveau sur des textes dont la langue nouvelle, poétique, est souvent empruntée aux surréalistes.

UNE NOIX

Une noix
Qu'y a-t-il à l'intérieur d'une noix ?
Qu'est-ce qu'on y voit ?
Quand elle est fermée
5 On y voit la nuit en rond
Et les plaines et les monts
Les rivières et les vallons
On y voit
Toute une armée
10 Des soldats bardés de fer
Qui joyeux partent pour la guerre
En fuyant l'orage des bois
On y voit les chevaux du roi

Près de la rivière
15 Une noix
Qu'y a-t-il à l'intérieur d'une noix ?
Qu'est-ce qu'on y voit ?
Quand elle est fermée
On y voit mille soleils
20 Tous à tes yeux bleus pareils
On y voit briller la mer
Et dans l'espace d'un éclair
Un voilier noir
Qui chavire
25 On y voit les écoliers
Qui dévorent leurs tabliers
Des abbés à bicyclette
Le quatorze juillet en fête
Et ta robe au vent du soir
30 On y voit des reposoirs
Qui s'apprêtent.

Une noix
Qu'y a-t-il à l'intérieur d'une noix ?
Qu'est-ce qu'on y voit ?
35 Quand elle est ouverte
On n'a pas le temps d'y voir
On la croque et puis bonsoir
On n'a pas le temps d'y voir
On la croque et puis bonsoir
40 Les découvertes.

Charles Trenet, *Une noix*, Paris, 1930,
© Raoul Breton et disque Columbia, FS 1005.

☐ VERS L'ANALYSE

Une noix

1. Résumez chaque strophe.

2. Quel est le propos de cette chanson ?

3. La dernière strophe s'oppose aux deux premières.
   a) En quoi son propos s'oppose-t-il à celui des deux autres ?
   b) Quel verbe d'action domine dans chaque cas et marque cette opposition ?
   c) En quoi la longueur des strophes, la tournure syntaxique et la construction des réponses aux questions accentuent-elles cette opposition et conviennent-elles au propos ?

4. La fermeture de la noix permet une ouverture, alors que son ouverture provoque une fermeture. Expliquez ce paradoxe.

5. Relevez les notations qui contribuent à la création d'un univers gai et insouciant.

6. Reliez cette chanson au courant surréaliste.

La plus belle lettre d'amour
d'un auteur proche du surréalisme

*L*e 27 septembre 1914, Guillaume Apollinaire dîne pour la première fois en compagnie de Geneviève-Marguerite-Marie-Louise de Pillot de Coligny-Châtillon, qu'il appelle par la suite simplement Lou. Il écrit des poèmes et de nombreuses lettres à celle qui joue pendant longtemps la belle indifférente.

☐ VERS L'ANALYSE

De Guillaume Apollinaire à Lou

1. Comment Apollinaire se décrit-il à Lou?
2. Dressez le champ lexical de l'amour.
3. a) Quels aspects de la femme aimée sont exaltés par l'auteur?
   b) Relevez une métaphore pour chacun des deux premiers aspects.
4. a) Relevez les antithèses qui traduisent le sentiment amoureux du poète.
   b) Quel effet créent-elles?
5. Quels passages montrent qu'Apollinaire craint que cet amour soit impossible?

DE GUILLAUME APOLLINAIRE À LOU

Vous ayant dit ce matin que je vous aimais, ma voisine d'hier soir, j'éprouve maintenant moins de gêne à vous l'écrire.

Je l'avais déjà senti dès ce déjeuner dans le vieux Nice où vos grands et beaux yeux de biche m'avaient tant troublé que je m'en étais allé aussi
5 tôt que possible afin d'éviter le vertige qu'ils me donnaient.

C'est ce regard-là que je revois partout, plutôt que vos yeux de cette nuit dont mon souvenir retrouve surtout la forme et non le regard.

De cette nuit bénie j'ai avant tout gardé devant les yeux le souvenir de l'arc tendu d'une bouche entr'ouverte de petite fille, d'une bouche fraîche
10 et rieuse, proférant les choses les plus raisonnables et les plus spirituelles avec un son de voix si enchanteur qu'avec l'effroi et le regret où nous jettent les souhaits impossibles je songeais qu'auprès d'une Louise comme vous, je n'eusse voulu être rien autre que le Taciturne.

Puissé-je encore toutefois entendre une voix dont le charme cause
15 de si merveilleuses illusions !

Vingt-quatre heures se sont à peine écoulées depuis cet événement que déjà l'amour m'abaisse et m'exalte tour à tour si bas et si haut que je me demande si j'ai vraiment aimé jusqu'ici.

Et je vous aime avec un frisson si délicieusement pur que chaque fois
20 que je me figure votre sourire, votre voix, votre regard tendre et moqueur il me semble que, dussé-je ne plus vous revoir en personne, votre chère apparition liée à mon cerveau m'accompagnera désormais sans cesse.

Ainsi que vous pouvez voir, j'ai pris là, mais sans le vouloir, des précautions de désespéré, car après une minute vertigineuse d'espoir je n'espère plus
25 rien, sinon que vous permettiez à un poète qui vous aime plus que la vie de vous élire pour sa dame et se dire, ma voisine d'hier soir dont je baise les adorables mains, votre serviteur passionné.

Guillaume Apollinaire, *De Guillaume Apollinaire à Lou*, Nice, 1914.

Calligramme de Guillaume Apollinaire, 1918.

Le temps des engagements :

la quête d'un nouvel humanisme

Littérature, arts et culture	Événements politiques et historiques	Sciences et techniques
1914 : Kafka, *Le Procès*. Hémon, *Maria Chapdelaine*.	**1914-1918 :** Première Guerre mondiale.	**1915 :** Einstein : $E = mc^2$ (théorie de la relativité restreinte). Cette formule contient en germe l'arme nucléaire.
1915 : De Falla, *L'Amour sorcier*. Reverdy, *Poèmes en prose*.	**1917 :** Révolution d'Octobre en URSS.	
1917 : Diaghilev, *Parade*. Pound entame ses *Cantos*.	**1919 :** Création de la Société des Nations (ancêtre de l'ONU). La grippe espagnole cause 20 millions de morts.	**1920 :** Premier sachet de thé. À Berlin, première autoroute. Invention du polygraphe (détecteur de mensonges).
	1922 : Mussolini prend le pouvoir en Italie.	**1922 :** Découverte de l'insuline. Mise au jour du tombeau de Toutankhamon.
1924 : Eisenstein, *Le Cuirassé Potemkine*. Claudel, *Le Soulier de satin*.		**1924 :** Invention du mouchoir de papier.
1925 : Chaplin, *La Ruée vers l'or*. Lang, *Metropolis*. Fitzgerald, *Gatsby le Magnifique*. Dos Passos, *Manhattan Transfer*.		**1925 :** Invention du microphone. Invention du ruban adhésif.
1926 : Hemingway, *Le Soleil se lève aussi*. Bernanos, *Sous le soleil de Satan*. Cendrars, *Moravagine*.		**1926 :** Transmission d'une première image télévisée par l'Écossais John Baird. Cinéma parlant : *The Jazz Singer*.
		1927 : Découverte des premiers restes de l'*Homo erectus*. Charles Lindbergh effectue le premier vol sans escale entre l'Amérique et l'Europe (33 h 30 min). Un Belge conçoit la théorie du *big bang*.
1928 : Brecht et Weill, *L'Opéra de quat'sous*.		**1928 :** Découverte de la pénicilline et de la vitamine C.
1929 : Faulkner, *Le Bruit et la fureur*.	**1929 :** Krach boursier de Wall Street. Staline prend le pouvoir en URSS.	**1929 :** L'astronome Hubble affirme que l'univers est en expansion.
		1930 : Conception du premier radar (*Radio Detection And Ranging*).
1931 : Saint-Exupéry, *Vol de nuit*.		**1931 :** Invention du fréon pour les réfrigérateurs.
1933 : García Lorca, *Noces de sang*.	**1933 :** Hitler est nommé chancelier d'Allemagne.	**1932 :** Premier homme dans la stratosphère : en ballon à 16 200 mètres.
1936 : Bernanos, *Le Journal d'un curé de campagne*.		**1933 :** Premier avion de ligne : Boeing 247.
1937 : Steinbeck, *Des souris et des hommes*. Picasso, *Guernica*.	**1936-1939 :** Guerre civile en Espagne.	**1935 :** Gallup mesure les humeurs du peuple. Première guitare électrique. Konrad Lorenz invente l'éthologie (science du comportement animal).
1938 : Green : début de son *Journal*. Artaud, *Le Théâtre et son double*.		
1939 : Steinbeck, *Les Raisins de la colère*. Chandler, *Le Grand Sommeil*. Leiris, *L'Âge d'homme*. Carné, *Le Jour se lève*. Renoir, *La Règle du jeu*.	**1939-1945 :** Seconde Guerre mondiale.	**1936 :** En Angleterre, début d'une programmation régulière à la télévision.
		1937 : Invention du nylon. Nescafé : café en poudre.
1940 : Buzzati, *Le Désert des Tartares*. Greene, *La Puissance et la gloire*.	**1940-1944 :** Gouvernement de Vichy.	**1938 :** Découverte de l'effet de serre, de l'acide lysergique (LSD) et de la fission nucléaire, et invention du stylo à bille. Premier « *Real Media* » : Orson Welles affirme à la radio que des Martiens débarquent sur terre.
1941 : Borges, *Fictions*. Welles, *Citizen Kane*.		
1942 : Montherlant, *La Reine morte*. Aragon, *Les Yeux d'Elsa*. Guillevic, *Terraqué*.		**1940 :** Découverte du carbone 14.
1943 : Hesse, *Le Jeu des perles de verre*. Sartre, *Les Mouches*.		
1944 : Anouilh, *Antigone*.		
1945 : Carné, *Les Enfants du paradis*. Roy, *Bonheur d'occasion*.	**1945 :** Bombe atomique sur Hiroshima et Nagasaki. Découverte des camps de concentration nazis.	**1945 :** Premier ordinateur. Premières bombes A : 225 000 victimes.
1946 : Cocteau, *La Belle et la Bête*.	**1946-1954 :** Guerre d'Indochine.	
1947 : Lowry, *Au-dessus du volcan*. Genet, *Les Bonnes*. Williams, *Un tramway nommé Désir*. Camus, *La Peste*.	**1946-1958 :** IVᵉ République.	**1947 :** Premier avion supersonique. On croit découvrir l'âge de la terre : 4,6 milliards d'années. Le transistor, invention clé de l'électronique et de l'informatique.
1948 : Mailer, *Les Nus et les morts*. Ponge, *Poèmes*. Orwell, *1984*. Miller, *Mort d'un commis voyageur*. Cioran, *Précis de décomposition*. Gheorghiu, *La 25ᵉ Heure*.	**1948 :** Création de l'État d'Israël. Assassinat de Gandhi. Déclaration universelle des droits de l'homme à l'ONU.	
1949 : Ionesco, *La Cantatrice chauve*. Neruda, *Le Chant général*.	**1949 :** Mao Zedong proclame la République populaire de Chine.	

Illustration de la page précédente : Marcel Gromaire, *Le Chômeur*, 1936.

« **Nous autres, civilisations, nous savons maintenant que nous sommes mortelles.** »

Paul Valéry

La tragédie au cœur du XXᵉ siècle

L'inquiétude humaine ne connaît guère de repos. Il semble même qu'elle atteint un sommet inégalé durant la première moitié du XXᵉ siècle. À cet égard, l'année 1914 apparaît comme un tournant : la civilisation occidentale entre dans une ère de tragédie avec le début d'une guerre, qu'on dit pour la première fois « mondiale[1] » et qui finit par coûter la vie à des millions de personnes. Pour exorciser le souvenir de cette guerre et se convaincre qu'on en tire réellement des leçons, on se dit alors que c'est la dernière barbarie de la sorte, qu'elle est « la der des ders ».

L'après-guerre commence donc dans l'euphorie, avec les Années folles dont il a été question au chapitre précédent. Mais cette période connaît bientôt de nouvelles épreuves : la progression des fascismes en Occident et du communisme à l'Est, en plus du krach de la Bourse de New York en 1929. Une dépression économique – et individuelle – frappe bientôt les grandes nations : en trois ans, le nombre des chômeurs passe, en France, de 1,5 million à 12 millions. L'horizon s'obscurcit encore davantage : en URSS, Staline, qui a succédé à Lénine, liquide tous ses opposants ; en Allemagne, Hitler se fait plébisciter ; pendant ce temps, en Espagne, Franco sort vainqueur de la guerre civile et écrase la démocratie. La conscience politique française est fortement marquée par ces divers événements : on craint de plus en plus que l'après-guerre soit plutôt un entre-deux-guerres.

De fait, aux illusions et à l'euphorie de la victoire succède bientôt la terrible réalité d'une autre folie meurtrière : la Seconde Guerre mondiale est déclenchée en 1939. Un an plus tard, les Allemands entrent dans Paris. L'occupation par les ennemis constitue une humiliante défaite pour la France. Le maréchal Pétain signe un armistice avec Hitler alors que le général de Gaulle, depuis Londres, exhorte

Pablo Picasso, *Guernica*, 1937.
Aux illusions succède bientôt la terrible réalité d'une autre folie meurtrière.

les Français à résister. La Résistance s'organise bientôt dans toute la France occupée. Une autre guerre, intérieure celle-là, se déclare : elle divise la société française en deux camps, les pro-Pétain et les pro-De Gaulle. En 1944, les forces alliées débarquent en Normandie, événement suivi de peu par l'effondrement du IIIᵉ Reich. La guerre se poursuit en Extrême-Orient jusqu'en 1945, au moment du largage des premières bombes atomiques sur Hiroshima et Nagasaki.

---

1. Cette appellation constitue vraisemblablement un pas important vers ce qu'on appellera plus tard la « mondialisation ».

À la fin de cette guerre, les pays européens sont en ruine, et les consciences, bouleversées. Selon les estimations les plus prudentes, le nombre de victimes atteindrait 50 millions. Ce chiffre effarant inclut six millions de Juifs, gazés et brûlés par l'industrie nazie de la mort. Mais les Allemands n'ont pas le monopole des atrocités et de la barbarie : le soleil noir de l'enfer atomique a fait au-delà de 225 000 morts à Hiroshima et à Nagasaki. Jamais les mots « terre » et « terreur » n'ont été aussi proches l'un de l'autre. De plus, pour la première fois dans l'histoire de l'humanité, l'horreur est gravée sur pellicule. On ne pourra donc plus rester aveugle à la vérité que révèle brutalement l'image, on n'aura plus le droit d'oublier.

En 1945, le soleil noir de l'enfer atomique a fait au-delà de 225 000 morts à Hiroshima et à Nagasaki.

Des concepts, demeurés jusque-là relativement abstraits – le mal, l'inhumain, l'absurde –, prennent un sens nouveau, alors que d'autres ne peuvent plus garder leur sens premier : la civilisation, le progrès, l'espoir. L'homme n'arrive plus à croire à la bonté de sa nature alors qu'il dévalue à ce point le prix de la vie. Et après la bombe atomique et son effroyable pouvoir de destruction, il ne semble plus possible de faire naïvement l'éloge de la science. À cette époque, Paul Valéry écrit : « Nous autres, civilisations, nous savons maintenant que nous sommes mortelles[1] », et l'homme découvre qu'il dispose désormais d'armes capables de détruire son habitat et son espèce. L'action particulièrement destructrice de la guerre se fait sentir jusque dans les valeurs qui, auparavant, servaient d'assise à la culture et à la société : tous les repères ont disparu, toutes les croyances humanistes se sont effondrées. Et comme une relation étroite avec la mort engendre une pensée de l'absurde, une seule certitude subsiste : il n'existe plus de certitudes, sauf celle que ce monde est absurde et que la vie humaine, qui peut être anéantie si facilement, ne peut avoir de sens. Ne restent plus que les innombrables questions sans réponse du nihilisme.

Pour la France, l'après-guerre apporte son lot d'humiliations politiques : guerre d'Indochine, guerre d'Algérie, défaite de Diên Biên Phu, perte de l'Afrique noire et, surtout, du Maghreb. Sur le plan international, les deux superpuissances qui ont remporté la guerre se divisent le monde en deux blocs[2], capitaliste et communiste, et entrent dans une période de « guerre froide ». Toutes deux veillent jalousement à préserver leurs idéologies respectives : l'URSS dispose des goulags pour ramener les récalcitrants à la raison, alors que le « *Big Brother*[3] » américain possède la technologie et les moyens financiers pour s'assurer que chacun suive le troupeau. Pendant ce temps, la science accomplit de vertigineux progrès : l'homme envisage même le jour où il pourra explorer d'autres planètes. Mais, comme si le feu et la mort à Hiroshima avaient inauguré une nouvelle ère, l'homme prend plus que jamais conscience de sa petitesse et de sa fragilité, et cette pensée de Pascal est plus significative que jamais : « Le silence éternel de ces espaces infinis m'effraie. » Même si l'idée de l'exploration cosmique ne manque pas d'éblouir, elle est sans doute porteuse de plus d'effroi que de fierté.

L'hécatombe guerrière, l'horreur concentrationnaire, l'impasse nucléaire, la compétition idéologique, l'ouverture de l'espace cosmique sont autant d'éléments qui contribuent à faire perdre à l'homme sa fragile unité, à le faire douter du sens de son destin. Assurément, quand une menace de destruction totale de la planète pointe à l'horizon, il devient impossible de croire aux réponses toutes faites. Même si, après la guerre, les aînés aspirent à tout oublier en tentant de retrouver leur confort matériel et intellectuel, les plus jeunes, qui découvrent la médiocrité du monde, ne peuvent accepter cette démobilisation des esprits. Il s'opère une nette cassure entre les générations. Les jeunes adultes

---

1. Freud a formulé le même constat quelques années plus tôt dans *Malaise dans la civilisation* : « Les hommes d'aujourd'hui ont poussé si loin la maîtrise des forces de la nature qu'avec leur aide il est devenu facile de s'exterminer mutuellement jusqu'au dernier. Ils le savent bien, et c'est ce qui explique une bonne part de leur agitation présente, de leur malheur et de leur angoisse. »
2. À partir de 1961, le mur de Berlin vient symboliser cette division.
3. Référence aux techniques totalitaires évoquées dans *1984*, roman visionnaire de l'Anglais George Orwell (1903-1950), paru en 1948.

se mettent à reconstruire le pays matériel détruit par la guerre, mais tentent surtout de redonner un sens à la vie, de reconstituer un nouvel humanisme.

L'éveil du géant américain

La situation est tout autre aux États-Unis. Grand vainqueur de la guerre, ce pays vient de faire la démonstration de sa puissance et de son savoir-faire ; il est devenu le pays le plus riche et le plus influent de la planète, la plus grande puissance industrielle. Coûteuse en vies humaines, la guerre permet néanmoins aux Américains de réaliser de gigantesques progrès dans les domaines de la médecine, des sciences et des techniques : après la guerre, une multitude de produits nouveaux envahissent le marché. Cette transformation s'amorce dès les années 1930, alors qu'une nouvelle culture, dite « de masse », se développe aux États-Unis. Elle permet aux masses populaires d'accéder à un niveau de vie réservé jusque-là à la classe bourgeoise. Dans cette nouvelle ère, le bien-être est valorisé par-dessus tout, et cet univers de loisir et de consommation apporte de nombreuses transformations dans la vie quotidienne des gens. Le travail de la machine remplace l'effort humain ; la fabrication d'un plus grand nombre de produits entraîne une augmentation du nombre de consommateurs, qui disposent dorénavant d'un plus grand pouvoir d'achat et de plus de temps pour les loisirs. La transformation sociale provoque une lente métamorphose des esprits : on recherche maintenant la réussite et le bonheur, et l'on croit pouvoir les obtenir simplement par l'accumulation de biens.

On ne se doute alors pas que ce bouleversement des valeurs prive l'être humain d'une partie fondamentale de son être, qu'il l'incite à refouler en lui la détresse inhérente à la nature humaine et le condamne à vivre dans une insouciance qui lui prépare un réveil douloureux. Les Américains décident d'aider à la reconstruction de l'Europe et octroient à cette fin cinq milliards de dollars. Cette action est surtout l'occasion d'exporter leur nouvelle idéologie de consommation. La culture américaine déferle bientôt sur toute l'Europe, depuis le « chewing-gum » jusqu'à la peinture moderne, sans oublier le jean, l'imaginaire du Far West et le roman policier. Des intellectuels, dont de nombreux écrivains, cherchent bientôt à dénoncer les dangers de cette culture populaire dont l'optimisme est déconnecté de la réalité. D'autres se servent d'un autre moyen pour lutter contre l'américano-centrisme, que l'« *American Dream* » et ses dollars rendent si alléchant : ils militent dans le Parti communiste.

Affiche du film *Autant en emporte le vent*, d'après le roman de Margaret Mitchell, 1936.
La culture américaine déferle bientôt sur toute l'Europe.

Edward Hopper, *Chambre d'hôtel*, 1931.

Une nouvelle culture se développe aux États-Unis et permet aux masses populaires d'accéder à un niveau de vie réservé jusque-là à la classe bourgeoise.

L'influence de la littérature américaine

> « Le roman s'est développé au sein des nations puissantes : hier, la France, la Russie, la Grande-Bretagne. Aujourd'hui, c'est l'Amérique. »
>
> *William Styron*

On assiste, dans la France de l'entre-deux-guerres, à une véritable invasion de la littérature américaine. La renommée de certains écrivains américains s'établit même plus rapidement en France que dans leur propre pays. À l'heure où les Américains en sont encore à mettre en place les diverses composantes de ce qui devient bientôt le grand rêve américain, ils ne s'intéressent guère à ces jeunes écrivains qui leur renvoient une image peu glorieuse d'eux-mêmes. En France, au contraire, les événements historiques contribuent à développer une plus grande sensibilité des Européens à la vision tragique de ces écrivains américains. Nombreux sont ceux qui reconnaissent leur désarroi dans les œuvres de ces auteurs qu'on appelle bientôt la « génération perdue », celle qui reste traumatisée par la Première Guerre mondiale.

Ces innovateurs se détournent de la bourgeoisie intellectuelle pour décrire les déclassés, et ils renouvellent autant les techniques d'écriture que les sujets. Ils entraînent le roman dans un mouvement incessant qui rappelle les chevauchées dans les grands espaces que proposent les westerns du cinéma américain.

Le politicologue Alexis de Tocqueville avait prédit, en 1840, que la littérature américaine serait moins raffinée que celle du vieux continent, plus brutale, plus saisissante, plus populaire, mais non moins marquante. Dans la première moitié du XXᵉ siècle, c'est justement cette littérature qui plaît aux romanciers français, en particulier aux existentialistes. Ceux-ci cherchent, en dehors des songes surréalistes, une possibilité de renouvellement et voient ces écrivains comme les pionniers d'un nouvel âge du roman. Jean-Paul Sartre lui-même, en 1939, reconnaît leur apport exceptionnel : « Le développement littéraire le plus important que la France ait connu entre 1925 et 1935 a été la découverte de Faulkner, Dos Passos, Hemingway, Caldwell, Steinbeck… » On admire en particulier leur liberté de pensée, leurs techniques modernes qui remettent en cause les règles traditionnelles du roman.

Contrairement aux romanciers français, qui ont tendance à s'adresser avant tout aux facultés intellectuelles de leurs lecteurs, ces écrivains américains adoptent une approche anti-intellectuelle et mettent l'accent sur la vérité objective. Les romanciers américains donnent l'impression qu'ils procèdent par « coups de poing », qu'ils s'adressent davantage que leurs homologues français à l'homme viscéral, à « l'homme fondamental », comme le dit Malraux à propos de l'écriture de Faulkner.

On apprécie le langage cru et dépouillé d'artifice, qui vise l'efficacité immédiate, de **John Steinbeck** (1902-1968). Pour ce romancier habile à prêter à ses personnages des dialogues vifs et violents, seul le tangible compte : le corps biologique, la terre nourricière et le cœur battant. Aux yeux de Sartre, **John Dos Passos** (1896-1970) est « le romancier le plus considérable de ce temps ». Ses récits dressent le constat que le rêve américain, avec son urbanisation saugrenue et sa déification du dollar, est en train de tourner au cauchemar. Dans ses romans, l'éclatement de la ligne du temps permet des constructions semblables aux montages cinématographiques : des actions de pure fiction et des faits tirés de l'actualité apparaissent simultanément. L'œuvre d'**Ernest Hemingway** (1899-1961) exerce également une influence capitale. La psychologie, sans en être absente, y est d'abord suggérée par le récit de l'action et la description des attitudes des personnages. À l'instar de Malraux, Hemingway se sert de sa propre vie pour alimenter celle de ses personnages, et il estime que seule l'action peut extraire l'homme du néant. Comme Dos Passos, il se méfie de l'introspection, lui préférant une description et une écriture objectives qui refusent le commentaire. Le lecteur est laissé à lui-même dans ces œuvres, puisque le narrateur refuse de lui livrer les états d'âme des personnages : le lecteur doit trouver une interprétation à partir des indices que fournit le roman et de ses expériences personnelles. Contrairement à Sartre qui, lui, préfère Dos Passos, de nombreux auteurs considèrent que c'est le génial **William Faulkner** (1897-1962) qui est le véritable initiateur du roman moderne. Ce romancier effectue une plongée dans des contrées peu explorées à l'époque, soit l'Amérique noire et celle du Sud profond, en même temps qu'à l'intérieur des individus. Dans ses romans, tous les moules traditionnels de la narration sont brisés au profit d'une mise en scène qui immobilise la durée et le mouvement, pétrifie le présent et donne à la mémoire la même présence qu'à l'action. Par son style touffu, ses histoires qui commencent par la fin, ses récits parallèles ainsi que sa fusion du monologue intérieur et de la description des comportements, Faulkner construit de véritables casse-tête, qu'il laisse au lecteur le soin de reconstituer.

L'art et l'engagement

« Nous avons l'art pour ne pas mourir de la vérité. »

Nietzsche

Les artistes ne peuvent rester impassibles devant les guerres dont les horreurs sont devenues d'une extrême intensité. Le monde ne leur apparaît plus qu'au travers d'une cicatrice. Ils condamnent surtout les valeurs prétendument humanistes qui ont permis pareille tuerie. Aussi une certaine avant-garde artistique manifeste-t-elle sa colère par un grand cri de protestation à l'égard de la civilisation européenne. Ni la culture ni l'art lui-même ne sont épargnés. Avec une ironique férocité, ces personnes affirment que l'art ne peut plus continuer à jouer un rôle de décoration quand toute une civilisation est à feu et à sac. Ce cri nihiliste, c'est celui de Dada.

Charlie Chaplin dans son film *Le Dictateur*, 1940.

L'artiste se veut de plus en plus engagé auprès de ses concitoyens.

La transformation des mentalités s'accompagne d'un remue-ménage intense dans les pratiques et la façon d'appréhender l'art. Dorénavant, la valeur d'une œuvre ne repose plus tant sur le bagage technique de l'artiste que sur l'utilisation de son instinct et de son impulsion. L'œuvre ne peut plus être perçue comme un simple objet de décoration : elle porte en elle les marques de la nécessité et de l'urgence. Le dessein de l'artiste et l'effet de l'œuvre sur le public font donc partie de ses valeurs intrinsèques. L'artiste se veut de plus en plus engagé auprès de ses concitoyens. Il souhaite provoquer une prise de conscience de la précarité de la vie, de la culture et de ses valeurs. Le germe semé par le dadaïsme ne cesse de se développer durant tout le XXᵉ siècle.

Cet art passé au filtre de la conscience malheureuse de l'artiste s'écarte des règles traditionnelles de la beauté, ne serait-ce que pour choquer la suffisance des bien-pensants. Les silhouettes deviennent géométriques et subissent des déformations expressives. Les visages, sombres et torturés, sont souvent difformes, et la gestuelle se fait rageuse, emportée. On reconnaît ici la grande influence des arts primitifs : les formes sont traitées par une schématisation expressive et le style est anguleux, convulsé et dynamique. La véhémence de la touche laisse des traces épaisses et rugueuses. Les couleurs irréalistes, crues, discordantes et agressives de l'espace du tableau renvoient à certains types d'espaces psychologiques, à savoir les sentiments exacerbés de l'artiste et du spectateur, qui est invité à se remettre en question.

Un nouveau réalisme social

Dans les années qui suivent la Première Guerre, un sentiment de repli s'installe et un certain « ordre esthétique » fait son retour, comme si les audacieuses avancées avant-gardistes, aussi bien celles de l'art abstrait que celles du fauvisme et du cubisme, n'étaient plus, pour les artistes, que de la haute voltige qui s'accommode mal à la boucherie de la guerre. C'est pourquoi l'art renoue avec le réalisme et le figuratif. Aucun courant défini ne se forme, mais il apparaît alors un ensemble d'œuvres hétérogènes qui tentent de se libérer de l'ascendant exercé par les expérimentations avant-gardistes. Une forme de néoclassicisme est pratiquée en peinture avec Picasso et Matisse, tout comme en musique avec Stravinski et Prokofiev, et en littérature avec Valéry.

Néanmoins, le réalisme de ces œuvres figuratives est chargé d'une signification inédite. Il n'est plus possible de revenir à l'esthétique qui avait cours avant l'art abstrait, ni d'ignorer que les repères moraux et culturels sont disparus et que le sens est en faillite. Cette situation particulière explique que les œuvres figuratives modernes nient toute allusion à la transcendance. Les âpres convulsions des expressionnistes, de même que les provocations iconoclastes des dadaïstes et une grande partie des œuvres surréalistes participent de cette résurgence figurative. Pour des raisons différentes, la même tendance réaliste se manifeste dans d'autres pays. Aux États-Unis, des artistes dévoilent la face cachée d'un pays mythique où la misère et la solitude règnent. En URSS, le réalisme socialiste au service d'un idéal révolutionnaire triomphe. En Allemagne, les avant-gardes sont stigmatisées, accusées de produire un «art dégénéré», et les artistes sont contraints de pratiquer un art académique et d'exalter les vertus de la race aryenne.

La violence de la Seconde Guerre mondiale et l'angoisse qu'elle suscite ne manquent pas de se refléter à leur tour dans l'art, qui devient le lieu d'un affrontement entre les incertitudes du présent et la raison, qui tombe dans un discrédit total. Aussi l'absurde de la condition humaine devient-il le thème dominant de l'art et de la littérature. Pour contrer cet absurde et promouvoir un nouvel humanisme, l'existentialisme propose de distinguer le monde de l'essence de celui de l'existence, et de reconnaître l'antériorité de ce dernier. Les manifestations artistiques de l'existentialisme sont aussi diverses qu'originales : elles se retrouvent aussi bien du côté de l'art abstrait que de celui de l'art figuratif.

L'art figuratif appréhende désormais le réel comme quelque chose d'incertain, de provisoire. Le tragique de l'après-guerre peut se reconnaître dans la maigreur et le caractère anguleux des personnages d'un Gruber, d'un Buffet ou d'un Giacometti : un trait noir sans complaisance cerne le réel et emprisonne l'individu dans sa solitude. Pendant que Picasso désintègre les visages et les corps, les œuvres d'un Francis Bacon sont autant de *lamenta* sur la condition humaine. De nombreux autres créateurs, comme Dubuffet et les membres du mouvement Cobra, investissent les formes de l'art primitif dans l'intention de renouer avec une pureté originelle. C'est qu'à l'heure des désillusions, tout a perdu sa pureté, même les très jeunes filles de Balthus. À la fin des années 1940, l'abstraction connaît un nouvel essor. Pendant qu'aux États-Unis l'expressionnisme se conjugue au surréalisme pour susciter de nouvelles formes d'art encore plus subversives, tel l'expressionnisme abstrait, différents courants relevant de l'abstraction surgissent en France, par exemple l'art informel de Fautrier, où le relief de la matière vient faire écho aux chairs décomposées des soldats résistants.

Casimir Malevitch, *L'Homme qui court*, 1934.

La violence de la Seconde Guerre mondiale ne manque pas de se refléter dans l'art.

Une littérature engagée

Les créateurs trouvent à exprimer leur sentiment du tragique et de l'absurde de cette époque aussi bien en littérature qu'en musique et en peinture. Vraisemblablement, la plupart des créateurs sont avant tout marqués par les guerres, les révolutions, les crises politiques, économiques et sociales. Justement, de 1914 à 1950, ces événements se multiplient. Dans la période de l'entre-deux-guerres, les surréalistes font tout ce qu'ils peuvent pour explorer les consciences individuelles[1]. D'autres auteurs, peu séduits par les expériences surréelles, produisent plutôt des œuvres graves, où la fiction de l'imagination

---

1. Voir à ce sujet le chapitre précédent.

s'allie à une conscience politique et historique. Ces écrivains, inquiets du devenir de l'homme, s'efforcent de comprendre la cruauté de celui-ci envers son semblable. Ils tentent de déchiffrer les secrets de la destinée humaine et se mettent en quête d'une nouvelle éthique porteuse de sens, d'un nouvel humanisme. Comme les valeurs anciennes n'ont plus leur place, il leur importe d'en trouver de nouvelles.

Enfants d'une époque de toutes les douleurs, les écrivains et les artistes ne peuvent rester neutres par rapport à ce qui se passe autour d'eux : le poète espagnol Federico García Lorca est fusillé par les franquistes ; en Allemagne, quantité d'intellectuels, de penseurs, d'artistes et d'écrivains doivent fuir le régime hitlérien ; dans de nombreux pays européens, les Juifs sont séquestrés et expédiés aux camps de la mort. L'engagement et la dénonciation apparaissent à plusieurs comme un devoir, une obligation. Alors que Picasso peint le massacre de Guernica, bon nombre d'écrivains français entrent dans la résistance active et plusieurs deviennent même chefs de maquis.

À côté des écrivains qui s'engagent dans l'action, d'autres s'engagent dans leurs œuvres, où se mêlent fiction, philosophie et politique. Après avoir été remise en cause et redéfinie[1], la littérature devient donc plus polémique, quand elle ne se met pas ouvertement au service d'une idéologie politique. À cette époque de profonds changements sociologiques, l'écrivain n'écrit plus strictement pour son plaisir ou pour divertir ses lecteurs ; dorénavant, il doit servir une cause, prendre position et enseigner. Il se fait une idée haute et grave de sa mission, qui devient même une prédication sur la justice et la vérité. Nombreux sont ceux qui s'engagent sur le terrain politique, dans le but d'intervenir dans l'Histoire. L'influence de Marx est déterminante pour de nombreux auteurs, dont Éluard et Aragon. Aussi l'engagement communiste présente-t-il beaucoup d'attrait pour plusieurs écrivains, du moins jusqu'en 1956, année où l'armée soviétique envahit la Hongrie. On considère que le communisme est porteur d'une thèse humaniste, puisqu'il condamne l'exploitation de l'homme par l'homme et promet l'avènement d'une société sans classes et sans aliénation. Plusieurs, tel Malraux, sont séduits par la morale héroïque de l'action que prônent les communistes. C'est sans compter que cette doctrine constitue à cette époque le meilleur argument pour dénoncer le mercantilisme américain, dont on sent déjà le poids sur l'Europe. La littérature française semble traverser alors la période la plus polémique de son histoire.

On doit à Jean-Paul Sartre l'expression « écrivain engagé ». Certes, on pourrait affirmer que toute œuvre est engagée, parce qu'elle repose sur une interprétation du monde. Mais, pour ce maître à penser de toute une génération, la portée de la notion d'engagement est tout autre. Pour lui, l'homme est nécessairement engagé dans son milieu : par ses actes et ses paroles, qu'il met au service d'une cause, ou par ses silences. Sartre estime donc que celui qui refuse de prendre position ou de témoigner, qui se prétend apolitique, prend lui aussi une position, celle du *statu quo* et du conservatisme : « Serions-nous muets et cois comme des cailloux, notre passivité même serait une action. » Ne pas choisir est encore une manière de choisir. Il n'y aurait donc pas d'écriture ou d'écrivain innocents.

L'engagement dans le roman

« Si la littérature n'est pas tout, elle ne vaut pas une heure de peine. »

Jean-Paul Sartre

L e roman de cette époque se fait l'écho de préoccupations métaphysiques et sociales : il traduit les effets des événements historiques dans les consciences et exprime une inquiétude qui touche toute la condition humaine. Cette remise en question des idées reçues s'accompagne souvent d'une transformation des procédés romanesques qui permettent de traduire, au sein de l'écriture même,

---

1. Les écrivains surréalistes ont remis en cause la fonction de la littérature, tandis que Jean-Paul Sartre, dans *Qu'est-ce que la littérature ?* (1948), en donne une nouvelle définition.

le refus des valeurs dépassées et la quête de vérités porteuses d'une nouvelle cohérence dans la vision du destin collectif. Le roman vise maintenant à tout exprimer, et il emprunte aussi bien la forme de l'enquête documentaire, du traité philosophique, de la méditation métaphysique, de l'introspection psychologique que celle de la fiction poétique. Cet élargissement du registre romanesque permet aux écrivains d'apporter des réponses plus adéquates aux nombreuses interrogations sur la place de l'homme dans l'Histoire.

Bernard Buffet, *Crucifixion*, 1960.

Les personnages des romanciers catholiques sont déchirés entre le poids de leur chair et leur quête de la grâce.

Ces réponses sont multiples, et il est impossible de toutes les présenter ici. Aussi, nous n'exposons que les plus importantes et mettons l'accent sur celle dont l'impact a été le plus grand : l'existentialisme. Dans toutes ces œuvres, la psychanalyse, qui permet de scruter les méandres de l'inconscient, joue un rôle primordial. Le personnage du héros y est tout à fait renouvelé. Ce sont sa subjectivité et sa conscience prismatique du monde qui caractérisent la nouvelle esthétique romanesque. Le roman emprunte au cinéma, dont la notoriété est en hausse, un nouveau réalisme, formé du réel et de sa transfiguration. Il cesse d'être une représentation de la vie : il en devient une version tout à fait subjective.

L'engagement chrétien

Après le désarroi moral des Années folles et les épreuves de la guerre, on assiste à un retour en force du christianisme et à l'émergence de romanciers catholiques habités par une passion métaphysique. Cette soif d'absolu était déjà présente chez les surréalistes, qui, d'un côté, niaient cet absolu et, de l'autre, déployaient toute leur énergie pour le faire surgir de l'acte créateur. Les existentialistes, pour leur part, tentent de le trouver dans l'existence même. Il n'est donc pas étonnant qu'il prenne une place considérable chez les écrivains chrétiens, au point de devenir le thème majeur de cette époque.

Ces écrivains qui ont la foi témoignent pour ceux qui ne l'ont pas dans des œuvres dont la portée dépasse nettement le simple plaisir esthétique. Anxieux et tourmentés, ils sont ouverts à toutes les inquiétudes de l'homme moderne. Leur christianisme n'apparaît pas comme l'expression d'une certitude sur le monde, mais bien comme un engagement dans l'aventure humaine. Le chrétien de cette littérature n'est plus un juste, mais une conscience déchirée entre ses aspirations au salut et les forces du désespoir, entre le poids de sa chair et la quête de la grâce. Les œuvres de ces romanciers ont donc peu à voir avec la littérature d'inspiration religieuse d'avant 1914, qui se voulait strictement édifiante et dogmatique.

Les personnages romanesques sont plongés dans une existence concrète ; ils multiplient les efforts pour trouver un sens à leur existence, sans jamais y parvenir tout à fait, d'où l'atmosphère tragique qui caractérise ces romans. Croyant user de leur liberté, ces êtres faibles sentent qu'une force supérieure, un destin, pèse sur leurs actes et les contraint à plonger dans de sombres abîmes. Ces personnages mus essentiellement par leurs désirs cherchent en vain à les satisfaire, car le seul être qui pourrait les combler, Dieu, se dérobe sans cesse. Dès lors, dans un monde sans Dieu, les désirs, détournés de leur but véritable, s'égarent dans des passions associées au Mal.

Mais pour ces écrivains, le salut demeure toujours possible, car la grâce divine, et elle seule, peut arracher les chrétiens à leur misère morale. Ces romans de l'inquiétude religieuse présentent donc l'espoir chrétien non pas comme une solution toute faite, engluée dans un pharisaïsme social, mais comme le sens mystérieux, inconsciemment et profondément recherché, que peut prendre une existence humaine.

Ossip Zadkine,
François Mauriac, 1943.

François Mauriac (1885-1970)

« Quelle jeunesse n'a été meurtrière ? Quel homme ne garde, au fond de soi, le reproche muet d'une bouche à jamais scellée ? »

D'abord poète et romancier, François Mauriac entame, en 1936, une brillante carrière journalistique, souvent marquée par la polémique. Cet écrivain déchiré, marqué par une éducation puritaine et hanté par « le péché de la chair », croit que le salut peut passer par le péché, puisque, pour le croyant, il n'existe pas de si grande vilenie qui ne puisse être rachetée par la foi en Dieu.

Les romans de Mauriac mettent en lumière les profondeurs les plus obscures de personnages déchirés par leurs contradictions, tiraillés entre leur aspiration à la pureté et la tentation du péché. Ce combat de l'âme et de la chair se déroule dans le champ clos des contraintes familiales, lieu propice aux haines et au déploiement des égoïsmes. L'incommunicabilité et la solitude sont les thèmes de prédilection de Mauriac, en plus de la dénonciation du pharisaïsme d'une bourgeoisie qui se donne bonne conscience par ses pratiques religieuses, tout en ignorant l'amour et la charité véritables. Dans ses œuvres, le style réaliste et très sobre s'allie à la subtilité de l'analyse psychologique pour rendre palpable la vie de personnages prisonniers de passions qui semblent sans issue.

Dans *Thérèse Desqueyroux*[1] (1927), le plus célèbre roman de Mauriac, l'héroïne paraît prisonnière de sa famille, de ses passions, de son destin et de sa solitude. Cette femme exprime toute la misère humaine liée au conflit entre la grâce et le péché. Après avoir tenté d'empoisonner son mari, elle subit un procès à l'issue duquel elle est libérée en raison d'une ordonnance de non-lieu, ce qui lave l'honneur de sa famille. Son mari, un être retors, exerce alors sa vengeance en privé. Dans ce roman passionnant et moderne, la simplicité de la langue et la concision du récit épousent à la perfection un destin en ligne droite. Dans l'extrait présenté ici, Thérèse Desqueyroux se demande, une fois le procès terminé, quelle explication fournir à Bernard, son mari.

---

1. Georges Franju a réalisé une adaptation cinématographique de ce roman en 1962.

L'ACTE ÉTAIT DÉJÀ EN ELLE À SON INSU

La voici au moment de regarder en face l'acte qu'elle a commis. Quelle explication fournir à Bernard ? Rien à faire que de lui rappeler point par point comment la chose arriva. C'était ce jour du grand incendie de Mano. Des hommes entraient dans la salle à
5 manger où la famille déjeunait en hâte. Les uns assuraient que le feu paraissait très éloigné de Saint-Clair ; d'autres insistaient pour que sonnât le tocsin. Le parfum de la résine brûlée imprégnait ce jour torride et le soleil était comme sali. Thérèse revoit Bernard, la tête tournée, écoutant le rapport de Balion, tandis que sa forte
10 main velue s'oublie au-dessus du verre et que les gouttes de Fowler tombent dans l'eau. Il avale d'un coup le remède sans qu'abrutie de chaleur, Thérèse ait songé à l'avertir qu'il a doublé sa dose habituelle. Tout le monde a quitté la table, – sauf elle qui ouvre des amandes fraîches, indifférente, étrangère à cette agita-
15 tion, désintéressée de ce drame, comme de tout drame autre que le sien. Le tocsin ne sonne pas. Bernard rentre enfin : « Pour une fois, tu as eu raison de ne pas t'agiter : c'est du côté de Mano que ça brûle… » Il demande : « Est-ce que j'ai pris mes gouttes ? » et sans attendre la réponse, de nouveau il en fait tomber dans son
20 verre. Elle s'est tue par paresse, sans doute, par fatigue. Qu'espère-t-elle à cette minute ? « Impossible que j'aie prémédité de me taire. »

Pourtant, cette nuit-là, lorsqu'au chevet de Bernard vomissant et pleurant, le docteur Pédemay l'interrogea sur les incidents de la
25 journée, elle ne dit rien de ce qu'elle avait vu à table. Il eût été pourtant facile, sans se compromettre, d'attirer l'attention du docteur sur l'arsenic que prenait Bernard. Elle aurait pu trouver une phrase comme celle-ci : « Je ne m'en suis pas rendu compte au moment même… Nous étions tous affolés par cet incendie…
30 mais je jurerais, maintenant, qu'il a pris une double dose… » Elle demeura muette ; éprouva-t-elle seulement la tentation de parler ? L'acte qui, durant le déjeuner, était déjà en elle à son insu, commença alors d'émerger du fond de son être, – informe encore, mais à demi baigné de conscience.

François Mauriac, *Thérèse Desqueyroux*,
Paris, 1927, © Éditions Grasset.

☐ VERS L'ANALYSE

L'acte était déjà en elle à son insu

1. Résumez chaque paragraphe en une phrase.

2. Thérèse se rend coupable de silence à trois reprises. Énumérez-les.

3. Thérèse se remémore le jour du grand incendie et la nuit qui a suivi.
   a) Quel type de narrateur rapporte ses souvenirs ?
   b) Relevez deux phrases en style indirect libre et une phrase en style direct qui, dans le premier paragraphe, rapportent les pensées de Thérèse.

4. Thérèse est apathique.
   a) Dressez le champ lexical de cette apathie.
   b) Relevez une gradation qui traduit l'apathie de Thérèse.
   c) Expliquez en quoi l'attitude de Thérèse contraste avec l'attitude de ceux qui l'entourent le jour de l'incendie.

5. Dans le second paragraphe, quels modes et temps verbaux soulignent la faute de Thérèse ?

Julien Green (1900-1998)

«Qui sait si cette autre moitié de la vie où nous pensons veiller n'est pas un autre sommeil un peu différent du premier, dont nous nous éveillons quand nous pensons dormir?»

Né de parents américains et protestants, élevé à Paris dans une atmosphère religieuse et puritaine, Julien Green se convertit à seize ans au catholicisme. Cette conversion est rapidement suivie d'une longue crise d'incroyance au cours de laquelle il éprouve une grande difficulté à concilier sa foi chrétienne et son homosexualité empreinte de culpabilité. Lorsqu'il atteint la quarantaine, il revient finalement à la foi. Toute sa vie, Green cherche, par ses romans, son théâtre et son journal intime, à résoudre ses conflits intérieurs et à libérer sa foi de la tourmente du péché.

Son œuvre, profondément autobiographique, peint la quête spirituelle d'êtres tourmentés et excessifs. Ses thèmes rappellent ceux de Mauriac: les conflits de la chair et de l'esprit sont toujours omniprésents. Mais Green s'intéresse moins aux actes et aux gestes quotidiens qu'au monde souterrain de l'instinct.

Ses histoires baignent dans une atmosphère familiale, et l'action, ramassée en quelques semaines, se déroule généralement aux États-Unis. L'écrivain, dont la langue est toute classique, précise et concise, se fait psychologue et moraliste pour mieux analyser des âmes apparemment régulières et dormantes, mais qui se sentent aspirées par un gouffre.

Dans *Partir avant le jour* (1963), première partie de l'autobiographie de Green, un adulte part à la découverte de l'enfant qu'il fut. Il prend conscience de sa solitude et, à travers la confusion de ses sentiments, il fait la découverte de ses véritables penchants. L'écrivain y interroge le mystère de la destinée humaine, prise dans un affrontement des forces du bien et du mal.

Brad Holland, *Sans titre*, 1984.

Après le désarroi moral des Années folles et les épreuves de la guerre, on assiste à un retour en force du christianisme.

L'ÉDUCATION CORRIGE TOUT CELA

Dieu parle avec une extrême douceur aux enfants et ce qu'il a à leur dire, il le leur dit souvent sans paroles. La création lui fournit le vocabulaire dont il a besoin, les feuilles, les nuages, l'eau qui coule, une tache de lumière. C'est le langage secret qui ne s'apprend pas dans les livres et
5 que les enfants connaissent bien. À cause de cela, on les voit s'arrêter tout à coup au milieu de leurs occupations. On dit alors qu'ils sont distraits ou rêveurs. L'éducation corrige tout cela en nous le faisant désapprendre. On peut comparer les enfants à un vaste peuple qui aurait reçu un secret incommunicable et qui peu à peu l'oublie, sa destinée ayant été prise en
10 main par des nations prétendues civilisées. Tel homme chargé d'honneurs ridicules meurt écrasé sous le poids des jours et la tête pleine d'un savoir futile, ayant oublié l'essentiel dont il avait l'intuition à l'âge de cinq ans. Pour ma part, j'ai su ce que savent les enfants et tous les raisonnements du monde n'ont pu m'arracher complètement ce quelque chose
15 d'inexprimable. Les mots ne peuvent le décrire. Il se cache sous le seuil du langage, et sur cette terre il reste muet.

J'étais à peine capable d'articuler une phrase de dix mots quand l'ennemi jeta son ombre sur moi. […] Assis par terre, j'examinais d'un œil agrandi par la surprise et par une curiosité dont j'ignorais certes la nature, les corps
20 souffrants et splendides dont Gustave Doré peuplait l'*Enfer* de Dante. L'effroi joint à l'admiration me rendait si attentif que chaque détail trouvait sa place dans ma mémoire, ajoutant le mystère au mystère.

Un jour, pris d'un émerveillement subit devant cette avalanche de nudités, je m'emparai d'un crayon et repassai d'un trait aussi maladroit que
25 vigoureux un des corps qui m'avait paru le plus beau. Si j'avais rêvé tout ce que je viens d'écrire, un doute pourrait me rester dans l'esprit, mais j'ai sous les yeux l'album et la gravure. Le crayon a creusé le papier, sans l'entamer pourtant, et la main inexperte a bien mal suivi le contour de ces formes parfaites qui fixaient à jamais mes goûts.

30 Ici je ne puis que m'arrêter et me perdre, une fois de plus, depuis que je pense à ces choses, dans des interrogations sans fin. Je n'avais pas sept ans et mon innocence était grande. Où était ma faute? Quels ancêtres guidaient ma main et déterminaient mon choix? Pendant de longues minutes, je m'enivrai de la vision magique que je voulais saisir et posséder en
35 la cernant de ce gros trait noir, vaine et violente caresse dont j'ai gardé toute ma vie la brûlure. Tout cela sera pesé plus tard dans la balance irréprochable, mais sous le regard de l'Amour.

N'est-il pas étrange qu'en 1960 un homme se demande s'il osera faire la confession d'un enfant de six ans? Mais nous qui voudrions parler à la
40 génération qui nous suit, nous parlons souvent comme la génération qui nous précède et qui nous a légué son langage, ses effrois et ses interdits.

Julien Green, *Partir avant le jour*, Paris, 1992, © Éditions du Seuil.

☐ VERS L'ANALYSE

L'éducation corrige tout cela

1. a) Qu'est-ce qui est opposé dans le premier paragraphe?
   b) Quels noms antithétiques traduisent cette opposition vers la fin du paragraphe?

2. a) Quelle comparaison met en évidence cette opposition?
   b) Expliquez-la.

3. Quels termes à connotation péjorative montrent que, dans cette opposition, ce sont les adultes que Julien Green désavoue?

4. Résumez les paragraphes 2 et 3.

5. Faites une recherche et expliquez qui sont Gustave Doré et Dante.

6. Quelle métaphore indique que la gravure de Gustave Doré renferme de nombreux corps?

7. Résumez les paragraphes 4 et 5 de l'extrait.

8. a) Dressez le champ lexical de la faute dans ces deux paragraphes.
   b) Que met-il en évidence?

9. a) Relevez les antithèses dans les paragraphes 2, 3 et 4.
   b) Que mettent-elles en évidence?

Sujet de dissertation explicative

Les extraits de Mauriac et de Green montrent, chacun à leur manière, que les comportements humains sont régis par des motivations inconscientes. Expliquez.

L'engagement dans l'action

Alors que de nombreux écrivains dont la conscience est déchirée entendent rester à l'écart des luttes sociales pour traiter plutôt d'un mal présent en l'homme, d'autres, plus pragmatiques mais aussi désireux de réveiller les consciences, préfèrent l'action à l'engagement spirituel. Pour eux, l'existence humaine ne saurait être réduite à un système de pensée : justifier son existence et lui donner un sens nécessitent un engagement bien concret. Ces romanciers créent dans leurs œuvres des natures généreuses, engagées dans de grandes actions, qui interrogent les rapports de l'homme au monde. Les écrivains leur attribuent ces actions héroïques, reflets du poids colossal des événements historiques, dans le but de susciter chez les lecteurs une éthique individuelle basée sur l'admiration pour l'homme et sa condition, et d'ainsi faire reculer les ténèbres de l'absurde et du malheur. Les personnages découvrent, au cours de leur cheminement, un sens à la vie humaine grâce au dépassement et à la fraternité que suscite l'engagement collectif. Cet accomplissement de soi par le rapport aux autres leur permet de surmonter toute angoisse, même celle de la mort, et justifie tous les sacrifices que leurs actions ont pu exiger.

André Malraux (1901-1976)

« **L'homme n'est pas ce qu'il est, il est ce qu'il fait.** »

André Malraux est une personnalité hors du commun, l'une des intelligences les plus lucides du XXᵉ siècle. Son œuvre est indissociable de sa vie, qui fut une suite ininterrompue d'engagements. En effet, durant toute sa vie, Malraux associe son esthétique de la méditation et de l'écriture à une éthique de combat pour les causes du peuple : du côté des communistes, contre le nazisme hitlérien, avec les républicains espagnols, avec les résistants français pendant l'Occupation et, enfin, dans le gouvernement de son ami le général de Gaulle, en tant que ministre d'État aux Affaires culturelles.

Ses romans d'aventures et de guerres doublés de récits psychologiques constituent de véritables paraboles sur la liberté humaine. Malraux y prône la nécessité pour l'homme de refuser de vivre dans l'absurde. Comme il le fait lui-même dans sa vie, il lance ses personnages dans une action risquée et aventureuse, voie privilégiée pour échapper à l'anxiété du destin. Ses héros, conscients de leur solitude, sont habités par l'urgence de vivre : « Une vie ne vaut rien, mais rien ne vaut la vie. » Ils semblent tous assumer un destin qui les place dans une situation de lutte constante. Au rêve, ils substituent la conquête ; et aux discours, l'action. Ils assument leurs choix jusqu'au bout et cherchent à inscrire leur geste dans un projet de libération, dans une redéfinition de la condition humaine, que le romancier considère en crise dans le monde occidental. Malraux édifie ainsi une morale héroïque sans espérance, qui refuse le secours de toute religion, de tout idéalisme ; il fonde l'intensité de la vie sur la conscience même de son non-sens et de son absurdité. Cette attitude est aussi partagée par Sartre et Camus.

Cette action porteuse de sens, menée par des aventuriers qui sont en fait des intellectuels poussés à passer à l'acte, Malraux la veut surtout révolutionnaire, inscrite dans l'Histoire : elle procède d'un engagement à défendre la liberté contre les tyrannies qui avilissent et humilient l'homme dans sa dignité. Chez les participants à l'action révolutionnaire se créent alors un lien, une communion de volonté, une solidarité avec la communauté des souffrants. Ce resserrement de la relation aux autres constitue un autre moyen de transcender sa condition, de faire reculer l'angoisse, d'abolir la solitude.

En écrivant, Malraux pose un geste comparable à celui des héros de ses romans : il exorcise le désordre du monde par les images mêmes du désordre. Par des ellipses et des raccourcis, il découpe le mouvement, qui devient heurté, nerveux et saccadé. La narration, toujours vibrante, est développée en deux temps qui s'entrecroisent continuellement : la succession des événements et leur interprétation. Cette technique romanesque originale n'est pas sans s'apparenter à l'art cinématographique avec sa série de plans rapides, ses jeux de lumière et de contrastes, ses nombreux retours en arrière. Malraux pratique souvent un style lapidaire. Enracinée dans l'acte d'écriture dont elle naît, l'idée éclate en formules tantôt fracassantes, tantôt lyriques. L'auteur affectionne les grandes scènes dialoguées qui permettent au lecteur de s'identifier aux personnages et de trouver, avec eux, un sens à la tragédie de la condition humaine.

Raoul Dufy, *L'Orchestre militaire, le 14 juillet*, 1951.

L'écriture de Malraux procède d'un engagement à défendre la liberté.

De tous les romans de Malraux, *La Condition humaine* (1933) est sans doute le plus remarquable. C'est un des plus grands ouvrages du XXᵉ siècle. L'action se passe dans la Chine de 1927, où se déroulent des luttes révolutionnaires. Kyo, jeune révolutionnaire eurasien, est partagé entre deux idéologies. L'action du roman, portée par les actes du héros, dépasse largement les finalités individuelles : elle illustre comment la solidarité peut permettre à l'homme de transcender sa détresse. Dans l'extrait choisi, le révolutionnaire Tchen s'apprête à tuer de sang-froid un trafiquant d'armes : le conflit psychologique fait bientôt place à la description, très visuelle, quasi cinématographique, du geste meurtrier.

Quelques citations de Malraux

« La vérité d'un homme, c'est d'abord ce qu'il cache. »

« On ne connaît jamais un être, mais on cesse parfois de sentir qu'on l'ignore. »

« Quand on a contraint une foule à vivre bas, ça ne la porte pas à penser haut. »

« Être aimé sans séduire est un des beaux destins de l'homme. »

« L'artiste naît [...] prisonnier du style, qui lui a permis de ne plus l'être du monde. »

« Les grands artistes ne sont pas les transcripteurs du monde, ils en sont les rivaux. »

« Une civilisation de l'homme seul ne dure pas très longtemps. »

« La culture ne s'hérite pas, elle se conquiert. »

« Qu'importe l'action révolutionnaire si elle doit entraîner une servitude plus grande encore. »

« L'homme est un hasard et, pour l'essentiel, le monde est fait d'oubli. »

« On trouve toujours l'épouvante en soi, il suffit de chercher assez profond. »

UNE ÉPOUVANTE À LA FOIS ATROCE ET SOLENNELLE

Un seul geste, et l'homme serait mort. Le tuer n'était rien : c'était le toucher qui était impossible. Et il fallait frapper avec précision. Le dormeur, couché sur le dos, au milieu du lit à l'européenne, n'était habillé que d'un caleçon court, mais, sous la peau grasse, les côtes n'étaient pas visibles. Tchen devait
5 prendre pour repères les pointes sombres des seins. Il savait combien il est difficile de frapper de haut en bas. Il tenait donc le poignard la lame en l'air, mais le sein gauche était le plus éloigné : à travers le filet de la moustiquaire, il eût dû frapper à longueur de bras, d'un mouvement courbe comme celui du swing. Il changea la position du poignard : la lame horizontale. Toucher
10 ce corps immobile était aussi difficile que frapper un cadavre, peut-être pour les mêmes raisons. Comme appelé par cette idée de cadavre, un râle s'éleva. Tchen ne pouvait plus même reculer, jambes et bras devenus complètement mous. Mais le râle s'ordonna : l'homme ne râlait pas, il ronflait. Il redevint vivant, vulnérable ; et, en même temps, Tchen se sentit bafoué. Le corps glissa
15 d'un léger mouvement vers la droite. Allait-il s'éveiller maintenant ! D'un coup à traverser une planche, Tchen l'arrêta dans un bruit de mousseline déchirée, mêlé à un choc sourd. Sensible jusqu'au bout de la lame, il sentit le corps rebondir vers lui, relancé par le sommier métallique. Il raidit rageusement son bras pour le maintenir : les jambes revenaient ensemble vers la poitrine,
20 comme attachées ; elles se détendirent d'un coup. Il eût fallu frapper de nouveau, mais comment retirer le poignard ? Le corps était toujours sur le côté, instable, et, malgré la convulsion qui venait de le secouer, Tchen avait l'impression de le tenir fixé au lit par son arme courte sur quoi pesait toute sa masse. Dans le grand trou de la moustiquaire, il le voyait fort bien : les
25 paupières s'étaient ouvertes – avait-il pu s'éveiller ? –, les yeux étaient blancs. Le long du poignard le sang commençait à sourdre, noir dans cette fausse lumière. Dans son poids, le corps, prêt à retomber à droite ou à gauche, trouvait encore de la vie. Tchen ne pouvait lâcher le poignard. À travers l'arme, son bras raidi, son épaule douloureuse, un courant d'angoisse s'établissait
30 entre le corps et lui jusqu'au fond de sa poitrine, jusqu'à son cœur convulsif, seule chose qui bougeât dans la pièce. Il était absolument immobile ; le sang qui continuait à couler de son bras gauche lui semblait celui de l'homme couché ; sans que rien de nouveau fût survenu, il eut soudain la certitude que cet homme était mort. Respirant à peine, il continuait à le maintenir sur
35 le côté, dans la lumière immobile et trouble, dans la solitude de la chambre. Rien n'y indiquait le combat, pas même la déchirure de la mousseline qui semblait séparée en deux pans : il n'y avait que le silence et une ivresse écrasante où il sombrait, séparé du monde des vivants, accroché à son arme. Ses doigts étaient de plus en plus serrés, mais les muscles du bras se relâchaient et le
40 bras tout entier commença à trembler par secousses, comme une corde. Ce n'était pas la peur, c'était une épouvante à la fois atroce et solennelle qu'il ne connaissait plus depuis son enfance : il était seul avec la mort, seul dans un lieu sans hommes, mollement écrasé à la fois par l'horreur et par le goût du sang.

André Malraux, *La Condition humaine*, Paris, 1931, © Éditions Gallimard.

☐ **VERS L'ANALYSE**

Une épouvante à la fois atroce et solennelle

1. Divisez le texte en trois parties et donnez un titre à chacune.

2. À quels signes voit-on que la victime est vulnérable ?

3. Montrez que Tchen, pour vaincre sa peur, se concentre sur la technique du meurtre.

4. Expliquez pourquoi il est question de « râle » à la ligne 11, alors que l'homme est encore bien vivant.

5. Pourquoi les deux phrases suivantes, qui pourtant se ressemblent, sont-elles ponctuées différemment ?
« Allait-il s'éveiller maintenant ! » (ligne 15)
« [...] avait-il pu s'éveiller ? [...] » (ligne 25)

6. Relevez les notations qui indiquent que la peur de Tchen s'exprime souvent par le corps.

7. Relevez un parallélisme, une répétition doublée d'un pléonasme et une affirmation paradoxale qui traduisent la solitude de Tchen après le meurtre.

8. Quelles antithèses traduisent le sentiment ambivalent de Tchen par rapport à son meurtre ?

Sujet de dissertation explicative

Thérèse Desqueyroux et Tchen ont tous deux commis un crime. Comparez leur attitude face à ce crime et la manière dont celui-ci est rapporté.

Antoine de Saint-Exupéry (1900-1944)

« La grandeur d'un métier est peut-être avant tout d'unir les hommes. Liés à nos frères par un but commun qui se situe hors de nous, alors seulement nous respirons et l'expérience nous montre qu'aimer ce n'est point nous regarder l'un l'autre, mais regarder ensemble dans la même direction. »

Pionnier de l'aviation, Antoine de Saint-Exupéry sait donner à son action une expression littéraire. En fait, son œuvre tout entière est tirée de son expérience de pilote, qu'il enrichit d'une réflexion constante. Tout en apportant un précieux témoignage sur l'époque héroïque de l'aviation commerciale aéropostale, ses romans, qui marquent profondément les jeunes de l'après-guerre, valorisent l'héroïsme, l'honneur, le sacrifice et le sens de la responsabilité.

L'action est à la base de cette éthique : elle édifie l'homme, favorise les contacts humains, suscite la solidarité, renforce la fraternité et l'amour. Elle est aussi la clé du bonheur, qui réside, selon Saint-Exupéry, non dans l'exercice d'une volonté, mais dans l'acceptation d'un devoir. Le romancier demande à ses personnages d'exercer cette action, souvent héroïque, au sein d'un métier où ils sont appelés à se surpasser, comme si la clé de cet humanisme n'était pas tant l'action elle-même que l'action composant avec le courage. Saint-Exupéry meurt lui-même en pleine action, lorsque son avion est abattu au cours d'une mission au-dessus de la Méditerranée, en août 1944.

Ses romans *Vol de nuit* (1931), *Terre des hommes* (1939) et *Pilote de guerre* (1942) sont des paraboles où des individus se surpassent et échappent à leur condition première. Ces récits émaillés de longues méditations solitaires servent l'humanisme généreux de leur auteur. Et c'est ce même humanisme qu'on retrouve dans *Le Petit Prince* (1943), ouvrage allégorique qui assure la renommée à son auteur[1]. Même si la forme de ce conte poétique porteur de sagesse peut laisser croire qu'il s'adresse à des enfants, son message concerne bien davantage les adultes, qui sont invités à plonger dans leur passé pour y retrouver les vertus de l'enfance. Comme le montre l'extrait, le jeune personnage du conte pose un regard sévère sur le monde adulte, celui des « gens sérieux » dont le comportement est routinier et absurde. Cet enfant poursuit son apprentissage de l'amour par une philosophie de la relation aux autres, qui sont symbolisés par la rose et le renard. Pour Saint-Exupéry, ce qui fait la grandeur de l'amour, ce n'est pas son unicité, mais l'effort qu'on lui a consacré. Lorsque l'enfant comprend que la valeur de chacun correspond à l'étendue de son amour, il peut mourir, puisque l'adulte est en train de naître en lui.

Quelques citations de Saint-Exupéry

« Le bonheur n'est que chaleur des actes et contentement de la création. »

« Ce qui embellit le désert [...], c'est qu'il cache un puits quelque part. »

« L'homme se découvre quand il se mesure avec l'obstacle. »

« On ne voit bien qu'avec le cœur. L'essentiel est invisible pour les yeux. »

« L'homme cherche sa propre densité et non pas son bonheur. »

« Que m'importe que Dieu n'existe pas. Dieu donne à l'homme de la divinité. »

« Dans la vie, il n'y a pas de solutions. Il y a des forces en marche : il faut les créer, et les solutions suivent. »

« Vivre, c'est naître lentement. Il serait un peu trop aisé d'emprunter des âmes toutes faites ! »

« Tu deviens responsable pour toujours de ce que tu as apprivoisé. »

« Ce n'est pas dans l'objet que réside le sens des choses, mais dans la démarche. »

---

1. En 1995, cette œuvre avait été traduite en 83 langues et vendue à plus de 50 millions d'exemplaires.

— Bonjour, dit le petit prince.

— Bonjour, dit l'aiguilleur.

— Que fais-tu ici ? dit le petit prince.

— Je trie les voyageurs, par paquets de mille, dit l'aiguilleur.
5 J'expédie les trains qui les emportent, tantôt vers la droite,
tantôt vers la gauche.

Et un rapide illuminé, grondant comme le tonnerre,
fit trembler la cabine d'aiguillage.

— Ils sont bien pressés, dit le petit prince. Que cherchent-ils ?

10 — L'homme de la locomotive l'ignore lui-même, dit l'aiguilleur.

Et gronda, en sens inverse, un second rapide illuminé.

— Ils reviennent déjà ? demanda le petit prince…

— Ce ne sont pas les mêmes, dit l'aiguilleur. C'est un échange.

— Ils n'étaient pas contents, là où ils étaient ?

15 — On n'est jamais content là où l'on est, dit l'aiguilleur.

Et gronda le tonnerre d'un troisième rapide illuminé.

— Ils poursuivent les premiers voyageurs ? demanda le petit
prince.

— Ils ne poursuivent rien du tout, dit l'aiguilleur. Ils dorment
20 là-dedans, ou bien ils bâillent. Les enfants seuls écrasent leur
nez contre les vitres.

— Les enfants seuls savent ce qu'ils cherchent, fit le petit
prince. Ils perdent du temps pour une poupée de chiffons,
et elle devient très importante, et si on la leur enlève,
25 ils pleurent…

— Ils ont de la chance, dit l'aiguilleur.

Antoine de Saint-Exupéry, *Le Petit Prince*, Paris, 1943, © Éditions Gallimard.

☐ **Vers l'analyse**

Jamais content là où l'on est

1. Expliquez le caractère absurde :
   a) du travail de l'aiguilleur ;
   b) des déplacements des voyageurs.

2. Qu'est-ce qui révèle que le monde moderne est menaçant ?

3. Que révèle la réponse à la question posée par le petit prince
   à la ligne 14 ?

4. Comment s'exprime la candeur du petit prince ?

5. Expliquez en quoi la structure des phrases aux lignes 7 et 8, d'une part,
   et 11, d'autre part, crée une concordance entre le fond et la forme.

6. Le sommeil et les bâillements des voyageurs dont il est question dans
   l'avant-dernière réplique de l'aiguilleur contrastent avec deux choses.
   Lesquelles ?

7. Quelles sont les deux différences entre les enfants et les adultes qui
   ressortent de l'extrait ?

8. a) Pourquoi les enfants ont-ils de la chance, selon l'aiguilleur ?
   b) En quoi la tournure affirmative de la dernière réplique de l'aiguilleur
      contraste-t-elle avec ses deux répliques précédentes ?

Sujet de dissertation explicative

Comparez la perception de l'enfance présentée dans cet extrait avec celle
que l'on trouve dans le texte de Julien Green, à la page 133.

L'engagement existentialiste

« L'existence précède l'essence. »

Jean-Paul Sartre

La Seconde Guerre mondiale terminée, un mouvement philosophique, littéraire et social prend la
place laissée vacante par le surréalisme : l'existentialisme. Le surréalisme était d'essence poétique et
artistique, tandis que l'existentialisme, pour sa part, se définit davantage par sa portée sociale. Représenté
par des philosophes (Sartre, Beauvoir) et des écrivains (Camus) qui constituent la dernière génération des maîtres à penser du XXe siècle, ce nouvel humanisme fondé sur la responsabilité constitue
le mouvement le plus dynamique de cette période et inspire de très nombreux romanciers et dramaturges. Au lendemain de la Libération, l'existentialisme suscite un extraordinaire engouement auprès
de la jeunesse et on le trouve jusque dans les cafés et les caves de Saint-Germain-des-Prés, un quartier
de Paris où il tend à devenir un mode de vie.

Si les existentialistes, à l'instar des écrivains chrétiens et de ceux qui valorisent l'héroïsme, doutent de la perfectibilité de l'individu et du progrès de la société, ils ne veulent cependant pas répondre à l'appel au dépassement des chrétiens, ni composer avec la morale orgueilleuse des auteurs qui prônent le défi au destin et l'engagement dans l'action. Ils refusent toute adhésion à des valeurs abstraites aussi bien qu'à des missions. Ce qui leur importe avant tout, c'est la conscience de l'homme aux prises avec une existence inacceptable et absurde, source de nausée. Selon eux, il revient à chacun, dans l'exercice de sa liberté, de donner un sens à sa vie.

Cette philosophie de l'existence récuse l'idée de toute cause première; elle prend même racine dans l'idée de la mort de Dieu. Elle souligne la contingence, l'incohérence du monde et de l'Histoire. Dans cette optique, la vie de l'être humain, qui se sait seul et jeté dans le monde, qui est conscient que tout se termine définitivement avec sa mort, ne peut être qu'absurde et tragique[1]. Le nouvel espoir proposé par l'existentialisme s'édifie sur cette conscience du désespoir éprouvé envers la condition humaine.

Pour les existentialistes, l'homme découvre, après avoir constaté le tragique de sa vie et de la vie, qu'il est le seul responsable de ce qu'il fait, qu'il est «condamné à la liberté» (Sartre), à se choisir lui-même à tous les instants. Chacun se définirait par sa manière d'exister, par ses choix, par la façon dont il use de sa liberté pour construire son identité; chacun serait la somme de ses actes, de ce qu'il fait dans sa relation au monde et à autrui. Certes, toute décision personnelle a des incidences sur autrui, et la liberté de l'autre peut devenir un obstacle à son épanouissement personnel dans l'exercice de sa propre liberté. Mais cette philosophie, fondée sur le courage de chercher le sens au-delà du désespoir, débouche sur un nouvel humanisme : la liberté de chacun serait totale et sans limite, à condition qu'elle n'entrave pas celle des autres. Car c'est dans les autres qu'il y aurait entrave à sa liberté – «l'enfer c'est les autres», écrit Sartre –, et non en soi. Le mouvement existentialiste incite l'homme à ne plus se définir par sa profession, par sa race ni par ce qui peut sembler être une essence, mais par son existence même, toujours en devenir.

L'écriture existentialiste

Cette philosophie, qui accorde une attention prépondérante au quotidien, entraîne un renouvellement de l'écriture littéraire. Les idées sociales y abondent, ce qui exige de la narration romanesque qu'elle se double d'un discours de démonstration de thèse. Les événements ne sont plus présentés à partir d'une conscience centrale chargée d'organiser le récit, et les héros cessent d'être les jouets d'un destin aveugle, d'un quelconque déterminisme social ou biologique. Chacun des personnages, préoccupé de trouver une morale qui justifie son action et donne un sens à sa vie, assume dorénavant l'entière responsabilité de ce qu'il fait de son existence.

Le style existentialiste se reconnaît facilement. L'authenticité en est la première qualité et, pour l'atteindre, l'écrivain utilise différents procédés. Il refuse d'abord les conventions du bon usage et l'ordre habituel de la syntaxe. Pour épouser les contours de la vie et tendre ainsi au réalisme total, le style est aussi personnel, aussi ancré dans un lieu et une époque que possible, et il se moule sur les caprices de la réalité, dans le désordre même où la vie se présente. L'écrivain veut se placer lui-même en situation plutôt que de rester extérieur au récit, et il tente de tout dire, usant volontiers de l'argot et des incorrections du langage parlé. Enfin, il exploite abondamment les ressources du monologue intérieur.

Alberto Giacometti, *Grande tête de Diego*, 1954.

Le mouvement existentialiste incite l'homme à se définir par son existence même, toujours en devenir.

1. La plus vigoureuse illustration artistique de cette vision tragique est sans doute la statue intitulée *L'Homme qui marche*, d'Alberto Giacometti, qui représente un égaré dans la solitude de l'espace.

Jean-Paul Sartre (1905-1980)

« Pas besoin de gril, l'enfer c'est les autres. »

Durant la crise morale de l'après-guerre, Jean-Paul Sartre s'impose comme un véritable maître à penser. Ses ouvrages dans lesquels il explique ses thèses sur l'existentialisme (en particulier *L'Être et le Néant*, paru en 1943) suscitent même un phénomène de mode chez la jeunesse de Saint-Germain-des-Prés. Toute la vie de ce philosophe est marquée par l'engagement : il refuse tous les conformismes et leurs nécessaires compromis, fait descendre la philosophie dans la rue et se porte à la défense de toutes les causes perdues que sont les causes justes. On constate cependant que Sartre ne réussit pas toujours à éviter que l'existentialisme se cantonne dans l'idéalisme, qu'il prétend pourtant critiquer.

D'abord philosophe avant d'être romancier et dramaturge, Sartre exprime sa pensée de deux façons : conceptuelle et fictive. Homme essentiellement engagé à promouvoir des idées métaphysiques et sociales, il demande à la littérature d'illustrer la morale de l'action, de l'effort et de la liberté en laquelle il voit l'essentiel de l'humanisme d'aujourd'hui. Il ne s'adresse pas, comme l'écrivain classique, à l'humanité éternelle, mais aux hommes et aux femmes qui sont aux prises avec l'angoisse et l'absurdité du présent. Il s'intéresse aux expériences affectives immédiates de solitude, d'angoisse et de désespoir, à l'existence concrète, réellement vécue, insérée dans le quotidien.

Émile Binet, *Saint-Germain-des-Prés*, 1948.

Les thèses de Sartre sur l'existentialisme suscitent un phénomène de mode chez la jeunesse de Saint-Germain-des-Prés.

C'est à ses contemporains que le théoricien, romancier et dramaturge s'adresse, pour leur rappeler que la condition de l'homme est absurde, mais que « l'humanité commence de l'autre côté du désespoir ». Sartre affirme que chacun peut faire de sa vie une création inépuisable et conférer un sens à son aventure terrestre s'il refuse de se résigner, passe à l'action et exerce sa volonté de suivre les « chemins de la liberté ». Celui qui refuse l'action ouvrirait la porte à l'angoisse de la solitude et de la déperdition du sens, mais celui qui trouve la force de sa lucidité découvrirait, avec ses semblables, un sentiment de solidarité, seul véritable bonheur.

Le roman le plus important de Sartre, *La Nausée* (1938), marque une date importante dans l'histoire de l'existentialisme. Dans son journal, où tout se dissout en rencontres pitoyables, le narrateur Roquentin, héritier des personnages de Céline et de Kafka, se laisse submerger par le goût fade et désagréable de l'existence, au point d'en éprouver la nausée. Il se sent « de trop » dans ce monde sans raison ni finalité, où il a été jeté par hasard. Pour sortir de l'impasse, il lui faudrait se révolter contre cette incohérence de l'univers et contre la confusion de sa conscience. Cependant, lorsque, à la fin du roman, le projet d'écrire un livre pourrait apporter un sens à sa vie, Roquentin semble plutôt choisir de composer avec la médiocrité qui l'environne et il demande aux objets qui l'entourent de lui procurer le sentiment d'exister.

La Nausée : cette aveuglante évidence

Je parcours la salle du regard et un violent dégoût m'envahit. Que fais-je ici ? Qu'ai-je été me mêler de discourir sur l'humanisme ? Pourquoi ces gens sont-ils là ? Pourquoi mangent-ils ? C'est vrai qu'ils ne savent pas, eux, qu'ils existent. J'ai envie de partir, de m'en aller quelque part où je serais vraiment *à ma place*,
5 où je m'emboîterais… Mais ma place n'est nulle part ; je suis de trop.

[…]

Je mâche péniblement un morceau de pain que je ne me décide pas à avaler. Les hommes. Il faut aimer les hommes. Les hommes sont admirables. J'ai envie de vomir – et tout d'un coup ça y est : la Nausée.

Une belle crise : ça me secoue du haut en bas. Il y a une heure que je la voyais
10 venir, seulement, je ne voulais pas me l'avouer. Ce goût de fromage dans ma bouche… L'Autodidacte babille et sa voix bourdonne doucement à mes oreilles. Mais je ne sais plus du tout de quoi il parle. J'approuve machinalement de la tête. Ma main est crispée sur le manche du couteau à dessert. *Je sens* ce manche de bois noir. C'est ma main qui le tient. Ma main. Personnellement,
15 je laisserais plutôt ce couteau tranquille : à quoi bon toujours toucher quelque chose ? Les objets ne sont pas faits pour qu'on les touche. Il vaut bien mieux se glisser entre eux, en les évitant le plus possible. Quelquefois on en prend un dans sa main et on est obligé de le lâcher au plus vite. Le couteau tombe sur l'assiette. Au bruit, le monsieur aux cheveux blancs sursaute et me regarde.
20 Je reprends le couteau, j'appuie la lame contre la table et je la fais plier.

C'est donc ça la Nausée : cette aveuglante évidence ?

Jean-Paul Sartre, *La Nausée*, Paris, 1938, © Éditions Gallimard.

☐ **Vers l'analyse**

La Nausée : cette aveuglante évidence

1. Divisez l'extrait en deux parties et donnez un titre à chacune.

2. Identifiez le mode et le temps des verbes qui expriment, dans le premier paragraphe, le désir non réalisé du narrateur de s'intégrer au monde et expliquez-en la valeur.

3. Relevez une particularité typographique dans le premier paragraphe et dites quel effet elle crée.

4. Relevez une métaphore dans le premier paragraphe et expliquez-la.

5. Le récit de la conversation entre le narrateur et l'Autodidacte montre que le contact avec autrui est une affaire de conventions vides de sens, étrangère à l'expression d'une intériorité.
   a) Relevez et expliquez un terme péjoratif et une métaphore qui concernent la conversation de l'Autodidacte.
   b) En quoi la réaction du héros à la conversation montre-t-elle qu'il n'est pas plus humain que son interlocuteur ?

6. Relevez les notations qui indiquent que le narrateur a une conscience douloureuse de son rapport aux choses.

7. Quelle affirmation montre que les objets existent en soi (ne sont pas à la disposition du narrateur) ?

8. Le narrateur est avant tout attentif à ses sens. Relevez les notations sensorielles de l'extrait.

9. a) Quel oxymore sert de définition ultime à la « Nausée » ?
   b) Que signifie cet oxymore ?

Sujet de dissertation explicative

Montrez que Sartre et Malraux, bien qu'ils se rejoignent sur le plan de la conscience des sens qui lient le sujet au monde et à la situation, se différencient sur le plan de l'attitude à adopter par rapport à cette conscience : l'un semble y voir l'occasion de se réaliser en tant qu'homme, et l'autre, la raison suprême pour refuser toute idée reçue.

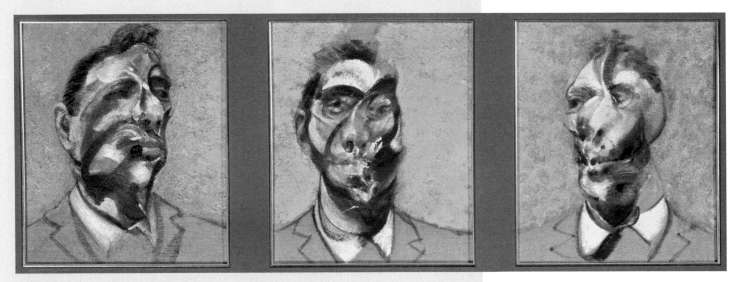

Francis Bacon, *Trois études de portrait de Georges Dyer sur fond rose*, 1964.

Aux sources du mouvement féministe

**Simone de Beauvoir
(1908-1986)**

« Se vouloir libre, c'est aussi
vouloir les autres libres. »

Après la Seconde Guerre mondiale, la condition féminine
redevient, en France, un enjeu social et politique important.
Simone de Beauvoir, qui partage l'anticonformisme social de son
compagnon, Jean-Paul Sartre, tout en cherchant sa propre vérité
de femme, redonne alors un vigoureux élan au féminisme[1], que
les années de guerre avaient quelque peu éclipsé. Dans son étude
des aspects de l'aliénation féminine (*Le Deuxième Sexe*, 1949),
Beauvoir apporte une prise de conscience de l'asservissement des
femmes et de leur aliénation tutélaire beaucoup plus forte que
celle des féministes qui l'ont précédée. Elle dénonce les stéréotypes, s'attaque à tous les préjugés de son temps sur le « destin »
des femmes, rompt avec la pensée naturaliste de la différence des
sexes, en plus d'explorer l'âme féminine. Ses prises de position
permettent au concept d'égalité des sexes de se concrétiser dans
la société, du moins dans les textes de lois : accès des femmes à
la citoyenneté politique et à la magistrature, suppression de
l'abattement sur les salaires féminins, inscription du principe
d'égalité dans la Constitution.

Plus tard, dans la foulée de mai 1968, de nouvelles revendications émergent, qui vont bien au-delà de l'égalité juridique et
professionnelle : dénonciation de l'inégalité de fait et de l'oppression dans la sphère privée, revendication du droit de « disposer
de son corps » en ayant accès légalement à l'interruption volontaire de grossesse, revendication de la liberté sexuelle, aspiration
à l'autonomie et à l'épanouissement personnel. Unanimement,
les féministes des années 1970 considèrent que Simone de

Beauvoir est une théoricienne incontournable de leur mouvement, que son œuvre a permis de mettre fin à un ordre plus que
millénaire et qu'elle a rendu possible l'émancipation totale de la
femme et la transformation du couple. Ce bouleversement constitue sans doute l'acquis social le plus important du XXe siècle.

En marge de ses essais polémiques, dans lesquels elle traite
surtout de l'indépendance et de la relation à l'autre, Simone de
Beauvoir écrit des romans et de nombreux livres où elle évoque ses souvenirs. En plus d'inviter les femmes à adopter la
morale de la liberté et de la responsabilité prônée par l'existentialisme, Beauvoir cherche à retrouver, dans le contexte de
l'existentialisme, le sens de la fraternité humaine ou, plutôt, de
la sororité, et c'est sûrement elle, parmi tous les existentialistes, qui y est le mieux arrivée.

Dans *Le Deuxième Sexe*, son œuvre majeure, Simone de
Beauvoir reconstitue l'itinéraire physiologique et psychologique
de la femme, depuis la naissance jusqu'à la fin de la vie. L'extrait
qui suit présente le début de ce processus.

---

1. Colette, après bien d'autres, avait prêché par l'exemple l'idée de la nécessaire
   émancipation des femmes. Voir à ce sujet la page 94 du chapitre 3.

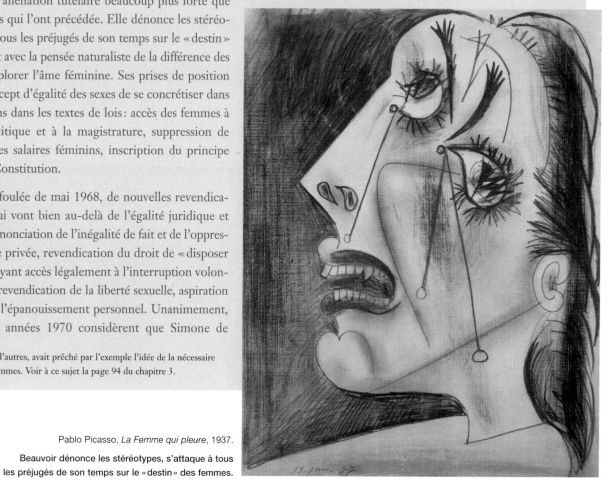

Pablo Picasso, *La Femme qui pleure*, 1937.

Beauvoir dénonce les stéréotypes, s'attaque à tous
les préjugés de son temps sur le « destin » des femmes.

ON NE NAÎT PAS FEMME : ON LE DEVIENT

On ne naît pas femme : on le devient. Aucun destin biologique,
psychique, économique ne définit la figure que revêt au sein
de la société la femelle humaine ; c'est l'ensemble de la civilisation
qui élabore ce produit intermédiaire entre le mâle et le castrat qu'on
5 qualifie de féminin. Seule la médiation d'autrui peut constituer
un individu comme un *Autre*. En tant qu'il existe pour soi l'enfant
ne saurait se saisir comme sexuellement différencié. Chez les filles
et les garçons, le corps est d'abord le rayonnement d'une subjectivité,
l'instrument qui effectue la compréhension du monde : c'est à
10 travers les yeux, les mains, non par les parties sexuelles qu'ils
appréhendent l'univers. Le drame de la naissance, celui du sevrage
se déroulent de la même manière pour les nourrissons des deux
sexes ; ils ont les mêmes intérêts et les mêmes plaisirs ; la succion
est d'abord la source de leurs sensations les plus agréables ; puis
15 ils passent par une phase anale où ils tirent leurs plus grandes
satisfactions des fonctions excrétoires qui leur sont communes ;
leur développement génital est analogue ; ils explorent leur corps
avec la même curiosité et la même indifférence ; du clitoris et
du pénis ils tirent un même plaisir incertain ; dans la mesure où
20 déjà leur sensibilité s'objective, elle se tourne vers la mère : c'est
la chair féminine douce, lisse, élastique qui suscite les désirs sexuels
et ces désirs sont préhensifs ; c'est d'une manière agressive que
la fille, comme le garçon, embrasse sa mère, la palpe, la caresse ;
ils ont la même jalousie s'il naît un nouvel enfant ; ils la manifestent
25 par les mêmes conduites : colères, bouderie, troubles urinaires ; ils
recourent aux mêmes coquetteries pour capter l'amour des adultes.
Jusqu'à douze ans la fillette est aussi robuste que ses frères, elle
manifeste les mêmes capacités intellectuelles ; il n'y a aucun
domaine où il lui soit interdit de rivaliser avec eux. Si, bien
30 avant la puberté, et parfois même dès sa toute petite enfance,
elle nous apparaît déjà comme sexuellement spécifiée, ce n'est
pas que de mystérieux instincts immédiatement
la vouent à la passivité, à la coquetterie, à la
maternité : c'est que l'intervention d'autrui
35 dans la vie de l'enfant est presque originelle
et que dès ses premières années sa vocation
lui est impérieusement insufflée.

Simone de Beauvoir, *Le Deuxième Sexe*,
Paris, 1949, © Éditions Gallimard.

Gustav Klimt, *L'Attente (étude)*, 1905 à 1909.

☐ VERS L'ANALYSE

On ne naît pas femme : on le devient

1. Les deux premières et la dernière phrases
   graphiques de l'extrait développent une
   opposition.
   a) Dans chacune de ces trois phrases
      graphiques, quels sont les deux mots qui
      s'opposent (autres que mâle et féminin) ?
   b) Ces oppositions mettent en relief le propos
      de l'extrait. Quel est-il ?

2. Entre ces phrases graphiques, l'extrait
   développe une idée de similitude entre
   les garçons et les filles.
   a) Quel adjectif indéfini, souvent répété,
      renforce cette idée ?
   b) Relevez tous les noms auxquels
      cet adjectif indéfini est associé.
   c) Quels autres mots ou expressions
      traduisent cette similitude ?
   d) Quel effet créent tous ces mots ?

e) Énumérez les éléments de comparaison
   qui permettent à Simone de Beauvoir
   de conclure à la similitude des comportements entre les garçons et les filles.

3. La première phrase du texte est célèbre :
   « On ne naît pas femme : on le devient. »
   a) Relevez les deux passages qui expliquent
      comment on le devient.
   b) Quel mot de ces passages implique
      l'idée de fabrication ?

4. Relevez les mots qui marquent les
   articulations logiques de la dernière
   phrase graphique.

5. Quelles caractéristiques du texte argumentatif
   reconnaissez-vous dans cet extrait ?

Sujet de dissertation explicative

Montrez que, pour Simone de Beauvoir,
les caractéristiques de la féminité ne sont
pas biologiques mais culturelles.

Albert Camus (1913-1960)

**« La grandeur de l'homme
est d'être plus fort que sa condition. »**

Romancier, dramaturge et essayiste, Albert Camus prend constamment position sur les événements politiques de son temps. Profondément engagé, d'abord dans la Résistance puis en faveur des déshérités, Camus défend toutes les causes de la liberté et dénonce tous les gestes portant atteinte aux droits de la personne, y compris les crimes de Staline, que Sartre préfère occulter. Cette question est d'ailleurs à l'origine d'une discorde entre les deux hommes.

Dans ses romans comme dans son théâtre, Camus s'attache à définir la philosophie de l'absurde. Le sentiment de l'absurde naîtrait autant de la discordance entre l'homme et le monde extérieur que du désaccord de l'homme avec lui-même. Il serait lié à la prise de conscience du non-sens de l'existence quotidienne, de l'écoulement inexorable du temps et de l'inéluctabilité de la mort, qui rend toute action inutile et vaine. Notre destin commun, affirme Camus dans *Le Mythe de Sisyphe* (1942), consiste à rouler, vers le haut d'une montagne, un rocher qui toujours redescend et redescendra. La vacuité de notre agir quotidien s'inscrirait dans cet effort acharné à poursuivre par habitude une routine dénuée de sens, dans un monde où les malheurs existeront toujours et qui poursuit sa route cosmique, indifférent aux hommes.

Rappeler que l'histoire de l'homme est absurde et que tout mène à la mort ne suffit pas à Camus. Il tient à dépasser l'absurde et à justifier l'existence humaine, et pour ce faire, il accorde la primauté

à la vie physique. La conscience du non-sens de la vie pourrait même apporter le bonheur à l'homme, écrit Camus, si, après ce constat, la révolte l'amène à exercer sa liberté à faire de chaque instant une communion de son être charnel avec l'univers. Après Malraux et Sartre, Camus avance que la prise de conscience de l'absurde et la révolte contre le sort commun amènent l'homme à fonder sa vie sur l'action : ensemble, les hommes doivent combattre ce qui les asservit, donner un sens à ce qui n'en a pas. L'existentialisme de Camus est lui aussi teinté d'humanisme.

Dans *L'Étranger* (1942), le protagoniste, Meursault, fait l'absurde expérience de la gratuité des actes et se sent comme un exilé dans le monde des humains. Ce roman, dont la forme rappelle le journal intime, transcrit la platitude de sa vie, qui se termine sur la guillotine. En effet, après avoir tué sans raison, le personnage est condamné à mort non pas tant pour son meurtre que pour l'indifférence dont il a fait preuve lors des obsèques de sa mère, ce qui lui a attiré la haine des jurés. Le sentiment de Meursault d'être étranger au monde, aux autres et à lui-même parce qu'il ne se conforme pas aux valeurs sentimentales et morales de la société est fort bien rendu par la technique du monologue intérieur. Le roman donne l'impression d'une pensée toute proche de l'inconscient grâce à différents moyens stylistiques : une prose concise, l'emploi de la coordination de préférence à la subordination, le style indirect libre, les phrases nominales et les verbes à l'infinitif, les ruptures de construction et les phrases en suspens.

Quelques citations de Camus

« Il n'y a pas d'amour de vivre sans désespoir de vivre. »

« Le grand courage c'est encore de tenir les yeux ouverts sur la lumière comme sur la mort. »

« La vraie générosité envers l'avenir consiste à tout donner au présent. »

« Tout accomplissement est une servitude. Il oblige à un accomplissement plus haut. »

« J'ai toujours pensé que si l'homme qui espérait dans la condition humaine était un fou, celui qui désespérait des événements était un lâche. »

« S'il y a un péché contre la vie, [c'est] d'espérer une autre vie, et se dérober à l'implacable grandeur de celle-ci. »

« L'espoir [...] équivaut à la résignation. Et vivre, c'est ne pas se résigner. »

« L'absurde, c'est la raison lucide qui conteste ses limites. »

« La mort n'est rien. Ce qui importe, c'est l'injustice. »

J'AI DIT QUE CELA M'ÉTAIT ÉGAL

Le soir, Marie est venue me chercher et m'a demandé si je voulais me marier avec elle. J'ai dit que cela m'était égal et que nous pourrions le faire si elle le voulait. Elle a voulu savoir alors si je l'aimais. J'ai répondu comme je l'avais déjà fait une fois, que cela
5 ne signifiait rien mais que sans doute je ne l'aimais pas. «Pourquoi m'épouser alors?» a-t-elle dit. Je lui ai expliqué que cela n'avait aucune importance et que si elle le désirait, nous pouvions nous marier. D'ailleurs, c'était elle qui le demandait et moi je me contentais de dire oui. Elle a observé alors que le mariage était
10 une chose grave. J'ai répondu: «Non.» Elle s'est tue un moment et elle m'a regardé en silence. Puis elle a parlé. Elle voulait simplement savoir si j'aurais accepté la même proposition venant d'une autre femme, à qui je serais attaché de la même façon. J'ai dit: «Naturellement.» Elle s'est demandé alors si elle
15 m'aimait et moi, je ne pouvais rien savoir sur ce point. Après un autre moment de silence, elle a murmuré que j'étais bizarre, qu'elle m'aimait sans doute à cause de cela mais que peut-être un jour je la dégoûterais pour les mêmes raisons. Comme je me taisais, n'ayant rien à ajouter, elle
20 m'a pris le bras en souriant et elle a déclaré qu'elle voulait se marier avec moi. J'ai répondu que nous le ferions dès qu'elle le voudrait. Je lui ai parlé alors de la proposition du patron et Marie m'a dit qu'elle aimerait connaître Paris. Je lui ai appris que j'y avais vécu dans un temps
25 et elle m'a demandé comment c'était. Je lui ai dit: «C'est sale. Il y a des pigeons et des cours noires. Les gens ont la peau blanche.»

Albert Camus, *L'Étranger*, Paris, 1942, © Éditions Gallimard.

☐ VERS L'ANALYSE

J'ai dit que cela m'était égal

1. Divisez le texte en trois parties et résumez chacune d'elles.
2. Identifiez le type de narrateur et de focalisation de l'extrait.
3. Relevez les notations qui traduisent l'indifférence de Meursault.
4. a) Relevez les passages qui montrent que le narrateur parle peu.
   b) En quoi l'écriture même s'accorde-t-elle à cet aspect du caractère de Meursault?
5. a) Relevez tous les adjectifs de l'extrait et nommez le personnage qui les emploie.
   b) Que pouvez-vous en déduire quant à la personnalité de Meursault?
6. a) Les paroles des personnages sont rapportées à l'aide de deux types de discours. Donnez un exemple de chacun.
   b) Lequel domine et quel effet crée l'emploi de ce type de discours?
7. Meursault refuse de faire semblant; il préfère la sincérité. En quoi ses réponses aux questions de Marie le montrent-elles?

Sujet de dissertation explicative

Montrez que la nature des réponses de Meursault et l'écriture du texte caractérisent le personnage de Meursault et font de lui l'étranger que désigne le titre du roman.

Arnold Böcklin, *La Peste*, 1898.

L'existentialisme dans le roman québécois

Dans les années 1940, la littérature québécoise commence à mettre fin à sa longue période d'idéalisation passéiste. Dès lors, les récits donnent vie à des personnages incertains et fragiles, qui prennent conscience de l'absurde de leur vie sans issue. L'impasse du présent les amène à cultiver les fuites de toutes sortes, en particulier l'alcool, très présent dans le roman et le théâtre québécois. Complètement démunis et impuissants, ces personnages n'ont aucune emprise sur leur réalité et sont réduits à observer ce qui se passe autour d'eux – le thème du regard est d'ailleurs on ne peut plus récurrent. Ils ne savent pas quel geste accomplir, quelle action entreprendre pour tenter d'émerger de cet univers étouffant que même Dieu semble avoir déserté. Ce constat d'échec, on le retrouve ostensiblement chez François, aux prises avec une mère qui incarne les valeurs anciennes, dans *Le Torrent* (1950) d'Anne Hébert, et dans le personnage éponyme du roman *Mathieu* (1949) de Françoise Loranger. Dans l'œuvre de Loranger, cependant, la révolte devient féconde: elle mène à une solution, le sport.

Les œuvres de deux écrivains québécois font écho, de façon particulière-ment nette, au mouvement existentialiste français: **André Langevin** (né en 1927) et **Gérard Bessette** (1920-2005). Le premier, dans *Poussière sur la ville* (1953), présente le drame existentiel d'un couple mal assorti. Le personnage central – sans doute le plus camusien de tous les personnages québécois –, le médecin André Dubois, porte un regard désabusé sur sa vie et s'enlise dans la «poussière» du non-sens. Trompé par sa femme, rejeté par sa ville, il observe, passif et impuissant, l'écroulement de ses espoirs. L'extrait proposé le montre laissé à lui-même, avec «un vide pro-fond qui se creuse», alors qu'il vient de surprendre sa femme avec un autre homme. Dans la suite du roman, il est indifférent à la présence de ce rival sous son toit. Mais, après le suicide de sa femme, la ville en vient à conspirer contre lui, ce qui le pousse, contre toute attente, à finalement se battre: «Je resterai contre toute la ville. Je les forcerai à m'aimer.»

Quant à Gérard Bessette, il raconte, dans son roman *Le Libraire* (1960), la vie d'un commis de librairie, Hervé Jodoin. Indifférent et désabusé, ce commis observe lui aussi le petit monde qui gravite autour de lui et qui incarne des valeurs qui ne collent plus à la réalité. Ne pouvant composer avec la morale bourgeoise qui prévaut dans la société de cette époque, il se contente d'être (comme le montre l'extrait choisi), de voir sans sentir, et demande à l'alcool d'engourdir l'effet que la présence du vide produit en lui. Comme pour le personnage d'André Dubois de *Poussière sur la ville*, un peu de sens commence à apparaître lorsque Jodoin décide d'écrire son journal.

André Langevin et Gérard Bessette recourent tous deux à une écriture spontanée, moulée sur la réalité. Ils peignent, chacun à leur manière, des personnages empêtrés dans l'épaisseur du présent.

⚜ NOIR DEVANT, NOIR DERRIÈRE, NOIR PARTOUT

Mes mains se sont crispées sur le volant dans une brusque saccade, comme si on m'avait pincé les nerfs du poignet. Ça doit s'appeler «étreindre sa douleur». Mais la peine ne
5 m'embrouille pas la vue. Ma vision est très nette. Il y a seulement les mains qui se révoltent. Si j'étais debout, les jambes céderaient aussi peut-être. La preuve en est que j'ai lâché l'accélérateur et que la voiture
10 s'immobilise lentement. Je ne gênerai personne dans cette petite rue déserte. J'ai le loisir de faire des exercices de respiration et d'attendre que ça passe. Mais la boule dans l'estomac ne se dénoue pas, elle se resserre sur elle-même.
15 Rien à craindre, elle ne perforera rien. Il en émane de grandes ondes chaudes qui me remuent les entrailles, comme lorsqu'on pense à la mort, la nôtre.

Puis c'est un vide profond qui se creuse, qui
20 appelle l'eau, les larmes. Ma vue s'obscurcit enfin. L'eau affleure, tremble un peu, mais ne coule pas. Désemparé comme l'enfant à qui un chien vient de voler son gâteau. On m'a triché, je le savais. Mais c'est quand on doit
25 payer qu'on voit l'énormité de la tricherie. La chair attendait le coup, le sang bouillonnait à la surface pour être partout à la fois et parer, mais le coup est venu, à l'improviste, comme si on n'y avait jamais cru au fond. On m'a
30 coupé un membre pour le greffer sur un autre corps. C'est monstrueux, injuste, irrémédiable. Je ne récupérerai jamais ce membre-là. La riposte n'est pas possible.

Je voudrais pouvoir pleurer. Noir devant,
35 noir derrière, noir partout. Dans des ténèbres si lourdes il n'y a qu'à gémir et à se tordre jusqu'à ce qu'on relève la trappe et que les images de la vie défilent de nouveau sans menace. Le plus décevant c'est que la colère
40 et la rage n'ont plus de prise sur moi, comme si, trop las, j'avais jeté bas mes armes et que j'attendais qu'on m'égorgeât.

André Langevin, *Poussière sur la ville*, Montréal, 1953, © Éditions Le Cercle du livre de France / Pierre Tisseyre.

Pierre Gauvreau, *Avez-vous vu tout ce que nous avons vu ?*, 1980.

☐ VERS L'ANALYSE

Noir devant, noir derrière, noir partout

1. Le narrateur apparaît aliéné, c'est-à-dire étranger à ses sentiments. Expliquez.

2. Le narrateur se sert de son corps pour exprimer ce qu'il ressent.
   a) Quelles parties du corps sont ainsi mises à contribution dans le premier paragraphe ?
   b) Relevez une comparaison, une personnification et deux métaphores qui renforcent cette expression par le corps.
   c) Quel effet crée cette façon de dire ?

3. Quels pronoms et quels déterminants employés par le narrateur créent un effet de distanciation ?

4. Le narrateur emploie le pronom indéfini « on » à huit reprises.
   a) Relevez tous les pronoms « on » et dites à chaque fois qui chacun désigne.
   b) Quel effet crée l'emploi répété de ce pronom ?

5. Dans le deuxième paragraphe, le narrateur use de plusieurs figures de la ressemblance.
   a) Relevez une métaphore qui exprime la transformation de son état affectif.
   b) Relevez une comparaison et une métaphore qui font référence à la tricherie faite au narrateur et expliquez pourquoi on peut parler de gradation de l'une à l'autre.
   c) Relevez une personnification.

6. Relevez une énumération qu'utilise le narrateur pour décrire l'ampleur de sa perte.

7. Dans le troisième paragraphe, le narrateur exprime un désespoir profond.
   a) Quelles métaphores et quelle comparaison traduisent son sentiment d'impuissance ?
   b) Dans la deuxième phrase, quels procédés amplifient le désespoir ?

Sujet de dissertation explicative

Montrez que, même si Sartre (dans l'extrait de *La Nausée*, à la page 141) et Langevin privilégient le thème du corps et de l'aliénation, leurs moyens de développer ces thèmes ainsi que le rôle donné au corps sont différents.

⚜ TOUS CES DÉTAILS N'OFFRENT AUCUN INTÉRÊT

Encore une fois, je n'ai pas à me plaindre de ma chambre. Elle possède l'immense avantage d'une entrée séparée, laquelle donne sur la cour-débarras, précisément. De cette façon, je peux entrer ou sortir à toute heure sans
5 déranger Mme Bouthiller. Évidemment, c'est plutôt pour rentrer que cette porte m'est utile, quand je reviens de *Chez Trefflé* le matin vers une heure dix. Car, pour ce qui est de sortir, je quitte ma
10 chambre vers huit heures quarante-cinq, alors que la propriétaire est déjà partie.

Tous ces détails, je m'en rends compte, n'offrent aucun intérêt. Peu importe. Autant d'écrit, autant de pris. Ça passe
15 le temps. Et ce que ça peut être long un dimanche ! D'autant plus que, ce jour-là, je me réveille à la même heure que d'habitude, quelquefois même un peu plus tôt, puisque les tavernes doivent fermer à minuit exactement le samedi.

20 Une fois expédié mon petit déjeuner (bromo-seltzer, sel *Safe-All*, jus de tomate et deux bananes que je prends dans ma chambre), je n'ai plus rien à faire. Alors je rédige ce journal. Dire qu'il m'a fallu quatre dimanches d'ennui nauséeux avant d'y penser ! Enfin, c'est passé. Inutile d'y revenir. Jusqu'à présent, ce journal a été efficace. Pourvu que ça
25 continue ; que je trouve quelque chose à dire…

Gérard Bessette, *Le Libraire*, Montréal, 1960,
© Éditions Le Cercle du livre de France / Pierre Tisseyre.

☐ VERS L'ANALYSE

Tous ces détails n'offrent aucun intérêt

1. Le narrateur semble obsédé par le temps.
   a) Relevez les notations temporelles.
   b) À quoi voit-on, dans le deuxième paragraphe, que le temps affecte ce personnage autrement stoïque ?
   c) À quoi voit-on la même attitude, mais renforcée, dans le dernier paragraphe ?

2. a) À quel lieu sont liées deux des trois notations d'heure ?
   b) Pourquoi, selon vous, ce lieu est-il important pour Jodoin ?

3. a) Avez-vous l'impression que l'écriture de son journal est une occupation qui passionne le narrateur ? Justifiez votre réponse.
   b) Relevez un parallélisme qui traduit l'état d'esprit du narrateur par rapport à l'écriture.

c) Relevez un adjectif qui qualifie le journal et expliquez-en le sens.

4. Quel constat, dans le troisième paragraphe, montre que le narrateur considère sa vie comme fondamentalement inintéressante ?

5. Relevez les marques de la précision obsessionnelle du narrateur.

6. a) Que remarquez-vous au sujet de la longueur et du type des phrases employées ?
   b) En quoi cette écriture convient-elle au propos du texte ?

Sujet de dissertation explicative

Comparez l'indifférence et le style de l'homme absurde dans *L'Étranger* (page 145) à ceux de l'homme absurde dans *Le Libraire*.

Franz Kafka (1883-1924)

« Le regard ne s'empare pas des images, ce sont elles qui s'emparent du regard. Elles inondent la conscience. »

Après avoir constaté le non-sens de sa vie, Rimbaud avait décidé de partir, de quitter tout ce qui jadis avait pu être porteur de sens. Ce combat qu'il a refusé, ce corps à corps quotidien avec l'absurde pour l'obliger à livrer sa vérité, c'est Franz Kafka qui le mène.

Kafka est l'un des écrivains dont l'influence est la plus grande sur la littérature contemporaine. Il renouvelle la thématique, tout comme James Joyce renouvelle l'écriture à la même époque. Kafka est le premier à intenter un véhément procès à la vie qui malmène l'homme, écrasé sous le poids de son destin, figé, muet et désespéré, terrifié par sa solitude. C'est le sens de son roman *Le Procès*[1], récit mythique écrit en 1914-1915 et publié après sa mort en 1925, salué par Gide, Breton, Sartre, Camus et tant d'autres. Le héros, Joseph K..., un modeste employé de banque, comme l'était Kafka[2], sans identité ni visage, comme le commun des mortels, voit son existence basculer le jour où il est inculpé, par un acte d'accusation informulé, d'un crime dont il ignore tout. Cet homme est bientôt pris dans l'effroyable mécanisme d'une justice bureaucratique et aveugle, alors qu'il n'a rien à se reprocher. Son innocence ne l'empêche pas de se sentir profondément coupable : coupable d'exister, d'être là, à la merci des juges, prisonnier de sa détresse et du non-sens.

La guerre confère à cette œuvre une valeur prophétique : la réalité rejoint l'univers imaginé par Kafka, elle devient « du Kafka », comme si ce n'était plus l'art qui imitait la vie, mais l'inverse.

L'adjectif « kafkaïen », qui n'était employé autrefois que pour désigner directement les œuvres de Kafka, est dorénavant passé dans l'usage courant et désigne aussi maintenant tout ce qui rappelle l'atmosphère absurde et inquiétante de ses œuvres. Il semble donc que la logique absurde que Kafka décrit soit devenue une réalité quotidienne. Dans *Le Procès*, la vie du protagoniste qui est accusé arbitrairement et dont le nom est réduit à une initiale, K..., annonce toutes les aliénations qui sont bientôt imposées à l'humain par un monde qui l'écrase et l'ignore : l'aliénation des camps de concentration et des goulags, l'aliénation du quotidien complexe de la bureaucratie labyrinthique, sans oublier l'aliénation causée par les fichiers de tous les corps sans visages, qui réduisent l'être humain à un numéro matricule. K... est un coupable en sursis, prisonnier du regard de ses juges, toujours susceptible de voir une accusation retenue contre lui, et sa situation est en fait l'allégorie de la situation de l'homme actuel, aux prises avec une solitude implacable et à la merci du regard des autres, contraint d'exercer l'étrange métier de vivre dans un monde qui le refuse et l'accuse, qui lui renvoie sans cesse l'image de son inutilité.

Cette histoire riche et visionnaire, à la frontière du terrifiant et de l'absurde, traite de la culpabilité métaphysique de l'homme. Elle laisse une profonde marque sur les écrivains existentialistes, dont les œuvres semblent proposer une issue à cette désespérance. Dans l'extrait que nous proposons, K... vient d'être arrêté.

---

1. Orson Welles en a fait une adaptation cinématographique en 1962.
2. Kafka est en fait, toute sa vie durant, un employé exemplaire d'une compagnie d'assurances pragoise.

JE N'EN SAIS PAS DAVANTAGE

«Vous faites, dit-il, une profonde
erreur. Ces messieurs que voici
et moi, nous ne jouons dans
votre affaire qu'un rôle purement
5 accessoire. Nous ne savons même
presque rien d'elle. Nous porterions
les uniformes les plus en règle que
votre affaire n'en serait pas moins
mauvaise d'un iota. Je ne puis
10 pas dire, non plus, que vous soyez
accusé, ou plutôt je ne sais pas
si vous l'êtes. Vous êtes arrêté,
c'est exact, je n'en sais pas davantage.
Si les inspecteurs vous ont dit autre
15 chose, ce n'était que du bavardage.
Mais, bien que je ne réponde pas à
vos questions, je puis tout de même vous conseiller de penser un peu moins
à nous et de vous surveiller un peu plus. Et puis, ne faites pas tant d'histoires
avec votre innocence, cela gâche l'impression plutôt bonne que vous produisez
20 par ailleurs. Ayez aussi plus de retenue dans vos discours ; quand vous n'auriez
dit que quelques mots, votre attitude aurait suffi à faire comprendre presque
tout ce que vous venez d'expliquer et qui ne plaide d'ailleurs pas en votre faveur.»

K... regarda le brigadier avec de grands yeux. Cet homme, qui était peut-être
son cadet, lui faisait ici la leçon comme à un écolier. On le punissait par une
25 semonce de sa franchise ? Et on ne lui apprenait rien ni du motif ni de l'autorité qui déterminait son arrestation !

Pris d'une certaine irritation, il se mit à faire les cent pas avec impatience,
ce dont personne ne l'empêcha ; il rentra ses manchettes, tâta son plastron,
lissa ses cheveux, dit «cela n'a pas l'ombre de sens commun» en passant devant
30 les trois messieurs – ce qui les fit retourner et provoqua de leur part un regard
plein de prévenance, mais aussi de gravité –, et revint finalement faire halte
devant la table du brigadier.

Franz Kafka, *Le Procès*, Paris, 1925, © Éditions Gallimard.

Mark Rothko, *Sans titre*, 1944 à 1945.

☐ VERS L'ANALYSE

Je n'en sais pas davantage

1. Expliquez le caractère absurde de l'arrestation de K....

2. Le brigadier s'acquitte de son devoir en le réduisant au minimum.
   a) Quelles locutions adverbiales mettent en évidence son ignorance et son impuissance ainsi que celles de ses hommes ?
   b) Relevez deux mots qui minimisent la portée de leur intervention.

3. a) Dans sa longue réplique, quels sont les conseils que le brigadier adresse à K...?
   b) En quoi les conseils du brigadier sont-ils propres à favoriser le sentiment d'impuissance de K...?

4. Relevez deux phrases graphiques en discours indirect libre qui dénoncent le caractère absurde des paroles et des actes du brigadier.

5. a) En vous basant sur l'ensemble de l'extrait, expliquez comment K... réagit à son arrestation et relevez les passages qui justifient votre réponse.
   b) Relevez une comparaison qui exprime que K... se sent diminué.

6. a) Quels sont les référents du pronom «on» employé dans le deuxième paragraphe ?
   b) À la lumière de ce que vous savez du regard particulier que pose Kafka sur le monde, quel lien pouvez-vous faire entre l'emploi de ce pronom et ce regard particulier ?

Sujet de dissertation explicative

Montrez que, dans cet extrait, Kafka présente un univers absurde qui peut être rapproché de celui de Sartre dans *La Nausée* (voir la page 141). Appuyez votre démonstration sur les dires et les actes des personnages.

Le renouvellement du genre romanesque

« Ce qui importe par-dessus tout dans l'œuvre d'art, c'est la profondeur vitale de laquelle elle a pu jaillir. »

James Joyce

Après les auteurs réalistes, qui traduisaient la complexité et la densité de la vie quotidienne, les romanciers, sous l'influence de Proust et de Gide, se tournent vers la vie intérieure. Ils persistent à observer le réel, mais cette simple observation ne suffit plus : elle doit être l'occasion de comprendre quelque chose de soi et de proposer une vision globale du monde. Dans les décennies 1920 et 1930, ce phénomène s'accentue en France sous l'influence de novateurs venus de l'étranger, comme Kafka, Joyce et les écrivains américains, en particulier Faulkner, qui amorcent une véritable transformation du genre romanesque. En même temps que le pouvoir politique et économique de la France s'effrite, Paris voit s'affaiblir son dynamisme créateur : la littérature française commence à subir davantage qu'elle ne donne. Les écrivains de la génération qui s'affirme alors sont moins créateurs sur le plan de la fiction et davantage préoccupés d'idéologie et de philosophie. Ils ont pour maîtres des étrangers : Freud, Marx et Heidegger.

Désormais, le roman n'est plus le lieu de la cogitation personnelle d'un auteur épris de solitude dans sa tour d'ivoire. Le roman se concentre plutôt sur les bouleversements historiques et sociologiques qui affectent les individus, pour exprimer leur déroute et leurs angoisses. Il n'est plus possible de trouver de réponse univoque aux questions posées par la société. Toutes les certitudes du passé sont remises en question. Il en va de même pour le style : le romancier abandonne les contraintes des formes traditionnelles de l'écriture pour en explorer de nouvelles. On sait que le narrateur omniscient qui énumère les caractéristiques physiques et morales des personnages est disparu depuis Flaubert. Voici que le personnage lui-même tend à s'éroder par l'emploi de la technique narrative du monologue intérieur, qui transforme radicalement toute l'écriture romanesque.

L'écrivain qui a réussi à imposer cette technique novatrice est James Joyce. Né à Dublin, il passe une grande partie de sa vie à Paris, où paraît son roman *Ulysse* en 1922. Cette œuvre innove sur de nombreux plans. Joyce y dissout tous les anciens procédés d'écriture du roman dans le monologue intérieur, où viennent se fondre des tonalités poétiques, fantastiques, merveilleuses et oniriques. On n'y trouve plus d'action, plus de débat intérieur soigneusement construit par le romancier ; la réalité se fait opaque et énigmatique dans un tissu romanesque qui amalgame les genres du roman, de l'essai et de la poésie. Le récit se prête à une pluralité d'interprétations, rendant le lecteur à la fois créateur et responsable de son sens. Avec Joyce, le romancier se fait styliste, et les écrivains qui viennent après lui ne peuvent pas écrire comme si *Ulysse* n'existait pas.

Le monologue intérieur

Le monologue intérieur est un procédé narratif qui permet de livrer la vie intérieure du personnage dans un flot continu, et apparemment confus, de paroles surgies de l'inconscient. Le personnage y exprime sa pensée la plus intime, une pensée embryonnaire, pas encore organisée logiquement : la chronologie n'est pas respectée, les différents registres de la langue s'entre-choquent, les phrases, souvent sans ponctuation, suivent le rythme spontané de la pensée. Cette investigation verbale du subconscient témoigne du désordre, de la complexité, de la confusion et du morcellement du monde, mais aussi de l'esprit qui l'appréhende. L'emploi du monologue intérieur produit une fiction dynamisée, dont l'approche est d'autant moins facile que les monologues intérieurs de différents personnages peuvent s'entrecroiser. Cette esthétique du chaos vise à donner le sentiment de l'incohérence de la vie ; elle rappelle surtout que la compréhension de la vie ne peut être que plurielle et équivoque, tout comme l'interprétation des romans de Joyce.

Egon Schiele, *Prophètes (double autoportrait)*, 1911.

Le roman se concentre sur les bouleversements historiques et sociologiques pour exprimer la déroute et les angoisses.

IL Y A QUELQUE CHOSE DE BIZARRE

[...]

qui sait s'il ne se passe pas quelque chose dans mon intérieur ou ai-je quelque chose en moi qui pousse pour que cette chose me vienne comme ça toutes les semaines c'était quand la dernière fois le Lundi de la Pentecôte oui ça fait seulement près de trois semaines je devrais aller voir un médecin mais ça serait
5 comme avant mon mariage quand j'avais ces choses blanches qui me sortaient et que Floey m'a envoyée voir ce vieux birbe de Dr Collins des maladies des femmes Pembroke Road qu'il appelait ça votre vagin j'imagine que c'est comme ça qu'il avait pu se payer toutes les glaces à cadres dorés et les tapis à entortiller toutes ces richardes de Stephens Green qui couraient le trouver
10 pour la moindre petite bêtise son vagin et son titimachin elles ont de l'argent n'est-ce pas elles ont raison je ne l'épouserais pas même s'il n'y avait plus que lui d'homme au monde et puis il y a quelque chose de bizarre dans leurs enfants toujours à renifler de tous les côtés ces sales femelles il me demandait si ce que je faisais avait une odeur désagréable qu'est-ce qu'il voulait donc
15 que je fasse d'autre que cette chose-là de l'or peut-être quelle question si j'en tartinais un peu partout sur sa vieille figure ridée avec tous mes compliments je pense qu'il serait fixé ce coup-là [...]

James Joyce, Ulysse, Paris, 1922.

James Joyce (1882-1941)

« L'Histoire est un cauchemar dont j'essaie de m'éveiller. »

Dans une langue d'une extraordinaire invention, James Joyce exprime le malaise d'une civilisation qu'il se plaît à nommer «syphilisation». Son roman *Ulysse* est une parodie d'un texte mythique, l'*Odyssée*, attribué à Homère. Le roman de Joyce est le récit, concentré en une journée (le 16 octobre 1904) et en un seul lieu (Dublin), de l'odyssée de Léopold Bloom. L'œuvre se termine par un long monologue intérieur d'une cinquantaine de pages, qui plonge le lecteur dans la conscience de Molly, la femme de Bloom, qui, sur le point de s'endormir, somnole dans son lit auprès de son mari. Voici un extrait de ce dernier monologue intérieur.

☐ VERS L'ANALYSE

Il y a quelque chose de bizarre

1. Rédigez quatre affirmations qui résument l'«itinéraire» mental de Molly.

2. Le monologue intérieur fait abstraction de la logique. Relevez, dans les cinq premières lignes, une contradiction logique.

3. Comme il s'agit d'un monologue intérieur, la narratrice ne se donne pas toujours la peine de préciser ce dont elle parle.
   a) Relevez des termes imprécis.
   b) Relevez des pronoms imprécis.

4. Quel effet crée l'absence de ponctuation?

5. Quelle réflexion de Molly montre qu'elle est sensible aux différences sociales?

6. Relevez un terme péjoratif, une métaphore et une hyperbole par lesquels la narratrice exprime son dédain pour le docteur Collins.

7. Relevez deux notations qui montrent que Molly méprise les femmes de Stephens Green.

Sujet de dissertation explicative

À partir de cet extrait d'*Ulysse*, expliquez la modernité de l'écriture de James Joyce.

L'engagement au théâtre

« Le grand avantage du théâtre sur la vie, il ne sent pas le rance. »

Jean Giraudoux

*D*urant la première moitié du siècle, l'art dramatique français subit de grandes transformations. La conception du réalisme n'est plus la même : le théâtre, pas plus que la peinture d'ailleurs, ne peut rivaliser avec la photographie et le cinéma, qui donnent une copie très fidèle du réel. L'illusion théâtrale est donc modifiée, et les auteurs dramatiques abandonnent résolument l'unité d'action. Les théories psychanalytiques, qui décrivent l'homme comme un être pétri de contradictions et constamment à la recherche de son identité, contribuent à faire tomber en désuétude le recours à la vraisemblance de l'intrigue et à la cohérence des personnages. Plutôt que de donner une représentation logique de la réalité, les dramaturges traduisent ce qui se passe dans les tréfonds de l'âme humaine. Même les notions de genre comme la tragédie, la comédie et le drame deviennent périmées : on parle dorénavant de « pièce ».

Surtout, de talentueux metteurs en scène français, tels Jacques Copeau, Lugné-Poe, Gaston Baty et Charles Dullin, et parfois certains venus de l'étranger, font en sorte que le théâtre devient autre chose qu'un lieu où l'on récite un texte. Ils révolutionnent véritablement la mise en scène par l'apport de techniques nouvelles, comme des éclairages et des ambiances sonores audacieux. Ils renouvellent l'espace scénique et lui donnent plus de style. Ils accentuent la proximité entre les acteurs et les spectateurs, et surtout la connivence entre les acteurs et leurs personnages.

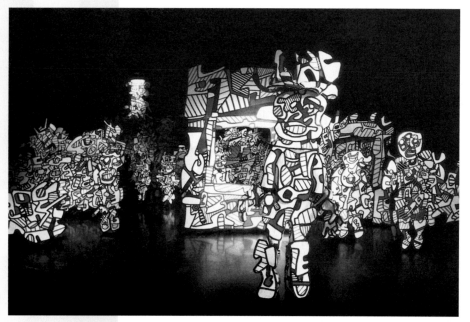

Jean Dubuffet, *Coucou Bazar*, 1973.

Les dramaturges traduisent ce qui se passe dans les tréfonds de l'âme humaine.

À côté de grands novateurs comme Jarry, Vitrac et Claudel, qui rompent avec la tradition et créent une écriture nouvelle, ou Artaud, qui se fait le théoricien d'un nouvel art dramatique, certains dramaturges perpétuent la tradition : Giraudoux, Montherlant et Anouilh écrivent un théâtre que certains qualifient de « littéraire », alors que d'autres, comme Sartre et Camus, exposent au théâtre leurs thèses existentialistes. Ces deux dernières tendances, le théâtre littéraire et le théâtre existentialiste, tiennent peu compte des avancées faites par ceux qui tentent de révolutionner l'art dramatique, et la forme des pièces qui s'y rattachent demeure résolument classique.

L'interrogation du passé

De nombreux auteurs de cette époque caractérisée par son humanisme déchiré puisent leur inspiration dans le passé pour exprimer leur inquiétude. Souvent, ils font appel aux mythes gréco-romains, qu'ils n'hésitent pas à transposer dans le monde contemporain, comme s'ils pressentaient le retour de vieilles fatalités. Ces auteurs, par leurs récits symboliques chargés de correspondances classiques, livrent une réflexion sur la condition humaine et le rôle du destin.

Jacques-Émile Blanche,
Jean Giraudoux, 1924.

Jean Giraudoux (1882-1944)

« Le destin, c'est simplement la forme accélérée du temps. »

Avant de devenir dramaturge, Jean Giraudoux mène une brillante carrière diplomatique et écrit de nombreux romans. Il produit un théâtre sans complaisance et porteur d'interprétations très riches, qui domine l'entre-deux-guerres. Il rompt avec le théâtre d'intrigue et de caractère pour poser des questions sur la fatalité, la politique, la guerre, le couple, le bonheur. Pour ce défenseur du théâtre littéraire, le théâtre doit susciter l'émerveillement, mais surtout donner à réfléchir.

Ses pièces expriment, le plus souvent sous le couvert de la fantaisie, les incertitudes et les désenchantements de l'époque tragique dans laquelle elles s'inscrivent. Pour y arriver, Giraudoux recourt fréquemment au passé et aux mythes. Le présent est épuré de son caractère quotidien et transposé symboliquement : les forces qui s'y affrontent ont prise sur le destin et font écho à des conflits à l'intérieur de l'être humain.

---

1. Épopée grecque attribuée à Homère, écrite au VIIIe siècle av. J.-C.

Dans ce théâtre du langage, Giraudoux se plaît à mêler le passé et le présent. Il utilise aussi une variété de tons : l'humour compose avec l'amertume. La phrase brille par son élégance, les images foisonnent, délicatement tournées, et la parodie joue un grand rôle, comme dans *La Guerre de Troie n'aura pas lieu* (1935), qui transpose l'*Iliade*[1] dans des situations contemporaines. Cette pièce de la plus brûlante actualité aborde les interrogations de l'homme moderne et pose la question de la fatalité de la guerre et du déterminisme de l'Histoire. Le dramaturge invite les spectateurs à se demander quelle est la part de responsabilité des humains quand une guerre est déclenchée, et à chercher à savoir s'il n'est pas vain de croire qu'on puisse y échapper. Si le titre laisse ironiquement entendre qu'on pourrait conjurer la fatalité, la réalité est tout autre : cette pièce créée en 1935 est en fait prémonitoire et annonce le conflit sanglant qui survient quatre ans plus tard. Dans l'extrait qui suit, Hector et Ulysse se rencontrent pour une ultime négociation en vue d'éviter la guerre.

Félix Vallotton, *Le Cimetière de Châlons-sur-Marne*, 1917.

Jean Giraudoux s'interroge sur la fatalité
de la guerre et le déterminisme de l'Histoire.

SES INTENTIONS À ELLE

Hector. — Et vous voulez la guerre?

Ulysse. — Je ne la veux pas. Mais je suis moins sûr de ses intentions à elle.

Hector. — Nos peuples nous ont délégués tous deux ici pour la conjurer. Notre seule réunion signifie que rien n'est perdu...

5 **Ulysse.** — Vous êtes jeune, Hector!... À la veille de toute guerre, il est courant que deux chefs des peuples en conflit se rencontrent seuls dans quelque innocent village, sur la terrasse au bord d'un lac, dans l'angle d'un jardin. Et ils conviennent que la guerre est le pire fléau du monde, et tous deux, à suivre du regard ces reflets et ces rides sur les eaux, à recevoir sur l'épaule ces pétales 10 de magnolias, ils sont pacifiques, modestes, loyaux. Et ils s'étudient. Ils se regardent. Et, tiédis par le soleil, attendris par un vin clairet, ils ne trouvent dans le visage d'en face aucun trait qui justifie la haine, aucun trait qui n'appelle l'amour humain, et rien d'incompatible non plus dans leurs langages, dans leur façon de se gratter le nez ou de boire. Et ils sont vraiment combles 15 de paix, de désirs de paix. Et ils se quittent en se serrant les mains, en se sentant des frères. Et ils se retournent de leur calèche pour se sourire... Et le lendemain pourtant éclate la guerre... Ainsi nous sommes tous deux maintenant... Nos peuples autour de l'entretien se taisent et s'écartent, mais ce n'est pas qu'ils attendent de nous une victoire sur l'inéluctable. C'est seule- 20 ment qu'ils nous ont donné pleins pouvoirs, qu'ils nous ont isolés, pour que nous goûtions mieux, au-dessus de la catastrophe, notre fraternité d'ennemis. Goûtons-la. C'est un plat de riches. Savourons-la... Mais c'est tout. Le privilège des grands, c'est de voir les catastrophes d'une terrasse.

Jean Giraudoux, *La Guerre de Troie n'aura pas lieu*, Paris, 1935.

☐ **VERS L'ANALYSE**

Ses intentions à elle

1. Résumez, en une phrase, le propos de l'extrait.

2. Relevez et expliquez une antithèse et une personnification qui résument ce propos dès les premières lignes de l'extrait.

3. Hector et Ulysse ont deux opinions différentes sur le but de leur rencontre. Quelles sont-elles?

4. Dans sa tirade, Ulysse explique d'abord une loi universelle, puis passe à son application dans un cas particulier.
   a) Séparez sa tirade selon ces deux parties.
   b) Relevez les marques formelles de ce passage.

5. Ulysse oppose la paix qui précède la guerre à la guerre elle-même.
   a) Dressez le champ lexical de la paix et de tout ce qui y est lié.
   b) Dressez le champ lexical de la guerre.

6. Plusieurs procédés mettent cette opposition en évidence.
   a) Relevez une gradation descendante. Quel effet crée-t-elle?
   b) Relevez des hyperboles. Quel effet créent-elles?
   c) Relevez un oxymore. Quel effet crée-t-il?
   d) Quel signe de ponctuation souligne l'impossibilité d'expliquer le passage de la paix à la guerre?

7. Ulysse présente-t-il les chefs d'État qui se rencontrent comme des guerriers? Justifiez votre réponse.

8. Relevez une métaphore filée dans la deuxième partie de la tirade. Quel effet crée-t-elle?

Sujet de dissertation explicative

Les personnages du roman *Le Procès* et ceux de *La Guerre de Troie n'aura pas lieu* sont aux prises avec l'irrationnel. Expliquez.

Jean Anouilh (1910-1987)

« Tu es fou, petit, il faudrait ne jamais devenir grand. »

Au cours de sa vie, Jean Anouilh écrit une quarantaine de pièces, qui sont autant de quêtes du bonheur, caractérisées, entre autres, par un humour souvent grinçant où se mêlent amertume et fantaisie. Dans ses premières pièces, ses personnages, confrontés à une décevante réalité, aspirent à la pureté, à un idéal fort peu conciliable avec les compromissions que le monde contemporain impose aux hommes. Quant aux héros de ses pièces subséquentes, ils sont toujours conscients de la médiocrité de la vie, mais ils finissent, eux, par l'accepter. Dans son œuvre, le dramaturge porte un regard lucide sur la vie. L'enfance y apparaît toujours en filigrane, décrite comme une époque heureuse de pureté et d'innocence qui n'a pu résister aux assauts de l'âge adulte, à ses compromis et à ses mensonges.

Dans *Antigone* (1944), Anouilh reprend, quelque 2500 ans plus tard, une tragédie de Sophocle qu'il actualise. Antigone enfreint l'interdiction décrétée par son oncle Créon, roi de Thèbes, et ensevelit le cadavre de son frère Polynice. Elle paie cette désobéissance de sa vie. Cette pièce incarne la révolte de la conscience contre des lois jugées injustes. C'est l'illustration du conflit entre la justice naturelle et la loi arbitraire. En même temps qu'elle dénonce ce qui porte atteinte à la pureté des êtres, la pièce rappelle que la vie ne peut être pleinement vécue que dans la transgression. Le dialogue dynamique et contrasté mêle le réalisme quotidien au tragique du mythe ancien. Lorsque Antigone a fini d'ensevelir le corps de son frère, le chœur entre en scène et prononce la tirade suivante.

C'EST PROPRE, LA TRAGÉDIE

Le chœur. — Et voilà. Maintenant le ressort est bandé. Cela n'a plus qu'à se dérouler tout seul. C'est cela qui est commode dans la tragédie. On donne le petit coup de pouce pour que cela démarre, rien, un regard pendant une seconde à une fille qui passe et lève les bras dans la rue, une envie d'honneur
5 un beau matin, au réveil, comme de quelque chose qui se mange, une question de trop qu'on se pose un soir… C'est tout. Après, on n'a plus qu'à laisser faire. On est tranquille. Cela roule tout seul. C'est minutieux, bien huilé depuis toujours. La mort, la trahison, le désespoir sont là, tout prêts, et les éclats, et les orages, et les silences, tous les silences : le silence quand le bras du
10 bourreau se lève à la fin, le silence au commencement quand les deux amants sont nus l'un en face de l'autre pour la première fois, sans oser bouger tout de suite, dans la chambre sombre, le silence quand les cris de la foule éclatent autour du vainqueur – et on dirait un film dont le son s'est enrayé, toutes ces bouches ouvertes dont il ne sort rien, toute cette clameur qui n'est qu'une
15 image, et le vainqueur, déjà vaincu, seul au milieu de son silence…

C'est propre, la tragédie. C'est reposant, c'est sûr… Dans le drame, avec ces traîtres, avec ces méchants acharnés, cette innocence persécutée, ces vengeurs, ces terre-neuve, ces lueurs d'espoir, cela devient épouvantable de mourir, comme un accident. On aurait peut-être pu se sauver, le bon jeune homme
20 aurait peut-être pu arriver à temps avec les gendarmes. Dans la tragédie on est tranquille. D'abord, on est entre soi. On est tous innocents en somme ! Ce n'est pas parce qu'il y en a un qui tue et l'autre qui est tué. C'est une question de distribution. Et puis, surtout, c'est reposant, la tragédie, parce qu'on sait qu'il n'y a plus d'espoir, le sale espoir ; qu'on est pris, qu'on est enfin pris
25 comme un rat, avec tout le ciel sur son dos, et qu'on n'a plus qu'à crier, – pas à gémir, non, pas à se plaindre, – à gueuler à pleine voix ce qu'on avait à dire, qu'on n'avait jamais dit et qu'on ne savait peut-être même pas encore. Et pour rien : pour se le dire à soi, pour l'apprendre, soi. Dans le drame, on se débat parce qu'on espère en sortir. C'est ignoble, c'est utilitaire. Là, c'est gratuit.
30 C'est pour les rois. Et il n'y a plus rien à tenter, enfin !

Jean Anouilh, *Antigone*, Paris, 1946, © Éditions La Table Ronde.

☐ VERS L'ANALYSE

C'est propre, la tragédie

1. Quel est le propos de chaque paragraphe ?

2. Relevez les procédés qui mettent en évidence la fatalité inhérente à la tragédie :
   a) quatre métaphores et un oxymore dans le premier paragraphe ;
   b) deux répétitions, suivies d'une comparaison, dans le deuxième paragraphe.

3. Expliquez le sens des passages suivants : « C'est reposant » (lignes 16 et 23) et « on est tranquille » (lignes 20 et 21).

4. a) Relevez, au début du second paragraphe, une énumération qui contient une antithèse.
   b) Qu'est-ce qui est opposé ?
   c) Comment l'auteur s'en sert-il pour critiquer le drame et l'opposer à la tragédie ?

5. À la lumière du second paragraphe, quelles sont les différences entre la tragédie et le drame ?

6. Quelle affirmation met en évidence le caractère noble de la tragédie ?

7. Anouilh allie le réalisme quotidien et le tragique du mythe ancien.
   a) Comment le langage contraste-t-il avec le tragique du propos ?
   b) Relevez un anachronisme dans chaque paragraphe et dites quel est son effet.

Le théâtre engagé

Le dramaturge allemand Bertolt Brecht (1898-1956) est le précurseur du théâtre engagé, dont la caractéristique est le fait que la scène devient un lieu de polémique. Le théâtre représente pour Brecht un espace de réflexion sociale ainsi qu'une incitation à l'action politique. Une pièce engagée n'est pas tant une représentation qu'une expérience apte à transformer le monde. Un peu comme le poète Aragon le fait plus tard en France, Brecht se sert de la littérature pour promouvoir l'avènement d'une société socialiste.

Des romanciers, parmi lesquels Sartre et Camus, écrivent eux aussi des pièces de théâtre engagé. Leurs pièces défendent une idéologie philosophique, l'existentialisme. Les éléments de l'intrigue théâtrale sont en quelque sorte relégués au second plan.

À SEPT ANS, J'ÉTAIS EXILÉ

Jean-Paul Sartre (1905-1980)

«Ce que le théâtre peut montrer de plus émouvant est un caractère en train de se faire, le moment du choix, de la libre décision qui engage une morale et toute une vie.»

Jean-Paul Sartre refuse le théâtre de caractères, qu'il soit psychologique ou réaliste. Fondées sur des combats de valeurs et sur la quête de la lucidité, ses pièces mettent en scène le drame de l'homme «condamné à la liberté». Ses personnages prennent position sur la question de leur liberté: ils doivent décider s'ils peuvent ou non endosser les conséquences de leurs propres actes.

Dans *Les Mouches* (1943), Sartre se sert, tout comme Giraudoux, du paravent de la mythologie antique pour tenir un discours allégorique sur l'actualité: il lance un cri de révolte contre toutes les oppressions et, du même coup, il stigmatise l'attitude pétainiste sous l'Occupation. Le personnage d'Oreste disserte ici sur sa vie et sur la liberté.

Oreste. — Mais non: je ne me plains pas. Je ne peux pas me plaindre: tu m'as laissé la liberté de ces fils que le vent arrache aux toiles d'araignée et qui flottent à dix pieds du sol; je ne pèse pas plus qu'un fil et je vis en l'air. Je sais que c'est une chance et je l'apprécie comme il convient.
5 *(Un temps.)* Il y a des hommes qui naissent engagés: ils n'ont pas le choix, on les a jetés sur un chemin, au bout du chemin il y a un acte qui les attend, *leur* acte; ils vont, et leurs pieds nus pressent fortement la terre et s'écorchent aux cailloux. Ça te paraît vulgaire, à toi, la joie d'aller *quelque part*? Et il y en a d'autres, des silencieux, qui sentent au fond
10 de leur cœur le poids d'images troubles et terrestres; leur vie a été changée parce que, un jour de leur enfance, à cinq ans, à sept ans... C'est bon: ce ne sont pas des hommes supérieurs. Je savais déjà, moi, à sept ans, que j'étais exilé; les odeurs et les sons, le bruit de la pluie sur les toits, les tremblements de la lumière, je les laissais glisser le long de mon corps
15 et tomber autour de moi; je savais qu'ils appartenaient aux autres, et que je ne pourrais jamais en faire *mes* souvenirs. Car les souvenirs sont de grasses nourritures pour ceux qui possèdent les maisons, les bêtes, les domestiques et les champs. Mais moi... Moi, je suis libre, Dieu merci. Ah! comme je suis libre. Et quelle superbe absence que mon âme.

Jean-Paul Sartre, *Les Mouches*, Paris, 1943, © Éditions Gallimard.

☐ VERS L'ANALYSE

À sept ans, j'étais exilé

1. Divisez l'extrait en deux parties et donnez un titre à chacune.
2. Quelle est la différence fondamentale entre Oreste et les autres hommes?
3. Trois métaphores concourent à traduire cette différence. Relevez et expliquez:
   a) la métaphore qui exprime le fait qu'Oreste se sent libre;
   b) celle qui exprime l'attachement des autres hommes à ce qu'ils croient être leur destinée;
   c) celle qui montre que les autres se laissent empêtrer dans leurs souvenirs.
   d) Relevez les éléments de ces métaphores qui s'opposent.
4. En quoi l'italique de «leur» (ligne 7) et celui de «mes» (ligne 16) se répondent-ils?
5. Oreste emploie, pour se décrire, un terme auquel il enlève sa connotation habituellement tragique.
   a) Quel est ce terme?
   b) Relevez et expliquez la métaphore qui explicite ce terme.
6. Par quels procédés l'auteur, vers la fin de l'extrait, met-il l'accent sur la liberté d'Oreste?
7. Relevez et expliquez un oxymore qui résume bien le propos de l'extrait.

Sujets de dissertation explicative

1. Montrez que le discours d'Oreste, qui fustige le conformisme, qui dénonce le déterminisme et qui célèbre la liberté, illustre les principes de l'existentialisme.
2. Meursault, dans *L'Étranger*, est un étranger et Oreste se dit «exilé» (ligne 13). Comparez ces positions par rapport au monde.

L'engagement en poésie

« **Les poèmes sont des bouts d'existence incorruptibles que nous lançons à la gueule répugnante de la mort.** »

René Char

Après le surréalisme, on ne distingue plus guère d'écoles, de courants ni de mouvements poétiques. Durant la Seconde Guerre mondiale et les années qui la précèdent, l'angoisse et la fatalité sont maîtres. Certains poètes s'engagent alors dans des combats sociaux et politiques, et tentent de répondre, par leur écriture, aux inquiétudes de leur temps. Mais la grande majorité des poètes veulent à la fois rester à l'écoute du monde et trouver une parole personnelle ; ils choisissent souvent de transmettre leur vision de l'univers sans y mêler les débats sociaux et politiques, et de ne s'engager que sur le plan esthétique. Cependant, tous ces poètes, ceux qui sont politisés et les autres, expriment une inquiétude existentielle, tentent d'échapper à la médiocrité contemporaine et sont à la recherche d'un idéal de grandeur. Pour plusieurs, cet idéal prend la forme d'un sentiment du sacré, un sacré le plus souvent puisé en dehors des religions traditionnelles.

Alors que l'influence de Rimbaud et des symbolistes est toujours vive, la frontière entre la poésie et la prose devient de plus en plus poreuse. La nouvelle écriture poétique a même tendance, chez certains, à reproduire la simplicité de l'expression orale.

Jacques Payette, *Quatre petits rêves*, 1998.

La majorité des poètes transmettent leur vision de l'univers en ne s'engageant que sur le plan esthétique.

Saint-John Perse (1887-1975)

« Au cœur de l'homme, solitude. »

Alexis Léger, dit Saint-John Perse, commence ses études en Guadeloupe, lieu de sa naissance, et les termine en France, où il déménage alors qu'il est encore enfant. Comme son ami Claudel, il mène une brillante carrière d'ambassadeur et de diplomate. Pour éviter la confusion entre sa vie d'écrivain et ses activités professionnelles, le poète prend le pseudonyme de Saint-John Perse.

Sa poésie exprime, sur un ton contemplatif, les affinités de l'être humain avec la nature. Le poète fait l'inventaire du monde comme s'il était habité par sa légende, et il le décrit avec une luxuriance qui rappelle celle de son pays natal. Ses poèmes exaltent, par leur respiration ample, leur éloquence et leur lyrisme, les grandes manifestations des forces naturelles, comme dans le poème retenu, *Neiges*, tiré du recueil du même nom paru en 1944.

NEIGES

Et puis vinrent les neiges, les premières neiges de l'absence, sur les grands lés tissés du songe et du réel ; et toute peine remise aux hommes de mémoire, il y eut une fraîcheur de linges à nos tempes. Et ce fut au matin, sous le sel gris de l'aube, un peu avant la sixième heure, comme en
5 un havre de fortune, un lieu de grâce et de merci où licencier l'essaim des grandes odes du silence.

Et toute la nuit, à notre insu, sous ce haut fait de plume, portant très haut vestige et charge d'âmes, les hautes villes de pierre ponce forée d'insectes lumineux n'avaient cessé de croître et d'exceller, dans l'oubli de leur
10 poids. Et ceux-là seuls en surent quelque chose, dont la mémoire est incertaine et le récit est aberrant. La part que prit l'esprit à ces choses insignes, nous l'ignorons.

Nul n'a surpris, nul n'a connu, au plus haut front de pierre, le premier affleurement de cette heure soyeuse, le premier attouchement de cette
15 chose fragile et très futile, comme un frôlement de cils. Sur les revêtements de bronze et sur les élancements d'acier chromé, sur les moellons de sourde porcelaine et sur les tuiles de gros verre, sur la fusée de marbre noir et sur l'éperon de métal blanc, nul n'a surpris, nul n'a terni.

Cette buée d'un souffle à sa naissance, comme la première transe d'une
20 lame mise à nu… Il neigeait, et voici, nous en dirons merveilles : l'aube muette dans sa plume, comme une grande chouette fabuleuse en proie aux souffles de l'esprit, enflait son corps de dahlia blanc. Et de tous les côtés il nous était prodige et fête. Et le salut soit sur la face des terrasses, où l'Architecte, l'autre été, nous a montré des œufs d'engoulevent !

Saint-John Perse, « Neiges », *Neiges*, Paris, 1944, © Éditions Gallimard.

☐ **VERS L'ANALYSE**

Neiges

1. Résumez chaque paragraphe en une phrase.

2. Quel effet vise le poète en parlant des neiges plutôt que de la neige ?

3. Saint-John Perse confère un caractère sacré aux « neiges » dont il parle.
   a) Quel procédé garantit au texte un rythme ample et régulier, et évoque l'incantation ?
   b) Le vocabulaire est recherché. Donnez la définition contextuelle des mots suivants : lés, licencier, essaim, pierre ponce, moellons, transe, dahlia et engoulevent.

4. Dans la première phrase, relevez une antithèse et expliquez-la.

5. Dans la seconde phrase du premier paragraphe, le temps et l'espace servent à établir une atmosphère de sérénité bienheureuse.
   a) Relevez les notations de temps.
   b) Relevez les notations d'espace.
   c) En quoi les notations de temps et d'espace contribuent-elles à évoquer la félicité de l'événement ?

6. a) Qu'est-ce qui est opposé dans l'antithèse développée au troisième paragraphe ?
   b) Dressez le champ lexical des différents matériaux sur lesquels tombe la neige.
   c) Quel effet crée cette accumulation de termes ?

   d) Relevez les deux figures de ressemblance qui traduisent le contact entre les neiges et la ville, et dites quel effet elles créent.

7. a) Relevez, dans le dernier paragraphe, une personnification nourrie d'une comparaison et d'une métaphore.
   b) Quel effet créent ces trois figures ?

Sujet de dissertation explicative

Comment Saint-John Perse fait-il d'un incident hivernal une occasion d'exalter la grandeur spirituelle et esthétique des forces naturelles ?

Blaise Cendrars (1887-1961)

« **Grand paquebot des usines**
À l'ancre
Dans la banlieue des villes »

Frédéric-Louis Sauser, dit Blaise Cendrars, est un bourlingueur qui voyage aussi bien dans les pays réels que dans ceux de l'imagination. Sa poésie en porte la marque, elle qui célèbre tantôt le jazz, tantôt le Brésil, tantôt la soupe à la tortue, à moins que ce ne soit ses amis disséminés aux quatre coins du monde. Il est blessé lors de la Première Guerre mondiale et perd son bras droit, ce qui ne l'empêche nullement de continuer à écrire et à voyager. Cendrars écrit aussi des romans qui connaissent un vif succès, en particulier *L'Homme foudroyé*, paru en 1945.

Dans le poème que nous présentons, le lyrisme se met au service de l'éloge du départ. D'une facture classique par certains éléments de son style et moderne par son dynamisme, ce poème est construit sur un paradoxe.

☐ Vers l'analyse

Quand tu aimes il faut partir

1. Divisez le poème en quatre parties et donnez un titre à chacune.
2. Le poème repose sur un paradoxe qui apparaît dès le premier vers. Expliquez-le.
3. Décrivez la situation de l'énonciation en vous attardant au choix et à la place des pronoms dans le poème.
4. a) Quel mode et quel temps de verbe dominent?
   b) Pourquoi?
5. Quels procédés renforcent le conseil de partir, à la première strophe?
6. a) Nommez les procédés stylistiques employés dans les strophes 2, 3 et 4.
   b) Quel effet créent tous ces procédés?
7. En quoi la troisième strophe est-elle l'antithèse de la deuxième?
8. Relevez les procédés de la cinquième strophe qui renforcent le conseil de partir et de jouir du monde.
9. Que connotent les «deux seins» du vers 23?
10. Comment les deux premiers vers de la dernière strophe résument-ils les strophes précédentes et insistent-ils sur le bonheur offert par le monde?

Sujet de dissertation explicative

Montrez comment Cendrars définit une nouvelle approche de l'amour en le liant à l'action, à la liberté et à l'anticonformisme.

QUAND TU AIMES IL FAUT PARTIR

Quand tu aimes il faut partir
Quitte ta femme quitte ton enfant
Quitte ton ami quitte ton amie
Quitte ton amante quitte ton amant
5 Quand tu aimes il faut partir

Le monde est plein de nègres et de négresses
Des femmes des hommes des hommes des femmes
Regarde les beaux magasins
Ce fiacre cet homme cette femme ce fiacre
10 Et toutes les belles marchandises

Il y a l'air il y a le vent
Les montagnes l'eau le ciel la terre
Les enfants les animaux
Les plantes et le charbon de terre

15 Apprends à vendre à acheter à revendre
Donne prends donne prends
Quand tu aimes il faut savoir
Chanter courir manger boire
Siffler
20 Et apprendre à travailler

Quand tu aimes il faut partir
Ne larmoie pas en souriant
Ne te niche pas entre deux seins
Respire marche pars va-t-en

25 Je prends mon bain et je regarde
Je vois la bouche que je connais
La main la jambe l'œil
Je prends mon bain et je regarde

Le monde entier est toujours là
30 La vie pleine de choses surprenantes
Je sors de la pharmacie
Je descends juste de la bascule
Je pèse mes 80 kilos
Je t'aime

Blaise Cendrars, «Quand tu aimes il faut partir»,
Feuilles de route I, Paris, 1924, © Éditions Denoël.

Victor Brauner, *René Char*, 1934.

René Char (1907-1988)

« Nous n'avons qu'une ressource avec la mort : faire de l'art avec elle. »

Homme d'un tempérament solitaire, René Char quitte le mouvement surréaliste après y avoir puisé les forces vives de sa poésie. Selon lui, l'homme se doit de lutter pour sortir de la confusion générale. Or, la poésie est justement, pour Char, le lieu privilégié de ce combat ; le poète doit donc accomplir son devoir de lucidité et il a la responsabilité de donner l'exemple. Toute sa vie, Char s'engage autant par ses actes que par ses écrits : il est combattant durant la guerre d'Espagne et chef de maquis durant la Résistance, et il appuie de nombreuses causes idéologiques. Mais, contrairement à bon nombre d'écrivains engagés de son époque, il ne se soumet à aucune cause politique, si ce n'est celle de la fraternité humaine.

René Char se plaît à produire de petits textes aux formules décapantes, dont l'écriture est si dense et si elliptique que la prose ne se distingue plus de la poésie.

LA COMPAGNE DU VANNIER

Je t'aimais. J'aimais ton visage de source raviné par l'orage et le chiffre de ton domaine enserrant mon baiser. Certains se confient à une imagination toute ronde. Aller me suffit. J'ai rapporté du désespoir un panier si petit, mon amour, qu'on a pu le tresser en osier.

René Char, « La Compagne du vannier », *Seuls demeurent*,
Paris, 1945, © Éditions Gallimard.

COMMENT VIVRE SANS INCONNU DEVANT SOI ?

Les hommes d'aujourd'hui veulent que le poème soit à l'image de leur vie, faite de si peu d'égards, de si peu d'espace et brûlée d'intolérance.

Parce qu'il ne leur est plus loisible d'agir suprêmement, dans cette préoccupation fatale de se détruire par son semblable, parce que leur
5 inerte richesse les freine et les enchaîne, les hommes d'aujourd'hui, l'instinct affaibli, perdent, tout en se gardant vivants, jusqu'à la poussière de leur nom.

Né de l'appel du devenir et de l'angoisse de la rétention, le poème, s'élevant de son puits de boue et d'étoiles, témoignera presque
10 silencieusement, qu'il n'était rien en lui qui n'existât vraiment ailleurs, dans ce rebelle et solitaire monde des contradictions.

René Char, « Comment vivre sans inconnu devant soi ? », *Le Poème pulvérisé*,
Paris, 1947, © Éditions Gallimard.

FRAGMENTS

VII
Ce qui vient au monde pour ne rien troubler ne mérite ni égards ni patience.

XXVI
La poésie est de toutes les eaux claires celle qui s'attarde le moins au reflet de ses ponts.

Poésie, la vie future à l'intérieur de l'homme requalifié.

René Char, « Fragments », *Fureur et mystère*, Paris, 1948, © Éditions Gallimard.

☐ VERS L'ANALYSE

La Compagne du vannier
Comment vivre sans inconnu devant soi ?
Fragments

1. a) Donnez la définition contextuelle du mot « chiffre » employé dans la deuxième phrase.
   b) Expliquez la métaphore « le chiffre de ton domaine enserrant mon baiser ».

2. Quel rapport peut-on établir entre le propos de la dernière phrase graphique et le titre du premier poème ?

3. Quel est le propos du deuxième poème ?

4. Ce deuxième poème oppose la poésie aux « hommes d'aujourd'hui ».
   a) Quelle antithèse paradoxale constitue le propos du deuxième paragraphe de ce deuxième poème ?
   b) Deux champs lexicaux renforcent l'opposition : l'un, de forces négatives, associées aux hommes d'aujourd'hui, et l'autre, de forces positives, associées au poème. Dressez ces deux champs lexicaux.

5. Quelle antithèse – concernant ce dont le poème est l'image – compose la charpente du deuxième poème ?

6. Quel est le propos des deux fragments ?

7. Relevez les deux figures de style qui mettent ce propos en évidence dans le second fragment.

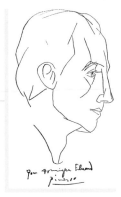

Pablo Picasso,
Portrait de Paul Éluard, 1953.

Paul Éluard (1895-1952)

« Le poète est celui qui inspire bien plus que celui qui est inspiré. »

Durant toute sa vie, Eugène Grindel, dit Paul Éluard, a une grande obsession : l'amour, que ce soit celui de la liberté, de la femme ou des mots. Après sa période surréaliste, il participe au combat pour la France libre et il renouvelle le lyrisme amoureux. Sous l'Occupation, désireux de lutter contre la propagande ennemie et d'aider ses concitoyens à prendre conscience de leur identité et de la richesse de leur langue, il écrit le poème *Liberté*, dont des copies sont larguées par des avions de la Royal Air Force britannique sur la France occupée et qui devient un fort symbole de la Résistance. Mais Éluard a surtout abondamment chanté l'amour et ses mystères, comme dans les poèmes *Je t'aime* et *Et un sourire*, publiés en 1951.

☐ VERS L'ANALYSE

Je t'aime
Et un sourire

1. Donnez un titre à chacune des strophes de ces deux poèmes.

2. Quels procédés mettent en évidence, dans la première strophe de *Je t'aime*, l'amour du poète et ses raisons d'aimer ?

3. Dans la deuxième strophe de *Je t'aime*, le poète exprime ses difficultés à être et à vivre sans la personne aimée.
   a) Relevez les métaphores qui traduisent ces difficultés.
   b) Relevez l'antithèse qui met en évidence la difficulté d'apprendre à vivre.

4. a) En quoi la troisième strophe de *Je t'aime* constitue-t-elle une réponse à la deuxième ?
   b) Dressez le champ lexical de cette « réponse ».

5. Identifiez le comparant et les deux comparés dans la métaphore des vers 19 et 20 du poème *Je t'aime*.

6. *Et un sourire* parle d'espoir.
   a) Quels parallélismes insistent sur la présence de l'espoir ?
   b) Relevez la personnification qui concrétise cet espoir.

Sujets de dissertation explicative

1. Comment les poèmes d'Éluard et de Char illustrent-ils les attitudes particulières de ces deux poètes devant ce que l'être humain est appelé à accomplir durant son existence ?

2. Comparez, sur les plans du fond et de la forme, la manière dont Éluard et Cendrars parlent de l'amour.

JE T'AIME

Je t'aime pour toutes les femmes que je n'ai pas connues
Je t'aime pour tous les temps où je n'ai pas vécu
Pour l'odeur du grand large et l'odeur du pain chaud
Pour la neige qui fond pour les premières fleurs
5 Pour les animaux purs que l'homme n'effraie pas
Je t'aime pour aimer
Je t'aime pour toutes les femmes que je n'aime pas

Qui me reflète sinon toi-même je me vois si peu
Sans toi je ne vois rien qu'une étendue déserte
10 Entre autrefois et aujourd'hui
Il y a eu toutes ces morts que j'ai franchies sur de la paille
Je n'ai pas pu percer le mur de mon miroir
Il m'a fallu apprendre mot par mot la vie
Comme on oublie

15 Je t'aime pour ta sagesse qui n'est pas la mienne
Pour la santé
Je t'aime contre tout ce qui n'est qu'illusion
Pour ce cœur immortel que je ne détiens pas
Tu crois être le doute et tu n'es que raison
20 Tu es le grand soleil qui me monte à la tête
Quand je suis sûr de moi.

Paul Éluard, « Je t'aime », *Le Phénix*, Paris, 1951, © Éditions Seghers.

ET UN SOURIRE

La nuit n'est jamais complète
Il y a toujours puisque je le dis
Puisque je l'affirme
Au bout du chagrin une fenêtre ouverte
5 Une fenêtre éclairée
Il y a toujours un rêve qui veille
Désir à combler faim à satisfaire
Un cœur généreux
Une main tendue une main ouverte
10 Des yeux attentifs
Une vie la vie à se partager

Paul Éluard, « Et un sourire », *Le Phénix*, Paris, 1951, © Éditions Seghers.

Louis Aragon (1897-1982)

« La femme est l'avenir de l'homme. »

Poète résistant tout comme Paul Éluard, Louis Aragon participe au mouvement surréaliste, puis l'abandonne et opte alors pour une écriture d'une facture beaucoup plus classique. Il célèbre dans la simplicité l'amour, la femme aimée, la nature, la patrie et la révolution. Militant de la cause communiste et grand patriote engagé, il est l'un des principaux organisateurs de la Résistance intellectuelle à l'Occupant. Son profond nationalisme lui confère d'ailleurs le statut de poète national.

Bon nombre de ses poèmes traduisent les émotions bouleversantes causées par la tragique expérience de la guerre. Nous présentons ici l'un des poèmes les plus célèbres de la Résistance, *La Rose et le réséda*, dans lequel le poète s'efforce de rassembler les Français amèrement divisés par l'Occupation. Mais Aragon s'emploie surtout à célébrer l'amour et à magnifier la femme, en particulier celle qui le rend heureux, Elsa Triolet, qu'il évoque dans la plupart des titres de ses recueils. Écrit sous l'Occupation, le poème *Il n'y a pas d'amour heureux* est dédié à Elsa, la « Diane française » qui est la principale inspiratrice du poème.

LA ROSE ET LE RÉSÉDA

Celui qui croyait au ciel
Celui qui n'y croyait pas
Tous deux adoraient la belle
Prisonnière des soldats
5 Lequel montait à l'échelle
Et lequel guettait en bas
Celui qui croyait au ciel
Celui qui n'y croyait pas
Qu'importe comment s'appelle
10 Cette clarté sur leur pas
Que l'un fût de la chapelle
Et l'autre s'y dérobât
Celui qui croyait au ciel
Celui qui n'y croyait pas
15 Tous les deux étaient fidèles
Des lèvres du cœur des bras
Et tous les deux disaient qu'elle
Vive et qui vivra verra
Celui qui croyait au ciel
20 Celui qui n'y croyait pas
Quand les blés sont sous la grêle
Fou qui fait le délicat
Fou qui songe à ses querelles
Au cœur du commun combat
25 Celui qui croyait au ciel
Celui qui n'y croyait pas
Du haut de la citadelle
La sentinelle tira
Par deux fois et l'un chancelle
30 L'autre tombe qui mourra
Celui qui croyait au ciel
Celui qui n'y croyait pas
Ils sont en prison Lequel
A le plus triste grabat

35 Lequel plus que l'autre gèle
Lequel préfère les rats
Celui qui croyait au ciel
Celui qui n'y croyait pas
Un rebelle est un rebelle
40 Nos sanglots font un seul glas
Et quand vient l'aube cruelle
Passent de vie à trépas
Celui qui croyait au ciel
Celui qui n'y croyait pas
45 Répétant le nom de celle
Qu'aucun des deux ne trompa
Et leur sang rouge ruisselle
Même couleur même éclat
Celui qui croyait au ciel
50 Celui qui n'y croyait pas
Il coule il coule et se mêle
À la terre qu'il aima
Pour qu'à la saison nouvelle
Mûrisse un raisin muscat
55 Celui qui croyait au ciel
Celui qui n'y croyait pas
L'un court et l'autre a des ailes
De Bretagne ou du Jura
Et framboise ou mirabelle
60 Le grillon rechantera
Dites flûte ou violoncelle
Le double amour qui brûla
L'alouette et l'hirondelle
La rose et le réséda.

Louis Aragon, « La Rose et le réséda »,
La Diane française, Paris, 1945,
© Éditions Gallimard.

☐ **VERS L'ANALYSE**

La Rose et le réséda

1. Divisez le poème en trois parties et résumez chacune en une phrase.

2. Aragon emploie divers procédés pour faire ressortir la solidarité des deux hommes. Relevez :
   a) les mots qui évoquent leur union ;
   b) deux anaphores ;
   c) deux parallélismes ;
   d) deux métaphores ainsi que les allitérations qu'elles contiennent ;
   e) une tautologie ;
   f) un redoublement.

3. Expliquez le sens de la métaphore « Tous les deux étaient fidèles / Des lèvres du cœur des bras » (vers 15 et 16).

4. Relevez les vers par lesquels le poète exalte l'attachement des héros à leur patrie et l'utilité de leur sacrifice.

5. Expliquez en quoi les énumérations qui commencent au vers 57 renvoient aux deux héros d'une manière métaphorique.

6. Expliquez l'allégorie développée dans ce poème.

IL N'Y A PAS D'AMOUR HEUREUX

Rien n'est jamais acquis à l'homme Ni sa force
Ni sa faiblesse ni son cœur Et quand il croit
Ouvrir ses bras son ombre est celle d'une croix
Et quand il croit serrer son bonheur il le broie
5   Sa vie est un étrange et douloureux divorce
   Il n'y a pas d'amour heureux

Sa vie Elle ressemble à ces soldats sans armes
Qu'on avait habillés pour un autre destin
À quoi peut leur servir de se lever matin
10 Eux qu'on retrouve au soir désœuvrés incertains
Dites ces mots Ma vie Et retenez vos larmes
   Il n'y a pas d'amour heureux

Mon bel amour mon cher amour ma déchirure
Je te porte dans moi comme un oiseau blessé
15 Et ceux-là sans savoir nous regardent passer
Répétant après moi les mots que j'ai tressés
Et qui pour tes grands yeux tout aussitôt moururent
   Il n'y a pas d'amour heureux

Le temps d'apprendre à vivre il est déjà trop tard
20 Que pleurent dans la nuit nos cœurs à l'unisson
Ce qu'il faut de malheur pour la moindre chanson
Ce qu'il faut de regrets pour payer un frisson
Ce qu'il faut de sanglots pour un air de guitare
   Il n'y a pas d'amour heureux

25 Il n'y a pas d'amour qui ne soit à douleur
Il n'y a pas d'amour dont on ne soit meurtri
Il n'y a pas d'amour dont on ne soit flétri
Et pas plus que de toi l'amour de la patrie
Il n'y a pas d'amour qui ne vive de pleurs
30   *Il n'y a pas d'amour heureux*
   Mais c'est notre amour à tous deux

Louis Aragon, «Il n'y a pas d'amour heureux»,
La Diane française, Paris, 1945, © Éditions Gallimard.

Jean Dubuffet, *Gymnosophie*, 1950.

☐ VERS L'ANALYSE

Il n'y a pas d'amour heureux

1. Décrivez la forme de ce poème.

2. Résumez le propos de chaque strophe
   en une phrase.

3. Le poème entremêle les thèmes de l'amour
   et de la souffrance. Dressez le champ lexical
   de la souffrance.

4. Relevez et expliquez les figures de style avec
   lesquelles le poète montre l'inclusion nécessaire
   de la douleur dans l'amour.

5. Que traduit la comparaison de la deuxième strophe?

6. En quoi le vers 19 constitue-t-il un paradoxe
   tragique?

7. Quel vers de la dernière strophe élargit la portée
   symbolique du poème?

8. Relisez le poème à la lumière de ce vers.
   Relevez-y les allusions à l'occupation allemande
   et expliquez-les.

Sujet de dissertation explicative

Comparez, sur les plans du fond et de la forme,
la manière dont Aragon entremêle, dans *La Rose
et le réséda* et dans *Il n'y a pas d'amour heureux*,
les thèmes de l'amour d'une femme et de l'amour
de la patrie.

LE TEMPS DES ENGAGEMENTS : LA QUÊTE D'UN NOUVEL HUMANISME **163**

La chanson littéraire

Une partie de la jeunesse intellectuelle est éprise du désir de vivre, mais refuse d'oublier les horreurs de 1939-1945. Elle s'enthousiasme pour la chanson, aussi bien la chanson engagée, qui enferme dans quelques couplets toute la douleur des années d'affliction, que la chanson littéraire, qui transpose des poèmes et les met en musique. Dans les nouveaux lieux de la culture que deviennent les caves du quartier de Saint-Germain-des-Prés, on parle d'engagement et de poésie comme s'il s'agissait d'une nouvelle morale. Plusieurs interprètes chantent les temps nouveaux, notamment Yves Montand, Juliette Gréco, Cora Vaucaire, Catherine Sauvage, Jacques Douai et Mouloudji.

À la même époque, une authentique chanson poétique émerge au Québec. Raymond Lévesque, qui vit quelques années en France, y fait connaître sa chanson *Quand les hommes vivront d'amour*, l'une des plus belles qui aient jamais été écrites en français. Félix Leclerc, quant à lui, est à la veille d'être acclamé dans les plus grandes salles de Paris. La chanson est le premier genre littéraire dans lequel les Français considèrent que leurs « cousins du Canada » sont leurs égaux. La force et l'originalité de la chanson québécoise ne se démentent pas par la suite.

En France, les auteurs-compositeurs Brassens et Ferré mettent à l'honneur les poètes Villon, Hugo, Baudelaire, Verlaine, Rimbaud et Apollinaire. Les textes de Prévert, Cocteau, Aragon, Brecht et Vian sont chantés par de nombreux interprètes. On trouve même des chansons écrites par Sartre, Desnos et Queneau[1]. La chanson établit son empire au sein même de la poésie et s'affirme peu à peu comme un élément vital de la littérature française, au point de devenir un genre à part entière. On peut en juger par cette chanson de **Léo Ferré** (1916-1993), *L'Homme*, qui vaut à son interprète, Catherine Sauvage, le Grand Prix du disque pour l'année 1954.

---

1. Queneau a écrit, entre autres, *Si tu t'imagines*, reprise dans *Anthologie littéraire, du Moyen Âge au XIXᵉ siècle*, 2ᵉ éd., page 84.

☐ VERS L'ANALYSE

L'Homme

1. Quel est le propos de cette chanson ?

2. Quels sont les différents aspects de la vie d'un homme qui y sont évoqués ?

3. a) Relevez, dans la chanson, une expression et des termes familiers et même populaires.
   b) En quoi ces termes et expressions servent-ils le propos du texte ?

4. Dans la première strophe :
   a) relevez deux métaphores, l'une qui dénonce l'obsession du gain financier, et l'autre, la consommation du drame humain ;
   b) relevez et expliquez un jeu de mots qui dénonce l'infidélité conjugale.

5. Expliquez l'ironie de la deuxième strophe.

6. a) Relevez les termes péjoratifs de la troisième strophe.
   b) Quel effet créent-ils ?
   c) Expliquez les métaphores dont ils font partie.

7. Plusieurs procédés contribuent à la dérision dans la quatrième strophe.
   a) Relevez un terme familier, une hyperbole et deux métaphores.
   b) Expliquez l'ironie du vers 35.

8. Expliquez le comique de l'euphémisme des derniers vers.

9. Quelle tonalité domine dans cette chanson ? Justifiez votre réponse.

Sujet de dissertation explicative

Montrez que, dans cette chanson, Ferré fait une critique sociale et trace un portrait peu flatteur de l'homme.

L'HOMME

Veste à carreaux ou bien smoking
Un portefeuille dans la tête
Chemise en soie pour les meetings
Déjà voûté par les courbettes
5 La pag'des sports pour les poumons
Les faits divers que l'on mâchonne
Le poker d'as pour l'émotion
Le jeu de dame avec la bonne
    C'est l'homme

[...]

10 Le héros qui part le matin
À l'autobus de l'aventure
Et qui revient après l'turbin
Avec de vagues courbatures
La triste cloche de l'ennui
15 Qui sonne comme un téléphone
Le chien qu'on prend comme un ami
Quand il ne reste plus personne
    C'est l'homme

Les tempes grises vers la fin
20 Les souvenirs qu'on raccommode
Avec de vieux bouts de satin
Et des photos sur la commode
Les mots d'amour rafistolés
La main chercheuse qui voyage
25 Pour descendre au prochain arrêt
Le jardinier d'la fleur de l'âge
    C'est l'homme

Le va-t-en guerre y faut y'aller
Qui bouff' de la géographie
30 Avec des cocard's en papier
Et des tonn's de mélancolie
Du goût pour la démocratie
Du sentiment à la pochette
Le complexe de panoplie
35 Que l'on guérit à la buvette
    C'est l'homme

L'Inconnu qui salue bien bas
Les lents et douloureux cortèges
Et qui ne se rappelle pas
40 Qu'il a soixante-quinze berges

L'individu morne et glacé
Qui gît bien loin des mandolines
Et qui se dépêche à bouffer
Les pissenlits par la racine
45   C'est l'homme.

Léo Ferré, *L'Homme*, Paris, 1954,
© Nouvelles Éditions Méridian.

Les plus belles lettres d'amour d'écrivains existentialistes

*L*es *Lettres à Milena* de Kafka, adressées à la première femme qu'il aima, sont sans doute les lettres les plus émouvantes de la littérature épistolaire du XXᵉ siècle. On y trouve un Kafka tout différent de celui de ses œuvres de fiction, qui se permet de fréquents élans poétiques comme dans cet extrait: «Écrire des lettres, c'est se mettre nu devant les fantômes; ils attendent ce moment avidement. Les baisers écrits ne parviennent pas à destination, les fantômes les boivent en route.»

Nous présentons ici des lettres du couple le plus célèbre de la littérature française existentialiste: Jean-Paul Sartre et Simone de Beauvoir. Malgré les aléas de la vie, ces deux écrivains ne peuvent jamais se passer l'un de l'autre, et leur amour résiste même à leur liberté mutuelle. Dans les *Lettres au Castor et à quelques autres*, parues en 1983, on peut lire la correspondance nourrie que Sartre adresse, entre 1926 et 1963, à celle qu'il appelle affectueusement le «Castor».

Mais, existentialisme oblige, la liberté personnelle ne peut se reconnaître de limites, même pas celle des échanges intimes dans les relations amoureuses. Sartre avoue des aventures sentimentales et même sexuelles, alors que Beauvoir, de 1947 à 1964, écrit 304 lettres à un «amour transatlantique», le romancier américain Nelson Algren. Les *Lettres à Nelson Algren* furent publiées en 1997.

Arshile Gorky, *Les Fiançailles II*, 1947.

DE JEAN-PAUL SARTRE À SIMONE DE BEAUVOIR

À Simone de Beauvoir

[5 mars 1940]

Mon charmant Castor

Deux lettres de vous aujourd'hui, dont une toute douce, celle de samedi
5 où vous m'expliquiez bien que vous ne me jugez pas un trop mauvais petit.
Mon amour, je suis si heureux que nous soyons tout unis et que vous sentiez
bien fort comme je tiens à vous. Vous avez bien raison, cette année est
«capitale» et il ne faudrait pas que nous ne l'ayons pas eue. Ça fait
«épreuve» et je pense qu'il est bon comme ça qu'il y ait au milieu d'une
10 vie qui est forcément engagée un peu à l'aveuglette et qui se construit sans
perspectives ou avec des perspectives fausses, un temps d'épreuve qui permette
de tout vérifier et remettre au point. Et c'est bien fort, mon cher amour, mon
petit, de penser que la seule chose qu'il n'y ait pas lieu de changer le moins
du monde, qui fait tout vrai et satisfaisant, c'est notre amour à tous deux.

15 J'ai été piqué ce matin pour la seconde fois mais il y a cinq heures de ça
et il n'y paraît pas du tout. Peut-être la tête un peu vague, si l'on veut bien
chercher. J'ai même mangé un sandwich au saucisson. [...]

Mon doux petit, j'ai formidablement envie de vous voir, je vous presserai
comme un citron. Je vous aime tant, doux petit Castor.

Jean-Paul Sartre, Lettres au Castor et à quelques autres, Paris, 1983, © Éditions Gallimard.

☐ **VERS L'ANALYSE**

*De Jean-Paul Sartre
à Simone de Beauvoir*

1. Relevez, dans le début de la lettre, les marques stylistiques de l'attachement réciproque de Sartre et de Simone de Beauvoir.

2. Dans la quatrième phrase graphique, Sartre présente la vie d'une façon particulière.
   a) Quelles notations indiquent que rien, dans la vie, n'est prédéterminé?
   b) En quoi ce que dit Sartre de l'«épreuve» est-il en accord avec sa philosophie de l'action?

3. En quoi l'affirmation de la fin du premier paragraphe indique-t-elle la force de l'amour de Sartre et de Simone de Beauvoir?

4. Quels mots et quelle figure de style témoignent, à la fin de l'extrait, de la tendresse de Sartre?

Sujet de dissertation explicative

Montrez que l'amour exprimé par Sartre de manière lyrique n'est pas en contradiction avec les principes de l'existentialisme sartrien.

De Simone de Beauvoir à Nelson Algren

1. Quel acte, relaté au début de l'extrait, témoigne de la force de l'amour que ressent Beauvoir pour Nelson Algren?

2. Deux phrases qui séparent la séduction d'autrui de la connaissance d'autrui montrent que Beauvoir n'a pas une vision idéaliste de l'amour. Quelles sont ces phrases?

3. Quelle antithèse met en évidence le sentiment d'émerveillement de l'auteure devant son impression de connaître l'autre profondément?

4. Vers la fin de l'extrait, Beauvoir affirme les bienfaits quelque peu «magiques» de l'amour.
   a) Relevez deux antithèses enchaînées qui expriment le réconfort qu'apporte l'amour.
   b) Quel rapport y a-t-il entre les deux antithèses?
   c) Relevez une hyperbole qui indique que l'amour rend immortel.

Sujet de dissertation explicative

Comparez les attitudes de Jean-Paul Sartre et de Simone de Beauvoir face à l'amour.

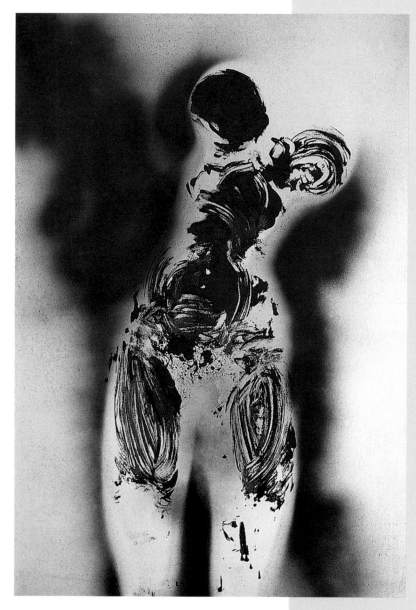

Yves Klein, *Ant. 7*, vers 1950.

DE SIMONE DE BEAUVOIR À NELSON ALGREN

[2 juillet 1947]

Nelson, mon amour. Quelle bonne lettre vous m'avez envoyée! à pleurer de tendresse comme j'avais fait sur la fleur blanche. Je vous aime, je suis heureuse. Heureuse que vous disiez que cet amour est *bon*, car j'en suis convaincue. D'abord votre lettre était longue; quand elles sont longues je
5 peux les relire une semaine entière avant de les savoir par cœur, moment où arrive la suivante. [...]

J'avais senti qu'à vos yeux, précisément, j'étais une femme, ça m'avait plu parce que vous me plaisiez. Mais qu'arriverait-il exactement? Serais-je
10 même aussi attirée par vous que la première fois? C'est pourquoi j'ai voulu prendre une chambre d'hôtel. Et puis au cours de la journée vous m'avez séduite, quand vous m'avez embrassée ça m'a plu, et j'ai été heureuse de dormir chez vous. Ce n'est que le jour suivant que j'ai véritablement fait connaissance avec vous; d'abord j'ai été sensible
15 à la façon dont vous m'aimiez, puis je vous ai aimé tout court. À présent j'ai l'impression que je vous connais depuis très longtemps, que nous avons été amis toute notre vie, quoique notre amour soit si neuf. Mon chéri, nuit et jour je me sens
20 enveloppée dans votre amour, il me protège de tout mal; quand il fait chaud il me rafraîchit, quand le vent froid souffle il me réchauffe; tant que vous m'aimerez je ne vieillirai jamais, je ne mourrai pas. Quand j'imagine vos bras autour
25 de moi, je sens dans l'estomac la secousse dont vous parlez, dont le corps entier reste endolori.

Votre Simone

Simone de Beauvoir, *Lettres à Nelson Algren*,
Paris, 1997, © Éditions Gallimard.

D'une société industrielle
à une société postindustrielle:

la liquidation des traditions

Littérature, arts et culture	Événements politiques et historiques	Sciences et techniques
1951 : Bresson, *Le Journal d'un curé de campagne*. Gracq, *Le Rivage des Syrtes*. Giono, *Le Hussard sur le toit*. Yourcenar, *Mémoires d'Hadrien*. Salinger, *L'Attrape-cœurs*. Moravia, *Le Conformiste*.	**1950-1953 :** Guerre de Corée.	
1952 : Braque peint le plafond du Louvre. Lessing, *Les Enfants de la violence*. Hemingway, *Le Vieil Homme et la mer*.		**1952 :** Découverte du sommeil paradoxal. Début de la télévision canadienne. Première opération transsexuelle : George devient Christine.
1953 : Beckett, *En attendant Godot*. Barthes, *Le Degré zéro de l'écriture*. Lancement du livre de poche en France.		**1953 :** Découverte de la double hélice de l'ADN. Conquête de l'Everest. Découverte : chez les souris, le tabac peut causer le cancer.
1954 : Sagan, *Bonjour tristesse*. Tolkien, *Le Seigneur des anneaux*. Beauvoir, *Les Mandarins*. Varèse, *Déserts*.	**1954-1962 :** Guerre d'Algérie.	**1954 :** Invention de la pilule contraceptive. Premier *TV Dinner*. Première découverte du dopage dans le Tour de France (cyclisme).
1955 : Robbe-Grillet, *Le Voyeur*. Nabokov, *Lolita*. Druon, *Les Rois maudits*.		**1956 :** Le langage informatique Fortran est breveté par IBM. Câble téléphonique transatlantique. Première description médicale du stress (Hans Selye).
1957 : Pasternak, *Le Docteur Jivago*. Kerouac, *Sur la route*. Butor, *La Modification*.		**1957 :** Premier satellite artificiel : *Spoutnik*.
1958 : Tomasi, *Le Guépard*. Duras, *Moderato Cantabile*. Ionesco, *Rhinocéros*.	**1958 :** Vᵉ République. **1958-1969 :** Charles de Gaulle est président.	**1958 :** Mise au point du laser, imaginé par Einstein. Premier stimulateur cardiaque (*pacemaker*). Le magnétoscope couleur est mis au point.
1959 : Godard, *À bout de souffle*. Grass, *Le Tambour*. Burroughs, *Le Festin nu*. Queneau, *Zazie dans le métro*. Sarraute, *Le Planétarium*.		
1960 : Simon, *La Route des Flandres*.		**1960 :** Premier satellite météo.
1961 : Kawabata, *Les Belles endormies*.	**1961 :** Construction du mur de Berlin.	**1961 :** Premier homme dans l'espace : le Soviétique Youri Gagarine.
1962 : Burgess, *L'Orange mécanique*. Albee, *Qui a peur de Virginia Woolf?*.		**1962 :** Mariner 2 : première mission interplanétaire réussie. Marshall McLuhan lance le concept de village planétaire : *La Galaxie Gutenberg*.
1963 : Aragon, *Le Fou d'Elsa*. Le Clézio, *Le Procès-verbal*.	**1963 :** Crise de Cuba. Assassinat de J. F. Kennedy.	
1964 : Chagall peint le plafond de l'Opéra de Paris. Sartre, *Les Mots*.	**1964-1973 :** Guerre du Vietnam.	**1964 :** La chimiothérapie se révèle efficace contre les tumeurs.
1965 : Godard, *Pierrot le fou*. Blais, *Une saison dans la vie d'Emmanuel*. Obaldia, *Du vent dans les branches de sassafras*.		**1965 :** On découvre que l'univers est né il y a 15 milliards d'années.
1966 : Capote, *De sang-froid*. Ducharme, *L'Avalée des avalés*.		
1967 : García Márquez, *Cent ans de solitude*. Boulgakov, *Le Maître et Marguerite*. Kundera, *La Plaisanterie*. Tournier, *Vendredi ou les Limbes du Pacifique*. Jaccottet, *Poésies*.		**1967 :** Première greffe du cœur.
1968 : Soljenitsyne, *Le Pavillon des cancéreux*. Cohen, *Belle du Seigneur*. Yourcenar, *L'Œuvre au noir*.	**1968 :** Mai 68 en France. Invasion de la Tchécoslovaquie par l'URSS. Assassinat de Martin Luther King.	
1969 : Fowles, *Sarah et le lieutenant français*. Roth, *Portnoy et son complexe*.	**1969 :** L'homme marche sur la Lune.	**1969 :** Le ministère américain de la Défense met sur pied ce qui deviendra Internet.

D'une société industrielle à une société postindustrielle : la liquidation des traditions

« Une carte du monde qui n'inclurait pas l'utopie n'est pas digne d'un regard, car elle écarte le seul pays auquel l'Humanité sans cesse aborde. »

Oscar Wilde

La mutation sociale et la cassure idéologique

Les décennies qui suivent immédiatement la Seconde Guerre mondiale constituent une période de grands bouleversements. Ravagée par la guerre, l'Europe des années 1950 est en pleine reconstruction : de nouveaux paysages urbains prennent forme, mais surtout les valeurs du capitalisme américain – efficacité, productivité et concurrence, libre entreprise et compétence technique – deviennent les nouvelles balises de tout l'Occident. La longue période de rationnement et de privations de la guerre fait place à l'opulence : dorénavant, chaque citoyen consommateur, dont le pouvoir d'achat double entre 1950 et 1968, possède une pléthore de biens. Les femmes travaillent de plus en plus à l'extérieur du foyer et obtiennent ainsi un revenu d'appoint. Le développement des textiles synthétiques et l'apparition du prêt-à-porter transforment la mode. Le début de l'ère du plastique et l'entrée des robots culinaires dans les foyers métamorphosent l'univers domestique. L'invention de la pilule contraceptive, en 1954, modifie les rapports entre les hommes et les femmes. La production massive d'automobiles et l'arrivée des premiers Boeing annoncent le début d'une ère de grande mobilité.

Une société de consommation

Ce type de société de consommation est déjà solidement implanté aux États-Unis, la plus grande puissance économique et militaire de la planète. Au début du siècle, les pays européens exerçaient leur suprématie industrielle sur le globe. Mais c'est maintenant au tour des États-Unis d'étendre leur hégémonie grâce à leurs progrès techniques ininterrompus et à une seconde industrialisation, celle des biens de consommation tant culturels que matériels : les uns comme les autres sont désormais produits selon les normes industrielles et les techniques de diffusion massive. On assiste alors à l'émergence d'une véritable industrie culturelle : la presse, la radio, la télévision, les télécommunications, la chanson, les spectacles, les best-sellers, les sports, promus par une habile publicité, deviennent des biens de consommation usuelle. Cette transformation affecte la vie quotidienne même : le temps de repos d'hier devient un temps de consommation.

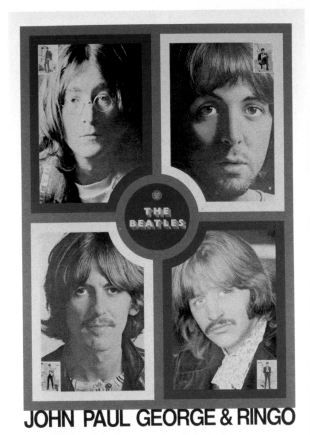

Peter Blake, couverture de l'album *The Alphabet : T for The Beatles*, 1991.

On assiste à l'émergence d'une véritable industrie culturelle.

Dans cette société, le divertissement occupe une place prépondérante. La civilisation du loisir se plaît à mettre en évidence tout ce qui revêt un caractère sensationnel, à consommer les faits divers ainsi que les révélations sur la vie privée des célébrités et des vedettes, qui sont haussées au rang de nouvelles divinités. On passe dorénavant des heures, passivement, devant

Photographie de Marilyn Monroe, 1958.

Les célébrités et les vedettes sont haussées au rang de nouvelles divinités.

des jeux télévisés ou des spectacles sportifs. La démocratie, elle aussi, se plie à la nouvelle donne : il arrive même que le sort des batailles électorales se joue au cours d'un spectacle télévisé. La place qu'occupe l'humour est plus importante, aussi bien dans les journaux qu'à la télévision et au cinéma. On consomme de plus en plus de bandes dessinées et de dessins animés. La publicité[1] donne une grande impulsion à cette consommation frénétique. En plus de faire naître de prétendus besoins, elle prend bien soin d'enrober tous ses produits d'une atmosphère de *sex-appeal* pour mieux stimuler le désir. Et ce matérialisme à la sauce érotique promet un bonheur immédiat. Tel est bien le mot-clé de cette nouvelle culture : le bonheur. La société de consommation propose deux façons essentielles de l'atteindre : l'amour et la possession de biens. L'amour devient un thème obsessionnel : il est chanté, photographié, filmé, interviewé, étalé dans les courriers du cœur, constamment incorporé à la publicité sous forme subliminale… Toujours, il est présenté sous les traits de la jeunesse éternelle et de la beauté plastique ; il paraît naturel, semble aller de soi, comme s'il était le fondement de toute vie épanouie[2]. Et pourtant, si l'on insiste tellement sur son caractère d'absolue nécessité, c'est sans doute qu'il se dérobe…

Pendant que le monde industriel et technique connaît un développement spectaculaire, les mentalités évoluent peu et demeurent enracinées dans un système de valeurs dépassées. Et les bouleversements sociaux qui pourraient amener, idéalement, un nouvel espace propice à l'épanouissement de l'esprit poussent plutôt les individus à fuir hors d'eux-mêmes. Devenu simple spectateur, l'être humain vit de plus en plus par procuration, à travers la vie de ses héros, comme s'il acceptait que sa propre existence soit diluée. Dans cette jouissance individuelle et immédiate qui est proposée à l'homme, c'est l'avoir qui a priorité, et les besoins affectifs sont négligés. Chacun est incité à vivre en périphérie de soi, loin du noyau de son être, à refouler son propre fond tragique, cette zone d'ombre qui constitue pourtant une partie intrinsèque de l'existence humaine. On ne peut s'étonner de voir ressurgir la violence dans la société et s'accroître la consommation d'euphorisants – alcool, médicaments et drogues. Cette époque connaît donc une rupture radicale avec la conception de l'existence humaine qui avait cours auparavant et selon laquelle l'humain devait consacrer son existence à préserver les valeurs du passé et à investir dans l'avenir. De plus, à cette époque, les États-Unis deviennent la référence du monde occidental. La culture de masse et les valeurs américaines ont fortement tendance à entrer en concurrence avec les cultures nationales au point de commencer à les désagréger. À l'aliénation individuelle s'ajoute donc l'aliénation collective, comme si le phénomène de la mondialisation assurait ses bases en amenuisant les différences culturelles nationales.

---

1. La publicité n'hésite pas à représenter l'antique lutte du bien et du mal. Par exemple, dans une simple publicité pour de la lessive, le combat héroïque entre les forces du mal et du bien est incarnée par la lutte d'agents qui « lavent plus blanc que blanc » contre la saleté.

2. Dans le roman *Madame Bovary*, l'héroïne s'ennuie, rêve à l'amour et ne peut se satisfaire de sa vie monotone de province. Cherchant un succédané à sa vie terne, elle trouve une issue dans le romanesque : une parodie d'amour si amèrement vécue qu'elle se résout dans la mort. Ce *bovarysme* (voir le chapitre 1), qui pousse ses victimes à identifier le romanesque au réel, est la base même de la nouvelle culture de masse et de la civilisation du loisir, où l'on est encouragé à nourrir de prétendus intérêts et à croire qu'ils correspondent à quelque chose d'essentiel. À l'instar d'Emma Bovary, quantité de gens s'identifient à leurs héros au point d'en oublier leur vie réelle, comme dans le phénomène du vedettariat.

Le développement d'une culture adolescente

« Le drame de la jeunesse américaine, c'est qu'elle a tout sauf quelque chose, et ce quelque chose, c'est l'essentiel. »

Robert Kennedy

Au lendemain de la Seconde Guerre mondiale, la jeunesse américaine veut se démarquer du monde gris et uniforme des adultes. C'est alors qu'apparaît le phénomène social des *teenagers*, ces adolescents qui forment une véritable société nouvelle, caractérisée par son refus de ressembler à celle des adultes. Les jeunes Américains trouvent leurs héros dans le cinéma, en particulier dans le James Dean de *La Fureur de vivre* (1955), qui incarne le romantisme de cette génération mal dans sa peau. Ils se reconnaissent dans ce personnage qui a vécu intensément et est mort jeune et beau dans une voiture roulant à 240 kilomètres à l'heure. Les *teenagers* américains – dont la culture est bientôt transposée en Europe – se laissent aussi séduire par la fougue de Marlon Brando dans *L'Équipée sauvage* (1954). Ils adoptent même les vêtements de leurs héros : le blue-jean, le blouson de cuir et le t-shirt, cette pièce indispensable de l'habillement qui n'était au départ porté que comme sous-vêtement, mais qu'on exhibe maintenant dans la rue en toute liberté. À cette époque, l'industrie de la mode commence à suivre de près celle du cinéma et du disque, car les adolescents veulent porter des vêtements semblables à ceux de leurs idoles. Les jeunes entendent aussi affirmer leur identité et afficher leur différence par l'écoute de musiques plus rythmées, celle d'Elvis Presley, puis celle des Beatles, des Rolling Stones, de Bob Dylan et de Jim Morrison. C'est le début de la longue épopée du rock, qui accentue le clivage entre les adolescents et leurs parents. Perçu comme un complice par les jeunes, le rock devient plus tard le *grunge*[1], quand la crise économique se pointe, que l'argent se fait rare et que les jeunes cultivent le « non-look » des fripes. Une sensibilité adolescente s'infiltre ainsi dans la culture de masse, qui en vient à ne promouvoir que des valeurs juvéniles[2].

Roy Lichtenstein, *Anxious Girl*, 1964.

La jeunesse américaine veut se démarquer du monde gris et uniforme des adultes.

L'ère de la contestation

Le progrès économique ne fait pas le bonheur de tous et soulève bientôt un nouveau malaise : des adolescents issus du baby-boom de l'après-guerre refusent de pactiser avec la société de consommation. Ils critiquent la manipulation des besoins par les industries culturelles et remettent en cause le credo national américain qui établit un lien entre richesse et bonheur. Ils dénoncent cette civilisation de l'inutile, des gadgets et du gaspillage, qui rend les gens esclaves de futilités. Selon eux, leurs aînés n'ont su mettre à portée de main que le confort matériel, n'ont fait que consommer des biens sans se soucier de leur âme qu'ils ont laissée se perdre dans leur quête de la richesse. Les jeunes entendent donc échapper au matérialisme quotidien qui anime leurs parents : travail routinier, compte en banque, couple paralysé par l'obligation de durer, rêve d'une maison en banlieue et concession à perpétuité dans un cimetière. Ces contestataires ne veulent pas passer leur vie à courir après des dollars, mais souhaitent plutôt prendre le temps de vivre et d'aimer, de regarder les autres avec des yeux neufs, en dehors des structures hiérarchiques. Conscients que l'hypothèse d'une

---

1. Le *grunge*, au départ un courant musical, devient vers 1992 une mode vestimentaire : aspect négligé, superposition de vêtements amples, etc.
2. Ces changements expliquent d'ailleurs l'apparition, en 1953, d'un mot nouveau : anticonformisme.

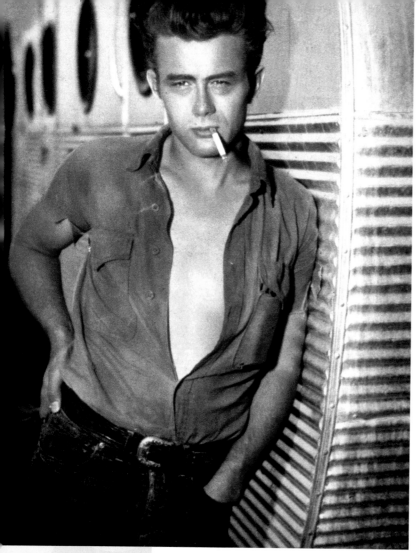

Photographie de James Dean tirée du film *Géant* de George Stevens, 1956.

Les jeunes américains trouvent leurs héros dans le cinéma.

destruction totale de la planète est maintenant plausible, ils militent pour l'amour et la paix. En un mot, ils tentent de faire sortir leur esprit de l'abîme de matérialisme dans lequel leurs parents se sont enfoncés.

Des beatniks aux hippies

Les jeunes adoptent comme maîtres à penser les écrivains contestataires de la *beat generation*, regroupés en Californie, dans les années 1950, autour de quelques chefs de file comme Jack Kerouac. Celui-ci, auteur de *Sur la route* (1957), raconte dans ses œuvres sa vie de liberté et d'errance tant dans les grands espaces américains qu'à l'intérieur de lui-même. Ceux qu'on appelle les beatniks s'élèvent contre le conformisme de l'Amérique opulente, cette société aseptisée, cette «civilisation des détergents». Ils refusent une civilisation de type orwellien[1], refusent l'asservissement à une morale de faux-semblants et rejettent tout ce qui entrave l'imagination. Les beatniks engendrent bientôt le mouvement hippie. Pour les tenants de ce mouvement culturel américain, l'épanouissement de l'individu se fait à travers l'expérience collective et devient la quête ultime. Ces jeunes s'opposent avec encore plus de vigueur que leurs prédécesseurs à la société qu'ils jugent trop rigide et trop matérialiste. Les hippies expriment leur contestation jusque dans leur apparence physique : jupes indiennes et chemises à fleurs, barbe et cheveux longs[2]. Ces jeunes qui ne peuvent se découvrir une âme qu'en vivant en marge des conformistes pratiquent l'art psychédélique et aiment leur corps au point de se promener nus dans de grands rassemblements comme celui de Woodstock. Ils prônent l'amour libre

Photographie de Jack Kerouac, 1958.

Jack Kerouac raconte dans ses œuvres sa vie de liberté et d'errance tant dans les grands espaces américains qu'à l'intérieur de lui-même.

et l'usage de drogues, sont allergiques à toute censure et à tout tabou, et, en pleine guerre du Vietnam, répandent des slogans pacifistes comme «Faites l'amour, pas la guerre». Eux pour qui l'Univers est avant tout un monde «uni vert» entrent en dissidence et refusent l'ordre des choses qui leur semble monstrueux. La contre-culture est née, et elle entend changer le monde, à commencer par chaque individu.

---

1. George Orwell est l'auteur du roman *1984*, dans lequel il dénonce la déshumanisation et le totalitarisme liés au contrôle technique des individus.
2. Parce qu'il a les cheveux longs, le savant Albert Einstein devient une de leurs idoles.

Mai 1968

« Un refus éperdu des règles, des institutions, des codes. »

Roland Barthes

Quelques slogans de mai 1968

« Il est interdit d'interdire. »

« Le pouvoir est à l'imagination. »

« Ne me libère pas, je m'en charge. »

« Vivre sans temps morts, jouir sans entraves. »

« Plus je fais l'amour, plus je fais la révolution. »

« Cours camarade, le vieux monde est derrière toi. »

« Ne faites jamais confiance à quelqu'un de plus de trente ans. »

L'année 1968 marque la prise de conscience de cette rupture idéologique. C'est l'année de toutes les révoltes, depuis celle des campus de Californie, où l'on remet en cause la guerre du Vietnam (1964-1973), l'une des causes directes de cette agitation[1], jusqu'à celle de Nanterre, en France, où les étudiants, las des scléroses universitaires et dégoûtés de l'attitude égoïste des nouveaux riches, se mobilisent pour faire la « révolution culturelle ». Car la fronde de la jeunesse américaine a son pendant français : en mai 1968, une grève générale éclate sur les pavés du Quartier latin et s'étend rapidement à tout le pays. Les étudiants s'opposent à la réforme proposée par l'autorité gouvernementale qui a pour but de « technocratiser » l'enseignement. Le refus est très énergique et l'anarchie triomphe momentanément : pendant un mois, le pouvoir est dans la rue[2], derrière les barricades érigées en plein Quartier latin. Les jeunes dénoncent en particulier les vieilles structures sociales et morales, et revendiquent leur place dans la nouvelle société. Ils se veulent les porteurs d'un nouvel idéalisme dont on trouve la trace jusque dans leurs slogans d'inspiration anarchique et surréaliste : « Soyez réalistes, demandez l'impossible. » Par cette révolte libertaire, les jeunes proclament qu'il faut dorénavant compter avec eux, et témoignent d'un malaise social certain.

Au Québec

Le Québec connaît également sa poussée de contestation : grèves d'étudiants et grèves des travailleurs manifestent la volonté de renouveau et de liberté. Les jeunes contestent en particulier l'autorité politique[3], qu'ils battent en brèche. En effet, des manifestations hostiles accueillent la reine d'Angleterre lors de sa visite en 1964 – événement auquel on a donné le nom de « samedi de la matraque » – ; les défilés de la Saint-Jean-Baptiste des années 1968 et 1969 se terminent par des émeutes ; de 1963 à 1970, un petit groupe d'utopistes radicaux, les membres du Front de libération du Québec, ont recours à la violence pour faire advenir plus rapidement la victoire indépendantiste. Durant cette époque nommée la « Révolution tranquille », les consciences s'affranchissent définitivement de la tutelle de l'Église et s'émancipent sur le plan moral. Le Québec connaît alors une vague de désacralisation et de sécularisation des institutions et de la vie sociale. Les jeunes se permettent de transgresser allégrement tous les tabous.

Une crise de civilisation

Cette émergence des valeurs associées aux jeunes déclenche une véritable crise de civilisation. Elle entraîne une succession d'innovations et de ruptures dans le tissu social, qui remettent en question les fondements mêmes de la société : la famille traditionnelle explose, tandis que les vieux dogmes religieux et politiques s'effritent. Une « ère du soupçon » (selon le titre d'un essai de Nathalie Sarraute) semble peser sur le présent, comme si l'on assistait à la « chute » (selon le titre d'un récit de Camus) d'une civilisation. Ce phénomène se manifeste surtout par la cassure qu'il provoque entre les générations. L'époque où une génération transmettait son savoir et ses valeurs à la suivante paraît révolue. La relation entre les parents et les enfants ainsi que les modèles de conduite

---

1. Les Américains voient en direct à la télévision la mort de leurs soldats, dans la boue et le sang.
2. Plus de sept millions de travailleurs se joignent aux étudiants, mais aussi leurs professeurs, des artistes et des gens de théâtre. Jean-Paul Sartre vient personnellement leur donner son soutien.
3. Même le général Charles de Gaulle, président de la France, encourage les contestataires en lançant son « Vive le Québec libre » du haut du balcon de l'hôtel de ville de Montréal, le 24 juin 1967.

en sont radicalement transformés. Les formes classiques de l'autorité, paternelle ou autre, perdent leur légitimité, alors que la jeunesse, pour sa part, est promue au rang de groupe social incontournable. Entraînés par ce courant, les parents eux-mêmes en viennent à refuser de vieillir et recourent à l'arsenal de l'industrie du rajeunissement, pendant que de nombreux jeunes étirent leur adolescence jusqu'à la trentaine. Par ailleurs, ce basculement des valeurs favorise un vaste mouvement de lutte contre toutes les formes de discrimination : les droits des minorités ethniques et sexuelles sont reconnus, et les femmes réussissent à s'émanciper. Cette effervescence sociale et culturelle ne s'apaise que lorsque surgit la crise du capitalisme en 1973-1974, indice avant-coureur d'une crise qui touche bientôt toute la planète[1].

Une effervescence planétaire

É tonnamment, une cristallisation de la lutte entre les valeurs des conservateurs et celles des contestataires se produit à peu près partout dans le monde durant cette brève période, comme s'il s'agissait d'une mutation planétaire. Mao Zedong assure la victoire du communisme en Chine (1949) et prépare une révolution culturelle pendant que, en URSS, une littérature du goulag (avec, entre autres, Pasternak et Soljenitsyne) dénonce le régime stalinien et annonce un tournant capital pour ce pays. Le Vietnam ternit l'honneur de la France et bientôt celui des États-Unis. Des dictatures militaires prennent le pouvoir en Amérique latine alors qu'à Cuba, Castro implante le marxisme-léninisme, ce qui met à l'avant-plan des individus comme Che Guevara (1928-1967). Celui-ci devient un nouveau type de héros, à la fois romantique et révolutionnaire, un symbole de l'homme qui assume son besoin d'agir contre l'injustice. Aux États-Unis, en 1963, John Fitzgerald Kennedy, un président qui incarne le renouveau et la jeunesse, est assassiné en pleine rue. Le pasteur noir américain Martin Luther King, qui lutte en faveur des droits civils, est lui aussi tué, en 1968. Même l'Église catholique connaît sa « révolution » : le pape Jean XXIII, un progressiste ouvert sur son temps, convoque le IIᵉ concile du Vatican (1962-1965) pour inscrire l'Église

Joe Tilson, *Lettre de Che*, 1969.

Che Guevara devient un nouveau type de héros, un symbole de l'homme qui assume son besoin d'agir contre l'injustice.

dans le monde moderne. Après les troubles révolutionnaires en Pologne et en Hongrie, la Tchécoslovaquie tente à son tour de se libérer du régime soviétique, durant ce qu'on appelle le Printemps de Prague, en 1968. De leur côté, les États-Unis agrandissent leurs frontières de façon spectaculaire en 1969, lorsque des Américains marchent sur la Lune. L'un des astronautes qui ont participé à cette mission, Neil Armstrong, résume ainsi l'exploit : « Un petit pas pour l'homme, mais un grand pas pour l'humanité. » L'observation de notre planète à partir de la Lune permet de confirmer, pour la première fois, l'assertion du poète Éluard : « La terre est bleue comme une orange. »

Neil Armstrong résume ainsi l'exploit du premier pas de l'homme sur la Lune : « Un petit pas pour l'homme, mais un grand pas pour l'humanité. »

1. Il est question de cette crise dans le prochain chapitre.

L'éclatement des conventions artistiques

« Il n'est pas certain que l'art puisse être encore possible. »

Theodor W. Adorno

Tom Wesselmann, *Baignoire n° 3*, 1963.

Comme les valeurs sociales sont remises en cause, les artistes modifient la conception même de leurs œuvres et se donnent une liberté d'action jamais atteinte précédemment.

L es arts, principaux révélateurs de la sensibilité d'une société, font évidemment écho aux transformations fondamentales qui marquent l'époque, et ils traduisent cette hostilité croissante à l'égard des structures traditionnelles. Comme les valeurs sociales sont remises en cause, les artistes modifient la conception même de leurs œuvres et se donnent une liberté d'action jamais atteinte précédemment. Ils veulent aller au-delà du monde des apparences, se rendre à l'essence des choses. Alors que l'abîme moral et philosophique ne cesse de se creuser à la suite de la Shoah et du souvenir culpabilisant d'Hiroshima, les créateurs prennent conscience que l'esthétique selon laquelle le public doit trouver du plaisir dans son rapport à l'art est maintenant dépassée. Aussi demandent-ils dorénavant à l'art de soulever des questions, de déranger, d'interroger celui qui le regarde. Dans cet art d'avant-garde, le spectateur est appelé à adopter une attitude active : « C'est le regardeur qui fait le tableau », va jusqu'à affirmer Marcel Duchamp. L'œuvre nouvelle, dont la signification se forme dans l'imagination du public, comporte donc deux éléments essentiels qui dialoguent entre eux : les réflexions et le travail du créateur, d'une part, et de l'autre, les interrogations du public, qui a perdu toutes ses belles certitudes, qui sait que sa réponse aux interrogations esthétiques ne peut plus tenir dans un « oui ou non », un « j'aime ou je n'aime pas ».

L'*Action Painting*

A ux États-Unis, l'influence du procédé automatiste des surréalistes – l'association libre des idées sans préoccupation du résultat final – amène les artistes de l'*Action Painting* (peinture gestuelle) à pratiquer un art où le geste physique du peintre est libéré et en vient à compter plus que le résultat. L'artiste se répand gestuellement sur une toile de dimension monumentale étendue sur le sol. Il se mesure à lui-même comme s'il était dans une arène. Dans une sorte de vertige frénétique, il s'abandonne à des gestes impulsifs pour inscrire sur la toile l'intensité de ce qu'il éprouve. Il construit ainsi un champ de forces qui matérialise en quelque sorte ses énergies et ses émotions. Comme les gestes sont aussi importants que le tableau, l'œuvre n'est vraiment conçue qu'au moment même de sa création, quand l'artiste s'abandonne, avec l'énergie de tout son corps, à ses impulsions pour produire un champ de couleur. C'est Jackson Pollock qui est le principal instigateur de ce courant.

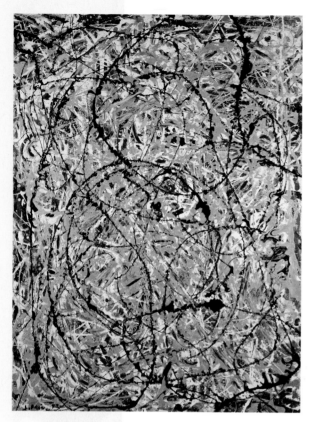

Jackson Pollock, *Les Sentiers ondulés*, 1947.

Jackson Pollock est le principal instigateur de l'*Action Painting*.

Les abstractions informelles de ce groupe sacralisent l'expression de l'artiste concentré sur lui-même. Elles sont aussi à l'origine de deux innovations techniques, le *dripping* et le *all-over*. Ces techniques reposent sur le principe que l'espace pictural n'est plus un espace de représentation mais de projection, et que le corps du peintre doit y être présent tout entier. Quant au grand format de la toile, il indique une volonté de conquête de l'espace réel. Le *dripping*, ou égouttage, inaugure une nouvelle conception de l'acte de peindre : déambulant par avancées ou récessions sur sa toile posée par terre, l'artiste y projette sa peinture (une peinture industrielle, en raison de sa fluidité) en agitant un bâton trempé dans la peinture ou en secouant énergiquement une boîte de conserve percée de trous. Cette boîte aurait été, au siècle précédent, une métaphore de la fécondation de la terre par le semeur, mais à l'époque trouble de l'après-guerre, elle symbolise plutôt l'infertilité qui règne : l'homme n'arrive plus à maîtriser son destin et ne dispose donc plus que de gestes aléatoires pour inscrire sur la toile une accumulation foisonnante et désordonnée de taches monochromes ou colorées, qui dévoilent le désordre de ses tensions intérieures. Quant à la technique de composition *all-over*, elle rompt avec la tradition du primat du centre par rapport aux bords : le lacis d'arabesques prolifère sur la toile jusqu'à envahir et saturer toutes les parties de sa surface en leur accordant une importance égale, sans point de fixation déterminé pour le regard, et se répand même hors du support. À l'image d'une réalité devenue débordante et insaisissable, le tableau ne présente plus ni haut ni bas, ni bord ni centre. Comme il permet à l'artiste d'investir la toile de tout son corps, l'*Action Painting* ouvre la porte à de nouvelles audaces, comme le happening et la performance.

Les *Colorfield Painters*

À la fin des années 1950, un groupe de peintres, influencés par le regain de la spiritualité orientale sur la Côte Ouest américaine, font subir une mutation à l'expressionnisme abstrait. Ils conservent la technique *all-over* de l'*Action Painting*, mais, plus portés sur la méditation que sur l'action, ils tempèrent sa violence passionnée en épurant les formes et en accordant la prédominance à de vastes champs de couleur. Sur des tableaux dont la vastitude est à la mesure de l'espace américain, les peintres juxtaposent de larges bandes rectangulaires aux limites imprécises, dont le pourtour tend à se dissoudre sur le fond. Ce style abstrait extrêmement simplifié et dépouillé est servi par une peinture très fluide et par un nombre restreint de couleurs étalées de manière relativement uniforme et impersonnelle. Il vise à inventer de nouveaux espaces, loin de l'agitation du monde moderne : les espaces de l'intériorité, du domaine spirituel, des émotions fondamentales et universelles de la condition humaine. Le spectateur est invité à se laisser envelopper par cette peinture et à se nourrir de l'énergie presque musicale qui émane de cette mystérieuse luminosité. C'est le nom de Mark Rothko qui est le plus fréquemment associé au mouvement des *Colorfield Painters*.

L'art informel

En France, à l'époque de l'*Action Painting* et des *Colorfied Painters*, les artistes adoptent l'art informel, mouvement qui regroupe une multitude d'approches si semblables qu'il est pratiquement impossible de les dissocier, d'autant plus que de très nombreux artistes circulent d'un groupe à l'autre. C'est ainsi qu'on associe plusieurs mouvements comme l'abstraction lyrique, le tachisme, le matiérisme, la peinture gestuelle, l'art calligraphique et la Nouvelle École de Paris, pour n'en nommer que quelques-uns, au mouvement général de l'art informel français. Tous ces artistes remettent en cause l'emprise du conscient sur l'activité créatrice. Ils privilégient la spontanéité expressive, même si, à la différence des Américains, leurs gestes n'engagent pas nécessairement tout le corps. Leur esthétique abstraite et informelle privilégie la méditation poétique et l'exploration mentale, et insiste nettement sur l'évocation d'un monde en ruine.

Dans l'art informel, l'artiste n'a de cesse d'interroger la substance même dont il use, de tirer ses effets des ressources du matériau pictural. Par ce rapport particulier qu'il établit avec son art, le peintre semble indiquer que, devant l'absence des grandes finalités, seuls les moyens pour y accéder subsistent, que le combat contre la matière a remplacé la lutte pour les grandes causes et que l'expérimentation existentielle tient dorénavant lieu d'engagement. L'art informel assimile support et contenu pictural. La peinture est posée au pinceau, à la spatule, au couteau ou appliquée directement du tube. Elle s'agglutine et coule, fait des taches, s'épaissit, se fait pâteuse et informe, pour créer des effets de relief hétérogènes, pour laisser surgir une forme de la matière afin de donner vie à la couleur. Chez Jean Fautrier, par exemple, la matière émerge de la toile comme des plaies. Bientôt des matériaux étrangers viennent se mêler à la peinture à l'huile. Antoni Tàpies recourt à des matériaux tantôt organiques (liège et marbre pulvérisé), tantôt artificiels (latex et goudron). Jean Dubuffet intègre à ses peintures une quantité d'objets, par exemple des morceaux de mur, du sable ou des ailes de papillons. D'autres, comme Alberto Burri, incorporent des chiffons, du bois brûlé ou du plastique. Ces artistes «matiéristes» reprennent ainsi à leur façon l'intégration des objets à la toile que les artistes cubistes avaient pratiquée.

Le retour au primitif: l'art brut

Certains artistes pratiquent un art de tendance informelle, mais intègrent à leur démarche la rupture instaurée par Dada: ils répudient la culture occidentale, renoncent à toute exigence d'ordre et d'équilibre, abandonnent tout ce qui provient d'une élaboration de l'esprit. Comme Dada, ils tendent vers un retour au «degré zéro» de l'art, ils apprennent à désapprendre ou à mal dessiner, afin de renouer aussi bien avec l'expression spontanée et ludique des enfants qu'avec celle de l'art anarchique d'avant la civilisation. C'est le cas des artistes de l'art brut.

Mouvement «contre la culture» créé par Jean Dubuffet dans les années 1940, bien avant la contre-culture des années 1960, l'art brut dénonce l'art culturel, professionnel et intellectuel. Il s'inscrit dans le processus, initié à l'époque des cubistes, de valorisation des cultures archaïques et de l'art primitif. Réfractaires à tout esprit d'école et de groupe, les artistes de ce mouvement valorisent un art instinctif, dénoncent les poncifs de la culture élitiste bourgeoise, pour qui les œuvres d'art doivent être classifiées et hiérarchisées, et rejettent les moyens hérités de la tradition. Cette démarche est fortement apparentée à l'art informel, notamment par leur fascination commune pour les matériaux bruts. Mais dans l'art brut, les artistes passent de l'informel au difforme, de la quasi-abstraction à la déliquescence de l'image: les personnages sont sommairement tracés, déformés, caricaturaux et ressemblent à des graffitis. L'art brut regroupe des œuvres d'enfants, de schizophrènes et d'artistes qui refusent d'élever la créativité en style, qui élaborent des œuvres sans prétention culturelle ou intellectuelle, des œuvres soumises au seul jaillissement créatif de l'inconscient. Cette esthétique de l'inculture se situe hors des repères habituels et fait de l'art en le niant. Elle est plus tard à l'origine d'un vaste mouvement qui utilise l'art comme moyen thérapeutique.

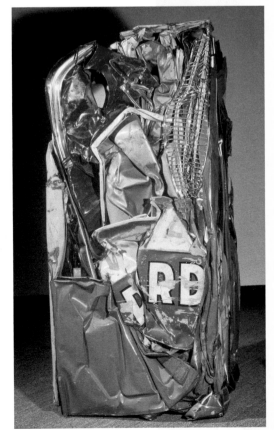

César, *Compression Ricard*, 1962.

Dans l'art brut, les artistes passent de l'informel au difforme.

Une littérature qui se remet en question

*L*es romanciers, les dramaturges et les poètes explorent, à l'aide de techniques littéraires nouvelles, un territoire peu abordé jusque-là : l'effritement de l'homme confronté à lui-même. Ces écrivains s'inscrivent dans la foulée de l'existentialisme – Camus a montré, avant eux, que toute cité, comme toute civilisation, peut mourir de la «peste»[1]. Un Nouveau roman et un nouveau théâtre, puisque *nouveau* devient un mot-clé[2], viennent mettre à mal la confiance dans le progrès héritée des Lumières et ébranler le règne de la logique, de la bonne conscience et des modèles reçus. Assez unanimement, les artistes se réclament désormais de l'innovation et s'élèvent contre la tradition. Le temps est bien révolu où les écrivains pouvaient se livrer au pur plaisir de la rhétorique et se satisfaire d'écrire dans un style visant la beauté, voire l'ornementation. En cette période d'interrogations, on voit naître une littérature qui bouscule toutes les conventions, qui s'attarde au style, à l'écriture elle-même, qui a tendance à devenir le sujet premier de l'œuvre. Ces transformations bousculent à leur tour les lecteurs, qui ont l'habitude de trouver un plaisir dans le texte. Le lien entre la littérature et son public vit donc également une crise, d'autant plus que le nouveau public de jeunes lecteurs, né de la démocratisation de l'enseignement, a adopté massivement les mœurs culturelles américaines et semble trouver un écho plus immédiat à ses interrogations et à ses désirs dans la musique que dans les textes littéraires.

Willem De Kooning, *Woman I*, 1950 à 1952.

Les artistes cherchent à créer des œuvres d'une densité équivalente à l'insoutenable réalité des événements de la Seconde Guerre.

Le genre romanesque

*A*près l'horreur de la Seconde Guerre mondiale, on s'interroge sur le rôle de la littérature, du roman en particulier. On se demande entre autres comment une œuvre pourrait atteindre en densité l'insoutenable réalité que furent l'assassinat programmé d'un peuple et la double abomination d'Auschwitz et d'Hiroshima. Cette guerre a marqué une rupture dans le cours de l'histoire planétaire ; de même, le romancier de cette époque en arrive à rompre avec la tradition littéraire : il s'interroge sur la nature et la fonction du roman et remet en cause l'ensemble des procédés d'écriture. L'époque où le roman exposait une idéologie est résolument terminée. Les romanciers tentent de mettre fin à tout ce qu'ils considèrent comme une dérive du genre. Ils offrent plutôt de nouveaux pactes de lecture : certains valorisent l'expérience brute de la lecture sans le truchement de la fiction, alors que d'autres proposent des enjeux qui deviennent parfois des jeux.

Des romans différents

Cette période est surtout marquée par les transformations radicales du Nouveau roman, dans lequel les récits deviennent de véritables laboratoires narratifs. Mais certains romanciers, indépendants des idéologies et des philosophies, suivent une route plus personnelle. Leurs œuvres expriment un refus de la vision du monde couramment admise et renouvellent une certaine idée de la littérature, sans cependant tout remettre en question. C'est le cas, entre autres, du *Rivage des Syrtes* (1951) de Julien Gracq et de *L'Écume des jours* (1947) de Boris Vian.

---

1. Voir à ce propos le roman de Camus intitulé *La Peste*.
2. On parle également de nouvelle société, de nouveaux pauvres, de nouvelle critique, de nouvelle cuisine, etc.

Julien Gracq (né en 1910)

« Tant de mains pour transformer ce monde,
et si peu de regards pour le contempler ! »

Louis Poirier, dit Julien Gracq, est un écrivain qui réussit très bien à préserver son intimité – il refuse même le prix Goncourt pour échapper à l'oppression médiatique. Cet auteur se tient toujours en marge des modes littéraires, même si ses œuvres portent les marques du surréalisme, du moins celles qu'il écrit jusqu'après la Seconde Guerre mondiale. Il excelle à transposer des visions rationnellement construites dans un imaginaire symbolique et fantaisiste. Gracq renonce au réalisme et à l'analyse psychologique des romans traditionnels pour adopter un lyrisme puissant et créer des atmosphères poétiques qui privilégient des paysages, eux-mêmes dépositaires d'une force envoûtante que les personnages tentent de s'approprier.

Dans *Le Rivage des Syrtes* (1951), le lecteur est transporté dans un temps et dans un lieu détachés de toute visée réaliste. L'histoire sert de support à la création d'un monde strictement imaginaire, qui est cependant décrit avec une précision de géographe. Les références historiques entremêlent les époques. Le lecteur ne peut se fier à la chronologie des événements et doit se laisser guider par des images, des analogies, des allégories, des symboles et des réminiscences littéraires semées au fil du récit, où tout devient sujet à décryptage. Ce grand roman, dont l'écriture rappelle la poésie, réussit particulièrement bien à exprimer la présence envoûtante de la mer, symbole de la liberté.

Aldo, le narrateur, est envoyé en observateur dans la province des Syrtes où il retrouve la princesse Vanessa. Les images poétiques dynamisent la narration de cet extrait. Le narrateur y laisse présager que la rencontre de cette femme passionnée aura des effets néfastes.

Je jetais les yeux autour de moi, tout à coup frileux et seul sous ce jour cendreux de verrière triste qui flottait dans la pièce avec la réverbération du canal : il me semblait que le flux qui me portait venait de se retirer à sa laisse la plus basse, et que la pièce se vidait
5 lentement par le trou noir de ce sommeil hanté de mauvais songes. Avec son impudeur hautaine et son insouciance princière, Vanessa laissait toujours battantes les hautes portes de sa chambre : dans le demi-jour qui retombait comme une cendre fine du rougeoiement de ces journées brèves, les membres défaits, le cœur lourd, je croyais
10 sentir sur ma peau nue comme un souffle froid qui venait de cette enfilade de hautes pièces délabrées ; c'était comme si le tourbillon retombé d'un saccage nous eût oubliés là, terrés dans une encoignure, comme si mon oreille dressée malgré moi dans l'obscurité eût cherché à surprendre au loin, du fond de ce silence aux aguets de
15 ville cernée, la rafale d'une chasse sauvage. Un malaise me dressait tout debout au milieu de la chambre ; il me semblait sentir entre les objets et moi comme un imperceptible surcroît de distance, et le mouvement de retrait léger d'une hostilité murée et chagrine ; je tâtonnais vers un appui familier qui manquait soudain à mon
20 équilibre, comme un vide se creuse devant nous au milieu d'amis qui savent déjà une mauvaise nouvelle. Ma main serrait malgré elle l'épaule de Vanessa ; elle s'éveillait toute lourde ; sur son visage renversé je voyais flotter au-dessous de moi ses yeux d'un gris plus pâle, comme tapis au fond d'une curiosité sombre et endormie
25 – ces yeux m'engluaient, me halaient comme un plongeur vers leurs reflets visqueux d'eaux profondes ; ses bras se dépliaient, se nouaient à moi en tâtonnant dans le noir ; je sombrais avec elle dans l'eau plombée d'un étang triste, une pierre au cou.

Julien Gracq, *Le Rivage des Syrtes*, Paris, 1951, © **Éditions José Corti.**

☐ **VERS L'ANALYSE**

Une hostilité murée et chagrine

1. Le narrateur exprime un malaise.
   a) Relevez les notations qui traduisent ce malaise.
   b) Relevez les comparaisons et les métaphores qui traduisent ce malaise par l'intermédiaire du lieu.
   c) Relevez les autres comparaisons et métaphores qui traduisent ce malaise.
2. Comment le narrateur perçoit-il Vanessa ?
3. L'eau est très présente dans cet extrait. Dressez-en le champ lexical.

Boris Vian (1920-1959)

« Ce qui m'intéresse, ce n'est pas le bonheur de tous les hommes, c'est celui de chacun. »

Boris Vian est un inclassable. Au cours de sa vie, il s'aventure dans de nombreux domaines – littérature, musique, chanson, théâtre ou critique – et il y laisse toujours une trace si profonde que, plus de quarante ans après sa mort, son influence reste toujours aussi grande. L'œuvre de ce rebelle, pourfendeur des idées reçues, est devenue mythique. Vian se plaît à rire de tout, puisqu'on ne peut qu'en pleurer. Dans ses romans, il excelle à évoquer un monde absurde, à la fois tendre et cruel. Son œuvre est caractérisée par le goût de l'insolite et une prodigieuse invention verbale. L'ironie omniprésente sert à détourner le regard d'une profonde blessure, et l'humour doit conjurer l'angoisse. Les récits de Vian peuvent paraître fantaisistes et moqueurs, mais ils n'en sont pas moins pathétiques : l'angoisse de la maladie, la déchéance et la mort absurde y sont des thèmes récurrents.

De ses quatre grands romans, *L'Écume des jours* (1947) est sans doute le plus célèbre. Il s'agit du « plus poignant des romans d'amour contemporains », selon l'écrivain Raymond Queneau. Avec habileté, Vian fait pénétrer le lecteur dans un univers qui l'enchante et le bouleverse, où l'amour fou s'allie à la pureté des sentiments et à la féerie du langage. Colin aime Chloé, qui est malade parce qu'un nénuphar lui dévore les poumons. Il ne peut pas la sauver, malgré les brassées de fleurs qu'il lui fait respirer. Cette rêverie amoureuse empreinte de délicatesse, tendre comme l'âme des adolescents, est crédible parce qu'elle est écrite avec les mots de la simplicité et de la sincérité.

Le passage proposé est extrait de la toute fin du roman. Après la mort et l'enterrement de Chloé, la souris grise vient demander un ultime service au chat. Le merveilleux sert ici une situation très intense : la fantaisie cerne le territoire de la mort.

IL N'EST PAS MALHEUREUX, IL A DE LA PEINE

— Vraiment, dit le chat, ça ne m'intéresse pas énormément.

— Tu as tort, dit la souris. Je suis encore jeune, et jusqu'au dernier moment, j'étais bien nourrie.

— Mais je suis bien nourri aussi, dit le chat, et je n'ai pas
5 du tout envie de me suicider, alors tu vois pourquoi je trouve ça anormal.

— C'est que tu ne l'as pas vu, dit la souris.

— Qu'est-ce qu'il fait ? demanda le chat.

Il n'avait pas très envie de le savoir. Il faisait chaud
10 et ses poils étaient tous bien élastiques.

— Il est au bord de l'eau, dit la souris, il attend, et quand c'est l'heure, il va sur la planche et il s'arrête au milieu. Il regarde dans l'eau. Il voit quelque chose.

— Il ne peut pas voir grand-chose, dit le chat. Un nénuphar,
15 peut-être.

— Oui, dit la souris, il attend qu'il remonte pour le tuer.

— C'est idiot, dit le chat. Ça ne présente aucun intérêt.

— Quand l'heure est passée, continua la souris, il revient sur le bord et il regarde la photo.

20 — Il ne mange jamais ? demanda le chat.

— Non, dit la souris, et il devient très faible, et je ne peux pas supporter ça. Un de ces jours, il va faire un faux pas en allant sur cette grande planche.

— Qu'est-ce que ça peut te faire ? demanda le chat.
25 Il est malheureux, alors…

— Il n'est pas malheureux, dit la souris, il a de la peine. C'est ça que je ne peux pas supporter. Et puis il va tomber dans l'eau, il se penche trop.

— Alors, dit le chat, si c'est comme ça, je veux bien te
30 rendre ce service, mais je ne sais pas pourquoi je dis « si c'est comme ça », parce que je ne comprends pas du tout.

— Tu es bien bon, dit la souris.

— Mets ta tête dans ma gueule, dit le chat, et attends.

— Ça peut durer longtemps ? demanda la souris.

35 — Le temps que quelqu'un me marche sur la queue, dit le chat ; il me faut un réflexe rapide. Mais je la laisserai dépasser, n'aie pas peur.

La souris écarta les mâchoires du chat et fourra sa tête entre les dents aiguës. Elle la retira presque aussitôt.

40 — Dis donc, dit-elle, tu as mangé du requin, ce matin ?

— Écoute, dit le chat, si ça ne te plaît pas, tu peux t'en aller. Moi, ce truc-là, ça m'assomme. Tu te débrouilleras toute seule.

Il paraissait fâché.

— Ne te vexe pas, dit la souris.

45 Elle ferma ses petits yeux noirs et replaça sa tête en position. Le chat laissa reposer avec précaution ses canines acérées sur le cou doux et gris. Les moustaches noires de la souris se mêlaient aux siennes. Il déroula sa queue touffue et la laissa traîner sur le trottoir.

Il venait, en chantant, onze petites filles aveugles de l'orphelinat de Jules 50 l'Apostolique.

Boris Vian, *L'Écume des jours*, Paris, 1947, © Éditions Pauvert, 1963.
© SNE Pauvert. Département des éditions Fayard, 2000.

☐ VERS L'ANALYSE

Il n'est pas malheureux, il a de la peine

1. Quel service la souris demande-t-elle au chat ?

2. Pourquoi lui demande-t-elle ce service ?

3. Pourquoi Colin veut-il tuer un nénuphar ?

4. La mort de Colin et celle de la souris sont évoquées avec une grande sobriété.
   a) Par quelles paroles la souris annonce-t-elle la mort de Colin ?
   b) Quelle réplique introduit un élément comique dans le suicide de la souris ? Expliquez-la.
   c) Quelle phrase annonce la mort de la souris ? Expliquez-la.

5. Vian amène le chat et la souris à renchérir sur certaines expressions qu'ils utilisent. Donnez deux exemples et indiquez l'effet visé par cette technique de langage.

6. Boris Vian aime s'exprimer de façon fantaisiste. Relevez dans ce texte au moins deux faits fantaisistes.

Sujet de dissertation explicative

Montrez que, même s'il s'exprime dans un autre style, Boris Vian rejoint à certains points de vue la pensée existentialiste.

Photographie de Pierre Vauthey, *Boris Vian, chez lui, à Montmartre, avec sa femme, l'actrice Ursula Kubler*, 1957.

Le Nouveau roman

Le Nouveau roman naît en 1953 avec la parution du roman *Les Gommes* de Robbe-Grillet. Symptôme d'une crise historique, il constitue une réaction contre le roman réaliste et psychologique qui prévaut depuis le XIXᵉ siècle, et il refuse de suivre la route tracée par le surréalisme et l'existentialisme, qui menait à l'exploration des contrées intérieures. Les écrivains du Nouveau roman considèrent qu'il est insensé de continuer à écrire des histoires après la révélation des génocides nazis, et pour eux, le roman conventionnel manque donc de crédibilité. Ils doutent de la possibilité de construire une fiction qui représenterait ou copierait la réalité : selon eux, toute histoire est bien davantage la projection du psychisme d'un auteur que le reflet du réel. De plus, ils refusent que, dans ce monde déserté par la vérité, la littérature soit le véhicule de quelque engagement subjectif, politique, social, moral ou religieux. Pour ces romanciers, l'engagement ne doit être que littéraire. Comme toutes les structures sont en train de s'écrouler et que la vie ne peut donc plus être appréhendée à travers un système, ces écrivains refusent également les explications toutes faites, qu'elles soient d'ordre sociologique, psychanalytique, philosophique, esthétique ou autre. Leurs romans ne servent pas des thèses, comme c'était le cas pour les existentialistes, mais constituent plutôt une recherche en soi.

Le roman : un tout autoréférant

Le roman ne prétend plus être le miroir du réel : il devient lui-même une réalité, comme si la littérature cessait d'être le reflet de quelque chose d'autre pour accéder enfin à son essence. L'art du romancier subit une intellectualisation totale : le roman cesse de référer à une réalité extérieure pour devenir un univers clos et autonome, pour trouver sa cohérence dans son propre système. De la même façon que les formes de la peinture abstraite ne renvoient plus à un objet, les mots ne renvoient à aucune réalité extérieure. La complexité du roman en vient à traduire la complexité de la vie ; elle donne à voir l'enchevêtrement inextricable du réel et de sa représentation.

La déroute du lecteur

Toute la conception traditionnelle du roman est contestée. Les nouveaux romanciers font subir aux structures narratives de l'œuvre un renversement complet qu'on peut comparer à celui que les citoyens de l'époque ont réservé aux structures sociopolitiques. Ils effacent tous les repères familiers, tout ce qui pourrait donner l'illusion de la réalité et constituer un appel à la sensibilité du lecteur : intrigue, commentaires, personnages, évolution des passions et tension vers le dénouement. Dès lors, la confiance du lecteur est ébranlée et la méfiance s'installe chez lui. Au lieu de satisfaire les schèmes mentaux et les habitudes littéraires du lecteur, les nouveaux romanciers cherchent plutôt à le libérer de la banalisation de l'imaginaire, un mal dont souffrirait toute la société, engluée dans la consommation.

Jasper Johns, *Passage*, 1962.

L'œuvre est bien davantage la projection du psychisme d'un auteur que le reflet du réel.

Le refus du temps chronologique

Ces recherches narratives sont liées à un certain nombre de refus de ce qu'était le roman traditionnel. Entre autres, les nouveaux romanciers renoncent à la cohérence chronologique et brouillent constamment la linéarité du temps. À l'ordre logique et chronologique se substituent les ordres capricieux, discontinus et chaotiques du rêve et de la mémoire, des perceptions subjectives et du flux de la conscience. Cette structure désarticulée présente le passé, le présent et l'avenir de façon entremêlée, ce qui souligne leurs continuelles interférences.

La crise du personnage romanesque

Les nouveaux romanciers perçoivent le personnage comme un produit de l'esthétique réaliste et du mythe bourgeois: il est cohérent, analysable psychologiquement, doté d'un caractère et d'une identité, d'un passé et d'un avenir; en un mot, il est à l'image du monde réel. Dans le Nouveau roman, le personnage n'a bien sûr plus ces caractéristiques et il ne joue plus le rôle de pilier de l'œuvre[1]. Freud a montré qu'il est impossible de cerner la véritable identité d'une personne, que ce qu'on considère comme l'identité n'est que la mince couche du conscient qui recouvre et cache l'identité véritable, celle de l'inconscient labyrinthique. On ne peut saisir un individu, pas plus qu'il ne peut se saisir lui-même: celui qu'il croit être quand il s'exprime n'est qu'une somme de croyances, de clichés, d'expressions toutes faites, de lieux communs et d'idées reçues qu'il a accumulés depuis l'enfance. Le discours d'un individu n'est en fait que le reflet de ce qu'il a lu, vu, entendu, qu'il se contente de répéter mécaniquement en fonction du regard de l'autre posé sur lui, souvent avec conviction mais sans conscience réelle. Pour les nouveaux romanciers, le soupçon s'insinue au cœur même de l'être humain, devenu insaisissable et ignorant de lui-même; il ne leur est plus possible de croire à des personnages cohérents et analysables. Ne demeure qu'une seule véritable substance dont on puisse être sûr, celle des mots: le langage lui-même et tous les procédés linguistiques et narratifs jouent donc, dans le Nouveau roman, le rôle autrefois dévolu au personnage. Le personnage n'est plus ce héros privilégié qui guidait le lecteur et il disparaît avec les certitudes. Il a tout perdu: son nom, sa profession, son caractère, son rôle social, même sa psychologie. Il n'est saisi qu'à travers ses actions, ses paroles, ses souvenirs, comme s'il n'avait pas d'intériorité ni de profondeur. Son regard ne guide plus celui du lecteur et n'assure plus la continuité du roman. Il a perdu toutes ses caractéristiques: tout simplement, il est.

Une littérature de l'objet

Chez certains nouveaux romanciers, la place centrale qui était auparavant occupée par le personnage est prise par les objets, qui sont les seuls dont l'existence objective est indubitable. Avec une précision d'entomologiste et des techniques proprement cinématographiques, les romanciers, dans leur quête d'une objectivité maximale, posent leur regard[2] sur les objets dont ils décrivent minutieusement et froidement les contours, sans qu'aucune volonté préconçue ne semble régler leurs choix. Le culte du détail est

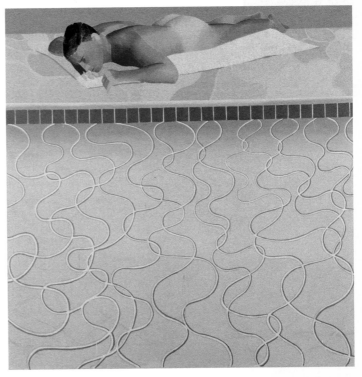

David Hockney, *Bain de soleil*, 1966.

Le personnage du Nouveau roman a tout perdu: son nom, sa profession, son caractère, son rôle social, même sa psychologie: tout simplement, il est.

---

1. La disparition du personnage résulte d'un long cheminement: chez Kafka, l'identité était confinée à une initiale; Faulkner avait donné le même nom à deux personnages; les romanciers existentialistes avaient limité le personnage à un simple «je». C'est peu, mais c'est quand même encore plus que ce que la société réserve souvent aux individus, dont l'identité est réduite à un simple numéro matricule.

2. Cette tendance littéraire porte d'ailleurs le nom d'«école du regard».

fréquemment poussé jusqu'à la manie de l'inventaire, de la répétition et de la série, car les mêmes thèmes sont repris de façon obsessive, avec de légères variations, à la manière des mouvements musicaux. Le roman incite à regarder le monde non plus avec les yeux du confesseur ou du médecin, mais avec ceux d'une personne qui déambule dans la ville, sans autre préoccupation que celle de regarder le spectacle de la rue. Il ne s'agit plus de comprendre ni d'expliquer, mais de saisir le monde tel qu'il est : ni signifiant ni absurde, tout simplement présent.

Insatisfaits des significations erronées que les humains donnent aux choses et aux êtres, les romanciers choisissent de les présenter dans leur vérité originelle, avant qu'ils ne soient déformés par une interprétation psychologique ou sociologique, et rendus banals par une vision conventionnelle des choses. Les objets usuels, décrits dans leur nudité, envahissent la création littéraire, tout comme la vie quotidienne des lecteurs ; la littérature reflète donc ce monde qui perd de son humanité, cette société qui valorise la consommation et qui provoque l'étouffement de l'homme, l'effacement de son autonomie et sa subordination aux choses qu'il possède. Au cœur du Nouveau roman se trouve donc une quête non pas de la subjectivité, mais de la réalité. Et cette quête, les écrivains la poursuivent par certains procédés formels plutôt que par l'intrigue.

L'écriture

On pourrait croire que les auteurs de ces constructions très savantes misent sur la beauté formelle du style, mais ce n'est pas le cas. Au contraire, ils veulent dégager l'écriture des traditions esthétiques qui l'alourdissent et la dépouiller le plus possible. Le Nouveau roman n'est donc pas le lieu de belles formulations construites selon les règles de la logique et de la syntaxe. Le style vise plutôt à communiquer le sentiment profond de l'existence, et pour ce faire, il épouse plutôt les contours d'une pensée encore informulée, en train de se détacher de l'inconscient, où les sensations n'ont pas encore pris corps.

Claes Oldenburg, exposition à la Galerie Kunsthalle.
La place centrale qui était auparavant occupée par le personnage est prise par les objets.

L'écriture est encore à la recherche d'elle-même, et les interrogations sur la structure narrative remplacent les interrogations métaphysiques ou didactiques qui prévalent dans d'autres genres de romans. Ici, « l'aventure d'une écriture » remplace « l'écriture d'une aventure », selon l'expression de Jean Ricardou. Le fil des romans est d'ailleurs constitué du mouvement même de l'écriture. Le lecteur est appelé à jouer un rôle actif dans ces romans qui ne présentent plus un monde achevé et clos sur lui-même : il lui faut reconstituer le casse-tête de cette narration où les conventions sont bafouées et y appliquer un prisme qui correspond à sa propre vérité. Le Nouveau roman entraîne donc un nouveau type de relation entre le texte et son lecteur.

Nathalie Sarraute (1900-1999)

« **Le petit fait vrai possède sur l'histoire inventée d'incontestables avantages. Et tout d'abord, celui d'être vrai. De là lui vient sa force de conviction et d'attaque.** »

Pionnière du Nouveau roman, Nathalie Sarraute rejette les facilités de l'analyse psychologique, qu'elle estime trompeuses. Elle ne cherche pas à analyser des caractères ni des états d'âme, mais à débusquer les replis imperceptibles de la conscience dans les conversations les plus banales et dans l'observation minutieuse des tracés de certains regards. Cette romancière excelle à explorer le psychisme humain, à exprimer le « foisonnement innombrable de sensations, d'images, de sentiments, d'impulsions, de petits actes larvés qu'aucun langage intérieur n'exprime », selon son expression. Elle considère, comme Freud, que la parole a été donnée à l'homme pour lui permettre de déguiser sa pensée ; elle entend donc percer les apparences et dévoiler tout cet avant-langage qui se cache sous le masque des habitudes, des conventions et de l'éducation, sous ce que l'homme prend pour sa personnalité même. À cette fin, elle met au jour la sous-conversation qui constitue, selon elle, la véritable communication : gestes qui contredisent les paroles, inflexions, silences, attitudes du corps, expressions du visage, etc. Chez elle, le personnage a tout perdu, à commencer par son caractère et son propre nom : il n'est généralement désigné que par un pronom personnel (« il », « elle », « on »). Il peut être réduit à un regard ou à une voix. Être tout simplement là devient plus important que d'être quelque chose ou quelqu'un. Quant au récit, il est toujours d'une grande fluidité et il se passe de toute intrigue ; l'écriture, elle, reste constamment attentive aux fluctuations microscopiques qui affectent l'esprit.

Le passage proposé ici, extrait du roman *Le Planétarium* (1959), illustre le rôle ténu que Sarraute donne à ses personnages, comparativement à celui qu'elle confie aux objets. Cette description de l'expérience banale d'une femme qui prend possession d'un nouvel appartement peut sembler anodine, mais elle indique bien que l'intention de Nathalie Sarraute est avant tout d'explorer les méandres de la conscience.

LEURS VRILLES ONT CREUSÉ LA CHAIR TENDRE

Le déclic léger de la gâchette, le claquement bref de la porte de la cuisine, le bruit décroissant de leurs semelles sur les marches en ciment de l'escalier résonnent comme une menace sournoise ; ce sont les signes avant-coureurs du grand silence de la solitude,
5 de l'abandon… Elle est livrée à elle-même. Oubliée sur le terrain dévasté… Il y a de la sciure partout… Des éclats de bois, des vis rouillées jonchent le parquet, les meubles poussés en tous sens ont des poses saugrenues, et la porte a un air étrange, un air déplacé… du replâtrage, une pièce rapportée… un air de camelote
10 prétentieuse au milieu de ces murs minces d'appartements construits en série… Mais pas d'affolement surtout, il faut ramasser ses forces pour calmer cette sensation de vide, de froid, bien regarder… il n'y a pas de doute, c'est évident, c'est bien cette poignée hideuse, cette poignée de bistrot, de lavabos, qui donne
15 à la porte, à tout autour cet air faux, tocard… Elle fait un grand effort, elle capte, elle tire… et à la place du mince tube creux en métal blanc, imitant misérablement une sorte d'aileron, vient se poser une lourde poignée de vieux cuivre adorablement patiné, une vieille poignée de château : elle s'incurve doucement, et son
20 bout, délicatement relevé, s'enfle en une petite boule dont les reflets soyeux font jouer la moirure du bois et l'or d'une plaque de cuivre ouvragé, aux arabesques élégantes… Mais non, rien, ici, pas de plaque du tout, juste le bois… mais ils ont creusé des trous, leurs vrilles ont creusé la chair tendre du chêne… ils ont
25 tout gâché, exprès, tout détruit. Pourquoi tricher ? Tout est perdu. Tous ces efforts pour rien… Ces espoirs… cette lutte… Pour arriver à quoi ? Dans l'attente de quoi ? Pour qui, après tout ? Personne ne vient la voir pendant des semaines, des mois…

Nathalie Sarraute, *Le Planétarium*, Paris, 1959, © Éditions Gallimard.

☐ VERS L'ANALYSE

Leurs vrilles ont creusé la chair tendre

1. a) Quelles réalités, l'une concrète et l'autre affective, sont à la source du désarroi du personnage ? Relevez des passages précis à l'appui de votre réponse.
   b) Expliquez le lien qu'on peut faire entre ces deux réalités et relevez une phrase qui peut s'appliquer autant à l'une qu'à l'autre.
2. a) Relevez, sur deux colonnes, les différences entre les deux poignées dont il est question dans le texte.
   b) Quelle est la connotation sociale de chaque poignée ? Justifiez votre réponse.
3. Qu'exprime la fréquence du mot « tout » (six occurences) ?
4. Quelle est la fonction des nombreux points de suspension ?
5. Quel effet produit la désignation du personnage par le pronom personnel « elle » ?
6. L'auteure fait alterner la narration et le discours indirect libre qui traduit les pensées du personnage. Divisez le texte en fonction de cette alternance.
7. Quelles sont les caractéristiques du Nouveau roman que l'on retrouve dans cet extrait ?

Sujets de dissertation explicative

1. En quel sens peut-on dire que ce texte est plus réaliste que les écrits dits « réalistes » de Balzac ou de Flaubert ?
2. Comparez l'extrait du *Planétarium* et celui des *Gommes*, à la page 187, quant au traitement des personnages et des objets.

Alain Robbe-Grillet (né en 1922)

«**Une explication, quelle qu'elle soit, ne peut être qu'en trop face à la présence des choses.**»

À la différence de Nathalie Sarraute, qui suggère l'existence, sous les apparences de la banalité, d'un sous-monde qui serait le véritable lieu des rapports humains, Alain Robbe-Grillet, principal théoricien du Nouveau roman, pratique une écriture hallucinée qui reste à la périphérie des choses. Dans son œuvre, les personnages sont dépourvus de texture psychologique, et ce sont les objets, décrits minutieusement, qui y occupent la place centrale. Les romans de Robbe-Grillet se tiennent à la surface de la réalité : le narrateur ne nous fait grâce d'aucun détail, et les multiples éléments décrits sont, pour le personnage qui les observe, tous placés sur le même plan. Ce que le lecteur y trouve est moins la réalité elle-même que la réalité regardée, celle que le «héros» se décide à fixer froidement, non pour l'interroger, mais simplement pour la voir, pour en faire l'expérience directe par les sens, en dehors de tout sentiment et de toute pensée. Robbe-Grillet raconte ses histoires par le décor, les lieux et les objets dont la présence est particulièrement intense, et les humains s'y contentent de jouer des rôles de figurants. Le romancier propose de modifier notre vision du monde par cette obsédante insistance, en dehors de toute attitude psychologique ou métaphysique, sur l'aspect superficiel des choses qui deviennent plus importantes que les personnages.

Le roman *Les Gommes* (1953) est le premier à avoir reçu l'appellation de Nouveau roman. Dans cette parodie de roman policier, un enquêteur tue un homme dont il pourrait bien être le fils. La description maniaque des lieux est réduite aux seuls contours des objets, alors que la perspective temporelle est tout à fait abolie. Seule se démarque la conscience observatrice d'un narrateur omniscient, qui emploie volontiers un ton ironique, comme s'il voulait s'amuser avec le lecteur. Le personnage du détective Wallas enquête dans toute la ville et, dans l'extrait présenté ici, il s'apprête à déjeuner dans un restaurant automatisé.

Jasper Johns, *Sans titre*, 1984.

Les romans de Robbe-Grillet se tiennent à la surface de la réalité.

UN QUARTIER DE TOMATE

Wallas fait le tour des appareils. Chacun d'eux renferme – placées sur une série de plateaux de verre, équidistants et superposés – une série d'assiettes en faïence où se reproduit exactement, à une feuille de salade près, la même préparation culinaire. Quand une colonne
5 se dégarnit, des mains sans visages complètent les vides, par derrière.

Arrivé devant le dernier distributeur, Wallas ne s'est pas encore décidé. Son choix est d'ailleurs de faible importance, car les divers mets proposés ne diffèrent que par l'arrangement des articles sur l'assiette ; l'élément de base est le hareng mariné.

10 Dans la vitre de celui-ci Wallas aperçoit, l'un au-dessus de l'autre, six exemplaires de la composition suivante : sur un lit de pain de mie, beurré de margarine, s'étale un large filet de hareng à la peau bleu argenté ; à droite cinq quartiers de tomate, à gauche trois rondelles d'œuf dur ; posées par-dessus, en des points calculés, trois olives
15 noires. Chaque plateau supporte en outre une fourchette et un couteau. Les disques de pain sont certainement fabriqués sur mesure.

Wallas introduit son jeton dans la fente et appuie sur un bouton. Avec un ronronnement agréable de moteur électrique, toute la colonne d'assiettes se met à descendre ; dans la case vide située à la partie
20 inférieure apparaît, puis s'immobilise, celle dont il s'est rendu acquéreur. Il la saisit, ainsi que le couvert qui l'accompagne, et pose le tout sur une table libre. Après avoir opéré de la même façon pour une tranche du même pain, garni cette fois de fromage, et enfin pour un verre de bière, il commence à couper son repas en petits cubes.

25 Un quartier de tomate en vérité sans défaut, découpé à la machine dans un fruit d'une symétrie parfaite.

La chair périphérique, compacte et homogène, d'un beau rouge de chimie, est régulièrement épaisse entre une bande de peau luisante et la loge où sont rangés les pépins, jaunes, bien calibrés, maintenus
30 en place par une mince couche de gelée verdâtre le long d'un renflement du cœur. Celui-ci, d'un rose atténué légèrement granuleux, débute, du côté de la dépression inférieure, par un faisceau de veines blanches, dont l'une se prolonge jusque vers les pépins – d'une façon peut-être un peu incertaine.

35 Tout en haut, un accident à peine visible s'est produit : un coin de pelure, décollé de la chair sur un millimètre ou deux, se soulève imperceptiblement.

Alain Robbe-Grillet, *Les Gommes*, Paris, 1953, © Éditions de Minuit.

☐ **VERS L'ANALYSE**

Un quartier de tomate

1. Résumez l'extrait en quelques phrases.

2. L'être humain occupe une place fort réduite dans l'extrait. Expliquez-le à partir de passages précis.

3. a) La machine, au contraire, occupe une grande place. Dressez-en le champ lexical.
   b) Dressez aussi le champ lexical de la symétrie et de l'homogénéité.
   c) Relevez une métaphore qui réduit le pain à un objet usiné.
   d) Qu'est-ce qui est ainsi mis en évidence ?

4. Montrez en quoi la description de l'objet-vedette, à savoir le quartier de tomate, est extrêmement minutieuse.

5. Robbe-Grillet pratique ici une véritable technique cinématographique. Expliquez-le et relevez deux passages qui illustrent cette affirmation.

6. Quel est le ton de l'extrait ?

Sujets de dissertation explicative

1. En vous référant au contexte de la société de consommation, expliquez le fait que les objets ont, dans cet extrait, une nette prépondérance sur le personnage.

2. Établissez les ressemblances et les différences entre le réalisme pratiqué par Flaubert dans l'extrait de *Madame Bovary*, à la page 23, et celui de cet extrait des *Gommes* de Robbe-Grillet.

Michel Butor (né en 1926)

«Mes livres sont des fils d'Ariane pour tenter de clarifier le labyrinthe.»

Dans ses récits sans durée suivie, Robbe-Grillet s'appuie avant tout sur les objets et ne craint pas de décontenancer le lecteur en multipliant les énigmes. Pour sa part, l'œuvre de Michel Butor est sans doute plus accessible : elle propose au lecteur une durée et un espace continus qui lui sont familiers, et l'amène à partager les états de conscience des personnages. Quant aux objets, toujours aussi minutieusement décrits dans leurs moindres détails, ils viennent jalonner l'évolution des états de conscience.

Dans *La Modification* (1957), Michel Butor rapporte le soliloque d'un homme, les réflexions et les rêveries qui l'assaillent durant le trajet qu'il fait en train entre Paris et Rome. Cet homme part refaire sa vie avec sa maîtresse qui l'attend dans la Ville éternelle, mais il finit par renoncer à son projet. Dans ce récit d'une conscience en quête d'elle-même, le temps des horloges – vingt-quatre heures d'une vie tout entière – est doublé par la durée psychologique, et le trajet géographique réel fait écho à un itinéraire intérieur. Le romancier explore un espace mental où une décision est en train de se prendre à l'insu du personnage ; il renonce à représenter un univers réel ou imaginaire, pour plutôt placer au premier plan les procédés d'élaboration d'une œuvre qui privilégie les états de conscience. L'extrait retenu correspond à la toute première page du roman. Butor recourt à la deuxième personne du pluriel, le «vous» intime, comme pour inviter le lecteur à s'approprier la conscience du personnage. Quant au style, il est à la fois austère et très fluide, et il tend toujours vers le naturel.

VOTRE CORPS À L'INTÉRIEUR DE VOS HABITS QUI LE GÊNENT

Vous avez mis le pied gauche sur la rainure de cuivre, et de votre épaule droite vous essayez en vain de pousser un peu plus le panneau coulissant.

Vous vous introduisez par l'étroite ouverture en vous frottant
5 contre ses bords, puis, votre valise couverte de granuleux cuir sombre couleur d'épaisse bouteille, votre valise assez petite d'homme habitué aux longs voyages, vous l'arrachez par sa poignée collante, avec vos doigts qui se sont échauffés, si peu lourde qu'elle soit, de l'avoir portée jusqu'ici, vous la soulevez et vous sentez vos muscles
10 et vos tendons se dessiner non seulement dans vos phalanges, dans votre paume, votre poignet et votre bras, mais dans votre épaule aussi, dans toute la moitié du dos et dans vos vertèbres depuis votre cou jusqu'aux reins.

Non, ce n'est pas seulement l'heure, à peine matinale, qui
15 est responsable de cette faiblesse inhabituelle, c'est déjà l'âge qui cherche à vous convaincre de sa domination sur votre corps, et, pourtant, vous venez seulement d'atteindre les quarante-cinq ans.

Vos yeux sont mal ouverts, comme voilés de fumée légère, vos paupières sensibles et mal lubrifiées, vos tempes crispées,
20 à la peau tendue et comme raidie en plis minces, vos cheveux, qui se clairsèment et grisonnent, insensiblement pour autrui mais non pour vous, pour Henriette et pour Cécile, ni même pour les enfants désormais, sont un peu hérissés et tout votre corps à l'intérieur de vos habits qui le gênent, le serrent et lui pèsent, est comme
25 baigné, dans son réveil imparfait, d'une eau agitée et gazeuse pleine d'animalcules en suspension.

Si vous êtes entré dans ce compartiment, c'est que le coin couloir face à la marche à votre gauche est libre, cette place même que vous auriez fait demander par Marnal comme à l'habitude s'il avait été encore
30 temps de retenir, mais non, que vous auriez demandé vous-même par téléphone, car il ne fallait pas que quelqu'un sût chez Scabelli que c'était vers Rome que vous vous échappiez pour ces quelques jours.

Michel Butor, *La Modification*, Paris, 1957, © Éditions de Minuit.

■ **VERS L'ANALYSE**

Votre corps à l'intérieur de vos habits qui le gênent

1. Où se situe cette scène ? Relevez les notations qui justifient votre réponse.

2. Résumez la scène en une phrase ou deux.

3. Qui représente ce «vous» dont il est question tout au long du texte ?

4. Déterminez le type de narrateur et de focalisation. Justifiez votre réponse.

5. Quelle prise de conscience fait le personnage de cet extrait ? Illustrez votre réponse à l'aide d'au moins deux citations.

6. Butor pratique, ici, la longue phrase.
   a) Quel est l'effet produit par la structure de l'unique phrase graphique du deuxième paragraphe ?
   b) Décrivez la structure de la phrase graphique qui forme le quatrième paragraphe.
   c) Quel est l'effet produit par cette structure ?

7. a) Relevez une gradation et une comparaison qui traduisent le malaise que ressent le narrateur dans tout son corps.

   b) Commentez la comparaison.

8. Que suggère l'utilisation presque constante du présent de l'indicatif ?

9. En quel sens peut-on dire que Butor donne un rôle actif au lecteur ?

Sujet de dissertation explicative

Comparez le réalisme de ce texte à celui que pratique Francis Ponge dans son poème *L'Huître*, présenté à la page 213.

Marguerite Duras (1914-1996)

« Ce n'est pas qu'il faut arriver à quelque chose, c'est qu'il faut sortir de là où l'on est. »

Marguerite Dieudonné, dite Marguerite Duras, naît au Vietnam alors que ce pays est encore une colonie française, et reste toute sa vie fortement marquée par l'univers de son enfance. Chez cette écrivaine du murmure littéraire, l'amour est sans cesse appelé à composer avec la solitude, et les dialogues sont ponctués de silences. Dans ses récits dont l'intrigue est très mince, les personnages tentent de se dérober à leur solitude, de combler le vide de leur vie. Ces tentatives d'aller vers l'autre pour échapper à soi achoppent immanquablement sur la difficulté de la communication.

Paru en 1984, *L'Amant*[1] connaît un succès populaire exceptionnel. Ce succès tient entre autres au fait que Marguerite Duras adopte une forme beaucoup plus traditionnelle que celle de Nathalie Sarraute, d'Alain Robbe-Grillet et de Michel Butor, et qu'elle ne retient des techniques du Nouveau roman que celles qui sont devenues familières au lecteur. Dans ce récit autobiographique, la narratrice rappelle le souvenir de son premier amour et surtout reconstitue un univers mental, comme si c'était un moyen d'échapper au vide du présent, de faire patienter la mort qui attend. Dans l'extrait proposé ici, la narratrice se livre dans toute sa vérité. La prose de cette romancière est d'un grand dénuement. Duras cultive l'ellipse et le sous-entendu, laisse parfois le temps s'écouler librement et en accentue à d'autres moments la course.

---

1. Ce roman a été adapté au cinéma en 1991 par Jean-Jacques Annaud.

IL N'Y A JAMAIS DE CENTRE

L'histoire de ma vie n'existe pas. Ça n'existe pas. Il n'y a jamais de centre. Pas de chemin, pas de ligne. Il y a de vastes endroits où l'on fait croire qu'il y avait quelqu'un, ce n'est pas vrai il n'y avait personne. L'histoire d'une toute petite partie de ma jeunesse je l'ai plus ou moins écrite déjà, enfin je
5   veux dire, de quoi l'apercevoir, je parle de celle-ci justement, de celle de la traversée du fleuve. Ce que je fais ici est différent, et pareil. Avant, j'ai parlé des périodes claires, de celles qui étaient éclairées. Ici je parle des périodes cachées de cette même jeunesse, de certains enfouissements que j'aurais opérés sur certains faits, sur certains sentiments, sur certains événements.
10 J'ai commencé à écrire dans un milieu qui me portait très fort à la pudeur. Écrire pour eux était encore moral. Écrire, maintenant, il semblerait que ce ne soit plus rien bien souvent. Quelquefois je sais cela : que du moment que ce n'est pas, toutes choses confondues, aller à la vanité et au vent, écrire ce n'est rien. Que du moment que ce n'est pas, chaque fois, toutes
15 choses confondues en une seule par essence inqualifiable, écrire ce n'est rien que publicité. Mais le plus souvent je n'ai pas d'avis, je vois que tous les champs sont ouverts, qu'il n'y aurait plus de murs, que l'écrit ne saurait plus où se mettre pour se cacher, se faire, se lire, que son inconvenance fondamentale ne serait plus respectée, mais je n'y pense pas plus avant.

20 Maintenant je vois que très jeune, à dix-huit ans, à quinze ans, j'ai eu ce visage prémonitoire de celui que j'ai attrapé ensuite avec l'alcool dans l'âge moyen de ma vie. L'alcool a rempli la fonction que Dieu n'a pas eue, il a eu aussi celle de me tuer, de tuer. Ce visage de l'alcool m'est venu avant l'alcool. L'alcool est venu le confirmer. J'avais en moi la place de ça, je
25 l'ai su comme les autres, mais, curieusement, avant l'heure. De même que j'avais en moi la place du désir. J'avais à quinze ans le visage de la jouissance et je ne connaissais pas la jouissance. Ce visage se voyait très fort. Même ma mère devait le voir. Mes frères le voyaient. Tout a commencé de cette façon pour moi, par ce visage voyant, exténué, ces yeux cernés en avance
30 sur le temps, l'*experiment*.

Marguerite Duras, *L'Amant*, Paris, 1984, © Éditions de Minuit.

☐ VERS L'ANALYSE

Il n'y a jamais de centre

1. Résumez chaque paragraphe en une phrase.
2. La narratrice oppose deux manières d'écrire.
   a) Expliquez ce que pense la narratrice de sa façon d'écrire sa vie avant ce roman.
   b) Comment conçoit-elle l'écriture maintenant ?
   c) Relevez trois antithèses qui mettent cette opposition en évidence.
3. Quels « enfouissements » la narratrice aborde-t-elle dans le second paragraphe ?
4. Le style reflète l'analyse intérieure à laquelle se livre la narratrice.
   a) Commentez la construction des phrases en fonction de cette affirmation.
   b) Montrez que ce style est parfois près de l'oral.
5. Expliquez ce qui, dans le texte, oblige le lecteur à une participation active.

Sujet de dissertation explicative

La phrase « J'avais en moi la place de ça » (ligne 24) se rapproche de celle de *Thérèse Desqueyroux* : « L'acte qui [...] était déjà en elle à son insu » (page 131, ligne 32). Expliquez-le à l'aide des deux extraits.

La mort annoncée du roman traditionnel

La transformation radicale réalisée par le Nouveau roman a été préparée par tous les écrivains qui, de Diderot à Faulkner, ont innové, dérangé, introduit le trouble et le «soupçon» dans le contrat tacite qui lie l'auteur et le lecteur. Deux découvertes contribuent de façon particulière à la mort du roman traditionnel: celle de l'importance du quotidien et celle de l'inconscient.

Jusqu'au XIXᵉ siècle, le roman reposait essentiellement sur des personnages dont les actes provoquaient un drame. Dans cette conception du roman, les personnages étaient facilement identifiables et l'intrigue, logiquement nouée. La découverte de l'importance de la vie quotidienne vient transformer le roman traditionnel. Flaubert est le premier à mettre en évidence le quotidien: sous sa plume, les habitudes des personnages et les objets usuels occupent, pour la première fois, une place centrale. Joyce, pour sa part, renouvelle le monologue intérieur et de plus, à la suite de Flaubert, il intègre le quotidien à l'art: il décrit la journée d'un homme quelconque, sans passé ni avenir, qui se contente d'évoluer dans un présent envahi par une multitude d'objets. Ces expériences préfigurent la présence des objets dans le Nouveau roman. Le quotidien est aussi fort important chez Proust: l'activité de ses personnages est très réduite et c'est plutôt une collection de saveurs, de sons et d'odeurs qui forment l'essentiel de l'œuvre.

L'autre grande découverte est celle de l'inconscient. Dostoïevski instaure un premier décalage entre les intentions que se donnent ses personnages et leur être véritable. Il met au jour les travestissements que la réalité du monde social impose à l'individu. Kafka pousse l'expérience encore plus loin: les réalités du monde social sont abolies, puisque le véritable protagoniste est dorénavant l'inconscient et que l'aventure est complètement intériorisée. Flaubert, Joyce, Proust, Dostoïevski et Kafka abolissent la convention du roman traditionnel et pavent la voie au Nouveau roman, qui ne fait que profiter d'un terreau bien préparé.

Virginia Woolf (1882-1941)

«Tous ces siècles, les femmes ont servi de miroirs, dotés du pouvoir magique et délicieux de refléter la figure de l'homme en doublant ses dimensions naturelles.»

L'œuvre aussi attachante que déroutante de Virginia Woolf la place assurément parmi les romanciers les plus brillants du XXᵉ siècle. Elle intègre mieux que quiconque les différentes innovations romanesques, en particulier celles de Proust et de Joyce, et contribue elle-même à la déstructuration de la narration et de la psychologie par la mise en perspective des états de conscience. Pour elle, la conception traditionnelle du personnage ne peut être qu'une imposture, puisque l'être humain, toujours à la recherche de son identité, ne peut exister que dans la discontinuité et la fragmentation. Aussi ses personnages ne sont-ils pas décrits selon les lois de la logique et de la psychologie, mais plutôt perçus à partir d'instants de vie. Quant à l'intrigue, Woolf la rejette aussi et lui substitue une conscience, aussi étincelante que vagabonde, qui traduit les frémissements de la vie.

Dans *Les Vagues* (1931), Virginia Woolf reconstitue la vie d'un groupe d'amis qu'elle connut jadis. Dans ce récit, des images de fluidité marine forment l'arrière-plan, et la part de l'intrigue est fort ténue. C'est l'écriture qui importe le plus; faite d'une myriade de sensations et d'émotions, elle arrache au temps des étincelles de vie. La personnalité de chaque personnage est saisie de manière indirecte par les commentaires des autres qui, tout au long du roman, s'expriment sous forme de monologues intérieurs. L'extrait qui suit illustre bien l'univers romanesque de cette grande auteure.

LE SILENCE TOMBE GOUTTE À GOUTTE

Et pourtant, il y a des instants où la muraille de l'esprit devient presque diaphane, où tout s'absorbe en tout, et où je crois presque que nous pourrions réussir à souffler une bulle si vaste que le soleil pourrait s'y lever et s'y coucher, que le
5 bleu de midi et le noir de minuit y trouveraient place, et que nous pourrions nous y perdre, libérés de l'espace et du temps.

— Le silence tombe goutte à goutte, dit Bernard. Il se forme sur le toit de l'âme et tombe sur le sol en grandes flaques. Seul, seul, seul à jamais, j'entends le silence qui tombe et
10 s'élargit en cercles jusqu'aux suprêmes confins. Repu et satisfait, dans mon lourd bien-être d'homme mûr, moi que la solitude anéantit, je laisse le silence tomber goutte à goutte.

Mais les gouttes de silence coulent sur mon visage, et mon nez fond comme celui d'un bonhomme de neige debout dans
15 la cour, sous la pluie. Elles tombent, et je me dissous; mes traits s'effacent; et il devient difficile de me distinguer d'un autre homme. Peu importe. Et qu'est-ce qui importe? Nous avons bien dîné. Le poisson, les escalopes, le vin ont émoussé les dents aiguës du Moi. L'angoisse s'apaise, Louis, le plus
20 vaniteux d'entre nous, ne se demande plus ce qu'on pense de lui. Le supplice de Neville a cessé. «J'accepte le succès des autres», se dit-il. Suzanne entend respirer paisiblement ses enfants endormis. Les barques de Rhoda ont atteint la rive. Peu lui importe main-
25 tenant qu'elles aient sombré,
ou qu'elles aient jeté l'ancre.
Nous sommes prêts à considérer
favorablement les propositions
que le monde pourrait nous faire.
30 Je viens de faire réflexion que
la Terre n'est qu'un caillou séparé
par hasard de la masse solaire,
et que les abîmes de l'espace
sont partout vides de vie.

35 — Ce silence est si grand, dit
Suzanne, qu'il semble que nulle
feuille ne pourra plus jamais
tomber, que nul oiseau ne pourra
plus jamais prendre son vol.

Virginia Woolf, *Les Vagues*,
Paris, 1931, © Éditions Stock.

Nicolas de Staël, *Ménerbes*, 1954.

L'Oulipo

« Il faut pratiquer l'art avec le sérieux d'un enfant qui joue. »

Stevenson

En 1960, un groupe d'écrivains et de mathématiciens se réunissent dans le but d'expérimenter des formes littéraires nouvelles susceptibles de redonner à la littérature sa fonction ludique et de lutter contre le conformisme intellectuel. L'originalité de leur démarche est qu'ils proposent de n'écrire qu'à partir de contraintes formelles pleines de virtuosité. Ils donnent à leur atelier d'expérimentation littéraire le nom d'Ouvroir de la littérature potentielle ou, plus simplement, «Oulipo», acronyme composé des deux premières lettres de chaque mot. Parmi les plus connus d'entre eux, mentionnons Raymond Queneau, Georges Perec et Italo Calvino. De tous ces lettrés et farceurs oulipiens, Georges Perec est assurément celui qui accomplit le plus de prouesses stylistiques. Il s'amuse à faire des mots croisés sans carrés noirs ou à produire des palindromes[1] de plus de 5000 lettres. Il rédige *La Disparition*, un roman de 312 pages dans lequel la lettre «e» n'est jamais utilisée[2], pour ensuite la faire revenir en force de façon cocasse dans son roman *Les Revenentes*, qui ne comprend que cette voyelle, à l'exclusion de toutes les autres.

Georges Perec (1936-1982)

« Nous vivons dans un monde qui est hanté par sa propre disparition. »

Écrivain ludique par excellence, Georges Perec passe sa vie à exécuter des acrobaties verbales. Il aime s'imposer des contraintes, et plus elles sont difficiles, plus elles stimulent son imagination. Après sa mort prématurée, les critiques en viennent vite à le considérer comme un phénomène littéraire international, si bien que son œuvre touffue et variée est aujourd'hui traduite en plus de seize langues, y compris en japonais.

Deux de ses ouvrages retiennent plus particulièrement l'attention. Il publie d'abord, en 1965, *Les Choses*, un roman sociologique qui critique la société de consommation. Toute une génération de lecteurs se reconnaît dans ce roman où deux étudiants parisiens se résignent à entrer dans le système de la consommation à tout prix. La possession des «choses», le luxe et le confort facilitent tellement la vie de ces personnages qu'ils n'ont bientôt même plus le loisir d'user de leur liberté, englués qu'ils sont au milieu d'objets aussi nombreux qu'inutiles. L'œuvre rend très bien l'angoisse de l'homme contemporain, qui compense l'indifférence des gens qui l'entourent par l'accumulation de possessions qui le submergent.

En 1978, le romancier sociologue écrit *La Vie mode d'emploi*. Ce roman permet de reconstituer la vie des habitants d'un immeuble parisien, avec ses étages, nobles et moins nobles, et chacune de ses chambres plus ou moins recommandables. Mais, bien davantage encore, il propose un tableau fascinant de la société française depuis le début du siècle, dans lequel aucune sphère de l'activité humaine n'est négligée: éducation, jeux, travail, santé, cuisine, arts… Sans jamais insister, à la manière d'un observateur distrait, insoucieux de l'unité du temps, Perec fait défiler des centaines de personnages aux péripéties multiples, tragiques ou cocasses. Cette extravagante odyssée du XXe siècle, dans laquelle la littérature constitue le mode d'emploi de la vie, offre la particularité de pouvoir se lire à partir de n'importe quelle page. Nous avons néanmoins choisi de présenter le premier chapitre, dans lequel le romancier décrit l'immeuble où vivent tous les personnages du roman.

---

1. Un palindrome est un mot ou une phrase qu'on peut lire dans les deux sens, comme «élu par cette crapule».
2. Ce jeu formel, nommé lipogramme, équivaut à effectuer une opération mathématique élémentaire, la soustraction, dans le cas présent la soustraction d'une voyelle dans une œuvre. Le procédé inverse – n'utiliser qu'une seule voyelle – se nomme monovocalisme.

Oui, cela pourrait commencer ainsi, ici, comme ça, d'une manière un peu lourde et lente, dans cet endroit neutre qui est à tous et à personne, où les gens se croisent presque sans se voir, où la vie de l'immeuble se répercute, lointaine et
5 régulière. De ce qui se passe derrière les lourdes portes des appartements, on ne perçoit le plus souvent que ces échos éclatés, ces bribes, ces débris, ces esquisses, ces amorces, ces incidents ou accidents qui se déroulent dans ce que l'on appelle les «parties communes», ces petits bruits feutrés
10 que le tapis de laine rouge passé étouffe, ces embryons de

Oskar Schlemmer, *L'Escalier*, 1932.

vie communautaire qui s'arrêtent toujours aux paliers. Les habitants d'un même immeuble vivent à quelques centimètres les uns des autres, une simple cloison les sépare, ils se partagent les mêmes espaces répétés le long des étages, ils font
15 les mêmes gestes en même temps, ouvrir le robinet, tirer la chasse d'eau, allumer la lumière, mettre la table, quelques

dizaines d'existences simultanées qui se répètent d'étage en étage, et d'immeuble en immeuble, et de rue en rue. Ils se barricadent dans leurs parties privatives – puisque c'est
20 comme ça que ça s'appelle – et ils aimeraient bien que rien n'en sorte, mais si peu qu'ils en laissent sortir, le chien en laisse, l'enfant qui va au pain, le reconduit ou l'éconduit, c'est par l'escalier que ça sort. Car tout ce qui se passe passe par l'escalier, tout ce qui arrive arrive par l'escalier, les lettres,
25 les faire-part, les meubles que les déménageurs apportent ou emportent, le médecin appelé en urgence, le voyageur qui revient d'un long voyage. C'est à cause de cela que l'escalier reste un lieu anonyme, froid, presque hostile. Dans les anciennes maisons, il y avait encore des marches de
30 pierre, des rampes en fer forgé, des sculptures, des torchères, une banquette parfois pour permettre aux gens âgés de se reposer entre deux étages. Dans les immeubles modernes, il y a des ascenseurs aux parois couvertes de graffiti qui se voudraient obscènes et des escaliers dits «de secours», en
35 béton brut, sales et sonores. Dans cet immeuble-ci, où il y a un vieil ascenseur presque toujours en panne, l'escalier est un lieu vétuste, d'une propreté douteuse, qui d'étage en étage se dégrade selon les conventions de la respectabilité bourgeoise: deux épaisseurs de tapis jusqu'au troisième, une seule ensuite,
40 et plus du tout pour les deux étages de combles.

Oui, ça commencera ici: entre le troisième et le quatrième étage, 11 rue Simon-Crubellier.

Georges Perec, *La Vie mode d'emploi*, Paris, 1978,
© Éditions Hachette.

Raymond Queneau (1903-1976)

« L'être ou le néant, voilà le problème. »

Comme Boris Vian, Raymond Queneau fait le choix de la dérision burlesque et du poétique. Sa poésie et ses romans sont toujours d'une grande créativité, et il ne craint pas d'y adopter des formes qui transgressent les normes traditionnelles. C'est ainsi que, dans les *Exercices de style* (1947), il présente 99 versions d'un fait divers, ce qui rappelle l'esprit dada. Ce goût du rire et du jeu verbal sert en fait à tromper l'ennui, à répliquer à un quotidien médiocre et sans espoir, à occulter momentanément l'amère réalité de la vie. De fait, Queneau séduit le lecteur et, du même coup, ébranle ses certitudes, sème en lui l'inquiétude, lui présente une vision troublante mais passionnée du monde.

Sa langue littéraire se calque sur la langue orale. Il se plaît à désarticuler la syntaxe, à corrompre le vocabulaire littéraire et à malmener l'« ortografe » officielle. Pour crever l'enflure verbale et démasquer les clichés, il se sert de calembours dérisoires, a recours à des métaphores pour le moins inattendues et introduit des termes et des expressions populaires, quand il ne les crée pas de toutes pièces. Sa remise en cause de la langue littéraire est totale et joyeuse.

Zazie dans le métro (1959), roman considéré comme le chef-d'œuvre de Queneau, raconte l'histoire d'une petite fille frondeuse et mal embouchée, qui est confiée à son oncle parisien, tonton Gabriel, un danseur travesti. Zazie veut absolument entrer dans le réseau du métro, mais il est en grève au moment de sa visite. Dans ce roman au déroulement insolite et à l'imaginaire débridé, le monde des adultes-enfants est vu par une enfant-adulte. Les scènes cocasses se multiplient et entraînent le lecteur dans un univers ludique qui ne cesse de l'étonner. Dans l'extrait retenu, Gabriel vient d'aller chercher Zazie à la gare. Comme dans l'ensemble du roman, le dialogue prime ici sur la narration.

JE NOUS LE SOMMES RÉSERVÉ

Maintenant, il dit quelque chose.

— En route, qu'il dit.

Et il fonce, projetant à droite et à gauche tout ce qui se trouve sur sa trajectoire. Zazie galope derrière.

5 — Tonton, qu'elle crie, on prend le métro ?

— Non.

— Comment ça, non ?

Elle s'est arrêtée. Gabriel stope également, se retourne, pose la valoche et se met à espliquer.

10 — Bin oui : non. Aujourd'hui, pas moyen. Y a grève.

— Y a grève.

— Bin oui : y a grève. Le métro, ce moyen de transport éminemment parisien, s'est endormi sous terre, car les employés aux pinces perforantes ont cessé tout travail.

15 — Ah les salauds, s'écrie Zazie, ah les vaches. Me faire ça à moi.

— Y a pas qu'à toi qu'ils font ça, dit Gabriel parfaitement objectif.

— Jm'en fous. N'empêche que c'est à moi que ça arrive, moi qu'étais si heureuse, si contente et tout de m'aller voiturer dans lmétro. Sacrebleu, merde alors.

20 — Faut te faire une raison, dit Gabriel dont les propos se nuançaient parfois d'un thomisme légèrement kantien.

Et, passant sur le plan de la cosubjectivité, il ajouta :

— Et puis faut se grouiller : Charles attend.

— Oh ! celle-là je la connais, s'esclama Zazie furieuse, je l'ai lue 25 dans les Mémoires du général Vermot.

— Mais non, dit Gabriel, mais non, Charles, c'est un pote et il a un tac. Je nous le sommes réservé à cause de la grève précisément, son tac. T'as compris ? En route.

Il ressaisit la valoche d'une main et de l'autre il entraîna Zazie.

Raymond Queneau, *Zazie dans le métro*, Paris, 1959, © Éditions Gallimard.

☐ VERS L'ANALYSE

Je nous le sommes réservé

1. Quel est le propos de l'extrait ?

2. Relevez une phrase qui montre que Queneau se permet ici une satire de la vie parisienne.

3. Qualifiez le tempérament de Zazie.

4. Relevez les termes familiers et argotiques de l'extrait et donnez-en la signification.

5. Queneau se plaît, dans ses écrits, à réformer le langage littéraire. Relevez un néologisme, des variantes orthographiques calquées sur l'oral, une conjugaison erronée, des phrases elliptiques et d'autres variantes syntaxiques. Expliquez ces dernières variantes.

6. Relevez les marques du comique de mot.

Sujet de dissertation explicative

Comparez l'écriture de Raymond Queneau et celle de Boris Vian.

Un antidote au roman élitiste : le roman policier

L'horreur de la Première Guerre mondiale ébranle les consciences collectives, les certitudes individuelles, et souligne l'urgence d'un art nouveau, ce qui permet alors au dadaïsme et au surréalisme d'investir à peu près toutes les formes d'écriture. En réaction apparaît ensuite la littérature engagée, qui vise à illustrer des idéologies politiques et des opinions philosophiques. Plus tard, à la suite de la Seconde Guerre, l'impuissance de l'écriture à combattre ce nouveau cortège d'horreurs modifie encore les cadres de la création : on demande à la littérature qu'elle produise des anti-pièces et un Nouveau roman, dans lesquels il est possible de traduire le sentiment de l'absurde et de l'inutilité de l'engagement. Toutefois, il faut reconnaître que toutes ces démarches élitistes n'ont que peu d'impact sur la très grande majorité de la masse des lecteurs de cette époque, qui goûtent la lecture, mais ne peuvent que très difficilement se laisser toucher par les savantes architectures du Nouveau roman.

Il existe cependant un genre littéraire qui compte ses fidèles par centaines de milliers, aux antipodes de la contestation menée par le Nouveau roman[1] : il s'agit du très populaire roman policier, dont le thème central est le crime. La nature humaine n'aime

René Magritte, *La Route de Damas*, 1966.

La nature humaine n'aime rien tant que les énigmes.

rien tant que les énigmes, et le lecteur est servi à souhait par le suspense de ces récits qui peuvent être compris du premier coup. L'accessibilité de ces romans ne les empêche pas de confronter le lecteur au mystère ultime de sa propre vie, celui de la mort. En outre, certains de ces romans constituent une véritable chronique qui révèle les mœurs cachées, les non-dits et la violence de la société. L'engouement universel que suscite ce genre est donc tout à fait justifié.

Les origines du roman policier

L'histoire du roman policier est longue et riche. Apparu au début du XIXᵉ siècle, il prend sa forme classique de roman énigmatique, ou déductif, avec *Double assassinat dans la rue Morgue* (1841) d'Edgar Allan Poe. Ce roman basé sur une enquête policière porte avant tout sur la découverte méthodique et graduelle, par des moyens rationnels, des circonstances exactes d'un événement mystérieux. Le roman policier connaît surtout du succès en Angleterre avec Arthur Conan Doyle et Agatha Christie, alors qu'il est popularisé en France par Maurice Leblanc et Gaston Leroux. Le personnage central en est immanquablement un détective – Charles-Auguste Dupin chez Poe, Sherlock Holmes chez Conan Doyle, Hercule Poirot chez Agatha Christie, Arsène Lupin chez Maurice Leblanc ou Rouletabille chez Gaston Leroux. Cet enquêteur a ses petites manies, mais surtout une intelligence déductive qui le conduit infailliblement au triomphe de la vérité et de la justice.

---

1. Même si *Les Gommes* d'Alain Robbe-Grillet reprend la construction d'un roman policier, ce roman reste étranger à ce genre.

Gaston Leroux (1868-1927)

« Je réfléchis à ceci, qu'il fallait être plus astucieux que l'astuce même. »

Les récits d'enquête qui sèment les indices au fil du récit en attente de la surprise finale sont mis à la mode par Edgar Allan Poe. Gaston Leroux reprend cette construction de l'intrigue dans un des meilleurs romans qui portent sur le problème du local clos ne comportant aucune issue: *Le Mystère de la chambre jaune* (1907). Le romancier confie la tâche de résoudre l'énigme à Rouletabille, un personnage de détective amateur doué d'une perspicacité exceptionnelle, capable de dénouer les situations les plus mystérieuses. L'intérêt dramatique est fondé sur la progression du raisonnement: le lecteur suit l'enquête du point de vue de l'enquêteur, observe de l'extérieur et attend que la justice triomphe. Le passage suivant, extrait des premières pages du roman, permet d'observer comment l'énigme est exposée.

CETTE AFFAIRE EST HALLUCINANTE

« L'affaire, telle que la rapporte *Le Matin*, reprit Rouletabille, acharné, me paraît de plus en plus inexplicable. Pouvez-vous me dire, monsieur le juge, quelles sont les ouvertures du pavillon, portes et fenêtres?

— Il y en a cinq, répondit M. de Marquet, après avoir toussé deux
5 ou trois fois, mais ne résistant plus au désir qu'il avait d'étaler tout l'incroyable mystère de l'affaire qu'il instruisait. Il y en a cinq, dont la porte du vestibule qui est la seule porte d'entrée du pavillon, porte toujours automatiquement fermée et ne pouvant s'ouvrir, soit de l'intérieur, soit de l'extérieur, que par deux clefs spéciales qui ne quittent
10 jamais le père Jacques et M. Stangerson. Mlle Stangerson n'en a pas besoin puisque le père Jacques est à demeure dans le pavillon et que, dans la journée, elle ne quitte point son père. Quand « ils » se sont précipités tous les quatre dans la « Chambre Jaune » dont ils avaient enfin défoncé la porte, la porte d'entrée du vestibule, elle, était restée fermée comme
15 toujours, et les deux clefs de cette porte étaient l'une dans la poche de M. Stangerson, l'autre dans la poche du père Jacques. Quant aux fenêtres du pavillon, elles sont quatre: « l'unique fenêtre de la Chambre Jaune », les deux fenêtres du laboratoire et la fenêtre du vestibule. La fenêtre de la « Chambre Jaune » et celles du laboratoire donnent sur la campagne;
20 seule la fenêtre du vestibule donne dans le parc.

— *C'est par cette fenêtre-là qu'il s'est sauvé du pavillon!* s'écria Rouletabille.

— Comment le savez-vous? fit M. de Marquet en fixant sur mon ami un étrange regard.

— Nous verrons plus tard comment l'assassin s'est enfui de la « Chambre
25 Jaune », répliqua Rouletabille, mais il a dû quitter le pavillon par la fenêtre du vestibule...

— Encore une fois, comment le savez-vous?

— Eh! mon Dieu! c'est bien simple. Du moment qu'« il » ne peut s'enfuir par la porte du pavillon, il faut bien qu'il passe par une fenêtre, et il faut
30 qu'il y ait au moins, pour qu'il passe, une fenêtre qui ne soit pas grillée. La fenêtre de la « Chambre Jaune » est grillée, parce qu'elle donne sur la campagne! les deux fenêtres du laboratoire doivent l'être certainement pour la même raison. « Puisque l'assassin s'est enfui », j'imagine qu'il a trouvé une fenêtre sans barreaux, et ce sera celle du vestibule qui donne
35 sur le parc, c'est-à-dire à l'intérieur de la propriété. Cela n'est pas sorcier!...

— Oui, fit M. de Marquet, mais ce que vous ne pourriez deviner, c'est que cette fenêtre du vestibule, qui est la seule, en effet, à n'avoir point de barreaux, possède de solides volets de fer. *Or, ces volets de fer sont restés fermés à l'intérieur par leur loquet de fer, et cependant nous avons la preuve*
40 *que l'assassin s'est, en effet, enfui du pavillon par cette même fenêtre!* Des traces de sang sur le mur à l'intérieur et sur les volets et des pas sur la terre, des pas entièrement semblables à ceux dont j'ai relevé la mesure dans la

« Chambre Jaune », attestent bien que l'assassin s'est enfui par là ! Mais alors ! Comment a-t-il fait, *puisque les volets*
45 *sont restés fermés à l'intérieur ?* Il a passé comme une ombre *à travers les volets*. Et, enfin, le plus affolant de tout, n'est-ce point la trace retrouvée de l'assassin au moment où il fuit du pavillon, quand il est impossible de se faire la moindre idée de la façon dont l'assassin est sorti de la « Chambre Jaune »,
50 ni *comment il a traversé forcément le laboratoire pour arriver au vestibule !* Ah ! oui, monsieur Rouletabille, cette affaire est hallucinante… C'est une belle affaire, allez ! Et dont on ne trouvera pas la clef d'ici longtemps, je l'espère bien !…

— Vous espérez quoi, monsieur le juge d'instruction ?… »

55 M. de Marquet rectifia :

« … Je ne l'espère pas… Je le crois…

— On aurait donc refermé la fenêtre, à l'intérieur, après la fuite de l'assassin ? demanda Rouletabille…

— Évidemment, voilà ce qui me semble, pour le moment,
60 naturel quoique inexplicable… car il faudrait un complice ou des complices… et je ne les vois pas… »

Après un silence, il ajouta :

« Ah ! si Mlle Stangerson pouvait aller assez bien aujourd'hui pour qu'on l'interrogeât… »

65 Rouletabille, poursuivant sa pensée, demanda :

« Et le grenier ? Il doit y avoir une ouverture au grenier ?

— Oui, je ne l'avais pas comptée, en effet ; cela fait six ouvertures ; il y a là-haut une petite fenêtre, plutôt une lucarne, et, comme elle donne sur l'extérieur de la propriété,
70 M. Stangerson l'a fait également garnir de barreaux. À cette lucarne, comme aux fenêtres du rez-de-chaussée, les barreaux sont restés intacts et les volets, qui s'ouvrent naturellement en dedans, sont restés fermés en dedans. Du reste, nous n'avons rien découvert qui puisse nous faire soupçonner le
75 passage de l'assassin dans le grenier.

— Pour vous, donc, il n'est point douteux, monsieur le juge d'instruction, que l'assassin s'est enfui – sans que l'on sache comment – par la fenêtre du vestibule !

— Tout le prouve…

80 Je le crois aussi », obtempéra gravement Rouletabille.

Gaston Leroux, *Le Mystère de la chambre jaune*, Paris, 1907.

Affiche du film *Le Mystère de la chambre jaune*, réalisé en 1948 par Henri Aisner, d'après l'œuvre de Gaston Leroux.

☐ **VERS L'ANALYSE**

Cette affaire est hallucinante

1. Quelle est la principale question que se posent Rouletabille et M. de Marquet ?

2. Résumez les faits qui empêchent de donner une réponse définitive à cette question.

3. a) Quelle est la réponse la plus vraisemblable ?
   b) Pourquoi l'est-elle ?
   c) Pourquoi conserve-t-elle une part de mystère ?

4. a) Quelle comparaison traduit le mystère du passage de l'assassin à travers la fenêtre du vestibule ?
   b) En quoi renforce-t-elle le caractère mystérieux de l'assassin ?

5. a) Dans sa seule longue réplique de l'extrait, relevez les mots qui ponctuent le raisonnement de Rouletabille.
   b) Quelle classe de mots domine ?

6. Quelle autre question, semblable à la première, le détective et le juge reportent-ils à plus tard ?

**Georges Simenon
(1903-1989)**

« J'aime mieux être détesté pour ce que
je suis vraiment plutôt qu'être aimé pour
ce que je ne suis pas. »

Georges Simenon fait évoluer la façon dont on écrit ce type
de roman en France. Il est un auteur très prolifique : ses
214 ouvrages sont traduits dans 70 langues et ont été adaptés
à de nombreuses reprises au cinéma et à la télévision. Ses
75 romans consacrés au commissaire Jules Maigret ont
été vendus à plus de 550 millions d'exemplaires. Dans ses
romans, le personnage de Maigret, un commissaire divi-
sionnaire à la police judiciaire de Paris, fin gourmet, amateur de bière et de calvados, arpente les rues de Paris, pose
des questions parfois saugrenues, fume sa pipe et médite.
Ses enquêtes mettent au jour des tragédies sociales, la
misère, la solitude, la jalousie, la mesquinerie du quotidien.
Passionné par les personnalités qu'il rencontre, il utilise
sa psychologie intuitive pour chercher à deviner leurs
motivations profondes.

Simenon est « le romancier des complexes, des malaises, des
mystères, des âmes gluantes et sinistres », dit Jean Cocteau
de celui qui réussit à imposer, par la puissance de son
imagination, un univers romanesque original et qui fait du
détective un personnage humain. Simenon donne ses lettres
de noblesse au genre policier considéré jusqu'alors comme
mineur. En quelques lignes, par des phrases courtes dont
les constructions sont sans détours, Simenon réussit
à installer une atmosphère ou à camper un personnage. Il
enchaîne irrémédiablement le lecteur parce qu'il le met
instantanément en osmose avec une vie qui se dénoue
devant lui. Dans l'extrait du roman *Le Chien jaune* (1976),
Maigret est en cours d'enquête et il semble procéder sans
méthode, par intuition. Il paraît constamment à l'affût de
rapports inattendus entre les gens et les choses.

UN GRAND VIDE D'OÙ MONTAIT UN RÂLE

Maigret traversa le pont-levis, franchit la ligne des remparts,
s'engagea dans une rue irrégulière et mal éclairée. Ce que les
Concarnois appellent la ville close, c'est-à-dire le vieux quartier
encore entouré de ses murailles, est une des parties les plus
5 populeuses de la cité.

Et pourtant, alors que le commissaire avançait, il pénétrait
dans une zone de silence de plus en plus équivoque. Le silence
d'une foule qu'hypnotise un spectacle et qui frémit, qui a peur
ou qui s'impatiente.

10 Quelques voix isolées d'adolescents décidés à crâner.

Un tournant encore et le commissaire découvrit la scène :
la ruelle étroite, avec des gens à toutes les fenêtres ; des
chambres éclairées au pétrole ; des lits entrevus ; un groupe
barrant le passage, et, au-delà de ce groupe, un grand vide
15 d'où montait un râle.

Maigret écarta les spectateurs, des jeunes gens pour la plupart,
surpris de son arrivée. Deux d'entre eux étaient encore occupés
à jeter des pierres dans la direction du chien. Leurs compagnons
voulurent arrêter leur geste. On entendit, ou plutôt on devina :

20 « Attention !... »

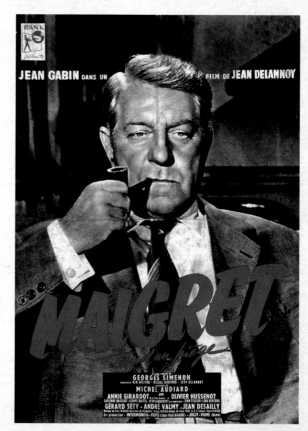

Jean Gabin,
dans le rôle de
l'inspecteur
Maigret, 1958.
Georges Simenon
a consacré 75
de ses romans
au personnage
du commissaire
Jules Maigret.

Et un des lanceurs de pierres rougit jusqu'aux oreilles tandis que Maigret le poussait vers la gauche, s'avançait vers l'animal blessé. Le silence, déjà, était d'une autre qualité. Il était évident que quelques instants plus tôt une ivresse malsaine animait les spectateurs, 25 hormis une vieille qui criait de sa fenêtre :

« C'est honteux !… Vous devriez leur dresser procès-verbal, commissaire !… Ils sont tous à s'acharner sur cette pauvre bête… Et je sais bien pourquoi, moi !… Parce qu'ils en ont peur… »

Le cordonnier qui avait tiré rentra, gêné, dans sa boutique. Maigret 30 se baissa pour caresser la tête du chien qui lui lança un regard étonné, pas encore reconnaissant. L'inspecteur Leroy sortait du café d'où il avait téléphoné. Des gens s'éloignaient à regret.

Georges Simenon, *Le Chien jaune*, Paris, 1976, © Georges Simenon limitée, une compagnie Chorion. Tous droits réservés.

☐ **VERS L'ANALYSE**

Un grand vide d'où montait un râle

1. Résumez l'extrait en une phrase ou deux.

2. Déterminez le type de narrateur et de focalisation de l'extrait et justifiez votre réponse.

3. Tracez le portrait de Maigret qui se dégage de cet extrait.

4. Les nombreuses notations auditives et visuelles montrent que, à l'instar de plusieurs romans de Simenon, cette scène pourrait être portée à l'écran. Relevez ces notations.

5. Le narrateur parle de silence dans l'extrait.
   a) À quel moment en est-il question ?
   b) À quoi ce silence est-il implicitement opposé ?
   c) À quoi est-il explicitement opposé ?
   d) À l'aide de passages précis, expliquez en quoi ces notations sur le silence témoignent, de la part de Simenon, d'une attention psychologique aux êtres.

Sujet de dissertation explicative

Comparez les personnages de Rouletabille et de Maigret ainsi que la manière dont les récits de Leroux et de Simenon sont menés.

Le roman policier de type social

Entre les deux guerres mondiales apparaît aux États-Unis le roman policier dit « noir » ou *thriller*, un roman policier réaliste – on y utilise même de l'argot – et à caractère social. Ces romans, noirs comme l'encre qui les révèle au lecteur, mettent l'accent non sur le détective, mais sur le criminel, la violence urbaine, la cruauté des protagonistes et la délinquance. Pour paraphraser Stendhal, ce type de roman est un miroir que l'on promène dans les recoins sombres des ruelles mal famées de la grande ville où s'agite toute une faune peu recommandable de prostituées, de trafiquants, de gangsters et de psychopathes de tous poils.

Avec ces romans naît aussi un nouveau type d'anti-héros : le dur à cuire, le détective aux méthodes brutales, la « sale gueule » que l'on aime détester, qui remplace la rationalisation des détectives des romans policiers traditionnels par le corps à corps avec la dure réalité. Pour ce type de détective, il s'agit moins de résoudre une énigme que de s'assurer qu'il y a de l'action. Ce type de roman noir axé sur le criminel ou sur un détective violent est surtout associé aux grands maîtres américains que sont les Hammett, Chandler, McCoy, Burnett, McBain, Himes, etc. Plus tard apparaît une variante de ces romans dans laquelle tout est centré sur la victime : la cible désignée est traquée, menacée, violentée, et cherche à fuir désespérément. Ces « romans de la victime » font partager au lecteur la terreur ressentie par la proie qui lutte contre des forces obscures. Patricia Highsmith et Mary Higgins Clark excellent dans ce genre.

Le polar contemporain réussit à assimiler et à intégrer toutes ces variantes ; il n'est donc pas étonnant qu'il fasse preuve d'une exceptionnelle diversité. Certains romans d'histoire-fiction connaissent même de foudroyants succès sur tout le « village planétaire », comme le *thriller* théologique de l'Américain Dan Brown, *Da Vinci Code*. Mais plus généralement, les polars décrivent sans complaisance quelques-uns des plus graves malaises de la civilisation actuelle : violence quotidienne, bavures policières, tentations terroristes. Nous présentons ici deux auteurs contemporains, Sébastien Japrisot et Daniel Pennac, dont les approches du polar sont très personnelles.

Le quartier de Belleville, à Paris.

Le roman noir révèle les recoins sombres des ruelles mal famées de la grande ville.

Sébastien Japrisot (1931-2003)

**« Être écrivain, ce n'est pas un métier.
C'est un état. »**

Sébastien Japrisot (anagramme de Jean-Baptiste Rossi) est un scénariste talentueux et un romancier traduit dans de nombreuses langues. En quarante ans de carrière, il écrit huit romans, des enquêtes captivantes, dont la plupart sont adaptés au cinéma et au théâtre. Il est aussi le traducteur de *L'Attrape-cœurs* de Jerome David Salinger (The Catcher in the Rye). Ses récits, basés sur une intrigue et menés comme un suspense, sont complexes mais plausibles, et comprennent plusieurs énigmes qui se résolvent en parallèle. Japrisot affectionne particulièrement les personnages de jeunes femmes, des anti-héroïnes plus vraies que nature, peintes avec sensibilité et justesse. Ces inoubliables entêtées s'engagent dans une mécanique implacable, arrivent toujours à leur fin et luttent contre leurs pertes de mémoire.

Ainsi, pour *La Dame dans l'auto avec des lunettes et un fusil* (1966), Japrisot a construit une architecture solide dont les intrigues sont labyrinthiques, comme il en a le secret. Ce roman raconte l'histoire d'une jeune secrétaire qui décide d'aller voir la mer avec l'auto qu'elle « emprunte » à son patron, lui-même parti en voyage d'affaires. Elle a toutefois la désagréable surprise d'entendre de la bouche de nombreuses personnes rencontrées au hasard de sa route qu'elle y est passée le matin même ou la veille. Son malaise vire à l'horreur quand elle découvre un cadavre dans le coffre de la voiture. Pétrie de culpabilité, la jeune femme est par la suite appelée à se livrer à un fascinant jeu de la vérité qui la ramène à un événement douloureux de son passé. Dans le passage retenu, Dany, la « dame » du titre, fait la stupéfiante découverte du cadavre dans le coffre de sa voiture.

Samantha Eggar et Philippe Nicaud dans le film *La Dame dans l'auto avec des lunettes et un fusil*, réalisé par Anatole Litvak, en 1970.

Les récits de Japrisot sont complexes mais plausibles, et comprennent plusieurs énigmes qui se résolvent en parallèle.

Nos regards se sont croisés : je n'oublierai jamais l'horreur qu'il y avait dans le sien.

Je l'ai entendu, près de moi, remuer l'homme mort. Je fixais désespérément des yeux l'entrée de la cour, mais ce n'était pas 5 par crainte de voir quelqu'un surgir. Je n'y pensais même plus. Un murmure :

— Regarde, Dany.

Il me montrait le fusil, une arme longue au canon noir.

— Il y a des initiales sur la crosse.

10 — Des initiales ?

— M. K.

Il m'a fait voir et toucher du doigt les deux lettres gravées dans le bois. Je ne connaissais personne portant ces initiales. Lui non plus. Il m'a dit :

15 — C'est une Winchester à répétition. Il manque trois balles dans le chargeur.

— Tu t'y connais ?

— Comme ça.

Il a essuyé le fusil avec mon mouchoir, il l'a remis en place 20 dans le tapis qui entourait l'homme mort. J'ai aperçu le visage de celui-ci, mâchoire ouverte dans la lumière blanche du coffre. Philippe fouillait les poches de la robe de chambre. À un silence, j'ai deviné qu'il venait de découvrir quelque chose, qu'il retenait sa respiration. Il s'est redressé brusquement. 25 Il voulait parler, il n'y arrivait pas. L'incrédulité le pétrifiait. J'ai eu le temps de voir un papier dans sa main gauche. Puis il a crié. Je ne sais pas ce qu'il a crié. Sans doute que j'étais démente, qu'il s'était laissé engluer dans le rêve d'une démente, parce que c'était cela, je le comprends maintenant, que disait 30 son regard. Je crois avoir vu aussi, dans ce regard, qu'il allait me frapper. Je crois que j'ai levé un bras pour me protéger.

Une douleur au creux de l'estomac, dans le même instant, m'a coupé le souffle et pliée en deux. Il m'a attrapée à bras-le-corps avant que je touche le sol, il m'a traînée vers une portière, et 35 j'ai eu conscience d'étouffer sur les sièges avant de la voiture, de l'entendre refermer le coffre et s'éloigner. Et puis, plus rien.

Longtemps après, tout était tranquille, j'étais seule, j'avais réussi à m'asseoir à côté du volant, j'aspirais l'air de la nuit par la bouche, j'étais bien, je pleurais. Mes lunettes étaient 40 tombées sur le tapis de sol. Il était une heure du matin au tableau de bord quand je les ai remises. Dans le désordre de

ma robe, en voulant la rabattre sur mes jambes, j'ai trouvé le papier que Philippe avait sorti d'une poche du mort.

J'ai fait de la lumière.

45 C'était un message téléphoné, à en-tête de l'aéroport d'Orly. Il était destiné à un certain Maurice Kaub, passager, vol Air-France 405. Il avait été reçu par une hôtesse à l'écriture pointue, le 10 juillet, à 18 h 55. J'ai mis du temps à calculer que c'était le vendredi, deux jours et demi avant, et à 50 ce moment, tout ce que j'avais fait durant ces deux jours a basculé dans une sorte de vertige froid, traversé de cris.

Texte : *Ne pars pas. Si tu n'as pas pitié de moi, je te suivrai à Villeneuve. Au point où j'en suis, tout m'est égal.*

Signature : *Dany.*

55 Le numéro de téléphone, à Paris, inscrit dans la case « origine du message », c'était le mien.

Sébastien Japrisot, La Dame dans l'auto avec des lunettes et un fusil, Paris, 1966, © Éditions Denoël.

☐ VERS L'ANALYSE

Une sorte de vertige froid

1. Divisez l'extrait en deux parties et résumez chacune en une phrase ou deux.

2. a) Déterminez le type de narrateur et de focalisation.
   b) Relevez deux passages qui illustrent bien le type de focalisation employé.
   c) Quel effet cette focalisation crée-t-elle ?

3. a) Relevez une ellipse dans le récit.
   b) Expliquez ce qui justifie cette ellipse.

4. Expliquez en quoi consiste le mystère.

5. Qu'est-ce qui désigne Dany comme une victime ?

6. Qu'est-ce qui la désigne comme une coupable ?

7. Selon vous, Philippe la perçoit-il comme une victime ou une coupable ? Justifiez votre réponse.

Sujet de dissertation explicative

Comparez la manière dont Gaston Leroux et Sébastien Japrisot introduisent le mystère dans leurs récits.

Daniel Pennac (né en 1944)

« Le verbe lire ne supporte pas l'impératif. »

Avec Daniel Pennac, le roman noir prend une dimension poétique : la psychologie propre à ce genre de roman est remplacée par des images, à la limite de la poésie, qui évoquent la réalité plus qu'elles ne la décrivent. L'un des personnages de Pennac, Benjamin Malaussène, tient le rôle de « bouc émissaire » dont la profession est de se faire engueuler par les clients à la place de ses employeurs. Dans la série de faux polars où ce personnage évolue, le romancier réhabilite ce que le roman français a négligé très longtemps : l'action aux innombrables rebondissements. Il faut dire que les œuvres de Pennac perdent leur étiquette de roman policier pour se fondre dans le grand fleuve de la littérature.

Dans *La Fée carabine* (1987), Benjamin Malaussène prend en charge une turbulente tribu de vieillards abandonnés du quartier parisien de Belleville (le quartier même où vit Mohammed dans *La Vie devant soi* de Romain Gary). Il doit composer avec une paire d'enquêteurs peu ordinaire : Pastor, le flic poète qui fait passer à table la crapule la plus vorace, et son acolyte vietnamien, qui tire plus vite que son ombre. Avec humour, Pennac inverse systématiquement les stéréotypes et prend le contre-pied des idées reçues, sans que l'histoire qu'il raconte et la fresque sociale qu'il peint ne perdent leur dimension réaliste. C'est ainsi que « les vieilles dames se mettent à buter les jeunots » et que « les doyens du troisième âge se shootent comme des collégiens ». L'action, servie par une écriture nerveuse qui réconcilie la langue parlée et la langue écrite, part dans toutes les directions, mais emprunte toujours, au grand plaisir du lecteur, des avenues caractérisées par une contagieuse joie de raconter. Le romancier fait habilement alterner l'humour et l'émotion, mais n'en traite pas moins un sujet grave : la place des vieux dans la jungle urbaine, entre l'indifférence des uns et la rapacité des autres. Dans l'extrait que nous présentons, Malaussène est en pleine crise d'expression lyrique.

MOI, BENJAMIN MALAUSSÈNE, JE VOUDRAIS...

Moi, Benjamin Malaussène, je voudrais qu'on m'apprenne à dégueuler de l'humain, quelque chose d'aussi sûr que deux doigts au fond de la gorge, qu'on m'apprenne le mépris, ou la bonne grosse haine bestiale, celle qui massacre les
5 yeux fermés, je voudrais que quelqu'un se pointe un jour, me désigne quelqu'un d'autre et me dise : celui-là est *le salaud* intégral, chie-lui sur la tête, Benjamin, fais-lui bouffer ta merde, tue-le et massacre ses semblables. Et je voudrais pouvoir le faire, sans blague. Je voudrais être de ceux qui
10 réclament le rétablissement de la peine de mort, et que l'exécution soit publique, et que le condamné soit guillotiné par les pieds d'abord, puis qu'on le soigne, qu'on le cicatrise, et qu'on remette ça une fois guéri, nouveau guillotinage, toujours par l'autre bout, les tibias, cette fois, et de nouveau
15 soigné, et de nouveau cicatrisé, et clac ! les genoux, au niveau de la rotule, là où ça fait le plus mal ; je voudrais appartenir à la vraie famille, innombrable et bien soudée, de tous ceux qui souhaitent le châtiment. J'emmènerais les enfants au spectacle, je pourrais dire à Jérémy : « Tu vois
20 ce qui t'attend, si tu continues à foutre le feu à l'Éducation nationale ? » Au Petit, je dirais : « Regarde, regarde, celui-là aussi transformait des mecs en fleurs ! » et, dès que la petite Verdun l'ouvrirait, je la brandirais, à bout de bras, au-dessus de la foule, pour qu'elle voie bien le couperet sanglant :
25 dissuasion ! Je voudrais appartenir à la grande, belle Âme Humaine, celle qui croit dur comme fer à l'exemplarité de la peine, celle qui sait où sont les bons, où sont les méchants, je voudrais être l'heureux proprio d'une *conviction intime*, putain que j'aimerais ça ! Bon Dieu, comme ça
30 simplifierait ma vie !

Daniel Pennac, *La Fée carabine*, Paris, 1987, © Éditions Gallimard.

☐ VERS L'ANALYSE

Moi, Benjamin Malaussène, je voudrais...

1. Résumez les souhaits que Malaussène exprime dans cet extrait.
2. Plusieurs éléments du texte montrent que les souhaits de Malaussène sont de l'ordre du fantasme et non de la réalité.
   a) Identifiez un mode verbal.
   b) Déterminez une caractéristique des actions qu'il décrit.
   c) Relevez un passage ironique.
3. Quel sentiment est à l'origine de ce fantasme chez Malaussène ?
4. Ce fantasme est violent. Dressez le champ lexical de la violence.
5. Le texte est très expressif.
   a) Relevez les expressions populaires qui concourent à cette expressivité.
   b) Quels autres procédés y concourent ?

Le théâtre

« **Plus de drame ni de tragédie, le tragique se fait comique, le comique est tragique.** »

Eugène Ionesco

*L*es années 1950 sont caractérisées par la guerre froide et la peur du nucléaire. Moscou et Washington se partagent le monde, les idéologies sont florissantes et le désespoir est bien ancré dans les esprits. Au lendemain de la guerre, on est encore abasourdi tant par la découverte des camps d'extermination nazis, en Allemagne et en Pologne, que par les ravages de la bombe atomique. Des écrivains existentialistes expriment leur révolte devant l'absurde et le tragique de la condition humaine. Mais, contrairement à ces auteurs qui arrivent tout de même à trouver un sens à la destinée humaine, d'autres croient observer une déshumanisation toujours plus grande et prennent le contre-pied des déclarations humanistes des existentialistes. Comme les dadaïstes l'avaient fait après la Première Guerre mondiale, ces iconoclastes transposent le chaos et l'absurdité du monde jusque dans le langage et dans la forme de leur théâtre, en totale rupture avec la tradition.

De l'absurde existentialiste au théâtre de l'absurde

Le théâtre existentialiste est l'expression d'une philosophie née du sentiment de l'absurdité du monde. Utilisant une forme dramaturgique classique – intrigue bien construite, personnages crédibles, cohérence du langage et des idées –, les existentialistes produisent des œuvres qui obéissent scrupuleusement aux règles du raisonnement et de la logique, qui proposent des modèles de comportement et d'engagement. Ces écrivains opposent la puissance des mots et des idées au chaos du monde ; ils ne font qu'ajouter un nouvel élément – le sentiment de l'irrationalité de la condition humaine – aux vieilles conventions théâtrales et à l'hypothèse qui les sous-tend et selon laquelle la pensée repose sur la cohérence du conscient.

Pour sa part, le théâtre de l'absurde assume l'incohérence du subconscient, ce qui vient bousculer toutes ces conventions. Il traduit la même prise de conscience d'une existence « sans raison, sans cause et sans nécessité » (Sartre), d'une présence au monde qui n'a pas de signification, du gouffre de solitude qu'est chaque vie humaine, mais il le fait en dehors de toute pensée discursive, de toute démarche rationnelle. L'absurde s'infiltre dans les structures scéniques et au cœur même du langage. Les personnages ne déclament plus contre l'absurdité de la vie, mais ils présentent un monde voué à l'irrationalité, où le langage est marqué par

Madeleine Renaud dans *Oh! Les Beaux Jours!* de Samuel Beckett, 1976.

L'absurde s'infiltre dans les structures scéniques et au cœur même du langage.

l'incohérence. C'est la mise à mort de l'humanisme, système de pensée qui considère que l'humanité est en progrès constant, ou du moins pourrait l'être. À l'absurdité de l'existence, ces dramaturges ajoutent celle des mots ; à l'absurdité du fond, ils ajoutent celle de la forme. Comme le Nouveau roman, le théâtre de l'absurde vient mettre à rude épreuve le lecteur ou le spectateur, dont le besoin de logique et de vraisemblance est loin d'être satisfait.

Les caractéristiques du théâtre de l'absurde

Le théâtre de l'absurde abolit toutes les conventions, révolutionne la dramaturgie de fond en comble et transforme aussi bien le langage que la scénographie. Le choc produit est comparable à celui causé par les poètes surréalistes. Tout déconcerte dans ce théâtre qu'il convient mieux d'appeler un anti-théâtre : tout réalisme est battu en brèche, l'action est souvent inexistante, le temps est aboli, il n'y a pas de personnages au sens classique du terme, ni de psychologie, ni d'intrigue, ni de ressort dramatique, ni de cohérence. Ce théâtre, qui consacre l'«effondrement du réel» selon l'expression d'Ionesco, proclame la liquidation dans l'allégresse.

Les personnages

Dans le théâtre de l'absurde, les personnages n'ont aucune réalité sociale et ne sont pas typés psycho-logiquement : ce sont des êtres anonymes, des entités sans état civil, des sortes d'abstractions. Ils ont en fait tellement régressé dans les attitudes et les comportements humains qu'ils ont perdu leur person-nalité, voire leur identité. Ils sont simplement là, réduits à une série de gestes, de mouvements et de mots. Leur action fort réduite se déploie dans un lieu irréel. Ils ont tellement été désertés par le sens, le vide qu'ils abritent est si grand qu'ils font figure d'anti-héros absolus. Ces marginaux amnésiques et d'une irréalité foncière doivent être vus comme des allégories : ils révèlent l'état pitoyable de l'être humain, conditionné et menacé, dans un monde incohérent et moribond. Ces personnages ne subsistent que par leur langage, un langage bavard qui les tient à bout de mots.

Zoran Music, *Nous ne sommes pas les derniers*, 1970.

Dans le théâtre de l'absurde, les personnages sont des êtres anonymes, des sortes d'abstractions.

Le langage

Le théâtre de l'absurde évacue tout réalisme et, du même coup, refuse le langage traditionnel de la scène. Le lan-gage n'est plus un rassurant moyen de communication, mais le véhicule même de l'absurdité qui enveloppe les personnages aussi bien que les spectateurs. Désarticulé par des coq-à-l'âne, obscurci par des ellipses, le langage est composé de platitudes, de bégaiements, de loufoque-ries, de lieux communs et de banalités qui deviennent des non-sens à force de se répéter, de phrases anodines et de lapalissades. Ce langage gangrené par l'absurdité est tellement illusoire qu'il débouche sur l'incommunicabilité et le silence, ce qui accentue la dimension tragique de la vie. Il sert tout au plus à établir un contact entre des interlocuteurs qui ne se comprennent pas, à assurer une présence d'autant plus dérisoire que le vieillissement, la mort, l'enfermement, la peur et l'attente sont omni-présents dans ce nouveau théâtre.

L'influence de Freud se fait aussi sentir dans ce théâtre : l'homme n'est pas maître de son langage. Il parle et agit en fonction de ses désirs inconscients, et quand il affirme quelque chose, il utilise des mots mensongers et s'abuse le plus souvent. Ce langage déconcertant en dit plus long sur la condition humaine que bien des monologues rationnels. Il exprime l'impuissance de l'homme, qui en est réduit à bavarder pour oublier son triste sort, pour s'empêcher de sentir le vide qui l'habite. Coincé entre un passé oublié et un avenir sans horizon, le présent n'est plus qu'un temps figé qui rappelle la situation désespérée et tragique du monde moderne, mais aussi burlesque, puisque,

Des jalons vers le théâtre de l'absurde

Tout bouleversement naît d'une longue préparation. C'est également vrai pour le théâtre de l'absurde. Jarry a donné le ton à toutes les avant-gardes du XXe siècle. Son personnage Ubu, anticonformiste et provocateur, préfigurait déjà les personnages absurdes du théâtre des années 1950. Vitrac a marché dans les pas de Jarry, puis Artaud a tenu le langage en grande suspicion. Son effort pour faire parler les gestes et les objets plutôt que les mots réapparaît dans ce nouveau théâtre. Ces trois dramaturges ont arrêté de chercher à donner l'illusion de la réalité et ont refusé l'analyse psychologique ; ils ont plutôt choisi de mettre en scène l'impossibilité de communiquer et la plus profonde aliénation de l'homme. Tous ces bouleversements ont ouvert la voie au théâtre de l'absurde. Il faut enfin évoquer l'apport du délire créateur de Joyce, sans oublier celui de la conception radicalement pessimiste de l'être humain de Kafka, qui croit que l'environnement aliène profondément l'individu.

paradoxalement, la dérision côtoie sans cesse l'angoisse dans ce théâtre. L'absurdité des situations est soulignée par le comique ; le burlesque a quelque chose de grinçant, alors que la mort et la violence ne craignent pas de s'apparier avec la parodie la plus débridée. Ce mélange des tons permet d'exprimer le chaos d'une époque désespérée, où l'angoisse existentielle est refoulée, terrée sous le masque du rire. Le spectateur, qui ne met pas de temps à s'émouvoir, comprend vite que l'étrangeté du langage vise à piéger des vérités cachées, que les paroles et les gestes répétés de manière compulsive par les personnages sont aussi ceux de sa vie stagnante. Lui-même prononce ces paroles et accomplit ces gestes pour oublier qu'il est lui aussi en attente. En attente de la mort absurde.

La présence des objets

Comme dans le Nouveau roman, les objets ont tendance à jouer un rôle particulier[1] dans ce théâtre. Symboles de la société de consommation et de la technique envahissante, les objets peuvent se multiplier de manière effrayante et inonder la scène, comme dans *Les Chaises* d'Ionesco. Même le corps est assimilé à un objet, mais c'est un corps malade et vieilli, chosifié dans l'espace dégénéré des choses, comme si l'humain percevait son corps comme une réalité qui lui échappe. D'ailleurs, les personnages ne sont pas seulement étrangers aux autres, ils le sont aussi à eux-mêmes.

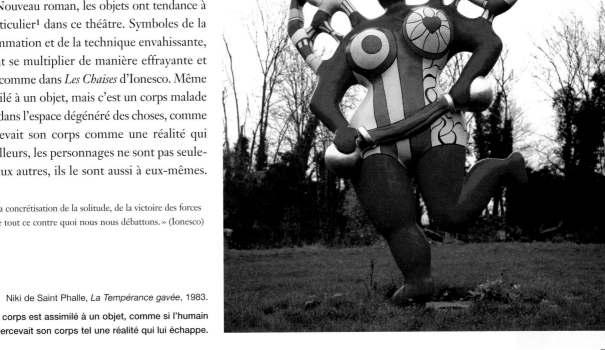

Niki de Saint Phalle, *La Tempérance gavée*, 1983.

Le corps est assimilé à un objet, comme si l'humain percevait son corps tel une réalité qui lui échappe.

---

1. « Les objets sont la concrétisation de la solitude, de la victoire des forces antispirituelles, de tout ce contre quoi nous nous débattons. » (Ionesco)

**Eugène Ionesco
(1912-1994)**

«Je puis dire que
mon théâtre est un
théâtre de dérision.
Ce n'est pas une certaine
société qui me paraît
dérisoire, c'est l'homme.»

Influencé par le théâtre de la cruauté d'Antonin Artaud, Ionesco renouvelle le genre dramatique par ses anti-pièces situées aux antipodes de la vraisemblance du théâtre de boulevard et du réalisme du théâtre engagé. Il renonce à toute logique et soumet le quotidien à ses multiples fantaisies. Ses pièces, dans lesquelles toute psychologie est bannie, se déroulent dans un décor banal et un lieu indéterminé, où prolifèrent souvent des objets, par exemple des chaises. Ses personnages, mécaniques et sans consistance, à mi-chemin entre la bêtise et la folie, fuient sans cesse et se réfugient dans un bavardage inauthentique: ils enfilent des clichés, des rabâchages, des onomatopées, se jettent à la tête des mots vidés de leur contenu. Ce langage stéréotypé sert à tout, sauf à communiquer.

Une atmosphère étrange se dégage de ces pièces, créée par un comique ambigu où le spectateur ne sait s'il doit rire ou pleurer. Le ridicule des personnages et l'insignifiance de leurs paroles sont rendus par un humour corrosif, grinçant et sarcastique, propre à mettre en évidence l'absurdité de leur existence. Ils croient exister, alors que leur vie est vide de toute substance; ils croient parler et échanger avec les autres, alors que leur langage ne fait que servir de paravent à leur angoisse. Le spectateur n'est pas long à comprendre que ce qui se passe sur scène n'est que la caricature de sa propre vie. Il est lui aussi aux prises avec l'absurdité des conventions sociales; ses rapports humains sont eux aussi caractérisés par l'incommunicabilité d'un langage fait d'automatismes et marqué par le conformisme. L'aliénation des personnages se double donc de celle du spectateur, c'est-à-dire celle de l'homme contemporain: un être angoissé et souffrant de la solitude, écrasé par le monde extérieur, livrant un combat dans lequel il ne peut jamais avoir le dessus. L'être humain est tellement habité par l'angoisse de sa mort qu'il préfère la repousser au moyen du rire.

Dans *Rhinocéros* (1958), Ionesco dénonce le conformisme. Cette pièce est inspirée par le nazisme, mais elle dépasse de loin ce mouvement politique. Elle met en scène une petite ville menacée par la rhinocérite: une maladie métamorphosant en rhinocéros tous ceux qui, incapables de pensées personnelles et d'authenticité, préfèrent se conformer à l'ensemble. Refusant d'assumer leur condition humaine, ils sont transformés en animaux. Un seul parvient à résister, Bérenger, qui incarne le pouvoir de s'assumer et de s'affirmer contre tout ce qui écrase l'être humain. Le passage proposé est extrait de la toute fin de la pièce.

Pierre Soulages,
Composition, 1955.

Ionesco renonce
à toute logique et à
toute vraisemblance.

MALHEUR À CELUI QUI VEUT CONSERVER SON ORIGINALITÉ!

Bérenger, *se regardant toujours dans la glace.* — Ce n'est tout de même pas si vilain que ça, un homme. Et pourtant, je ne suis pas parmi les plus beaux! Crois-moi, Daisy! *(Il se retourne.)* Daisy! Daisy! Où es-tu, Daisy? Tu ne vas pas faire ça! *(Il se*
5 *précipite vers la porte.)* Daisy! *(Arrivé sur le palier, il se penche sur la balustrade.)* Daisy! remonte! reviens, ma petite Daisy! Tu n'as même pas déjeuné! Daisy, ne me laisse pas tout seul! Qu'est-ce que tu m'avais promis! Daisy! Daisy! *(Il renonce*

à l'appeler, fait un geste désespéré et rentre dans sa chambre.)
10 Évidemment. On ne s'entendait plus. Un ménage désuni. Ce n'était plus viable. Mais elle n'aurait pas dû me quitter sans s'expliquer. *(Il regarde partout.)* Elle ne m'a pas laissé un mot. Ça ne se fait pas. Je suis tout à fait seul maintenant. *(Il va fermer la porte à clé, soigneusement, mais avec colère.)* On
15 ne m'aura pas, moi. *(Il ferme soigneusement les fenêtres.)* Vous ne m'aurez pas, moi. *(Il s'adresse à toutes les têtes de rhinocéros.)*

Je ne vous suivrai pas, je ne vous comprends pas! Je reste ce que je suis. Je suis un être humain. Un être humain. *(Il va s'asseoir dans le fauteuil.)* La situation est absolument
20 intenable. C'est ma faute, si elle est partie. J'étais tout pour elle. Qu'est-ce qu'elle va devenir? Encore quelqu'un sur la conscience. J'imagine le pire, le pire est possible. Pauvre enfant abandonnée dans cet univers de monstres! Personne ne peut m'aider à la retrouver, personne, car il n'y a plus
25 personne. *(Nouveaux barrissements, courses éperdues, nuages de poussière.)* Je ne veux pas les entendre. Je vais mettre du coton dans les oreilles. *(Il se met du coton dans les oreilles et se parle à lui-même, dans la glace.)* Il n'y a pas d'autre solution que de les convaincre, les convaincre, de quoi? Et les mutations
30 sont-elles réversibles? Hein, sont-elles réversibles? Ce serait un travail d'Hercule, au-dessus de mes forces. D'abord, pour les convaincre, il faut leur parler. Pour leur parler, il faut que j'apprenne leur langue. Ou qu'ils apprennent la mienne? Mais quelle langue est-ce que je parle? Quelle est ma langue?
35 Est-ce du français, ça? Ce doit être du français? Mais qu'est-ce que du français? On peut appeler ça du français, si on veut, personne ne peut le contester, je suis seul à le parler. Qu'est-ce que je dis? Est-ce que je me comprends, est-ce que je me comprends? *(Il va vers le milieu de la chambre.)*
40 Et si, comme me l'avait dit Daisy, si c'est eux qui ont raison? *(Il retourne vers la glace.)* Un homme n'est pas laid, un homme n'est pas laid! *(Il se regarde en passant la main sur sa figure.)* Quelle drôle de chose! À quoi je ressemble alors? À quoi? *(Il se précipite vers un placard, en sort des photos, qu'il regarde.)*
45 Des photos! Qui sont-ils tous ces gens-là? Papillon, ou Daisy plutôt? Et celui-là, est-ce Botard ou Dudard, ou Jean? ou moi, peut-être! *(Il se précipite de nouveau vers le placard d'où il sort deux ou trois tableaux.)* Oui, je me reconnais; c'est moi, c'est moi! *(Il va raccrocher les tableaux sur le mur du fond, à côté*
50 *des têtes des rhinocéros.)* C'est moi, c'est moi. *(Lorsqu'il accroche les tableaux, on s'aperçoit que ceux-ci représentent un vieillard, une grosse femme, un autre homme. La laideur de ces portraits contraste avec les têtes des rhinocéros qui sont devenues très belles. Bérenger s'écarte pour contempler les tableaux.)* Je ne suis pas
55 beau, je ne suis pas beau. *(Il décroche les tableaux, les jette par terre avec fureur, il va vers la glace.)* Ce sont eux qui sont beaux. J'ai eu tort! Oh, comme je voudrais être comme eux. Je n'ai pas de corne, hélas! Que c'est laid, un front plat. Il m'en faudrait une ou deux, pour rehausser mes traits
60 tombants. Ça viendra peut-être, et je n'aurai plus honte, je pourrai aller tous les retrouver. Mais ça ne pousse pas! *(Il regarde les paumes de ses mains.)* Mes mains sont moites. Deviendront-elles rugueuses? *(Il enlève son veston, défait sa chemise, contemple sa poitrine dans la glace.)* J'ai la peau flasque.
65 Ah, ce corps trop blanc, et poilu! Comme je voudrais avoir une peau dure et cette magnifique couleur d'un vert sombre,

une nudité décente, sans poils, comme la leur! *(Il écoute les barrissements.)* Leurs chants ont du charme, un peu âpre, mais un charme certain! Si je pouvais faire comme eux. *(Il essaie*
70 *de les imiter.)* Ahh, Ahh, Brr! Non, ça n'est pas ça! Essayons encore, plus fort! Ahh, Ahh, Brr! non, non, ce n'est pas ça, que c'est faible, comme cela manque de vigueur! Je n'arrive pas à barrir. Je hurle seulement. Ahh, Ahh, Brr! Les hurlements ne sont pas des barrissements! Comme j'ai mauvaise
75 conscience, j'aurais dû les suivre à temps. Trop tard maintenant! Hélas, je suis un monstre, je suis un monstre. Hélas, jamais je ne deviendrai rhinocéros, jamais, jamais! Je ne peux plus changer. Je voudrais bien, je voudrais tellement, mais je ne peux pas. Je ne peux plus me voir. J'ai trop honte!
80 *(Il tourne le dos à la glace.)* Comme je suis laid! Malheur à celui qui veut conserver son originalité! *(Il a un brusque sursaut.)* Eh bien tant pis! Je me défendrai contre tout le monde! Ma carabine, ma carabine! *(Il se retourne face au mur du fond où sont fixées les têtes des rhinocéros, tout en criant:)*
85 Contre tout le monde, je me défendrai, contre tout le monde, je me défendrai! Je suis le dernier homme, je le resterai jusqu'au bout! Je ne capitule pas!

Eugène Ionesco, *Rhinocéros*, Paris, 1959, © Éditions Gallimard.

☐ VERS L'ANALYSE

Malheur à celui qui veut conserver son originalité!

1. Quel est le thème principal de cet extrait?

2. Divisez l'extrait en six parties. Quel est le propos de chacune d'elles?

3. Compte tenu de la gamme de réactions par lesquelles passe Bérenger dans cet extrait et du fait qu'il représente quelque peu l'auteur, expliquez la position d'Ionesco par rapport au conformisme.

4. Quelle antithèse traduit l'inquiétude de Bérenger pour le sort de Daisy?

5. Bérenger est un moment tenté de devenir rhinocéros.
   a) Relevez, sur deux colonnes, les aspects de lui-même et des rhinocéros qu'il compare.
   b) Relevez les notations péjoratives qui montrent la répugnance qu'il éprouve soudain à l'égard de lui-même.
   c) Relevez les termes mélioratifs ainsi qu'un oxymore qui montrent l'admiration qu'il éprouve pour les rhinocéros.
   d) Quel nom, qui désigne d'abord les rhinocéros, puis, plus loin, Bérenger lui-même, montre que l'opinion de Bérenger sur les rhinocéros est en train de changer?

6. Quels sont les procédés les plus fréquents qui traduisent l'intensité des émotions de Bérenger? Donnez deux exemples de chaque procédé.

7. Quels sont les procédés de style qui indiquent, à la fin de l'extrait, que la décision de Bérenger de résister au conformisme est maintenant ferme?

8. Observez la grande quantité de didascalies.
   a) Quel est leur rôle au théâtre et chez Ionesco en général?
   b) Quel est leur rôle particulier dans cet extrait? Classez-les en trois catégories en fonction de leur contenu et donnez un exemple de chaque catégorie.

9. Quelle est la tonalité de l'extrait? Justifiez votre réponse.

Sujet de dissertation explicative

Montrez, à l'aide d'exemples, que la «rhinocérite» est encore d'actualité.

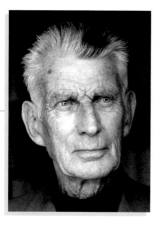

Samuel Beckett
(1906-1989)

« **Notre vie est une succession de paradis qui nous sont l'un après l'autre refusés.** »

C'est dans le néant et dans l'impossibilité de faire du théâtre que, paradoxalement, Beckett puise la matière de son théâtre, axé lui aussi sur l'absurde, comme pratiquement tout ce qui s'écrit au lendemain de la Seconde Guerre mondiale. Mais alors que les personnages des auteurs existentialistes sont conscients de l'absurdité de leur vie, les siens, plus encore que ceux d'Ionesco, n'ont aucune pensée ; ils vivent dans l'absurde. Ce théâtre déroutant n'en paraît que plus tragique.

Les personnages de ses pièces sont interchangeables : ce sont des solitaires, des vagabonds, des vieillards, des clowns tristes engagés dans des aventures sans signification et réduits à n'être qu'une voix, qui raconte leur existence larvaire. Ils sont incapables de réfléchir : leur machine à penser se met-elle à fonctionner que la parole s'embourbe aussitôt dans les mots. Le seul échange possible entre les personnages est celui du silence. Ces êtres misérables se parlent de leur corps et de son usure. Ils y attachent une si grande importance qu'ils semblent n'avoir rien à dire sur le reste. Ils n'ont aucun rôle à jouer dans la pièce, pas plus que dans le théâtre de la vie, si ce n'est de composer avec le temps qui passe, un temps stagnant, celui de l'attente, l'attente de la mort. Leur langage, celui des faits et gestes anodins et des paroles du quotidien, est relevé de nombreux jeux de mots et mis en valeur par des accessoires souvent grotesques et des situations qui relèvent de la farce, comme pour souligner le dérisoire et le tragique de la condition humaine. Le spectateur y reconnaît ses interrogations fondamentales : sur l'homme, sur sa propre vie, sur la communication qui se désagrège, sur la déroute du raisonnement et des rhétoriques, sur l'illusion du bonheur et de l'amour, sur l'anxiété d'« exister pour rien », en attente du silence définitif. Ces vérités profondes sont soutenues par une vision clownesque et laissent une inquiétante impression de vide.

Dans *En attendant Godot* (pièce écrite en 1952, mais jouée pour la première fois en 1953), deux personnages sans identité ni statut social attendent un certain Godot. Toute la pièce durant, ils tuent le temps et trompent leur ennui en se livrant à de vains balbutiements. Leur pressant besoin de dire se heurte à l'impossibilité d'exprimer quelque chose de significatif. Durant leur attente, il ne se passe rien, chaque instant ressemble au précédent et ne mène à rien, car Godot (nom symbolique qui peut rappeler autant « *God* » que « godillot ») ne vient jamais. Cet univers absurde caricature une humanité qui, quotidiennement, répète les mêmes gestes, les mêmes rites, dans l'attente aveugle qu'il se passe quelque chose. Le passage retenu est extrait de la toute fin de la pièce. On peut y remarquer que, pour rendre compte de l'échec du langage, le dramaturge utilise une écriture hautement poétique, d'une grande fluidité, et que la mécanique des dialogues utilise les ressources du comique et du tragique. Beckett réussit à styliser l'absurde et le mal-être contemporain.

Francis Picabia, *Ganga*, 1927 à 1929.

Les personnages de Beckett sont interchangeables : ce sont des solitaires, des vagabonds, des vieillards, des clowns tristes engagés dans des aventures sans signification.

Estragon. — Et si on se pendait?

Vladimir. — Avec quoi?

Estragon. — Tu n'as pas un bout de corde?

5 **Vladimir.** — Non.

Estragon. — Alors on ne peut pas.

Vladimir. — Allons-nous-en.

Estragon. — Attends, il y a ma ceinture.

Vladimir. — C'est trop court.

10 **Estragon.** — Tu tireras sur mes jambes.

Vladimir. — Et qui tirera sur les miennes?

Estragon. — C'est vrai.

Vladimir. — Fais voir quand même.

15 *(Estragon dénoue la corde qui maintient son pantalon. Celui-ci, beaucoup trop large, lui tombe autour des chevilles. Ils regardent la corde.)* À la rigueur ça pourrait aller. Mais est-elle solide?

20 **Estragon.** — On va voir. Tiens.

Ils prennent chacun un bout de la corde et tirent. La corde se casse. Ils manquent de tomber.

Vladimir. — Elle ne vaut rien.

25 *Silence.*

Estragon. — Tu dis qu'il faut revenir demain?

Vladimir. — Oui.

Estragon. — Alors on apportera
30 une bonne corde.

Vladimir. — C'est ça.

Silence.

Estragon. — Didi.

Vladimir. — Oui.

35 **Estragon.** — Je ne peux plus continuer comme ça.

Vladimir. — On dit ça.

Estragon. — Si on se quittait? Ça irait peut-être mieux.

40 **Vladimir.** — On se pendra demain. *(Un temps.)* À moins que Godot ne vienne.

Estragon. — Et s'il vient.

Vladimir. — Nous serons sauvés.

45 *Vladimir enlève son chapeau – celui de Lucky – regarde dedans, y passe la main, le secoue, le remet.*

Estragon. — Alors on y va?

Vladimir. — Relève ton pantalon.

50 **Estragon.** — Comment?

Vladimir. — Relève ton pantalon.

Estragon. — Que j'enlève mon pantalon?

Vladimir. — RE-lève ton pantalon.

55 **Estragon.** — C'est vrai.

Il relève son pantalon. Silence.

Vladimir. — Alors on y va?

Estragon. — Allons-y.

Ils ne bougent pas.

Samuel Beckett, *En attendant Godot*,
Paris, 1952, © Éditions de Minuit.

Rémi Girard et Normand Chouinard dans la pièce
En attendant Godot, mise en scène par André Brassard
au TNM, 1992.

☐ **VERS L'ANALYSE**

Je ne peux plus continuer comme ça

1. Que suggère le fait qu'Estragon et Vladimir veuillent se pendre?

2. Relevez une répartie qui exprime fortement leur malaise.

3. En quoi l'épisode de la corde montre-t-il l'extrême indigence des deux personnages?

4. Que représente Godot? Justifiez votre réponse à l'aide d'un passage précis du texte.

5. Qui désigne le «on» dans les deux répliques suivantes: «On dit ça» (ligne 37) et «Si on se quittait?» (ligne 38)?

6. Beckett emploie beaucoup de didascalies.
   a) Expliquez en quoi elles soulignent le caractère absurde de la scène.
   b) Expliquez la dernière didascalie: «*Ils ne bougent pas*», en la mettant en rapport avec les dernières répliques, l'ensemble de l'extrait et le titre de la pièce.

7. Ce texte est à la fois comique et tragique. Relevez les procédés comiques et expliquez le caractère tragique du texte.

8. Les deux autres personnages de la pièce se nomment Lucky et Pozzo. Voyez-vous une signification au choix des noms de ces quatre personnages?

Sujet de dissertation explicative

Relevez les éléments du texte qui rattachent celui-ci au théâtre de l'absurde.

Alberto Giacometti,
Jean Genet, 1955.

Jean Genet (1910-1986)

« Je vais au théâtre afin de me voir [...] tel que je ne saurais
– ou n'oserais – me voir ou me rêver, et tel pourtant que
je me sais être. »

Enfant de l'Assistance publique, Jean Genet mène longtemps
une vie errante et marginale, qui le conduit d'une maison de
correction à l'autre, puis dans plusieurs prisons. Homme de rupture,

il voue une haine farouche à toutes les facettes de l'ordre établi,
jusqu'à faire une apologie systématique de la transgression de la
loi. Sa vie de vagabondage prend fin lorsqu'il atteint la trentaine
avancée et publie des poèmes qu'il a rédigés en prison. Ce révolté
milite sans relâche en faveur des « damnés de la terre » : ses frères
sont les travailleurs immigrés, les réfugiés des camps palestiniens
et autres « *Black Panthers* ».

Son théâtre se situe en marge du théâtre de l'absurde. Comme
Ionesco et Beckett, il rejette les conventions scéniques, mais ses
personnages ne sont pas, eux, des fantoches allégoriques. Ce sont
plutôt des êtres habités par une exceptionnelle violence, qu'ils
exercent contre les figures de l'autorité. Cet auteur subversif ne
craint pas de déclencher le scandale : il sacralise le crime et souligne
ainsi la beauté du mal. Le malaise moral causé par cette audace
est racheté par la force créatrice de l'écriture, hautement poétique,
lyrique et élégante, même quand elle se veut grossière et provocatrice. Souvent hallucinatoire, cette vision du monde exprimée par
un exclu n'est pas si négative qu'elle peut le paraître au premier abord.
D'autres avant lui ont constaté l'absurdité et le chaos. Genet, à la
manière des dadaïstes, fait un pas de plus dans la direction de la
révolte totale : il propose de tout dynamiter afin de reconstruire
sur quelque chose de solide et de vrai. Le dramaturge inverse les
valeurs et montre l'envers de
ce que les spectateurs désirent,
ce qui lui permet de toucher
à leurs déchirures secrètes,
qui sont en fait celles de la
condition humaine.

Dans *Les Bonnes* (1947), deux ser-
vantes discutent entre elles des
rapports qu'elles entretiennent
avec leur patronne. Le dramaturge y reprend l'idée d'une
humanité intrinsèquement vouée
à faire le mal : les bonnes décident
de tuer Madame.

Glenda Jackson et Susannah York
dans la pièce *Les Bonnes*
de Jean Genet, 1974.

Auteur subversif, Jean Genet ne craint
pas de déclencher le scandale.

S'AIMER DANS LA SERVITUDE, CE N'EST PAS S'AIMER

Solange. — Je voudrais t'aider. Je voudrais te consoler, mais je sais que je te dégoûte. Je te répugne. Et je le sais puisque tu me dégoûtes. S'aimer dans la servitude, ce n'est pas s'aimer.

Claire. — C'est trop s'aimer. Mais j'en ai assez de ce miroir effrayant qui me renvoie mon image comme une mauvaise odeur. Tu es ma mauvaise odeur. Eh! bien, je suis prête.
5 J'aurai ma couronne. Je pourrai me promener dans les appartements.

Solange. — Nous ne pouvons tout de même pas la tuer pour si peu.

Claire. — Vraiment? Ce n'est pas assez? Pourquoi, s'il vous plaît? Pour quel autre motif? Où et quand trouverions-nous un plus beau prétexte? Ce n'est pas assez? Ce soir, Madame assistera à notre confusion. En riant aux éclats, en riant parmi ses pleurs, avec ses soupirs
10 épais! Non. J'aurai ma couronne. Je serai cette empoisonneuse que tu n'as pas su être. À mon tour de te dominer.

Solange. — Mais, jamais…

Claire. — Passe-moi la serviette! Passe-moi les épingles à linge! Épluche les oignons! Gratte les carottes! Lave les carreaux! Fini. C'est fini. Ah! j'oubliais! ferme le robinet!
15 C'est fini. Je disposerai du monde.

Solange. — Ma petite sœur!

Claire. — Tu m'aideras.

Solange. — Tu ne sauras pas quels gestes faire. Les choses sont plus graves, Claire, plus simples.

Claire. — Je serai soutenue par le bras solide du laitier. Il ne flanchera pas.
20 J'appuierai ma main gauche sur sa nuque. Tu m'aideras. Et s'il faut aller plus loin, Solange, si je dois partir pour le bagne, tu m'accompagneras, tu monteras sur le bateau. Solange, à nous deux, nous serons ce couple éternel, du criminel et de la sainte. Nous serons sauvées, Solange, je te le jure, sauvées!

Jean Genet, *Les Bonnes*, Paris, 1947, © Éditions L'Arbalète.

☐ VERS L'ANALYSE

*S'aimer dans la servitude,
ce n'est pas s'aimer*

1. Résumez l'extrait en une phrase.

2. Tout au long de la pièce, les bonnes se plaignent de leur état d'asservissement et de soumission. Le personnage de Claire, dans cet extrait, exprime le désir d'un renversement de situation. Relevez deux procédés stylistiques qui traduisent ce désir.

3. Commentez l'image du «miroir», aux lignes 3 et 4.

4. a) Relevez une comparaison dans la première réplique de Claire.
   b) Expliquez-la.

5. Quels arguments invoque Solange pour essayer de dissuader Claire de tuer leur maîtresse?

6. Claire se dit décidée à tuer Madame. Quels procédés soulignent sa détermination?

7. Genet aime présenter des couples où sont réunis le criminel et le saint. Qu'est-ce que la fin de la dernière réplique de Claire suggère qu'ils ont en commun?

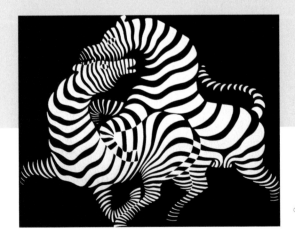

Victor Vasarely, *Zebras*, 1950.

La frontière entre prose et poésie se fait de plus en plus indistincte.

La poésie

La poésie de cette époque participe elle aussi de la tendance à briser toutes les attaches avec les vieilles conventions littéraires. Il a été question des oulipiens qui refusent le concept d'inspiration et inventent, pour le remplacer, des structures inédites qui bousculent la littérature – dont la poésie – et y font entrer la dérision. En 1946, d'autres poètes, réunis autour d'Isidore Isou, fondent le lettrisme, un mouvement qui fait de la lettre – de son aspect phonétique – l'élément essentiel du poème. Les lettristes aspirent à inventer un art – poésie sonore ou musique verbale – qui pourrait se substituer aussi bien à la poésie qu'à la musique. Eux aussi se détournent de l'inspiration au profit du travail.

En dehors de ces tentatives souvent cocasses, de nombreux poètes s'interrogent sur le fait poétique. La frontière entre prose et poésie se fait de plus en plus indistincte. L'exploration de l'imaginaire et la passion du jeu avec les mots constituent une quête existentielle où les expériences personnelles importent bien davantage que les règles à suivre. Nous présentons ci-après la démarche de deux poètes incontournables du XXe siècle, Francis Ponge et Henri Michaux.

**Francis Ponge
(1899-1988)**

« **L'amour des mots
est en quelque façon
nécessaire à la
jouissance des choses.** »

Francis Ponge est une figure importante de la littérature contemporaine, en dépit de sa volonté de rester en marge des courants littéraires de son époque. Sa vaste entreprise de description des objets et du monde influence de très nombreux écrivains. La grande originalité de Ponge est de rompre avec la manière dont on traitait auparavant les choses et la nature. Avec lui, l'homme n'est plus au centre du monde ni de l'œuvre d'art : le poète part plutôt des objets[1], qu'il confie aux mots, non pas pour qu'ils les décrivent, mais pour qu'ils en rendent un équivalent verbal qui en restituerait l'âme.

La fascination pour l'objet ordinaire et l'élimination du point de vue humain semblent traduire la progression de la société de consommation et révéler la profonde crise qui secoue cette époque. Le vieil humanisme a cessé de séduire les sociétés ; seuls subsistent le matérialisme et les pressants diktats de la réalité réduite à des objets qui envahissent des territoires jusque-là réservés à l'humain, jusqu'à l'effacement de ce dernier.

En 1942, Francis Ponge ouvre la voie à la poésie de l'objet avec *Le Parti pris des choses*, dont est extrait le poème présenté. Il ne s'agit pas d'un poème en prose, du moins pas au sens où on l'entendait au XIXe siècle, mais plutôt d'un nouveau genre littéraire qui fait fusionner prose et poésie. La phrase se fait attentive aux détails et progresse par ajouts, retouches, reprises et fignolage.

1. Cette présence obsédante de l'objet dans la littérature, comme dans l'art en général, n'est pas nouvelle. Dans les années 1930, André Breton et les surréalistes créent des poèmes-objets ; les cubistes, pour leur part, intègrent des objets dans leurs toiles. On constate par la suite la présence envahissante des objets dans les œuvres du Nouveau roman et dans le théâtre de l'absurde. Cette présence s'amplifie jusqu'à la fin du XXe siècle, depuis le *Pop Art* de l'Américain Andy Warhol jusqu'aux artistes hyperréalistes, qui grossissent exagérément les objets. Le Québécois Réjean Ducharme prend le nom de Rock Plante quand il crée des tableaux ou des sculptures à partir d'objets trouvés dans les rues (des minéraux et des végétaux, d'où le choix de son pseudonyme).

Daniel Isaac Spoerri, *Le Réveil du lion*, 1961.

Avec Ponge, l'homme n'est plus au centre du monde ni de l'œuvre d'art : le poète part plutôt des objets.

L'Huître

L'huître, de la grosseur d'un galet moyen, est d'une apparence plus rugueuse, d'une couleur moins unie, brillamment blanchâtre. C'est un monde opiniâtrement clos. Pourtant on peut l'ouvrir : il faut alors la tenir au creux d'un torchon, se servir d'un couteau ébréché et peu franc, s'y reprendre à plusieurs fois. 5 Les doigts curieux s'y coupent, s'y cassent les ongles : c'est un travail grossier. Les coups qu'on lui porte marquent son enveloppe de ronds blancs, d'une sorte de halos.

À l'intérieur l'on trouve tout un monde, à boire et à manger : sous un *firmament* (à proprement parler) de nacre, les cieux d'en-dessus s'affaissent 10 sur les cieux d'en-dessous, pour ne plus former qu'une mare, un sachet visqueux et verdâtre, qui flue et reflue à l'odeur et à la vue, frangé d'une dentelle noirâtre sur les bords.

Parfois très rare une formule perle à leur gosier de nacre, d'où l'on trouve aussitôt à s'orner.

Francis Ponge, « L'Huître », *Le Parti pris des choses*, Paris, 1942, © Éditions Gallimard.

☐ VERS L'ANALYSE

L'Huître

1. Dégagez le plan de ce texte.

2. Pourquoi les propos des paragraphes se présentent-ils dans cet ordre ?

3. Pourquoi le troisième paragraphe est-il plus court ?

4. Le texte relègue l'être humain au second plan. Relevez un pronom, un verbe impersonnel et une personnification qui le montrent.

5. C'est surtout par ses sens que l'humain est présent dans le texte. Citez les passages relatifs à chacun des cinq sens.

6. Par souci de réalisme, Ponge décrit les bons et les mauvais côtés de l'objet.
   a) Relevez les métaphores qui valorisent l'huître.
   b) À quels mots s'opposent-elles ?

7. Même s'il s'éloigne considérablement de la poésie traditionnelle, ce texte demeure très poétique. Donnez-en au moins deux raisons.

Sujet de dissertation explicative

Comparez l'importance que prend l'objet chez Ponge à celle qu'il prend chez un auteur du Nouveau roman, tel Robbe-Grillet.

Henri Michaux (1899-1984)

« J'écris pour me parcourir. [...] Là est l'aventure d'être en vie. »

Henri Michaux est un poète qui s'intéresse bien davantage au maniement du langage qu'aux questions idéologiques. En ce sens, il assume l'héritage de Lautréamont, mais s'écarte du surréalisme par la sobriété de son écriture. Grand voyageur, tantôt dans les pays réels, tantôt dans les contrées imaginaires, ce spéléologue de l'inconscient ne cesse d'abolir toute trace de frontière entre le monde rêvé et le monde réel. Il note les mouvements et les modifications de son univers mental, souvent traversé de visions cauchemardesques ; il demande à son écriture et à sa peinture – car il est également peintre – d'explorer tout ce qui se dérobe et se cache dans l'« espace du dedans », tous ces tremblements de l'être qui agitent les profondeurs de l'inconscient. Pour parvenir à mettre au jour l'envers du décor, à traquer la nuit qui gît en chacun, ce poète épris d'absolu repousse les limites de l'activité intellectuelle par l'expérience des drogues hallucinogènes, dont il se garde toutefois de l'accoutumance. Il décrit de manière lucide et objective, en véritable clinicien, les écarts d'être que ces substances lui procurent, les failles de la réalité qu'elles lui permettent de combler.

Les ouvrages de cet aventurier de l'espace intérieur sont d'une tonalité unique dans la littérature du XXe siècle. Son besoin de tout comprendre, d'exprimer les mouvements les plus fugaces de la vie intérieure et d'explorer toutes les possibilités de l'homme l'amène à bousculer les conventions du lyrisme. Ainsi, dans *Connaissance par les gouffres* (1961), il démontre un sens critique aigu qui désacralise l'écriture poétique et les classifications en genres littéraires ; de plus, il arrive à mettre à nu une vérité sans concession par la description de l'invasion progressive de la scène mentale par les hallucinogènes. Le passage suivant en est un extrait.

Le chemin qui ne s'arrête pas

Que s'est-il donc passé? Il s'est passé une triple agression. La première venant quelque temps après l'apparition des deux mots-signaux, j'eus quelque peine à la comprendre et ce fut, seulement recouché, que je vis ce qui avait pu déclencher mon bizarre abattement. Pieds nus sur le carreau, j'étais allé dans
5 la salle de bains, prendre un flacon d'eau de Cologne. Subitement j'eus froid. Faute de mieux, je m'enveloppai les pieds de serviettes sèches. Mais l'agression du froid n'avait pas été repoussée, l'impression de froid, perdant tout rapport avec l'incident, devenait «le froid», l'imparable froid, le froid essentiel et, par définition, qui exclut catégoriquement la chaleur, froid par continuation,
10 par règne, en vertu de son pouvoir verbal intrinsèque... Froid abstrait de son point de départ.

Cependant, je le sentais, il restait en moi un autre abattement, tapi sous le premier et tout aussi abstrait. Sur le divan, j'essayais de réfléchir. Tout à l'heure, entrant dans la salle d'eau, en ces moments vulnérables, j'avais
15 été frappé (mot étonnant. Que de mots semblent avoir été inventés par des névrosés!) par l'affreuse chaise qui s'y trouve. Elle m'avait donné un coup, des coups, et chaque fois que je la regardais, de nouveaux coups. Je me souviens maintenant que je l'avais assez étrangement considérée, insuffisamment vêtue comme elle est de sa peinture ancienne autrefois blanche, maintenant écaillée,
20 lépreuse, décolorée, pauvre vieille chaise, et ses si pauvres pieds mal en point (mais oui, les pieds aussi comme moi) et ç'avait été la deuxième agression, agression de laideur qui se lia à la première, toutes deux bientôt n'en faisant qu'une, qui de ses coups nombreux me frappait, moi aveugle, et continuait à frapper sourdement, mais profondément, peut-être composant à mon insu,
25 avec «froid» faisant «refroidissement», avec «laid» faisant «enlaidissement», avec «vieux» faisant «vieillissement», avec «lépreux» faisant «quantité de maladies» et d'indispositions et de malaises et faisant misère, faisant ruine, faisant Dieu sait quoi, car la drogue c'est le chemin qui ne s'arrête pas, qui va, qui va, avec ses dégâts proliférants, incessamment mettant des jeunes
30 au monde. J'avais quelque peine à redresser la barre. Me croyant malin je mis la radio, mais très en sourdine. C'est alors que je glissai, que ça glissa, que tout glissa. Troisième agression en cette mémorable journée! Je coupai presque aussitôt, mais la musique coupée continua.

Désolidifié, devenu flou, le monde d'avant m'était soustrait.

Henri Michaux, *Connaissance par les gouffres*, Paris, 1961, © Éditions Gallimard.

Quelques vers et citations de Michaux

«Un jour j'arracherai l'ancre qui tient mon navire loin des mers.»

«On crie pour taire ce qui crie.»

«Ne désespérez jamais. Faites infuser davantage.»

«Quand les autos penseront, les Rolls-Royce seront plus angoissées que les taxis.»

«Qui a rejeté son démon nous importune avec ses anges.»

«Si un contemplatif se jette à l'eau, il n'essaiera pas de nager, il essaiera d'abord de comprendre l'eau. Et il se noiera.»

«L'homme est à venir. L'homme est l'aventure de l'homme.»

«Il faut un obstacle nouveau pour un savoir nouveau.»

«Tout homme qui n'aide pas à mon perfectionnement: zéro.»

☐ VERS L'ANALYSE

Le chemin qui ne s'arrête pas

1. Henri Michaux décrit, dans cet extrait, trois «agressions» progressives vécues au cours d'un voyage intérieur provoqué par la prise d'hallucinogènes.
   a) Dites, pour chacune des trois agressions, quel est le point de départ dans la réalité.
   b) Dites ensuite quel est le point d'arrivée psychologique.

2. Montrez que le texte est construit d'une manière rigoureuse.

3. Ce voyage intérieur présente une vision plutôt cauchemardesque. Relevez tous les mots qui traduisent ce cauchemar.

4. Quels procédés stylistiques mettent en évidence la sensation de froid dans le premier paragraphe?

5. Expliquez la concordance entre le fond et la forme dans la phrase graphique qui commence par «Je me souviens» (ligne 17) et qui se termine par «des jeunes au monde» (lignes 29 et 30).

6. Que signifie l'expression de la ligne 30: «redresser la barre»?

Sujet de dissertation explicative

Démontrez que cet extrait d'Henri Michaux a des points communs avec les écrits surréalistes. (Pensez, entre autres, à Breton ou à Éluard.)

La poésie québécoise est le témoin par excellence de l'histoire de ce peuple en quête de son identité. Après avoir servi, dans la première moitié du siècle, d'outil de prise de conscience des difficultés de vivre et de survivre en ce pays, la poésie invite ensuite un peuple héréditairement silencieux à prendre la parole pour revendiquer, haut et fort, ses droits. Dans les années 1950 et 1960, les poètes ne craignent donc pas de s'engager politiquement pour rappeler l'aliénation qui brime un peuple et le prive de son droit à la parole. Ils tentent surtout d'imposer une vision du monde fondée sur la prise de conscience du pays à conquérir.

Considéré comme «le premier grand prophète du pays à naître», **Gaston Miron** (1928-1996) est sans doute l'écrivain qui réussit le mieux à formuler le projet global du pays à venir et à montrer que sa réalisation requiert l'engagement de chaque citoyen. Dans son poème *Déclaration*, il traite l'écriture poétique d'une façon toute personnelle et n'hésite pas à dénoncer la place que la société réserve à l'individu.

La littérature au Québec

Durant les années 1960, le Québec est en pleine ébullition et vit ce qu'on appelle la Révolution tranquille. Les Québécois se perçoivent dorénavant comme une société qui doit s'autodéterminer et, s'il le faut, conquérir son indépendance. Ils veulent contrôler leur économie et leur politique, ainsi que développer leur culture et en protéger les particularités. Il en découle un nouveau sentiment d'appartenance au territoire, caractérisé par l'enthousiasme et un désir de réformes sans précédent. La parole des écrivains devient le fer de lance de cette volonté de réappropriation du pays. Poètes, romanciers, dramaturges et chansonniers, tous tiennent à annoncer la venue d'un temps nouveau.

⚜ DÉCLARATION

à la dérision

Je suis seul comme le vert des collines au loin
je suis crotté et dégoûtant devant les portes
les yeux crevés comme des œufs pas beaux à voir
5 et le corps écumant et fétide de souffrance

Je n'ai pas eu de chance dans la baraque de vie
je n'ai connu que de faux aveux de biais le pire
je veux abdiquer jusqu'à la corde usée de l'âme
je veux perdre la mémoire à fond d'écrou

10 L'automne est venu je me souviens presque encore
on a préparé les niches pour les chiens pas vrai
mais à moi, à mon amour, à mon mal gênants
on ouvrit toutes grandes les portes pour dehors

or, dans ce monde d'où je ne sortirai bondieu
15 que pour payer mon dû, et où je suis gigué déjà,
fait comme un rat par toutes les raisons de vivre
hommes, chers hommes, je vous remets volontiers

1 – ma condition d'homme
2 – je m'étends par terre
20 dans ce monde où il semble meilleur
être chien qu'être homme

Gaston Miron, «Déclaration», *L'Homme rapaillé*, Montréal, 1970,
© Éditions Typo et succession Gaston Miron,
Marie-Andrée Baudet et Emmanuelle Miron, 1998.

☐ VERS L'ANALYSE

Déclaration

1. Divisez ce texte en trois parties, en indiquant le propos central de chacune des parties.

2. Le poète exprime de la détresse.
   a) Relevez les termes péjoratifs par lesquels il se désigne.
   b) Relevez un terme péjoratif qui désigne la vie.
   c) Dressez le champ lexical de la perte et de l'exclusion.

3. Quel est le ton du poème?

4. Qu'exprime la fréquence du «je» (11 occurrences), qui se présente même sous forme d'anaphore dans les deux premières strophes?

5. Miron renouvelle l'écriture poétique. Montrez-le en relevant:
   a) un néologisme;
   b) des expressions populaires;
   c) un élément formel inhabituel en poésie.

6. Dites ce qui permet d'affirmer qu'il y a, dans ce texte, un certain mouvement de révolte.

Sujet de dissertation explicative

Démontrez, à partir de la comparaison entre ce poème et d'autres poèmes du recueil *L'Homme rapaillé*, tels «La Route que nous suivons» et «L'Octobre», que la prise de conscience de l'aliénation débouche sur un désir impérieux de libération.

Les romanciers québécois de cette époque abandonnent la problématique sociale des années 1940. Ils se détachent des valeurs institutionnelles pour promouvoir une orientation nouvelle du devenir collectif, qui est axée sur la liberté du pays, mais aussi sur celle de l'individu. À peu près tous les romans de cette époque disent, chacun à sa manière, la «difficulté d'être» au Québec à ce moment précis de l'histoire. Les romanciers dits «de la révolte» utilisent différents moyens pour contester la société québécoise et donner une voix à leurs lecteurs tout aussi contestataires. Dans une société où toutes les vérités d'hier sont remises en question, ils refusent la technique et les procédés traditionnels du roman: ils font éclater la linéarité temporelle, superposent les décors et déstructurent l'intrigue. Certains n'hésitent pas à faire un usage soutenu du joual, cette langue blessée utilisée par un peuple agressé. Ces récits éclatés sont dorénavant signifiants jusque dans leur forme, comme dans le cas du Nouveau roman. Le roman se modèle ainsi sur la société: à un pays défait qui tente de se restructurer correspondent des romans qui se défont, à la recherche d'un nouvel ordre des choses.

Réjean Ducharme (né en 1941) est de ceux qui réussissent le mieux à exprimer leur rejet des valeurs traditionnelles, incarnées dans ses romans par des adultes bien assis sur leurs croyances et sur leurs vérités. Son personnage de Bérénice dans *L'Avalée des avalés* (1966) crie son malaise et témoigne des difficultés qui attendent les Québécois dans leur route vers la libération, comme on le voit dans l'extrait proposé.

IL N'Y A PLUS ASSEZ D'AIR TOUT À COUP

Tout m'avale. Quand j'ai les yeux fermés, c'est par mon ventre que je suis avalée, c'est dans mon ventre que j'étouffe. Quand j'ai les yeux ouverts, c'est parce que je vois que je suis avalée, c'est dans le ventre de ce que je vois que je suffoque. Je suis avalée
5 par le fleuve trop grand, par le ciel trop haut, par les fleurs trop fragiles, par les papillons trop craintifs, par le visage trop beau de ma mère. Le visage de ma mère est beau pour rien. S'il était laid, il serait laid pour rien. Les visages, beaux ou laids, ne servent à rien. On regarde un visage, un papillon, une fleur, et ça nous
10 travaille, puis ça nous irrite. Si on se laisse faire, ça nous désespère. Il ne devrait pas y avoir de visages, de papillons, de fleurs. Que j'aie les yeux ouverts ou fermés, je suis englobée: il n'y a plus assez d'air tout à coup, mon cœur se serre, la peur me saisit.

Léon Bellefleur, *Sur la plage*, 1986.

L'été, les arbres sont habillés. L'hiver, les arbres sont nus comme
15 des vers. Ils disent que les morts mangent les pissenlits par la racine. Le jardinier a trouvé deux vieux tonneaux dans son grenier. Savez-vous ce qu'il en a fait? Il les a sciés en deux pour en faire quatre seaux. Il en a mis un sur la plage, et trois dans le champ. Quand il pleut, la pluie reste prise dedans. Quand ils ont soif,
20 les oiseaux s'arrêtent de voler et viennent y boire.

Je suis seule et j'ai peur. Quand j'ai faim, je mange des pissenlits par la racine et ça se passe. Quand j'ai soif, je plonge mon visage dans l'un des seaux et j'aspire. Mes cheveux déboulent dans l'eau. J'aspire
25 et ça se passe : je n'ai plus soif, c'est comme si je n'avais jamais eu soif. On aimerait avoir aussi soif qu'il y a d'eau dans le fleuve. Mais on boit un verre d'eau et on n'a plus soif. L'hiver, quand j'ai froid, je rentre et je mets mon gros chandail bleu. Je
30 ressors, je recommence à jouer dans la neige, et je n'ai plus froid. L'été, quand j'ai chaud, j'enlève ma robe. Ma robe ne me colle plus à la peau et je suis bien, et je me mets à courir. On court dans le sable. On court, on court. Puis on a moins envie
35 de courir. On est ennuyé de courir. On s'arrête, on s'assoit et on s'enterre les jambes. On se couche et on s'enterre tout le corps. Puis on est fatigué de jouer dans le sable. On ne sait plus quoi faire. On regarde, tout autour, comme si on cherchait.
40 On regarde, on regarde. On ne voit rien de bon. Si on fait attention quand on regarde comme ça, on s'aperçoit que ce qu'on regarde nous fait mal, qu'on est seul et qu'on a peur. On ne peut rien contre la solitude et la peur. Rien ne peut aider.
45 La faim et la soif ont leurs pissenlits et leurs eaux de pluie. La solitude et la peur n'ont rien. Plus on essaie de les calmer, plus elles se démènent, plus elles crient, plus elles brûlent. L'azur s'écroule, les continents s'abîment : on reste
50 dans le vide, seul.

Réjean Ducharme, *L'Avalée des avalés*,
Paris, 1966, © Éditions Gallimard.

Jean Paul Riopelle, *Fionta*, 1958.

☐ VERS L'ANALYSE

Il n'y a plus assez d'air tout à coup

1. Résumez chaque paragraphe en une phrase.

2. Décrivez le cadre spatial.

3. a) Dressez le champ lexical du malaise que Bérénice exprime.
   b) Divisez-le en deux sous-champs lexicaux : malaises physiques et malaises psychiques.
   c) Dégagez ce que la narratrice ressent essentiellement.

4. a) Relevez les notations liées au sentiment d'être avalé et de sa conséquence, l'étouffement.
   b) Expliquez le sens de la métaphore de l'avalement (lignes 1 à 7).

5. Que connote l'affirmation «je mange des pissenlits par la racine» (lignes 21 et 22)?

6. Quel est l'effet produit par la chute finale de l'extrait : «on reste dans le vide, seul» (lignes 49 et 50)?

7. Observez les pronoms «je» et «on».
   a) Décrivez leur répartition dans le texte.
   b) Qui ces pronoms désignent-ils?
   c) Quel effet crée l'emploi du pronom «on»?

8. a) Le premier mot de l'extrait est le pronom indéfini «tout». À quel autre pronom s'oppose-t-il à la fin de l'extrait?
   b) Composez une phrase qui inclut ces deux pronoms. Rédigez-la comme si vous étiez la narratrice de l'extrait et faites en sorte qu'elle résume son sentiment général.

9. Quel lien faites-vous entre cet extrait de *L'Avalée des avalés* et le poème *Déclaration* de Gaston Miron?

Sujet de dissertation explicative

Expliquez ce qui permet de relier ce texte à la volonté collective de libération des Québécois, vécue dans les années 1960.

La chanson

« L'anarchie c'est l'avoine du poète. »

Léo Ferré

*P*lus libre et plus spontanée que la poésie traditionnelle, plus sensible aux besoins et aux goûts du public parce qu'elle s'enracine dans le quotidien, la chanson ne rejette aucun thème et entre, elle aussi, dans le mouvement de contestation. En outre, elle devient plus présente dans les foyers français au début des années 1950, lorsque le microsillon détrône le 78 tours.

Dès 1952, Georges Brassens donne une nouvelle impulsion à la chanson française, grâce à sa tendresse bourrue et à ses chansons anarchisantes, pleines de truculence et de verdeur, mais surtout profondément humaines. L'année suivante, l'iconoclaste Léo Ferré commence à lancer ses cris d'amour et de révolte, et transforme la chanson en arme politique. En 1955, l'Olympia de Paris fait connaître Jacques Brel, un Belge qui fustige les bourgeois et les autres bien-pensants ; son anticonformisme domine la scène française jusqu'en 1967. La même année, la chanson *Le Déserteur* de Boris Vian est censurée pour des raisons politiques. D'autres chanteurs contestataires connaissent leur heure de gloire : l'interprète Marc Ogeret chante, entre autres, le premier poème écrit par Jean Genet en prison, *Le Condamné à mort* ; Jean Ferrat reprend à son compte les causes défendues par le poète Aragon ; en 1965, Serge Gainsbourg ne craint pas le scandale que provoque sa chanson *Je t'aime moi non plus*.

Le mouvement hippie, né aux États-Unis, gagne les milieux estudiantins de Paris et se cristallise autour de Saint-Germain-des-Prés ; il a été annoncé par Hugues Aufray qui, en 1964, traduit et interprète les chansons de Bob Dylan. Pendant ce temps, au Québec, Robert Charlebois révolutionne la chanson en introduisant le joual dans ses textes caractérisés par des rythmes modernes et urbains, par une folie psychédélique et révolutionnaire. En 1968, après l'exceptionnel succès d'un spectacle considéré maintenant comme historique, *L'Osstidcho*, Charlebois cause un scandale à l'Olympia de Paris, lorsqu'il « échappe » quelques instruments de musique sur les spectateurs. Ce geste n'empêche pas l'Académie française de lui décerner, en 1996, la Grande Médaille de la chanson française.

Nicolas de Staël, *Portrait d'Anne*, 1953.

La chanson est spontanée, elle s'enracine dans le quotidien, et célèbre l'amour tout autant qu'elle conteste la violence.

LE DÉSERTEUR

Monsieur le Président
Je vous fais une lettre
Que vous lirez peut-être
Si vous avez le temps
5 Je viens de recevoir
Mes papiers militaires
Pour partir à la guerre
Avant mercredi soir
Monsieur le Président
10 Je ne veux pas la faire
Je ne suis pas sur terre
Pour tuer des pauvres gens
C'est pas pour vous fâcher
Il faut que je vous dise
15 Ma décision est prise
Je m'en vais déserter

Depuis que je suis né
J'ai vu mourir mon père
J'ai vu partir mes frères
20 Et pleurer mes enfants
Ma mère a tant souffert
Qu'elle est dedans sa tombe
Et se moque des bombes
Et se moque des vers
25 Quand j'étais prisonnier
On m'a volé ma femme
On m'a volé mon âme
Et tout mon cher passé
Demain de bon matin
30 Je fermerai ma porte
Au nez des années mortes
J'irai sur les chemins

Je mendierai ma vie
Sur les routes de France
35 De Bretagne en Provence
Et je dirai aux gens
Refusez d'obéir
Refusez de la faire
N'allez pas à la guerre
40 Refusez de partir
S'il faut donner son sang
Allez donner le vôtre
Vous êtes bon apôtre
Monsieur le Président
45 Si vous me poursuivez
Prévenez vos gendarmes
Que je n'aurai pas d'armes
Et qu'ils pourront tirer

Boris Vian, « Le Déserteur », *Je voudrais pas crever*, Paris, 1962, © Éditions Pauvert.
© SNE Pauvert. Département des éditions Fayard, 2000.

☐ **VERS L'ANALYSE**

Le Déserteur

1. Décrivez la forme du poème.

2. Quel est le thème principal de cette chanson ?

3. a) Pourquoi le poète veut-il déserter ?
   b) Que compte-t-il faire à la place de la guerre ?

4. Identifiez les modes et temps de verbe dominants et reliez-les au propos de chaque strophe.

5. Relevez, dans la deuxième strophe, le champ lexical et les procédés qui mettent en évidence la souffrance et la mort que refuse le narrateur.

6. Quel est l'effet produit par les deux vers qui terminent la chanson ?

7. Quelle est la tonalité de cette chanson ?

Sujet de dissertation explicative

Montrez que le thème de cette chanson est très souvent abordé dans la littérature française des années 1940 et 1950.

Jacques Moreau, *Soldat se chauffant autour d'un casque où il a mis du charbon*, 1916.

Renaud (Renaud Séchan, né en 1952)

« Dans ma tête, j'ai quatorze ans… »

Auteur-compositeur-interprète, Renaud s'est d'abord fait connaître après mai 1968 avec des chansons à tendances anarchistes. On retient surtout de cette époque son déguisement complet de gavroche : foulard rouge, pantalon à carreaux, casquette et mégot. Dans une langue colorée où l'argot parisien prend une place importante, le chanteur dénonce de manière irrévérencieuse les injustices et les préjugés, la médiocrité et les conformismes. En 1983, il métamorphose la « bombe » poétique de Boris Vian pour lui donner un autre usage.

DÉSERTEUR

Monsieur le président
Je vous fais une bafouille[1]
Que vous lirez sûrement
Si vous avez des couilles
5 Je viens de recevoir
Un coup d'fil de mes vieux
Pour m'prévenir qu'les gendarmes
S'étaient pointés chez eux
J'ose pas imaginer
10 C'que leur a dit mon père
Lui, les flics, les curés
Et pis les militaires
Les a vraiment dans l'nez
P't-être encore plus que moi
15 Dès qu'il peut en bouffer
L'vieil anar'[2] y s'gêne pas
L'vieil anar' y s'gêne pas

Alors y paraît qu'on m'cherche
Qu'la France a besoin d'moi
20 C'est con, j'suis en Ardèche
Y fait beau, tu crois pas
J'suis là avec des potes
Des écolos marrants
On a une vieille bicoque
25 On la retape tranquillement
On fait pousser des chèvres
On fabrique des bijoux
On peut pas dire qu'on s'crève
L'travail, c'est pas pour nous
30 On a des plantations
Pas énormes, trois hectares
D'une herbe qui rend moins con
Non, c'est pas du ricard
Non, c'est pas du ricard

35 Monsieur le président
Je suis un déserteur
De ton armée de glands
De ton troupeau d'branleurs
Ils auront pas ma peau
40 Toucheront pas à mes cheveux
J'saluerai pas l'drapeau
J'marcherai pas comme les bœufs
J'irai pas en Allemagne

Faire le con pendant douze mois
45 Dans une caserne infâme
Avec des plus cons qu'moi
J'aime pas recevoir des ordres
J'aime pas me lever tôt
J'aime pas étrangler le borgne[3]
50 Plus souvent qu'il ne faut
Plus souvent qu'il ne faut

Pablo Picasso, *La Colombe de la paix*, 1962.

Puis surtout c'qui m'déplaît
C'est que j'aime pas la guerre
Et qui c'est qui la fait
55 Ben c'est les militaires
Ils sont nuls, ils sont moches
Et pis ils sont teigneux
Maintenant j'vais t'dire pourquoi
J'veux jamais être comme eux
60 Quand les Russes, les Ricains
Feront péter la planète
Moi, j'aurai l'air malin
Avec ma bicyclette
Mon pantalon trop court
65 Mon fusil, mon calot
Ma ration d'topinambour[4]
Et ma ligne Maginot
Et ma ligne Maginot

Alors me gonfle pas[5]
70 Ni moi, ni tous mes potes
Je serai jamais soldat
J'aime pas les bruits de bottes
T'as plus qu'à pas t'en faire
Et construire tranquilos
75 Tes centrales nucléaires
Tes sous-marins craignos
Mais va pas t'imaginer
Monsieur le président
Que j'suis manipulé
80 Par les rouges ou les blancs
Je n'suis qu'un militant
Du parti des oiseaux
Des baleines, des enfants
De la terre et de l'eau
85 De la terre et de l'eau

Monsieur le président
Pour finir ma bafouille
J'voulais t'dire simplement
Ce soir on fait des nouilles
90 À la ferme c'est l'panard
Si tu veux, viens bouffer
On fumera un pétard[6]
Et on pourra causer
On fumera un pétard
95 Et on pourra causer

Renaud, *Déserteur*, 1983, © Société Mino Music, France.

Renaud Séchan, dit Renaud.

☐ Vers l'analyse

Déserteur

1. Renaud oppose deux types de vie dans sa chanson.
   a) Quels sont-ils ?
   b) Décrivez les aspects de ces vies qu'il oppose.

2. a) Quelle autre opposition sert à expliquer la raison pour laquelle le poète ne veut pas être militaire ?
   b) Que met-elle en évidence ?

3. a) Relevez les expressions péjoratives qui désignent les militaires.
   b) Que mettent-elles en évidence ?

4. a) Relevez les termes et expressions populaires de cette chanson.
   b) Quel effet crée leur emploi ?

5. Relevez les ressemblances et les différences entre les chansons de Vian et de Renaud.

1. Lettre. 2. Anarchiste. 3. Me masturber. 4. Purée de légumes. 5. Ne m'énerve pas. 6. Joint.

Jacques Brel (1929-1978)

« Mourir cela n'est rien
Mourir, la belle affaire
Mais vieillir… oh vieillir »

Un des créateurs les plus éminents de la chanson française du XXe siècle, le Flamand Jacques Brel est universellement connu et apprécié. Les chansons à la force corrosive de cet anticonformiste, qui l'ont rapidement fait entrer au panthéon des poètes, sont d'ailleurs traduites en plusieurs langues. Avec la tendresse la plus désarmée jointe à une très grande sensibilité, Brel rappelle ici le sort peu enviable qui attend les personnes âgées dans une société qui favorise la consommation et la jeunesse. À partir d'une observation réaliste, le poète nous fait partager son émotion et son angoisse devant le spectacle de la vieillesse, ce qui n'est pas sans témoigner en même temps de la fureur de vivre qui l'a toujours habité.

LES VIEUX

Les vieux ne parlent plus ou alors seulement parfois du bout des yeux
Même riches ils sont pauvres, ils n'ont plus d'illusions et n'ont qu'un cœur pour deux
Chez eux ça sent le thym, le propre, la lavande et le verbe d'antan
Que l'on vive à Paris on vit tous en province quand on vit trop longtemps
5 Est-ce d'avoir trop ri que leur voix se lézarde quand ils parlent d'hier
Et d'avoir trop pleuré que des larmes encore leur perlent aux paupières
Et s'ils tremblent un peu est-ce de voir vieillir la pendule d'argent
Qui ronronne au salon, qui dit oui qui dit non, qui dit je vous attends.

Les vieux ne rêvent plus leurs livres s'ensommeillent, leurs pianos sont fermés
10 Le petit chat est mort, le muscat du dimanche ne les fait plus chanter
Les vieux ne bougent plus leurs gestes ont trop de rides leur monde est trop petit
Du lit à la fenêtre, puis du lit au fauteuil et puis du lit au lit
Et s'ils sortent encore bras dessus bras dessous tout habillés de raide
C'est pour suivre au soleil l'enterr'ment d'un plus vieux, l'enterr'ment d'une plus laide
15 Et le temps d'un sanglot, oublier toute une heure la pendule d'argent
Qui ronronne au salon, qui dit oui qui dit non, et puis qui les attend.

Les vieux ne meurent pas, ils s'endorment un jour et dorment trop longtemps
Ils se tiennent la main, ils ont peur de se perdre et se perdent pourtant
Et l'autre reste là, le meilleur ou le pire, le doux ou le sévère
20 Cela n'importe pas, celui des deux qui reste se retrouve en enfer
Vous le verrez peut-être, vous la verrez parfois en pluie et en chagrin
Traverser le présent en s'excusant déjà de n'être pas plus loin
Et fuir devant vous une dernière fois la pendule d'argent
Qui ronronne au salon, qui dit oui qui dit non, qui leur dit: je t'attends

25 Qui ronronne au salon, qui dit oui qui dit non, et puis qui nous attend.

☐ VERS L'ANALYSE

Les Vieux

1. Brel présente, dans cette chanson, un tableau peu souriant de la vieillesse. Montrez-le :
   a) en relevant trois expressions qui évoquent un état de vie diminuée ;
   b) en relevant une gradation spatiale décroissante qui évoque cet état de vie diminuée ;
   c) en relevant deux vers qui expriment un état de tristesse.

2. a) Dressez le champ lexical du temps.
   b) Pourquoi est-il important ?

3. Quels liens peut-on faire entre la forme du poème (longueur des vers, coupe et disposition des rimes) et son propos ?

4. a) À partir d'un examen des variantes de pronoms personnels, dites à qui s'adresse « la pendule d'argent ».
   b) Quel est l'effet produit par le changement de pronom dans le dernier vers ?

5. Quel effet produit la répétition fréquente du « ne… plus » ?

6. Dans cette chanson, Brel multiplie les images poétiques. Relevez-en au moins trois et dites comment elles ajoutent au pathos de la vieillesse.

7. Quel est le ton de cette chanson et quel sentiment s'en dégage ?

Sujet de dissertation explicative

Démontrez que la vision de la vieillesse que présente ici Jacques Brel correspond aux conceptions actuelles les plus répandues sur les personnes âgées.

Sol, personnage de Marc Favreau (1929-2005), reprend le thème de la vieillesse. Cependant, avec la virtuosité verbale qui le caractérise, il recourt plutôt à l'humour pour souligner ce qu'il y a d'injuste et de révoltant dans la condition de vie des aînés, procédé qui est tout aussi efficace.

Marc Favreau,
dans son célèbre
personnage : Sol.

✦ LE CRÉPUSCULE DES VIEUX

Des fois j'ai hâte d'être un vieux :
ils sont bien les vieux,
on est bon pour eux,
ils sont bien,
5 ils ont personne qui les force à travaller,
on veut pas qu'ils se fatiguent,
même que la plusspart du temps on les
    laisse pas
finir leur ouvrage,
10 on les stoppe, on les interruptionne,
on les retraite fermée,
on leur donne leur appréhension
    de vieillesse
et ils sont en vacances…

15 Ah ils sont bien les vieux !

Et puis, comme ils ont fini de grandir,
ils ont pas besoin de manger tant
    tellement beaucoup,
ils ont personne qui les force à manger,
20 alors de temps en temps
ils se croquevillent un petit biscuit
ou bien ils se ratartinent du pain
avec du beurre d'arrache-pied
ou bien ils regardent pousser leur
25 rhubarbe
dans leur soupe…

Ils sont bien…
Jamais ils sont pressés non plus,
ils ont tout leur bon vieux temps,
30 ils ont personne qui les force à aller
    vite,
ils peuvent mettre des heures
    et des heures
à tergiverser la rue…
35 Et pluss ils sont vieux, pluss on est
    bon pour eux,
on les laisse même plus marcher,
on les roule…

Et puis d'ailleurs ils auraient même pas
40   besoin
de sortir du tout,
ils ont personne qui les attendresse…

Et l'hiver… Ouille, l'hiver
c'est là qu'ils sont le mieux, les vieux,
45 ils ont pas besoin de douzaines
    de quatorze soleils…
non
on leur donne un foyer,
un beau petit foyer modique
50 qui décrépite,
pour qu'ils se chaufferettent
    les mitaines…

Ouille, oui l'hiver ils sont bien,
ils sont drôlement bien isolés…

55 Ils ont personne qui les dérange,
personne pour les empêcher de bercer
leur ennuitouflé…
Tranquillement ils effeuillettent
et revisionnent leur jeunesse rétroactive
60 qu'ils oubliettent à mesure
sur leur vieille malcommode…

Ah ils sont bien !

Sur leur guéridon par exemple
ils ont toujours une bouteille
65 petite
bleue

et quand ils ont des maux, les vieux,
des maux qu'ils peuvent pas comprendre
des maux myxtères
70 alors à la petite cuiller
ils les endorlotent et les
    amadouillettent…

Ils ont personne qui les garde malades,
ils ont personne pour les assister
75   soucieux…

Ils sont drôlement bien.

Ils ont même pas besoin d'horloge
    non plus
pour entendre les aiguilles
80 tricoter les secondes…

Ils ont personne qui les empêche d'avoir
l'oreillette en dedans
pour écouter leur cœur
qui greline
85 et qui frilotte
pour écouter leur cœur se débattre
    tout seul…
Ils ont personne qui…
ils ont personne…

90 personne

Marc Favreau, « Le Crépuscule des vieux »,
L'Univers est dans la pomme, Montréal, 1987,
© Les éditions internationales Alain Stanké.

☐ VERS L'ANALYSE

Le Crépuscule des vieux

1. Énumérez les aspects de la vie des vieux dont il est question dans ce texte et résumez ce que Sol dit de chacun.

2. Un aspect domine le texte.
   a) Lequel ?
   b) Quelle phrase, maintes fois répétée, met cet aspect en évidence ?

3. a) Expliquez l'ironie d'une autre phrase souvent répétée : « ils sont bien ».
   b) Relevez deux autres phrases ironiques.

4. Sol joue beaucoup avec les mots. Relevez :
   a) des mots-valises et nommez les deux mots qui sont reliés ;
   b) des calembours.
   c) Quel effet créent ces jeux de mots ?

5. Quelle est la tonalité du texte ?

6. Relevez les ressemblances et les différences entre le texte de Sol et la chanson de Brel.

Sujet de dissertation explicative

Comparez, sur les plans du fond et de la forme, la manière dont Brel et Sol abordent le thème de la vieillesse.

La plus belle lettre d'amour d'une auteure contestataire

À l'heure de la contestation généralisée et de la liquidation des traditions, on pourrait croire qu'il est impossible de trouver des lettres d'amour, au sens que cette expression prend dans toute la littérature d'avant cette période. Voici pourtant une véritable lettre d'amour écrite par une jeune femme dont la vie n'a pas été facile. Abandonnée à sa naissance, cette cousine de Villon passe son enfance dans des maisons d'éducation surveillées. Plus tard, son « ardeur à vivre » la conduit de prison en prison. Cela ne l'empêche pas d'écrire de nombreuses lettres, des poèmes et trois romans qui relatent des épisodes de sa vie et expriment sa peine sous forme de chant. C'est d'ailleurs la littérature qui la sauve : le succès de son premier roman lui ouvre la voie à une vie moins mouvementée. Mais **Albertine Sarrazin** (née Albertine Damien, 1937-1967) meurt trois ans plus tard, au cours d'une opération chirurgicale.

En 1957, au moment d'une évasion, elle saute le mur d'une prison et se casse l'astragale. Un passant la recueille chez lui : Julien Sarrazin. Elle est arrêtée à nouveau, de même que Julien, qui mène une vie semblable à la sienne. Ils se marient, en 1959, dans la prison où Albertine est incarcérée, pendant que Julien est momentanément libre. La présente lettre a été écrite le 28 mars 1958 ; les autorités pénitentiaires ne la remettent à Julien, avec les autres lettres qu'elle lui écrivit, qu'à la Saint-Jean de 1959.

D'ALBERTINE SARRAZIN À JULIEN SARRAZIN

Dix jours.

Plus faim ni soif depuis dix jours avec la seule envie de toi, à crier. Cette chose qui peut rendre tiède et fraîche, qui peut brûler et faire mal.

5 Ce soir, j'ai aimé en ton nom tous les hommes. Cette peur à l'approche du mâle, ce refus jamais vaincu, l'étrange et l'inconnu, tout cela s'est fondu en joie. Cette joie désespérée que tu as su me donner pour toujours.

J'ai rêvé. J'avais calé ta porte avec mon corps, pour te crier
10 je t'aime parmi tes potes, cependant que tu étais retourné à d'autres décors. Ah ! N'importe, puisque me sont laissées les nuits douces où nous nous reconnaissons, cette nuit après l'autre qui me retrouve chaque réveil un peu plus lasse de me réveiller.

Quelle indifférence, leur plaisir. En vain chercherais-je, parmi
15 les leurs, tes mots et ta voix et ta peau. Ami, qui m'as fait mal et bonheur chaque fois un peu plus, je ne pleure pas. Même pas. Peut-être demain nous serons-nous rendus, peut-être jamais, peut-être la route, nous deux, n'importe ? Il n'y a pas de terre pour notre voyage.

20 Oh, cher si pareil, comme moi mal cicatrisé de la vie…
Vois-tu j'aurais dû faire gaffe davantage, quand tu me faisais l'amour : serrer un peu moins. On ne sait jamais assez regarder. On saisit, trop fort, oui. La mort même ne ferait pas ouvrir les doigts.

Albertine Sarrazin, *Lettres et poèmes*, Paris, 1965, © Éditions Pauvert.
© SNE Pauvert. Département des éditions Fayard, 2000.

☐ **VERS L'ANALYSE**

D'Albertine Sarrazin à Julien Sarrazin

1. Résumez chaque paragraphe en une phrase (les deux premiers ensemble).

2. Identifiez la « chose » dont il est question à la ligne 3.

3. Albertine Sarrazin utilise des figures d'opposition pour décrire les effets de l'amour sur elle.
   a) Relevez trois antithèses.
   b) Relevez un oxymore.

4. a) Relevez les procédés à l'aide desquels la narratrice exprime son incertitude quant à son avenir avec Julien.
   b) En quoi le contexte de l'énonciation explique-t-il cette incertitude ?

5. Le dernier paragraphe étale la souffrance de la narratrice.
   a) Quelle métaphore indique que la vie a causé de durables blessures à Julien et à Albertine ?
   b) Quelle classe de mots traduit l'impression d'Albertine d'avoir aimé avec trop d'intensité ?
   c) Relevez une hyperbole.
   d) Quel effet crée cette hyperbole ?

6. a) Relevez trois phrases nominales.
   b) Relevez six phrases elliptiques.
   c) Quel effet créent ces phrases nominales et elliptiques ?

7. a) Quel signe de ponctuation a été omis dans le quatrième paragraphe ?
   b) Quel effet crée cette omission ?

8. Relevez deux expressions populaires et donnez-en le sens.

Sujet de dissertation explicative

Montrez que cette lettre présente une personne rebelle qui tient l'amour comme une force qui transcende tout, y compris la morale, la souffrance et la mort.

Requiem pour une civilisation
ou la postmodernité

En France et dans le monde : de 1970 à 2006

Littérature, arts et culture	Événements politiques et historiques	Sciences et techniques
1970 : Mishima, *La Mer de la fertilité*. Tournier, *Le Roi des aulnes*. Hébert, *Kamouraska*. Miron, *L'Homme rapaillé*.		
1974 : King, *Carrie*. Böll, *L'Honneur perdu de Katharina Blum*.	**1973 :** Première crise liée au pétrole. Coup d'État du général Pinochet au Chili. Scepticisme à propos des utopies révolutionnaires.	**1975 :** Premier ordinateur personnel.
1975 : Ajar/Gary, *La Vie devant soi*.		**1977 :** Découverte des premiers cas supposés de sida (la maladie reste alors inconnue, on ne la nomme et ne commence à la comprendre qu'en 1981). Constructions dites postmodernes de Ricardo Bofill.
1976 : Handke, *La Femme gauchère*. Haley, *Racines*. Grainville, *Les Flamboyants*.		
1977 : Lom, *Mars*.		
1978 : Modiano, *Rue des boutiques obscures*. Perec, *La Vie mode d'emploi*. Bonnefoy, *Poèmes*.		**1978 :** Premier bébé-éprouvette.
1979 : Exposition Magritte à Beaubourg. Styron, *Le Choix de Sophie*. Echenoz, *Le Méridien de Greenwich*.	**1979 :** Révolution islamique en Iran.	**1979 :** Téléphone portable cellulaire. Walkman de Sony.
1980 : Truffaut, *Le Dernier Métro*. Eco, *Le Nom de la rose*. Le Clézio, *Désert*.	**1980 :** Intervention soviétique en Afghanistan. Premier référendum au Québec.	**1981 :** Premiers guichets automatiques. Première fusée réutilisable : la navette *Columbia*. IBM lance son premier ordinateur personnel.
1981 : Rushdie, *Les Enfants de minuit*. Irving, *Hôtel New Hampshire*.	**1980-1988 :** Guerre Irak-Iran.	
1982 : Pessoa, *Le Livre de l'intranquillité* (posthume). Hébert, *Les Fous de Bassan*.		**1982 :** Au Japon, lancement du disque compact. Greffe d'un cœur artificiel : le Jarvik 7.
1983 : Ernaux, *La Place*.		**1983 :** Macintosh et sa souris révolutionnent le monde de l'informatique. Du tabac transgénique pousse en laboratoire. Première console Nintendo.
1984 : Duras, *L'Amant*. Kundera, *L'Insoutenable Légèreté de l'être*. Roy, *La Détresse et l'Enchantement*. Aron, *Les Modernes*.		**1984 :** Découverte des empreintes génétiques.
1985 : Auster, *Cité de verre*. Süskind, *Le Parfum*.		**1985 :** On détecte un trou dans l'ozone au-dessus de l'Antarctique. Premier disque optique compact (cédérom).
1986 : Le Carré, *Un pur espion*. James, *Un certain goût pour la mort*. Koltès, *Dans la solitude des champs de coton*.	**1986 :** Explosion de *Challenger*. Désastre de Tchernobyl.	**1986 :** Mir, la première station spatiale, est lancée par les Russes.
1987 : Wolfe, *Le Bûcher des vanités*. Morrison, *Beloved*. Pennac, *La Fée carabine*.	**1989 :** Chute du mur de Berlin. Festival du bicentenaire de la Révolution française. Salman Rushdie est condamné à mort par l'ayatollah Khomeiny.	**1989 :** On commence à rédiger la carte du génome humain.
1988 : Arrabal, *La Traversée de l'empire*.		
1989 : Berberova, *C'est moi qui souligne*.	**1990 :** L'Irak s'empare du Koweït. Effondrement des régimes socialistes en Europe de l'Est. Réunification allemande.	**1990 :** Mise en orbite du télescope Hubble.
1990 : Bissoondath, *L'Innocence de l'âge*. Ondaatje, *Le Patient anglais*.		**1992 :** Création du World Wide Web, alias WWW.
	1990-1996 : Réémergence des nationalismes en Europe centrale.	**1994 :** Des chercheurs américains réussissent le clonage de cellules d'embryons humains.
1991 : Quignard, *Tous les matins du monde*.	**1991 :** Guerre du Golfe (Irak). Dissolution de l'URSS.	
1992 : Chamoiseau, *Texaco*.	**1992 :** Massacre au Rwanda.	**1996 :** Découverte de la « maladie de la vache folle » chez des bovins d'Angleterre. Premier clonage d'un mammifère : la brebis Dolly.
1993 : Huston, *Cantique des plaines*. Orsenna, *Grand amour*. Lainé, *L'Incertaine*.	**1993 :** Création de l'ALENA (Canada, Mexique et États-Unis).	
1995 : Schlink, *Le Liseur*.	**1995 :** Deuxième référendum au Québec.	**1997 :** Un robot ratisse la surface de la planète Mars. L'ordinateur Deep Blue bat le champion du monde d'échecs, Garry Kasparov.
1996 : Jaccottet, *La Semaison*.	**1999 :** Début du mouvement « altermondialiste ».	
1998 : Houellebecq, *Les Particules élémentaires*.	**2000 :** En Yougoslavie, renversement de Milosevic, dernier dictateur communiste en Europe.	**1998 :** Mise en marché d'un nouveau médicament contre l'impuissance : le Viagra.
2001 : Schmitt, *Monsieur Ibrahim et les fleurs du Coran*.	**2001 :** Attaque contre les tours jumelles du World Trade Center.	**1999 :** On réussit à fabriquer une banque de tissus humains.
2003 : Beigbeder, *Windows on the World*.	**2003 :** Intervention de l'armée américaine en Irak.	
2004 : Nothomb, *Biographie de la faim*.		
2005 : Vinaver, *Théâtre complet* (huit volumes).	**2005 :** Les colons juifs se retirent de la bande de Gaza.	
	2006 : Le Liban de nouveau à feu et à sang.	

Illustration de la page précédente : Duane Hanson, *Supermarket Shopper*, 1970.

«Je n'avance qu'en tournant le dos au but, je ne fais qu'en défaisant.»

Alberto Giacometti

L'individualisme triomphant et le déclin de la modernité

*D*urant les dernières décennies du siècle, les effets du séisme culturel des années 1960 se prolongent et s'amplifient dans tout le monde occidental. Rien n'est plus comme avant. Les individus ne perçoivent plus leur vie comme un destin collectif auquel ils doivent s'adapter, voire se résigner. Une nouvelle exigence d'autonomie et de liberté, un désir d'émancipation, une volonté de refuser toutes les lois et tous les tabous, et surtout une impatience d'être heureux tout de suite mènent à l'émergence d'un individualisme qui devient le creuset de toutes les autres valeurs. L'État lui-même favorise cet individualisme puisqu'il prend en charge des responsabilités qui relevaient naguère de la collectivité: en effet, de nouvelles politiques en matière d'équipements collectifs et de protection sociale, de même que la démocratisation de l'école, permettent aux individus de se soustraire au contrôle d'autrui et d'acquérir une nouvelle conscience d'eux-mêmes. L'heure est à l'affirmation généralisée et collective de la liberté individuelle. Le grand mouvement collectif des années 1960 a permis à des groupes particuliers et à des minorités de formuler leurs revendications. Le féminisme, les droits des homosexuels, le pacifisme et l'écologie suscitent toujours de nombreuses passions, mais bien vite la tendance est à vivre dans son confort et son indifférence, à se retrancher derrière la ligne d'horizon des désirs d'un moi vorace. Survient alors le règne de la subjectivité, d'une pensée narcissique: l'individu ne tient plus compte des entraves de l'interdit et de la culpabilité, et il lui importe de trouver dans l'expérience immédiate d'heureuses sensations qui comblent d'aise son ego, devenu sacro-saint. Même la résolution des problèmes n'est plus la même: quand ils se présentent, l'individu se hâte habituellement de les balayer sous l'épais tapis de l'humour.

Le mur à Checkpoint Charlie, Berlin.

Durant les dernières décennies du siècle, l'heure est à l'affirmation généralisée et collective de la liberté individuelle.

Le corps en représentation

L'humain n'a désormais plus qu'une référence: lui-même. C'est bien ce qui fait la grandeur du temps présent, mais aussi sa misère. Comme tout est dorénavant réductible au je-me-moi, l'individu comme sujet s'efface devant la personne physique et chacun se retranche derrière la seule réalité qui compte désormais: celle des apparences et du corps, premier ancrage de l'homme avec les autres. Et comme la communication authentique est en régression, on demande au corps de remplacer la parole. Aussi le contour du «moi» est-il devenu un espace de création continue, le lieu d'une théâtralité quotidienne: il est peint, percé, tatoué, épilé et, dans certains cas, marqué au fer rouge. Les muscles sont gonflés; les vêtements, griffés; le teint est hâlé; la chevelure, méticuleusement décoiffée. Dans le monde du spectacle, la nudité est même devenue un costume de scène. Il semble qu'on ne soit plus un corps, mais qu'on *ait* un corps, comme si le bien-paraître avait supplanté le bien-être. Cet art de la peau est cependant d'une consternante uniformité. Chacun croit se particulariser, mais refuse de voir qu'il est devenu le clone de son voisin : même crainte de s'aventurer sous la surface, mêmes vêtements, mêmes objets convoités… Cette ère semble caractérisée par un vide intérieur.

La crise d'autorité et le nivellement des générations

Ce culte du moi, basé sur la totale liberté de chacun, entre rapidement en conflit avec une conception plus hiérarchique des rapports humains et avec le concept même d'autorité : les principes d'obéissance usuels sont remplacés par de nouvelles règles qui rompent avec les formes classiques de l'autorité. Les rapports interpersonnels se font maintenant sur un mode strictement horizontal. Dans la famille, à l'usine ou à l'école, c'est la fin du commandement autoritaire; celui-ci cède la place à l'« échange » et à la « communication », deux mots qui sont en passe de devenir des icônes culturelles. Le développement de l'égalitarisme se fait au profit de la culture adolescente, qui fait tache d'huile dans toutes les couches sociales. Les parents eux-mêmes adoptent les modes de consommation des ados, ils modèlent bientôt leur vie affective et sexuelle sur celle des jeunes et ils leur envient leur conception de la liberté. La jeunesse est valorisée au point de devenir l'âge idéal. Les parents s'étonnent même de vieillir, comme si ce n'était pas prévu, pendant que de nombreux jeunes adultes n'arrivent pas à quitter réellement l'adolescence et y reviennent constamment. Les adultes « juvénilisés » abandonnent leurs responsabilités, et ce nivellement des générations ne manque pas de fragiliser de nombreux adolescents, qui sont ainsi privés des modèles nécessaires à leur épanouissement. Comme les rôles sont confus et les valeurs incertaines dans cette nouvelle société, les adolescents n'arrivent plus à se construire une identité qui ne soit pas fracturée et en viennent à prendre l'incertitude comme mode de vie. On ne doit donc pas s'étonner de voir la dépression, la violence et le suicide prendre de l'ampleur dans cette société où la carence d'être se généralise.

Une révolution sexuelle

« On dort les uns contre les autres
On vit les uns avec les autres […]
Mais au bout du compte
On se rend compte
qu'on est toujours tout seul au monde. »

Luc Plamondon

Cette époque d'égalitarisme idéologique remet en question la morale séculaire. La libération sexuelle a été l'une des premières revendications des années 1960. Dans les trois décennies qui suivent, la sexualité est perçue comme une obligation et la performance y est valorisée; la recherche du plaisir vite consommé tend donc à prendre la place occupée autrefois par la quête du sens, comme si cette poursuite insatiable d'aventures affectives était susceptible de remplir le vide intérieur. La recherche du plaisir est encouragée par une société mercantile qui exploite ce qui se vend le mieux – le cœur et le sexe. Elle déteint sur tous les médias, favorise la multiplication des commerces

Lucian Freud, *Naked Portrait with Reflection*, 1980.

La libération sexuelle a été l'une des premières revendications des années 1960.

qui lui sont exclusivement consacrés et entraîne même une nouvelle vision des rapports humains. Les tabous tendent maintenant à tomber, tant au niveau de la sphère individuelle que de la vie publique, tandis que la censure de l'érotisme et de la sexualité est en totale régression. L'épidémie du sida met, pour un certain temps, un frein à cette frénétique quête de la jouissance, mais la science, avec sa panoplie de médicaments, apaise bientôt la crainte de cette maladie. Elle contribue même à la libération des pulsions, car elle permet dorénavant de «programmer» des érections grâce au Viagra. On peut toutefois se demander si la sexualité ne s'appauvrit pas en raison de ce climat de permissivité générale dans lequel se multiplient les expériences, mais se raréfient les véritables échanges.

La famille nucléaire désagrégée

Cette libération des mœurs ne manque pas de causer un relâchement du tissu familial. D'une part, la volonté de chacun de prendre en main sa propre existence et de ne plus se plier aux règles sociales ne peut que discréditer l'autorité du père. De plus, la libre sexualité et l'union libre revendiquées par un grand nombre d'individus – en particulier les jeunes – viennent désacraliser l'institution du mariage et remettent en question la famille et les rôles traditionnels qu'on y jouait. Après les jeunes, les femmes revendiquent à leur tour leur autonomie. Comme elles travaillent à l'extérieur du foyer, elles obtiennent leur indépendance financière et, grâce à la mise au point de la pilule contraceptive, elles peuvent maintenant disposer librement de leur corps. La cellule familiale traditionnelle éclate ; les personnes adoptent progressivement un mode de vie plus individualiste et la vie de couple devient une association dont la durée est indéterminée. Tous les rapports entre les hommes et les femmes sont à réinventer ; chaque individu est dorénavant appelé à créer son propre modèle plutôt qu'à suivre les anciens. Les enfants grandissent souvent seuls, deviennent adultes avant l'âge, et les relations qu'ils entretiennent avec leurs parents sont de plus en plus égalitaires. D'ailleurs, ceux-ci

Magdalena Abakanowicz, *Foule*, 1986 à 1987.

De plus en plus de personnes souffrent d'un morcellement de leur identité et se sentent perdues dans un monde en dérive.

ne veulent et ne peuvent transmettre à leurs descendants que leur propre contestation des valeurs et des traditions. Les jeunes forment bientôt une génération marquée par la discontinuité et l'absence de mémoire. Cette époque voit ainsi se dissoudre toutes les formes de transmission du capital, qu'il soit économique, social ou culturel.

La transformation de la conscience religieuse

Puisque l'idée d'adhérer à une croyance ou à une opinion qui émane d'une autorité répugne, les individus passent au crible de l'examen critique tous les dogmes imposés, à commencer par ceux de la religion. Sans le savoir, ils appliquent intégralement la vieille méthode de Descartes : soumettre au doute le plus rigoureux tout l'héritage du passé et n'admettre que ce dont on peut être certain par soi-même. Cette attitude fait s'effondrer tout un pan de la foi et de la culture séculaires. La philosophie de Nietzsche porte fruit : l'homme n'est plus considéré comme une création divine, c'est plutôt Dieu qui apparaît comme une créature de l'homme. Nouveau Prométhée gardien du feu nucléaire, l'homme est aussi le nouveau scribe du code génétique. Il est d'ailleurs difficile de voir la présence de Dieu dans ce siècle qui fut le théâtre d'une telle fureur destructrice. La pratique religieuse chute[1] et la croyance dans l'existence d'un Dieu cesse de structurer la pensée. La religion quitte la sphère sociopolitique et devient une affaire strictement personnelle, restreinte à la sphère privée. Le temps de la croyance dans un juge absolu qui déciderait de ce qui est bien et de ce qui est mal est terminé ; l'époque est à une éthique fondée sur l'homme, à une morale individuelle, beaucoup plus exigeante, où chacun doit trouver dans sa raison et sa liberté les principes qui fondent ses comportements de tous les jours et assurent le respect de l'autre. Habitués aux automatismes des comportements et des croyances, de nombreux individus sont désorientés dans ce nouvel univers laïque où l'humain ne fonde plus son existence sur l'idée d'un Dieu créateur. De plus en plus de personnes souffrent d'un morcellement de leur identité et se sentent perdues dans un monde en dérive.

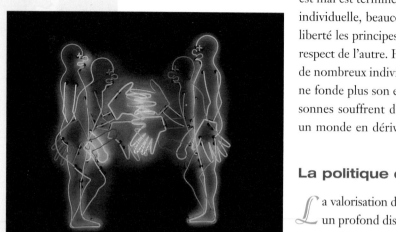

Bruce Nauman, *Meanclown Welcome*, 1985.

Chacun croit se particulariser, mais refuse de voir qu'il est devenu le clone de son voisin.

La politique discréditée

La valorisation de la vie individuelle et la chute du respect de l'autorité entraînent un profond discrédit de l'autorité politique. Aux yeux des citoyens, cette autorité semble moins porteuse d'idéaux qu'habile à planifier de perpétuels aménagements. Par ailleurs, comme ils se contentent de vivre dans le moment présent, les individus n'attendent plus rien de particulier de l'avenir. Ils ne croient surtout plus à la possibilité qu'un pouvoir politique puisse changer la société. La conception traditionnelle de la représentation politique n'a plus sa place, et les citoyens se désintéressent de plus en plus de la chose politique. Ce phénomène coïncide avec le remplacement de chefs inspirés par d'astucieux gestionnaires qui ne connaissent que la langue de bois et considèrent les sondages comme les premiers guides de leurs politiques publiques. En période d'élections, les spécialistes de l'opinion publique en viennent à compter davantage que les candidats eux-mêmes. Le discrédit de la classe politique finit par atteindre la politique elle-même. Aussi, non seulement les citoyens refusent-ils de s'engager, ce qui cause un manque de relève, mais aussi se plaisent-ils à considérer le pouvoir politique avec ironie et cynisme. « La politique bouge. Mais c'est la décomposition qui fait bouger le cadavre », écrit à ce sujet Louis Pauwels.

L'enseignement désorienté

Toutes les formes d'autorité hiérarchique connaissent le discrédit, et l'autorité scolaire n'y échappe pas. Et ce n'est pas le seul problème à affecter le monde de l'éducation. Dans cette ère de grand brouillage des valeurs, où la persuasion par le spectacle a pris le relais du raisonnement, la culture des étudiants est presque uniquement liée au monde de l'immédiat et manque d'enracinement, alors que l'enseignement a partie liée avec la tradition. Cette polarisation crée un malaise d'autant plus grand que, très jeunes, les étudiants apprennent la langue, le mode d'appréhension du monde et la culture de l'audiovisuel[2] et de l'informatique, qui ne sont pas encore solidement implantés dans le milieu scolaire. Les modes d'enseignement ont été conçus pour une société beaucoup plus stable et ne semblent plus pouvoir correspondre aux valeurs d'une société en constante évolution. Les étudiants et les professeurs ne parlent pas toujours le même langage. Certains s'interrogent même sur le but premier du système d'éducation : doit-il préparer les étudiants à un métier utile et rémunérateur ou leur transmettre une culture générale, les amener à un certain degré d'autosuffisance ? Depuis

---

1. Le philosophe André Glucksmann parle de la troisième mort de Dieu : après la première, celle du Christ sur la croix, et la deuxième, prophétisée par Marx et Nietzsche, il y a celle de l'homme qui déserte les églises, les temples et les synagogues.

2. Déjà, en 1964, le Canadien Marshall McLuhan constatait les effets nocifs de la télévision : « Les jeunes gens qui ont subi dix ans de télévision ont naturellement contracté une impérieuse habitude de participation en profondeur qui fait paraître irréels, dénués de sens et anémiques les objectifs lointains et imaginaires de la culture courante. Ce que la mosaïque de la télévision apprend aux jeunes esprits, c'est la participation totale à un "maintenant" englobant, en dehors duquel il n'existe rien. »

les années 1960, la démocratisation de l'enseignement a permis l'accès au plus grand nombre, mais des zones d'ombre sont apparues : la maîtrise de la langue française écrite semble en régression et l'accessibilité élargie paraît n'avoir eu que peu de résultats positifs chez les enfants issus des milieux défavorisés. Il faut cependant admettre que cette école désorientée connaît des zones de lumière. Obligés de se débrouiller à peu près seuls dans des classes pléthoriques, une majorité d'étudiants ont acquis des réflexes d'autonomie et de responsabilité : chacun apprend à s'assumer, à se prendre en charge, à faire un effort pour atteindre sa propre conscience. Il n'en demeure pas moins qu'il est nécessaire de revoir la conception des méthodes d'enseignement et que ce défi est l'un des plus grands de ce début du XXIe siècle. Ces méthodes doivent être adaptées à la réalité actuelle : elles doivent être à la fois plus adéquates pour les élèves et plus humaines pour les professeurs.

Je consomme, donc je suis

La consommation est élevée au rang de nouvelle mythologie dans laquelle on célèbre la toute-puissance de l'individu. Alors que déjà, dans les années 1950 et 1960, l'achat de biens durables permettait à une personne d'accroître son bien-être et d'accéder au niveau de vie du groupe social immédiatement supérieur au sien, il se développe durant les deux décennies suivantes une véritable culture de la consommation, qui devient le principal critère de pensée et de comportement. Les marchands de toutes sortes ont même réussi à récupérer rapidement les slogans de mai 1968 : l'appel à vivre pleinement, immédiatement, sans attente et à vivre « tout, tout de suite » perd son caractère idéaliste pour se transformer en incitation à posséder. Une profusion d'objets standardisés sont proposés pour assouvir les moindres fantaisies, et leur acquisition est facilitée par des organismes de crédit, des distributeurs automatiques, des ventes par téléphone et par Internet, des supermarchés. Dans cette société de l'abondance et de l'artifice, une véritable frénésie de la consommation se développe : on dépense sans compter, sans même savoir pourquoi, comme pour oublier l'absurdité de ce besoin. Perçue comme une condition essentielle de l'accès au bonheur, la consommation mène à une dépendance psychologique au même titre que l'alcool ou les drogues : on achète des produits par boulimie, pour faire passer les bleus, comme si, pour le consommateur, ce règne de l'éphémère pouvait donner un sens à sa vie. Dans cette société matérialiste et marchande, tout effort est banni et « le ludique de la consommation s'est substitué progressivement au tragique de l'identité » (Jean Baudrillard), ce qui amène une banalisation de la vie humaine. La beauté se fourvoie et verse dans la banalité. La satisfaction d'un désir équivaut à celle de n'importe quel autre et toutes les idées se valent : une pièce rock et une cantate de Bach, un graffiti et un poème, et, pour les étudiants, le travail et les études. Le mot *génial* désigne maintenant aussi bien une symphonie qu'un panier en osier, un

Jeff Koons, *Lapin*, 1986.

Une profusion d'objets standardisés sont proposés à l'individu.

match sportif qu'un authentique chef-d'œuvre littéraire. On accorde l'adjectif « culturelles » à des activités où l'esprit n'a aucune part. L'humain est devenu une machine à consommer, impossible à satisfaire, par définition.

La crise économique et le nouveau libéralisme

*D*ans cette société de consommation envahissante, les gens trouvent valorisant de s'identifier au miroir déformant que leur tendent les médias et la publicité. Mais deux chocs pétroliers secouent rudement cette société. À la suite des guerres qui opposent, en 1973, Israël et les pays arabes, puis, en 1980, l'Irak et l'Iran, une augmentation spectaculaire des prix du pétrole sonne la fin de la prospérité tranquille de l'après-guerre et marque un tournant dans l'histoire économique. Le dollar subit une dévaluation au profit des pétrodollars, les vieilles structures industrielles montrent des signes d'essouf-flement général, la consommation est ralentie et les taux d'inflation et de chômage de masse montent conjointement. Cette nouvelle conjoncture économique fait triompher les idées libérales, défendues en particulier par les gouvernements de Margaret Thatcher en Angleterre et de Ronald Reagan aux États-Unis : démantèlement de l'État providence, privatisations et dérégulations, diminution du déficit budgétaire, refus des gouvernements de s'engager dans des programmes de relance, imposition de restrictions et de mesures d'économie d'énergie, indépendance des banques centrales, retour de la Bourse au premier plan, réhabilitation du statut privilégié de l'entreprise… La logique de la rentabilité et du mercantilisme effréné triomphe, et l'économie n'est plus soumise qu'à la seule loi du profit ; société de consommation rime dorénavant avec société de spéculation. Puisqu'elle n'a même plus à se soucier des barrières géographiques et politiques, l'entreprise privée se met à l'affût des occasions les plus rentables, n'accepte plus de composer qu'avec l'efficacité et la rentabilité, et refuse de tenir compte des inégalités et de la pauvreté. S'instaure alors un nouveau règne où les milliardaires font rêver les foules miséreuses avec leurs dollars, où les multinationales se gavent outrageusement pendant que les consommateurs se voient de plus en plus ligotés. L'opulence privée a comme pendant la misère publique. Bill Gates remplace Marx, les cotes boursières s'imposent dans tous les médias, et la valeur de l'être humain est réduite à celle de ses cartes bancaires.

Richard Estes, *Boston Five Cents Savings Bank*, 1974.

La logique de la rentabilité et du mercantilisme effréné triomphe, et l'économie n'est plus soumise qu'à la seule loi du profit.

La mondialisation et la société de communication

*L*e libéralisme économique s'étend sur toute la planète. Il est avant tout pratiqué par les Américains, qui cherchent sans cesse à étendre leur hégémonie. Selon cette doctrine, l'uniformisation du mode de vie des peuples est un idéal supérieur à atteindre. La mondialisation est d'abord économique : de grands monopoles internationaux exercent leur suprématie marchande, encouragés par de nouvelles institutions politiques et économiques comme l'ALENA ou le NASDAQ. On accorde tellement d'importance aux enjeux économiques que les préoccupations éthiques passent souvent au second rang. La souveraineté des États-nations est sérieusement remise en cause ; son concept même est ébranlé par l'accroissement des flux migratoires et par l'émergence d'une nouvelle justice internationale. Par ailleurs, l'économie criminelle devient, elle aussi, mondiale, et ses réseaux de coopération organisent le trafic d'absolument tout ce qui peut être trafiqué. En conséquence, la justice des États-nations, souvent paralysée, est inefficace à enrayer ce fléau qui dépasse les frontières.

La mondialisation n'est pas qu'économique, elle est aussi culturelle. La révolution technologique[1], qui semble toujours s'accélérer, génère une multitude de nouveaux produits et services qui abolissent la distance entre les hommes et entre les pays: télévision, télécopie, câble, téléphone cellulaire, ordinateurs personnels, Internet et satellites de communication. Ces autoroutes de l'information nées aux États-Unis imposent le modèle américain à toute la planète et la font entrer dans une nouvelle ère, celle de la communication. Dans ce monde qui foisonne d'informations, il est maintenant possible d'entrer en interaction avec à peu près n'importe qui sur la planète, d'être au courant d'à peu près tout ce qui se passe dans le monde et de consommer toutes ces données comme s'il s'agissait d'un vaste spectacle. Mais alors que l'ordinateur devient le meilleur ami de l'homme, le tissu social s'effrite toujours davantage.

René Magritte, *Les Amants*, 1928.

Les bouleversements profonds de la vie économique et sociale ont des effets sur la vie matérielle et psychologique des individus.

Un individualisme inquiet

Ces bouleversements profonds de la vie économique et sociale ont des effets sur la vie matérielle et psychologique des individus. Le taux de chômage subit une nette augmentation, provoquée par les compressions de toutes sortes, par la «rationalisation» et la rentabilisation des entreprises qui n'ont pas fermé leurs portes ainsi que par les gigantesques fusions et acquisitions de compagnies. Le nombre de chômeurs constitue une véritable tragédie qui frappe autant les travailleurs de quarante à cinquante ans que les jeunes qui, malgré de longues études, ont plus difficilement accès au marché du travail et forment ainsi un nouveau contingent de «précaires». Les effectifs de la classe moyenne fondent. Certains prennent conscience de l'existence d'un quart-monde au sein même des pays occidentaux: une nouvelle frontière se trace entre ceux qui échappent à la crise économique et ceux qui la subissent. Dans certains pays, notamment en France, le chômage exacerbe le débat sur l'immigration. Un nationalisme agressif et étriqué se développe. On accuse les immigrés, pourtant déjà marginalisés sur le plan socio-économique, de «voler des emplois», mais l'argumentation qui sous-tend cette accusation ne tient pas compte, entre autres, du déséquilibre encore plus grand entre les pays riches et ceux du tiers-monde. La mondialisation et son monde suréquipé semblent produire une civilisation posthumanitaire, dans laquelle la multitude de nouveaux «pouvoir-faire» ne permet pas à l'humain de vivre mieux.

Une nouvelle vision du monde

Cette insécurité fragilise les gens et sème le doute à propos de la célébration de la toute-puissance de l'individu. La société de consommation n'est pas désarmée pour autant; bien au contraire, elle s'adapte et engendre un nouveau type de consommation, que les experts en marketing cherchent à montrer sous un jour plus rassurant. Par exemple, les compagnies biomédicales fabriquent de nouveaux médicaments psychotropes qui mettent, sur demande, les individus dans des états psychiques particuliers. Aussi, une nouvelle vision de la santé s'impose, comme le prouve l'apparition de nombreux produits naturels, le souci écologique plus grand, les campagnes antitabac plus agressives, etc.

---

1. Dans cette révolution, les «-tique» supplantent les «-isme»: bureautique, télématique, informatique, etc.

Sans cesse, de nouvelles causes d'inquiétude surgissent. Les citoyens prennent peu à peu conscience des grands périls qui menacent l'environnement. De nombreuses catastrophes causées par l'homme ont de très importantes incidences sur la santé de la planète entière, comme l'explosion d'un réacteur dans la centrale nucléaire de Tchernobyl, en URSS, l'échappement de gaz toxiques d'une usine de pesticides à Bhopal, en Inde, l'échouement des pétroliers qui stérilise les océans nourriciers et tue des oiseaux et des animaux marins, l'effet de serre, le trou dans la couche d'ozone ainsi que la déforestation massive des contrées tropicales... Outre la pollution et les catastrophes écologiques qui ignorent les frontières, d'autres problèmes criants tracassent les populations: des terroristes multiplient les crimes aveugles au nom de la religion et de la politique, les systèmes de santé deviennent déficients, la violence se répand jusque dans les écoles, où de jeunes enfants commettent des assassinats. Tous ces sujets d'inquiétude doivent être appréhendés par un nouveau système d'explication, une nouvelle vision du monde. Peu à peu s'impose l'évidence de la fragilité de l'être humain, dont la conduite est gouvernée moins par la raison que par des forces qui lui échappent. La course de l'humanité vers le progrès et le mieux-être n'est pas aussi inéluctable qu'on l'avait cru, puisqu'elle ressemble aujourd'hui à une course vers l'abîme. Dans les années 1970 naît le sentiment diffus que le pire pourrait bien être le plus probable. Durant cette période où le désabusement règne et la confiance vit une crise, l'homme devient prisonnier d'un réseau qui le domine et risque de l'écraser, et la mythologie du bonheur se mue en problématique.

Le 11 septembre 2001

*E*t alors que le règne de l'incertitude est déjà assuré, le plus grand attentat terroriste de l'histoire de l'humanité vient repousser, le 11 septembre 2001, les limites de l'inimaginable: des kamikazes du réseau terroriste et intégriste musulman Al-Qaïda font emboutir deux Boeing 707 dans les tours jumelles du World Trade Center de New York, incarnation du libéralisme mondial et centre de gravité économique de la planète. De plus, lors de cet attentat, un troisième avion percute le Pentagone et un dernier s'écrase avant d'atteindre Washington. En tout, 2792 vies humaines sont pulvérisées, ce qui rappelle étrangement l'usine de cadavres dissous d'Auschwitz. Une fois encore, et de manière aussi barbare, la mort vient rattraper la vie, comme si la part d'humanité disparaissait de la vie des hommes.

En 1989, la chute du mur de Berlin ébranle irrémédiablement le bloc de l'URSS, qui semblait pourtant indestructible. Avec les événements du 11 septembre, c'est au tour de la première puissance mondiale, qui se croyait intouchable, d'être déstabilisée et de découvrir brutalement qu'elle ne peut désormais plus vivre dans l'illusion de la paix. En même temps, la lassitude et le désenchantement vécus par les consciences occidentales se trouvent fortement secoués par cette poussée de l'irrationnel, comme si l'humanité entrait dans une période d'extrême vulnérabilité, de potentialité illimitée de terreur planétaire. Par surcroît, ce nouveau terrorisme conjugue progrès technique et fanatisme. Les plus récentes technologies sont mises au service du nihilisme, et l'acte terroriste, considéré comme un devoir sacré par ceux qui le commettent, équivaut en fait à un geste d'anticivilisation qui nous ramène au degré zéro de la vie humaine.

La charge symbolique de cet événement est immense. Il marque l'entrée officielle de la planète dans le XXIe siècle et établit un nouveau rapport entre la réalité et la fiction. La télévision a prouvé depuis longtemps que la réalité peut dépasser la fiction. Or, les images apocalyptiques de la chute des tours du World Trade Center en témoignent de façon encore plus fracassante. On peut espérer que la jeune génération sentira la nécessité de faire surgir un nouveau monde, plus humain, une nouvelle humanité, de la même façon que de nouvelles tours vont sortir des décombres des anciennes. Dans la société québécoise et ailleurs, il se trouve déjà de jeunes adultes qui partagent le souci d'atteindre un plus grand équilibre entre vie professionnelle et vie privée. Adeptes du tam-tam ou non, ils sont déjà à l'œuvre, en train de rebâtir une nouvelle tribu à partir de leurs différences.

La postmodernité

«Quelque chose est en déclin dans la modernité.»

Jean-François Lyotard

Miguel Tió, *8.30 am*, 2002.

Le plus grand attentat terroriste de l'histoire de l'humanité vient repousser, le 11 septembre 2001, les limites de l'inimaginable.

La modernité était caractérisée par l'optimisme historique et les grands mythes qui ont germé au cours du XVIIIᵉ siècle : le progrès continuel des sociétés, l'émancipation de l'homme, la paix universelle, la vision rousseauiste d'une nature salvatrice, l'idée voltairienne de la primauté de la raison, la vision déterministe qui fait appréhender l'homme et la société en termes de structures. Mais après l'annonce de la mort de Dieu par Nietzsche, après la destruction du concept d'une conscience libre par Freud, l'homme contemporain perd ses illusions en ce qui concerne le progrès de l'humanité, et cette désillusion est à la mesure de la foi qu'il a investie dans cette croyance. L'être humain a l'impression de vivre la fin d'un monde, d'une civilisation, d'être entré dans une ère postmoderne[1]. Il s'est résigné à assister à la dissolution de toutes les vérités absolues ; il n'espère plus que les classes soient abolies dans la société ; il sait que l'amélioration des conditions matérielles d'une génération à l'autre est chose du passé ; il se sent impuissant devant les famines et les massacres dans le tiers-monde. Il se méfie même des progrès phénoménaux de la science qui permettent les réalisations les plus complexes : clonage réussi d'une brebis adulte et bientôt d'embryons humains, identification de l'ADN, production d'aliments transgéniques, naissance de bébés-éprouvette, nouveaux médicaments, fabrication prochaine de membres et d'organes humains de remplacement, nouvelles théories génétiques et biochimiques sur les mécanismes du vieillissement, etc.

À l'époque postmoderne, les grands rêves idéologiques généralement pourvoyeurs de sens prennent fin, et les grands systèmes sont en faillite. Sur le plan religieux, l'Église catholique perd son ascendant sur le monde laïque. La nouvelle génération d'Occidentaux est probablement la première dans l'histoire de l'humanité à se cantonner dans la sphère subjective au point d'en perdre le sens du sacré. Sur le plan politique, plus rien n'est acquis. L'empire soviétique se désintègre en quelques années : en 1989, le mur de Berlin s'écroule et fait imploser l'idéologie qui le soutenait, le marxisme. La bipolarisation Est-Ouest prend fin, et le capitalisme aliénant envahit tout cet espace laissé vacant. L'époque postmoderne est donc caractérisée par l'émergence d'une nouvelle conscience de soi et de l'Univers, dans laquelle l'espoir d'autrefois a chaviré et où le confort intellectuel n'est plus possible. Recroquevillé dans le présent, l'homme ne croit plus que tout peut s'inscrire dans une signification plus globale, qu'il lui est possible d'ajouter une pierre à l'édifice du progrès. Compte tenu de la barbarie de ce siècle, l'animal humain est devenu le pire prédateur de son espèce, et les «Lumières» sont éclipsées par l'ombre grandissante. Cette nouvelle donne fait dire à Edgar Morin et à Alain Minc que l'humanité vient d'entrer dans un «nouveau Moyen Âge», et ce, à l'époque même où une première génération d'humains commence à maîtriser les manipulations génétiques et l'exploration de l'Univers.

---

1. L'idée de la «condition postmoderne» est née à l'occasion de la réponse d'un philosophe français à une demande de réflexion émanant du Québec. En effet, en 1979, Jean-François Lyotard reçoit du Conseil des universités du Québec le mandat de produire un rapport sur le savoir dans les sociétés développées. Ce rapport est ensuite publié sous forme de livre, intitulé *La Condition postmoderne* (1988).

Photographie du mur de Berlin avec, devant, les croix commémoratives de quelques-uns des fugitifs de l'Est qui ont été abattus.

En 1989, la chute du mur de Berlin fait imploser l'idéologie qui le soutenait, le marxisme.

Les manifestations quotidiennes de la postmodernité

Dans cette nouvelle vision du monde, les anciens repères familiaux, sociaux et idéologiques ont disparu; de même, les certitudes d'hier et les modèles traditionnels – le sage, le saint, le héros, le génie – ne sont plus de mise. Cette vision est d'abord caractérisée par l'éclectisme des choix qu'elle impose. L'individu postmoderne ne vise aucun but et ne cherche à donner aucun sens, il ne peut souffrir ni interdits ni censure, et accepte tout ce qui se présente, le rétro comme le nouveau. La culture de cette époque ne peut être uniforme ni standardisée, et le mode de vie ne peut plus se fonder sur un modèle unique. Les styles s'amalgament, intègrent la marge et la différence. Le postmodernisme se plaît à «recycler» des composantes anciennes, objets ou valeurs, pour leur redonner vie dans la réalité immédiate. Par exemple, cette culture métissée se permet d'associer, dans le domaine de la musique, un chanteur rock et un chanteur d'opéra. Chacun use de sa pleine liberté d'expression et, quitte à défier le bon goût, se permet de faire cohabiter tous les styles, de fusionner des catégories considérées hier encore comme opposées, telles la culture savante et la culture populaire. Tout est maintenant possible: d'éminents savants sont aussi des poètes[1]; une musique techno ultramoderne est produite par le «déRAPage» d'une aiguille sur un vieux microsillon; le lecteur peut apprécier un «livre dont il est le héros»…

Une nouvelle utopie serait-elle en train de germer?

À l'aube de ce XXIe siècle, alors même que l'humanité semble dirigée par des gestionnaires sans horizon qui appliquent des politiques pragmatiques et à courte vue qui servent la mondialisation, on peut se demander si la postmodernité n'est pas en train de devenir l'instrument d'une nouvelle utopie. N'applique-t-on pas présentement aux humains le métissage proposé dans d'autres domaines? La mondialisation et son «cheval de Troie» qu'est Internet ne seraient-ils pas en train de rapprocher tous les humains qui peuvent, pour la première fois, se sentir solidaires, fût-ce dans leur fratrie déchirée[2]? Après l'«ère du vide» des dernières décennies du XXe siècle, il est possible aujourd'hui d'entrevoir un humanisme nouveau qui serait l'affirmation d'une nouvelle solidarité, d'une authentique fraternité[3], basées sur le respect, l'égalité, la liberté et la justice, et qui rendraient caduque la notion de race, puisqu'il ne resterait qu'une espèce, l'espèce humaine. Déjà, le métissage des milieux urbains ne témoigne-t-il pas de l'avènement de cette nouvelle réalité? À titre individuel, de nombreuses personnes sont déjà engagées dans cette voie. Bernard Kouchner et ses «médecins sans frontières», par exemple, appliquent une nouvelle morale, soit toujours se ranger du côté des victimes, ce qui n'est plus une utopie pour eux, mais bien une réalité. Et c'est sans compter ces

---

1. Hubert Reeves, avec ses images savoureuses, en est un exemple: «Notre Univers s'étend comme gonfle dans le four un pudding aux raisins.»
2. C'est ce que semble affirmer le penseur André Glucksmann: «Nous avons au XXe siècle une expérience de l'inhumain que nous n'avions pas. Les hommes ne s'unissent pas à partir d'un bien commun, religieux ou laïque, mais d'un mal commun, pour l'éviter.»
3. Selon Jacques Attali, «la fraternité est l'utopie concrète de notre monde actuel».

jeunes et moins jeunes, les altermondialistes, qui, un peu partout sur la planète, se mobilisent contre la façon dont va le train du monde et la dégradation progressive de la planète. L'humanité semble être aux prémices d'une nouvelle Renaissance, elle paraît être en train d'accoucher d'elle-même à nouveau.

L'art entre modernité et postmodernité

Alain Jacquet, *Le Déjeuner sur l'herbe de Manet*, 1964.

Le postmodernisme se plaît à «recycler» des composantes anciennes, objets ou valeurs, pour leur redonner vie dans la réalité immédiate.

*D*ans l'art moderne, l'artiste était celui qui ouvrait le chemin de l'avenir au moyen de ses œuvres. Or, à partir des années 1960, la remise en cause de l'idée du progrès et la déperdition de la foi dans l'homme et dans l'avenir provoquent un changement radical dans la définition, les intentions et l'orientation de l'art. L'art tourne le dos au surréalisme et à ses différentes adaptations, et amorce une réflexion en profondeur à partir de l'entreprise de subversion dadaïste des années 1910. Les artistes choisissent de déborder les cadres de la modernité plutôt que de créer de nouvelles limites, et empruntent à Marcel Duchamp son ironique et irrévérencieuse férocité pour procéder à un grand brouillage des grammaires, des usages et des conventions. L'art qui en résulte est caractérisé par une prodigalité inouïe et une variété d'approches si grande qu'elle interdit pratiquement tout principe d'unification. Les artistes mettent à mal toutes les certitudes historiques, tous les dogmatismes formels, jusqu'aux cloisonnements entre les divers domaines de la création artistique. Même la peinture est contrainte de sortir de son support traditionnel et de s'associer à la sculpture. Cet art use d'une déroutante liberté et considère la vie elle-même comme l'art absolu : le réel, le banal, l'accidentel et l'imprévu deviennent ainsi des sujets artistiques, ce qui incite le spectateur à les trouver dignes d'intérêt. Cet art contemporain remet vraiment en cause toutes les anciennes frontières de l'art. Même l'exécution de l'œuvre peut être confiée à un tiers, et l'œuvre elle-même, être restreinte à une simple idée, comme dans l'art conceptuel.

L'art de cette époque se «dé-définit» et se «dés-esthétise», selon les termes de Harold Rosenberg. Tout peut dorénavant être considéré comme de l'art, et les artistes ne prétendent plus que ce qu'ils présentent comme étant de l'art soit le produit d'expériences esthétiques. Cette radicale remise en cause des certitudes en matière d'œuvre et de démarche semble le symptôme le plus apparent de la profonde mutation que subit la société, qui avance d'une révolution à une autre – révolution

Jean-Michel Basquiat, *Sans titre*, 1981.

Les artistes empruntent à Marcel Duchamp son ironique et irrévérencieuse férocité pour procéder à un grand brouillage des grammaires, des usages et des conventions.

économique, informatique, génétique, etc. Cette mutation est parfois difficilement acceptée et intégrée, et elle devient la source d'un malaise redoutable qui règne dans les esprits et les sensibilités. Les prochaines sections présentent quelques-unes des tendances de cet art contemporain.

Le *Pop Art*

Alors que la musique populaire se mondialise, un nouvel état d'esprit s'instaure dans l'art et ébranle les certitudes et les frontières entre ce qu'on considère comme le « grand art » et la culture populaire. Le *Pop Art* (pour *Popular Art*) recycle dans les formes de l'art d'élite les images de la culture commerciale et populaire de la société américaine – celles de la publicité, du cinéma, de la mode et de la société marchande. Les artistes du *Pop Art* veulent en faire le nouveau miroir d'une nouvelle époque. Cet art transpose dans le domaine de la culture le style et le langage des arts de la communication, et s'ouvre à tous les aspects du monde réel contemporain. Il gomme l'espace entre l'art et la vie, prend possession entière d'une époque, dans ce qu'elle a de plus quotidien, de plus clinquant et de plus éphémère. Affranchi de tout dogme ou de tout préjugé, le *Pop Art* élève au rang d'objet esthétique ce qui, hier encore, était considéré comme capitaliste et laid. Les artistes n'ont donc plus à inventer des images de la beauté, ils utilisent plutôt celles qui existent déjà. Comme il fait basculer le réel dans le monde de l'imaginaire, le *Pop Art* s'identifie avec la vie même.

L'art se place dorénavant sur le terrain de la société de consommation et tente avec ironie et dérision d'entrer en concurrence avec elle. Le résultat est paradoxal : les créateurs font maintenant partie du « star-système », une véritable osmose s'établit entre l'art et la culture de masse, et on ne peut prévoir lequel risque le plus de se dissoudre dans l'autre. La remise en question de la notion même de l'art est totale : celui-ci perd son aura traditionnelle, comme il lui était arrivé lorsque le courant réaliste s'était imposé au XIXᵉ siècle. La figure la plus importante du *Pop Art* est sans contredit Andy Warhol.

Le Nouveau réalisme

Pendant que le *Pop Art* s'abouche à la société de consommation aux États-Unis, un mouvement parallèle se développe en France à partir de 1960 : le Nouveau réalisme. Comme son pendant américain, le Nouveau réalisme constitue une réaction à la forte présence de la peinture abstraite et informelle, et va jusqu'à prendre son contre-pied. De plus, le Nouveau réalisme reflète les valeurs matérialistes de la société de consommation boulimique de l'après-guerre. Ces artistes français s'approprient à leur tour le *ready-made* (tout fait) et s'en servent pour transcrire la réalité sociologique. Mais leur vision de la société de consommation et du capitalisme est beaucoup plus critique que celle de leurs confrères américains.

Contrairement à ces derniers, qui, très souvent, utilisent les objets neufs de la civilisation du supermarché, les nouveaux réalistes français préfèrent se servir des déchets. Cette divergence n'empêche pas que les artistes de part et d'autre de l'Atlantique partagent la même conception selon laquelle le support de l'œuvre ne doit plus être le simple espace pictural de la toile, mais le monde lui-même. De plus, dans les deux mouvements, on délaisse le geste pictural pour s'approprier un morceau du monde même, auquel on confère le statut d'œuvre d'art. Il devient de plus en plus difficile de délimiter les frontières entre l'objet visuel brut ou naturel et l'œuvre tridimensionnelle.

Les pratiques artistiques des nouveaux réalistes sont très diverses. Chaque artiste invente un nouveau langage, chacune des œuvres de ce mouvement est constituée des matériaux les plus hétéroclites : affiches, ferraille, résidus de table, objets de rebut, pacotille de bazar, pianos défoncés, etc. Après avoir ramassé des déchets, l'artiste les organise : il les casse, les assemble, les accumule, les empile, les écrase, les comprime, les lacère, les emballe, les met en mouvement, les attaque au fusil, etc. Le geste d'appropriation du créateur semble plus important que le résultat. Cette peinture hors la toile donne une autonomie au réel sociologique et devient une chronique ironique de la société de consommation qui permet de modifier le regard du spectateur sur son environnement. À la suite des nouveaux réalistes, les artistes continuent de bouleverser les pratiques traditionnelles de la sculpture.

Jean-Michel Basquiat, *Gas Truck*, 1981.

Le réel, le banal, l'accidentel et l'imprévu deviennent des sujets artistiques.

Les happenings et les performances

Les happenings s'inscrivent dans une longue tradition. Ils semblent déjà annoncés par les futuristes et les dadaïstes, ils portent l'empreinte du théâtre total d'Antonin Artaud, dit « théâtre de la cruauté », ils prolongent la pratique gestuelle de l'*Action Painting* de Pollock, ils empruntent des voies parallèles à celles du *Living Theatre* (théâtre vivant) de Julian Beck, du *Bread & Puppet Theatre* de Peter Schumann et du « théâtre pauvre » de Jerzy Grotowski, et ils participent enfin de l'envahissement de l'art par les procédés médiatiques de la société du spectacle. Peu après leur entrée en scène, les happenings s'imposent rapidement comme les nouveaux rites de l'avant-garde. Si c'est John Cage qui produit le premier événement à New York en 1952, c'est cependant Allan Kaprow qui est considéré comme l'inventeur du happening, aussi appelé performance. En 1959, il transforme les « événements » de Cage en art collectif et transdisciplinaire. Généralement organisé par des peintres, le happening est un événement multimédia unique et éphémère. Cet art vient bousculer les hiérarchies culturelles traditionnelles, car on y mélange les arts (peinture, sculpture, musique, poésie et théâtre) et les rôles des acteurs et des spectateurs sont fusionnés. Comme pour le jazz et la peinture gestuelle, une importance particulière est accordée à la non-préméditation, à l'improvisation et au hasard. Les artistes des happenings désirent créer des conditions où puissent

Robert Smithson, *Spiral Jetty*, 1970.

L'art de l'installation élargit le champ sculptural et intègre de vastes espaces de la nature.

se manifester des rapports imprévisibles, où tout pourrait arriver (*happening* vient du verbe anglais *to happen*, « arriver, survenir »).

La sculpture supplantée par les installations

À partir des années 1960, la sculpture descend de son socle pour s'approprier l'espace qui l'entoure et, graduellement, remplir la pièce où elle est située et finir par l'habiter tout entière. Une nouvelle conception de l'œuvre naît des assemblages du *Pop Art* et des arts de la performance : l'installation, aussi nommée œuvre environnementale (de l'anglais *Environmental Art*). Dans la décennie suivante, le champ sculptural s'élargit encore et intègre alors de vastes espaces de la nature. L'artiste crée son œuvre d'art par son intervention directe sur le paysage, par sa mise en scène d'un site. Ce nouveau type d'association avec l'environnement s'appelle *Land Art*, ou *Earth Art* (art de la terre), et sa dimension écologique n'est pas négligeable. Dans ce processus de transformation autrefois réservé à la nature elle-même, les artistes se lancent à l'assaut du paysage et troquent leur ciseau, leur marteau et leur fer à souder pour une pelleteuse, un bouteur (un bulldozer) ou tout autre véhicule de terrassement. Habités par une mystique de la nature comparable à celle des romantiques, les artistes du *Land Art* tentent ainsi d'affranchir l'art de ses limitations institutionnelles et de la spéculation marchande. Ils paient toutefois cher cette liberté, puisque leur geste est éphémère et que leurs œuvres sont soumises aux conditions climatiques et vouées à une destruction éventuelle. Une fois ces œuvres disparues, seuls les films et les photographies peuvent en rappeler l'existence. La plus connue de ces œuvres qui brouillent les frontières entre l'art et la nature est sans doute la *Spiral Jetty* (1970) de Robert Smithson, une monumentale spirale de pierres et de terre atteignant 457 mètres de long que l'artiste, en 1970, fait se déployer à partir du rivage du Grand Lac Salé en Utah et qui est rapidement engloutie par les eaux.

Le minimalisme

Cette époque donne aussi naissance à une tendance tout à fait opposée, le minimalisme (ou *Minimal Art* aux États-Unis), où l'œuvre n'est pas liée au hasard des circonstances ni soumise à son environnement. Au contraire, les sculptures minimalistes, le plus souvent nommées « objets spécifiques » ou « structures élémentaires », sont des volumes géométriques d'une extrême rigueur formelle. Ces figures élémentaires sont disposées dans l'espace dans des rapports de combinaisons et d'arrangements précis. Ainsi, un artiste peut décider d'aligner des cubes, solidaires les uns des autres, à intervalles réguliers, en obéissant à une logique de répétition et de progression sérielle comparable à celle d'un Philip Glass en musique. Pour ces structures, les artistes privilégient des matériaux comme le fer, le verre ou le plastique, les couleurs peu nombreuses mais vives, et surtout rejettent toute tentative de représenter le réel et toute connotation subjective. En fait, ces œuvres ne portent même pas de titre et s'imposent par leur seule présence, sans justification autre que leur propre structure. Le minimalisme est donc une forme d'expression ascétique, et c'est cette caractéristique qui lui vaut son nom. Les œuvres minimalistes élèvent la banalité au rang de l'art et reprennent la démarche dadaïste, puisque la création artistique y est dissociée de l'idée de culture.

L'art conceptuel

*A*u milieu des années 1960, des créateurs aggravent la crise liée à la question de la représentation, crise propre à la modernité : ils remettent en question jusqu'au droit à l'existence de l'œuvre d'art. Opposés à la toute-puissance de l'objet dans le *Pop Art*, ils poussent à l'extrême les principes minimalistes selon lesquels l'exécution de l'œuvre est tellement secondaire qu'elle peut être confiée à des tiers. Pour eux, l'essentiel de l'œuvre réside en fait non dans un objet, mais dans le processus de conception de l'artiste, et la réalisation de l'œuvre n'est donc plus qu'une formalité. Cet accent mis sur la conception de l'œuvre plutôt que sur son exécution amène la dématérialisation de l'objet artistique et, surtout, une profonde et durable réflexion sur l'art, sa nature, son usage, sa raison d'être, de même que sur le rôle de l'artiste.

Puisque la dimension physique de l'œuvre est largement réduite, ce sont la réflexion philosophique ou linguistique sur la nature de l'art ainsi que le discours sur l'œuvre qui en deviennent les matériaux de base. À la limite, l'œuvre peut même n'avoir aucune existence matérielle. Dans de très nombreux cas, les textes explicatifs occupent une très grande place dans les œuvres mêmes, dont ils deviennent une partie intégrante. Le plus important théoricien de ce mouvement est Joseph Kosuth (né en 1945), qui accorde une importance égale à l'art et à son analyse : « L'idée de l'art et l'art sont la même chose. » On lui doit *One and Three Chairs* (1965), une œuvre composée d'une simple chaise en bois placée contre un mur où sont affichées une photographie de cette chaise et une reproduction agrandie de la définition du mot « chaise » extraite d'un dictionnaire. Par cette œuvre, il suscite une réflexion sur l'œuvre d'art, et c'est précisément cette réflexion qui devient l'œuvre elle-même.

L'art postmoderne

*D*ans les années 1960, un modernisme ultime succédait à la modernité. Les toiles gigantesques des expressionnistes abstraits avec leurs coulées de couleurs vives et leur violence gestuelle ont signé la fin de la peinture. Cette dernière cède sa place à des objets, bientôt supplantés eux-mêmes par le corps de l'artiste ou des espaces naturels. Ces œuvres éphémères ne subsistent plus que dans des photos ou des vidéos. Livré à l'aléatoire et à la charge émotionnelle des happenings, l'art dispense bientôt l'artiste de la fabrication de l'œuvre, privée elle-même de sa matérialité. Après toutes ces remises en question de la création artistique et du concept même de l'art, l'esthétique de la modernité où l'innovation est privilégiée semble avoir épuisé toutes les possibilités de la création. Aussi, à partir des années 1970, l'utopie du nouveau semble-t-elle dans une impasse, comme si la démarche initiée par Manet et les impressionnistes se terminait avec l'art conceptuel, qu'elle ne

Joseph Kosuth, *One and Three Chairs*, 1965, photographie de Philippe Migeat.

L'œuvre peut n'avoir qu'une existence matérielle très réduite, au profit de la réflexion et du discours à son sujet.

pouvait dépasser. De fait, après l'avènement de l'art conceptuel, de plus en plus d'artistes désirent renouer avec une peinture figurative et plus subjective, et appellent même à une rupture avec la tradition de la rupture. Ainsi, il se produit deux phénomènes parallèles à la fin des années 1970 : l'économie entre dans l'ère postindustrielle et l'art abandonne l'idéal de la nouveauté pour entrer dans le postmodernisme. Conscients que les enjeux esthétiques ont perdu leur dimension révolutionnaire, les artistes postmodernes empruntent la voie tracée par la modernité et reprennent ses diverses problématiques (attrait pour la subversion, jeu avec les limites, pratiques de détournement) dans le but de les parodier ou de les déconstruire. Surtout, ils répudient l'utopie selon laquelle l'art détient le pouvoir de mouvoir le monde ; l'artiste lui-même perd le halo qu'il avait hérité du romantisme et de la modernité.

Après l'étape où l'œuvre est dématérialisée et où son exécution prend un caractère impersonnel, les artistes postmodernes réhabilitent la peinture de chevalet : les peintres, avec des pinceaux ou des bombes de peinture, redécouvrent le plaisir de l'exécution manuelle et redeviennent coloristes et lyriques.

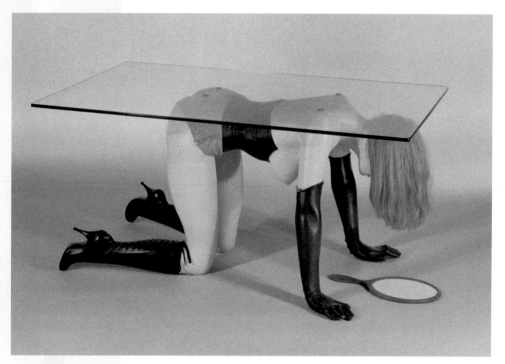

Allan Jones, *Table Sculpture*, 1969.

À partir des années 1970, l'utopie du nouveau semble se trouver dans une impasse.

Déjà, à partir de 1965, en pleine vague minimaliste et conceptuelle, des peintres de la nouvelle figuration, comme Jacques Monory, Erró, Bernard Rancillac et d'autres, refusent le dogme des seuls procédés expérimentaux, font sortir la peinture du supermarché où Warhol veut la confiner et se permettent un retour à une peinture narrative et figurative. Ils contribuent ainsi à mettre fin à l'ostracisme de la peinture figurative, que l'on considérait totalement dépassée par les nouveaux moyens d'expression comme la photographie et la vidéo. Le refus de ces peintres permet l'éclosion des multiples nouveaux mouvements de la vague postmoderne. Leur peinture privilégie les formes les plus simples, est généralement ludique et décontractée, et de ce fait, est en phase avec l'époque et le public.

La littérature comme substitut au réel

« La littérature, en fin de compte, ça doit être quelque chose comme [...] la dernière chance de fuite. »

Jean-Marie Gustave Le Clézio

La vie littéraire de la fin du XXᵉ siècle porte l'empreinte de son époque : le temps réservé jadis à la lecture est de plus en plus grignoté par la télévision, le cinéma et Internet. Il est maintenant question d'une « industrie de l'art », et le livre est devenu un produit comme un autre, soumis aux lois de la publicité et du profit. Les écrivains se vendent dans les médias pour promouvoir leurs ouvrages, ce qui favorise ceux qui ont le verbe haut et qui n'hésitent pas à se faire filmer et photographier.

Le « roman d'auteur » voit son territoire envahi par la littérature populaire, de même que par la traduction d'œuvres américaines, surtout des romans policiers ou des best-sellers fréquemment repris au cinéma ou à la télévision. Par ailleurs, à l'heure où les médias étendent leur emprise sur la vie culturelle, les écrivains tiennent de plus en plus compte des attentes des lecteurs. Ils cherchent à répondre à leurs besoins d'évasion et ils savent qu'une grande partie de leurs lecteurs désirent être informés sur l'état du monde, en particulier celui de leur société. Aussi trouve-t-on de nombreux personnages romanesques qui se modèlent sur la réalité et reflètent les préoccupations des lecteurs.

Postmodernité oblige, la littérature contemporaine emprunte un nouveau code pour exprimer les notions de vérité, d'autorité et d'ordre, d'homogénéité et d'identité. Les écrivains ne participent plus à aucun mouvement, ne s'inscrivent plus dans aucun courant de pensée précis, ne se regroupent pas dans une nouvelle avant-garde – ils ne remettent pas en question le courant précédent pour le dépasser, comme le faisaient les écrivains de la modernité. Les écrivains postmodernes partagent cependant une nouvelle sensibilité née de la conscience de vivre dans une époque privée de continuité historique et de repères, où il est quasi impossible de vivre en accord avec soi et avec la vie. L'« être de trop » des existentialistes cesse d'être une idée pour devenir une réalité quotidienne, comme si, contrairement aux objets, l'homme n'arrivait plus à se recycler. Cependant, malgré la très grande diversité des œuvres produites au cours des trois dernières décennies du XXe siècle, tous les auteurs s'entendent sur certains points : tous invitent les lecteurs à prendre conscience du risque de ne devenir qu'un simple rouage dans un système qui favorise l'individualisme ; tous les incitent à trouver leur vérité et leur unicité, à prendre leur juste place dans une société qui tente d'uniformiser les consciences. Comme hier et comme toujours, l'importance que prend la littérature dans une société est relative à sa capacité à dire quelque chose aux lecteurs sur eux-mêmes qu'ils ne pourraient pas apprendre d'une autre manière. La préoccupation constante des écrivains reste donc de changer le monde et, pour ce faire, ils cherchent à modifier la vision du lecteur, à lui faire voir la réalité sous un autre angle, à l'amener à percevoir des liens qu'il n'avait pas remarqués, à éclairer les coins sombres de sa conscience jusqu'à ce qu'il y découvre l'être de lumière en lui.

Le roman

Une fois les expériences du Nouveau roman effectuées, les écrivains ne tentent pas de repousser davantage les frontières de la modernité. Au contraire, ils abandonnent la question des théories littéraires pour se préoccuper essentiellement de l'écriture. La littérature revient donc à une narration plus traditionnelle, ce qui ne signifie pas que les écrivains n'aient pas retenu certaines leçons de l'époque précédente, en particulier le dédain des *a priori* et des conventions de l'écriture, le refus des facilités du cliché. La désaffection touche aussi l'analyse psychologique et les différents procédés traditionnels de caractérisation des personnages, auxquels les romanciers substituent la technique de l'inventaire, de la minutie extrême. Surtout, ils n'entendent plus reproduire le monde, mais en créer un à travers le langage, et cherchent à faire de leurs œuvres moins le reflet de leur époque que sa manifestation. Pour y parvenir, ils conçoivent des romans qui s'apparentent de plus en plus à la peinture d'un paysage intérieur projeté sur l'univers des objets, et ils moulent davantage leurs œuvres sur la réalité, ses contradictions et ses problèmes quotidiens. Alors que les modernes faisaient de l'œuvre le seul objet de leur interrogation, les auteurs d'aujourd'hui, conscients de vivre dans une époque où les valeurs sont incertaines, se font les témoins attentifs et tourmentés de la réalité sociale que leur œuvre manifeste.

Les grandes tendances de la littérature actuelle, dite postmoderne

Le renouvellement de l'expression littéraire

Les valeurs sûres d'autrefois ne résistent pas à l'époque postmoderne. Aujourd'hui, même le mot *style*, qui désignait autrefois la marque d'un écrivain, semble être chose du passé. On parle plutôt d'*écriture*, c'est-à-dire une façon d'écrire étroitement liée à la réalité subjective de chacun, et ce terme englobe autant le genre littéraire lui-même que la forme et le contenu de l'œuvre. L'écriture se banalise, devient « non littéraire », pour passer de plus en plus inaperçue. Les auteurs renoncent aux fleurs de rhétorique, se libèrent des contraintes de la grammaire classique et introduisent de plus en plus de marques du langage parlé. Ils entendent ainsi laisser la parole à la réalité souvent quotidienne. Sans doute la culture de masse n'est-elle pas étrangère à ce phénomène. Les écrivains communiquent plus simplement et plus efficacement avec leur public, mais n'en recourent pas moins à différents procédés littéraires.

Pour montrer que le roman qu'ils sont en train d'écrire n'est pas né *ex nihilo*, que le phénomène de la création s'inscrit dans un vaste réseau d'influences, les romanciers multiplient les allusions littéraires et les citations, et vont jusqu'à rapporter d'importants fragments d'autres œuvres. Cette hétérogénéité des sources qui dynamise l'œuvre littéraire se nomme « intertextualité ».

Comme il n'existe plus de vérité unique qui puisse faire l'unanimité, la vision unique dans le récit n'est plus possible. La fin de l'unicité se traduit par l'éclatement de la voix narratrice, et le « je », devenu le principal référent, se dédouble, devient pluriel,

G. G. Kopilak, *Autoportrait en fer*, 1980.

On entend laisser la parole à la réalité souvent quotidienne, alors que le romancier s'autoreprésente dans des situations de mise en abyme.

contradictoire même, ce qui produit une narration fragmentée, interrompue, reprise, multiple. Il arrive qu'un des « je » corresponde à l'auteur lui-même, qui s'immisce dans son récit et mêle sa propre voix à celle de ses personnages, pour exprimer une opinion, pour révéler le fonctionnement de son écriture ou encore pour s'observer en train d'écrire : la critique littéraire parle alors d'autoreprésentation du romancier dans des situations de mise en abyme. Dans le récit postmoderne, il est d'ailleurs abondamment question de l'écriture, de la lecture ainsi que des autres arts.

Le narrateur interpelle fréquemment le lecteur. Ce dernier est invité à dialoguer, comme s'il devenait lui-même un « je » narratif virtuel, comme si son autorité était aussi importante que celle du narrateur ou de l'auteur. Ce dernier ne se reconnaît du reste plus d'autorité particulière et ne considère plus que son regard est apte à guider celui du lecteur.

Le roman a perdu toutes ses frontières traditionnelles, toute son homogénéité. Il est dorénavant le lieu de la plus totale hétérogénéité : celle des genres, des styles, des tonalités, des cultures, des morales. La fiction peut maintenant s'allier à la théorie ; des lettres et des documents divers sont d'ailleurs parfois insérés dans la narration. Le récit se situe à la jonction de différents genres littéraires ; les écrivains refusent parfois même de le clore et le laissent se terminer par une fin ouverte. Au lecteur d'imaginer le dénouement qui lui convient le mieux. Même la dichotomie entre la narration et les dialogues s'affaiblit, puisque les marques traditionnelles de l'insertion des dialogues sont fréquemment abandonnées. Cette littérature se caractérise aussi par la mixité des valeurs qu'elle propose : les écrivains refusent d'exclure ce qui est autre. L'intertextualité est d'ailleurs l'outil idéal pour intégrer dans le récit des idéaux et des codes moraux différents. Ce métissage des valeurs et des voix se produit comme si la mondialisation de l'économie avait des répercussions jusque dans la littérature, qui se nourrit maintenant d'une culture mondiale.

Afin de prendre leurs distances à l'égard du réel, les écrivains font abondamment appel à la parodie et à l'ironie ; pour se moquer d'eux-mêmes, ils utilisent volontiers l'humour, qui peut même faire écho à un désespoir cynique, puisque le rire n'est jamais très loin des larmes.

Différents procédés peuvent être mis à contribution pour marquer des ruptures dans le fil du texte : usage de parenthèses (histoire de dérouter le lecteur et de le rappeler à l'attention), notes de renvoi fictives, insertions d'autres voix ou d'histoires secondaires, etc.

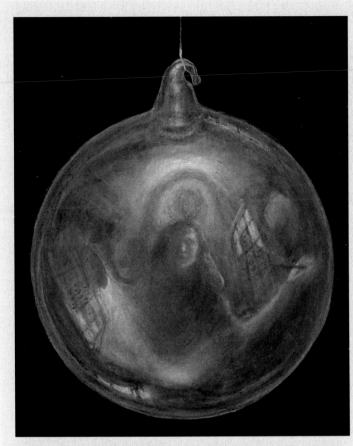

Julia Londen, *Autoportrait se reflétant dans une boule de verre*, 1997.

L'écriture est vouée à la construction d'espaces intimes dans lesquels la vie privée devient vie publique.

la femme et sur l'homme de ce temps : une femme émancipée, un homme parfois désorienté par l'écroulement des hiérarchies traditionnelles, un couple caractérisé par l'indépendance des partenaires et une grande liberté sexuelle, des enfants entretenant des relations égalitaires avec leurs parents, des individus sans attaches familiales. Le roman dépeint surtout une solitude physique et intérieure, une douloureuse prise de conscience par l'humain du vide de sa vie, du non-sens de son existence.

Les romanciers de la modernité ne s'autorisaient que très peu à dialoguer avec les œuvres passées, parce que leurs romans devaient les dépasser, les rendre inactuels. Ceux de l'époque postmoderne n'hésitent pas à engager un dialogue avec la tradition. Aussi sont-ils nombreux à interroger le passé, afin d'y trouver des réponses aux questions d'aujourd'hui ou d'exorciser la peur de l'avenir. Les romanciers développent un grand intérêt pour l'Histoire, dont ils espèrent qu'elle lèvera le voile sur un aspect de leur identité présente, mais n'hésitent pas à l'appréhender avec ironie pour mieux prendre leurs distances avec elle. Le fait de nourrir l'imaginaire des réalités du passé donne par ailleurs de la couleur à une époque fade et de l'ampleur à un présent trop étroit. Certains réécrivent même le passé pour avaliser ses aspérités et le recomposer en légendes ; d'autres, au contraire, en particulier les survivants de l'Holocauste, tentent de dire l'indicible et d'exprimer les souffrances accumulées.

Mais, comme ce qu'on cherche avant tout est un sens au présent, ce passé est perçu avec le regard du présent, un présent généralisé qui superpose les temps, qui accomplit le métissage des vestiges du passé et de ceux d'aujourd'hui. Les écrivains branchés sur l'immédiat, sur la vie vécue au quotidien, tentent à travers leur écriture d'en exorciser les menaces. Ils emploient leur écriture à construire des espaces intimes dans lesquels leur vie privée devient vie publique. Cette époque est celle de l'empire du « vécu » et des itinéraires personnels à forte tendance introspective : la littérature se replie sur le quotidien avec ses scribes du je-me-moi, et est fortement marquée par le flot des sensations et un goût acharné du plaisir. Certains, se fouillant les entrailles, voient dans leur détresse la radioscopie du désarroi contemporain, pendant que d'autres ne retiennent que les petits bonheurs du quotidien. D'autres encore explorent des domaines psychologiques et sociaux jusqu'alors considérés comme insolites, telle l'homosexualité. La littérature contemporaine, pour faire contrepoids aux contraintes extérieures qui menacent l'individu et pour endiguer la dilution du moi, transforme donc certains auteurs en journalistes de leur propre banalité.

Enfin, comme le sens de l'histoire et de la continuité est perdu dans ce monde, le temps dans le roman est devenu, lui aussi, fragmentaire. Aussi, de nombreux auteurs ne cessent de décomposer et de recomposer des fragments de leur vie. Les récits qui en résultent sont de forme brève, de caractère abrupt et allusif ; ils constituent des tentatives de capturer la vie dans les limites de l'instant, de la transposer sur la page blanche en la stylisant à l'extrême, en rejetant tout ce qui est fabriqué, académique et qui pourrait ressembler à un cliché. Plusieurs écrivains privilégient une écriture minimaliste et directe, une prose dénuée d'effets, composée de parcelles d'existence ordinaire qui touchent directement au cœur. Les écrivains cherchent à enfermer le maximum de la réalité dans un espace très restreint, ils simplifient pour relever le goût du réel et donner de la transparence.

Le renouvellement de la thématique

Les caractéristiques du roman postmoderne montrent qu'il s'intéresse moins à la construction d'une intrigue qu'à la restitution de la vie. On y trouve donc des personnages calqués sur

Marguerite Yourcenar[1] (1903-1987)

« Le véritable lieu de naissance est celui où l'on a porté, pour la première fois, un coup d'œil intelligent sur soi-même. »

Grande humaniste, femme libre et citoyenne du monde, irréductible à quelque étiquette que ce soit, Marguerite de Crayencour, dite Marguerite Yourcenar, produit une œuvre où se confondent réflexion morale, analyse psychologique, méditation métaphysique et poésie. Elle scrute le passé, en capte les facettes obscures emprisonnées dans l'Histoire et les transforme en fils conducteurs vers le présent. Ses autobiographies fictives ont renouvelé le roman historique : elle s'infiltre à l'intérieur de personnages appartenant au passé – celui de l'Antiquité dans *Mémoires d'Hadrien* ou de la Renaissance dans *L'Œuvre au noir* – pour en faire une analyse d'une rare finesse psychologique. Yourcenar reconstitue la vie et la carrière de son personnage, et propose, sans rien forcer, une réflexion sur la condition humaine. Cette reconstitution mi-historique et mi-fictive du passé est livrée dans une langue classique et rigoureuse, mais vibrante de perceptions et d'interrogations tout actuelles. Styliste accomplie, la romancière construit des phrases aussi polies et pures que la forme d'un marbre classique. Elle manie habilement l'allégorie et la parabole, et fait appel à toutes les ressources du monologue introspectif afin de faire entendre la voix propre des personnages évoqués.

Dans *L'Œuvre au noir* (1968), Marguerite Yourcenar brosse une fresque des années 1510-1569. Elle y décrit la vie d'un personnage fictif, Zénon, philosophe, médecin et alchimiste, éternel errant et dissident, qui parcourt l'Europe à la recherche de nouvelles connaissances. Coincé entre les promesses de l'humanisme et le fanatisme de l'Inquisition, il tente d'élucider les mystères de l'homme et de la vie. Cet homme au scepticisme radical, habité par le désir du dépassement et de l'ascèse, en vient, après une succession d'épreuves, à se libérer des routines et des préjugés et à atteindre la sagesse. Dans cette œuvre, Marguerite Yourcenar semble avoir voulu reculer dans le temps pour remonter à l'Homme lui-même.

Dans l'extrait qui suit, Zénon s'abîme dans l'une de ses visions.

---

1. Sont inclus ici quelques auteurs qui avaient commencé à publier bien avant la frontière chronologique de ce chapitre : ils se sont tenus en marge des mouvements avant-gardistes et, par quelques aspects de leur œuvre, ils peuvent être apparentés aux écrivains de la postmodernité.

Quelques citations de Yourcenar

« L'humain me satisfait ; j'y trouve tout, jusqu'à l'éternel. »

« Rien de plus sale que l'amour-propre. »

« L'amour est un châtiment. Nous sommes punis de n'avoir pas pu rester seuls. »

« Qu'il eût été fade d'être heureux. »

« On ne bâtit un bonheur que sur un fondement de désespoir. Je crois que je vais pouvoir me mettre à construire. »

« Rien à craindre. J'ai touché le fond. Je ne puis tomber plus bas que ton cœur. »

« Où me sauver ? Tu emplis le monde. Je ne puis te fuir qu'en toi. »

« Rien n'est plus lent que la véritable naissance d'un homme. »

« Le feu le plus ardent est celui qui rafraîchit le plus. »

LA ROUILLE DU FAUX

Les idées glissaient elles aussi. L'acte de penser
l'intéressait maintenant plus que les douteux produits
de la pensée elle-même. Il s'examinait pensant, comme
il eût pu compter du doigt à son poignet les pulsations
5   de l'artère radiale, ou sous ses côtes le va-et-vient de
son souffle. Toute sa vie, il s'était ébahi de cette faculté
qu'ont les idées de s'agglomérer froidement comme
des cristaux en d'étranges figures vaines, de croître
comme des tumeurs dévorant la chair qui les a conçues,
10   ou encore d'assumer monstrueusement certains
linéaments[1] de la personne humaine, comme ces
masses inertes dont accouchent certaines femmes,
et qui ne sont en somme que de la matière qui rêve.
Bon nombre des produits de l'esprit n'étaient eux aussi
15   que de difformes veaux-de-lune. D'autres notions, plus
propres et plus nettes, forgées comme par un maître
ouvrier, étaient de ces objets qui font illusion à distance ;
on ne se lassait pas d'admirer leurs angles et leurs
parallèles ; elles n'étaient néanmoins que les barreaux
20   dans lesquels l'entendement[2] s'enferme lui-même, et
la rouille du faux mangeait déjà ces abstraites ferrailles.
Par instants, on tremblait comme sur le bord d'une
transmutation[3] : un peu d'or semblait naître dans le
creuset de la cervelle humaine ; on n'aboutissait pourtant
25   qu'à une équivalence ; comme dans ces expériences
malhonnêtes par lesquelles les alchimistes de cour s'efforcent
de prouver à leurs clients princiers qu'ils ont trouvé quelque chose,
l'or au fond de la cornue n'était que celui d'un banal ducat[4] ayant
passé par toutes les mains, et qu'avant la cuisson le souffleur y avait
30   mis. Les notions mouraient comme les hommes : il avait vu au cours
d'un demi-siècle plusieurs générations d'idées tomber en poussière.

Marguerite Yourcenar, *L'Œuvre au noir*, Paris, 1968, © Éditions Gallimard.

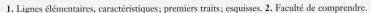

1. Lignes élémentaires, caractéristiques ; premiers traits ; esquisses. 2. Faculté de comprendre.
3. Changement d'une substance en une autre. 4. Ancienne monnaie d'or des ducs ou doges de Venise.

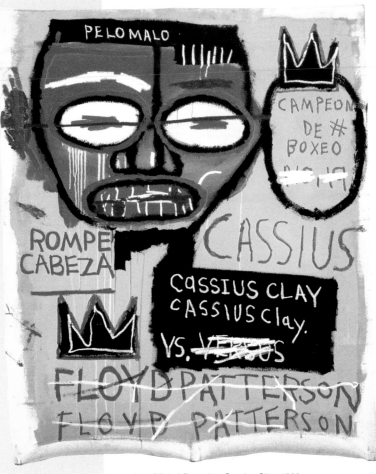

Jean-Michel Basquiat, *Cassius Clay*, 1982.

☐ VERS L'ANALYSE

La rouille du faux

1. Divisez l'extrait en deux parties et déterminez le propos de chacune.

2. Résumez l'extrait en quelques phrases.

3. a) Relevez une comparaison qui concerne l'examen de l'acte de penser.
   b) Quel effet crée cette comparaison ?

4. a) Relevez trois comparaisons qui concernent les capacités des idées.
   b) Expliquez en quoi ces trois comparaisons attribuent un caractère inquiétant aux idées.

5. En quoi les trois comparaisons précédentes renseignent-elles sur le personnage ?

6. Relevez une métaphore qui désigne des idées affreuses.

7. a) Relevez une comparaison, deux métaphores et une métaphore filée qui désignent les idées belles en apparence.
   b) Relevez les termes péjoratifs associés à ces idées.
   c) Expliquez en quoi les deux métaphores et la métaphore filée expriment le mépris de l'auteure pour ces idées.
   d) Quelle caractéristique de ces idées est finalement mise en évidence ?

8. Relevez et expliquez la comparaison et la métaphore qui terminent l'extrait.

Sujet de dissertation explicative

Comment cet extrait de *L'Œuvre au noir* illustre-t-il les attitudes propres à la postmodernité ?

**Albert Cohen
(1895-1981)**

« Juliette aurait-elle aimé Roméo si Roméo avait eu quatre incisives manquantes [...]? Non! Et pourtant il aurait eu exactement la même âme, les mêmes qualités morales! »

Albert Cohen a mené avec un égal succès une double carrière de diplomate et d'écrivain. Dans ses romans, la connotation autobiographique est transfigurée par une passion souvent destructrice. Le romancier privilégie certains thèmes, dont son origine juive et l'amour de la femme. Avec un mélange d'humour et de gravité, il dit la difficulté d'être un juif de la diaspora. D'une grande efficacité, son écriture généreuse et séduisante joue sur les tons les plus riches; elle allie avec art, verve et lyrisme le grotesque et la réflexion profonde.

En mai 1968, pendant que Paris vit à l'heure des barricades, Albert Cohen fait paraître son monument littéraire, *Belle du Seigneur*, un roman d'amour fou, bouillonnant de jeunesse, qui est pourtant l'œuvre d'un écrivain de soixante-treize ans. Il fait vivre à son couple, Ariane et Solal, tous les registres d'un grand amour transfigurant, depuis les premières manœuvres de séduction jusqu'à l'implacable dégradation des sentiments. Une des plus belles histoires d'amour écrites au XXᵉ siècle, l'épopée amoureuse de *Belle du Seigneur* joue à la fois dans la tonalité de la comédie et de la tragédie, et propose une analyse de tous les mécanismes de la séduction et de la jalousie. L'écrivain prend une distance ironique à l'égard des amoureux et tourne en dérision certains aspects de la vie sociale, comme l'arrivisme bourgeois et la bureaucratie envahissante.

Dans l'extrait suivant, Solal use d'un subterfuge pour rencontrer sa belle. La verve de l'auteur rend ce roman à nul autre pareil.

SOMBRE DIAMANT

Il fit un pas en avant, et elle sentit le danger proche. Ne pas le contrarier, dire tout ce qu'il voudra, et qu'il parte, mon Dieu, qu'il parte.

— Devant toi, me voici, dit-il, me voici, un vieillard, mais de toi attendant le miracle. Me voici, faible et pauvre, blanc de barbe, et
5 deux dents seulement, mais nul ne t'aimera et ne te connaîtra comme je t'aime et te connais, ne t'honorera d'un tel amour. Deux dents seulement, je te les offre avec mon amour, veux-tu de mon amour?

— Oui, dit-elle, et elle humecta ses lèvres sèches, essaya un sourire.

— Gloire à Dieu, dit-il, gloire en vérité, car voici celle qui rachète
10 toutes les femmes, voici la première humaine!

Ridiculement, il plia le genou devant elle, puis il se leva et il alla vers elle et leur premier baiser, alla avec son noir sourire de vieillesse, les mains tendues vers celle qui rachetait toutes les femmes, la première humaine, qui soudain recula, recula avec un cri rauque, cri d'épouvante
15 et de haine, heurta la table de chevet, saisit le verre vide, le lança contre la vieille face. Il porta la main à sa paupière, essuya le sang, considéra le sang sur sa main, et soudain il eut un rire, et il frappa du pied.

— Tourne-toi, idiote! dit-il.

Elle obéit, se tourna, resta immobile avec la peur de recevoir une balle
20 dans la nuque, cependant qu'il ouvrait les rideaux, se penchait à la fenêtre, portait deux doigts à ses lèvres, sifflait. Puis il se débarrassa du vieux manteau et de la toque de fourrure, ôta la fausse barbe, détacha le sparadrap noir qui recouvrait les dents, ramassa la cravache derrière les rideaux.

— Retourne-toi, ordonna-t-il.

25 Dans le haut cavalier aux noirs cheveux désordonnés, au visage net et lisse, sombre diamant, elle reconnut celui que son mari lui avait, en chuchotant, montré de loin, à la réception brésilienne.

Albert Cohen, *Belle du Seigneur*, Paris, 1968, © Éditions Gallimard.

☐ **VERS L'ANALYSE**

Sombre diamant

1. Résumez l'extrait en quelques phrases.

2. Comment se manifeste la peur d'Ariane?

3. Plusieurs procédés mettent cette peur en évidence. Relevez:
   a) une phrase en discours indirect libre;
   b) deux redoublements et une répétition;
   c) une énumération.

4. La première réplique de Solal met en relief l'objectif de sa mascarade et de sa mise en scène.
   a) Expliquez ce que Solal met en opposition dans cette réplique.
   b) Que cherche-t-il à démontrer ainsi?

5. Expliquez l'ironie de la deuxième réplique de Solal.

6. Expliquez en quoi la description de Solal, à la fin de l'extrait, compose une antithèse avec celle du début.

7. Relevez un oxymore à la fin de l'extrait et expliquez-le.

Romain Gary (1914-1980)

« Avec l'amour maternel, la vie vous fait à l'aube une promesse qu'elle ne tient jamais. »

Romain Gary connaît d'abord le succès avec des romans qui dénoncent différentes formes d'oppression, des récits puissants et tourmentés qui tentent d'établir des points de repère en un temps de confusion : « Toute mon œuvre est à la recherche de l'humain fondamental, de l'humain essentiel. » Gary monte ensuite une étonnante supercherie littéraire où, sous le nom d'Émile Ajar, il obtient pour la deuxième fois le prix Goncourt. Il est d'ailleurs le seul auteur à avoir jamais remporté deux fois ce prix : d'abord pour *Les Racines du ciel* en 1956 et ensuite pour *La Vie devant soi*, en 1975. Ce succès, il le doit d'abord et avant tout à son style incisif, qui serre de près la langue orale, mais qui tient l'argot à distance, lui préférant plutôt les formules lapidaires et cocasses, les phrases distordues porteuses d'un humour d'une grande finesse.

Dans *La Vie devant soi*[1], Gary/Ajar confie la narration à un jeune orphelin, Mohammed (ou Momo), qui a été recueilli par une ancienne tenancière de maison close dans le quartier parisien de Belleville. Il observe, d'une manière résolument optimiste, les manies et les hantises de cette vieille dame qui a toute une vie derrière elle et la mort devant elle. Les sujets les plus sérieux, telle la dégradation causée par la vieillesse, thème qui obsède Gary (*Au-delà de cette limite votre ticket n'est plus valable*, 1975), y sont traités avec une fraîcheur qui sait allier humour et émotion.

---

1. Le réalisateur Moshé Mizrahi a tiré en 1977 un film de ce roman, intitulé également *La Vie devant soi* et dans lequel joue Simone Signoret.

CELUI QUI VA LENTEMENT ET QUI N'EST PAS FRANÇAIS

[...] Alors j'ai dit :

— Monsieur Hamil, Monsieur Hamil ! comme ça, pour lui rappeler qu'il y avait encore quelqu'un qui l'aimait et qui connaissait son nom et qu'il en avait un.

Je suis resté un bon moment avec lui en laissant passer le temps, celui
5 qui va lentement et qui n'est pas français. Monsieur Hamil m'avait souvent dit que le temps vient lentement du désert avec ses caravanes de chameaux et qu'il n'était pas pressé car il transportait l'éternité. Mais c'est toujours plus joli quand on le raconte que lorsqu'on le regarde sur le visage d'une vieille personne qui se fait voler chaque jour un peu plus et si vous voulez mon avis,
10 le temps, c'est du côté des voleurs qu'il faut le chercher.

Le propriétaire du café que vous connaissez sûrement, car c'est Monsieur Driss, est venu nous jeter un coup d'œil. Monsieur Hamil avait parfois besoin de pisser et il fallait le conduire aux W.-C. avant que les choses se précipitent. Mais il ne faut pas croire que Monsieur Hamil n'était plus res-
15 ponsable et qu'il ne valait plus rien. Les vieux ont la même valeur que tout le monde, même s'ils diminuent. Ils sentent comme vous et moi et parfois même ça les fait souffrir encore plus que nous parce qu'ils ne peuvent plus se défendre. Mais ils sont attaqués par la nature, qui peut être une belle salope et qui les fait crever à petit feu. Chez nous, c'est encore plus vache que dans
20 la nature, car il est interdit d'avorter les vieux quand la nature les étouffe lentement et qu'ils ont les yeux qui sortent de la tête. Ce n'était pas le cas de Monsieur Hamil, qui pouvait encore vieillir beaucoup et mourir peut-être à cent dix ans et même devenir champion du monde. Il avait encore toute sa responsabilité et disait « pipi » quand il fallait et avant que ça arrive et
25 Monsieur Driss le prenait par le coude dans ces conditions et le conduisait lui-même aux W.-C. Chez les Arabes, quand un homme est très vieux et qu'il va être bientôt débarrassé, on lui témoigne du respect, c'est autant de gagné dans les comptes de Dieu et il n'y a pas de petits bénéfices. C'était quand même triste pour Monsieur Hamil d'être conduit pour pisser et je les
30 ai laissés là car moi je trouve qu'il faut pas chercher la tristesse.

Romain Gary (Émile Ajar), *La Vie devant soi*, Paris, 1975, © Éditions Mercure de France.

☐ **VERS L'ANALYSE**

Celui qui va lentement et qui n'est pas français

1. Identifiez le narrateur et déterminez le type de focalisation.

2. Quel est le thème principal de l'extrait ?

3. À l'aide de passages précis, tracez le portrait de Momo.

4. Momo est un jeune garçon sans instruction qui s'exprime dans une langue populaire et qui ne connaît pas toujours le sens des mots qu'il emploie.
   a) Relevez des termes populaires.
   b) Relevez des mots mal employés et donnez-en le sens réel.

5. a) Relevez trois personnifications.
   b) Expliquez en quoi les deux premières s'opposent.
   c) Quel effet crée la troisième ?

6. a) Relevez une hyperbole.
   b) Que met-elle en évidence ?

7. Quelle est la tonalité de cet extrait ? Justifiez votre réponse.

Sujet de dissertation explicative

Comparez le traitement du thème de la vieillesse chez Brel (page 222), Sol (page 223) et Gary.

Michel Tournier (né en 1924)

« L'écrivain a pour fonction naturelle d'allumer par ses livres des foyers de réflexion, de contestation, de remise en cause de l'ordre établi. Inlassablement, il lance des appels à la révolte, des appels au désordre. »

L'un des romanciers les plus originaux de son époque, Michel Tournier est un philosophe de formation qui excelle à produire des œuvres allégoriques dans lesquelles il soulève des questions éthiques. Dans ses principaux romans, il réactive des mythes anciens fondateurs de la culture occidentale et les modifie, les adaptant à sa philosophie personnelle. Il donne ainsi vie à des personnages qui symbolisent le désarroi de l'homme contemporain. En quête de leur propre identité, ils amènent le lecteur à s'interroger sur lui-même. Écrivain éminemment subversif, Tournier fournit au lecteur un maximum d'informations dans sa trame narrative, mais introduit le doute dans les certitudes, bouscule les normes et secoue les idées reçues. La narration de ses romans initiatiques est de forme classique. L'exploration sensuelle des territoires de l'imaginaire et le sens aigu de l'allégorie font de ses romans de véritables œuvres poétiques.

Michel Tournier porte un regard neuf sur *La Vie et les étranges aventures de Robinson Crusoé* de Daniel Defoe (1660-1731), et renouvelle ainsi le mythe de Robinson. En effet, dans *Vendredi ou les Limbes du Pacifique* (1967), Vendredi remplace Robinson comme personnage principal : l'« homme sauvage » devient celui qui guide l'homme dit civilisé dans sa transformation. Tout au long de ce roman, une philosophie est développée en arrière-plan des événements narratifs. L'auteur pose la question des raisons de vouloir survivre plutôt que celle des moyens d'y parvenir, et s'interroge sur la survie spirituelle de son héros plutôt que sur sa survie matérielle et physique. L'homme nouveau en vient à ne plus vouloir quitter son île, devenue le lieu de voluptueuses noces avec la nature. L'extrait suivant le montre au moment où il est initié à la sagesse par Vendredi.

Un maître si impérieux

La liberté de Vendredi – à laquelle Robinson commença à s'initier les jours suivants – n'était pas que la négation de l'ordre effacé de la surface de l'île par l'explosion. Robinson savait trop bien, par le souvenir de ses premiers
5 temps à Speranza, ce qu'était une vie désemparée, errant à la dérive et soumise à toutes les impulsions du caprice et à toutes les retombées du découragement, pour ne pas pressentir une unité cachée, un principe implicite dans la conduite de son compagnon.

10 Vendredi ne travaillait à proprement parler jamais. Ignorant toute notion de passé et de futur, il vivait enfermé dans l'instant présent. Il passait des jours entiers dans un hamac de lianes tressées qu'il avait tendu entre deux poivriers, et du fond duquel il abattait parfois
15 à la sarbacane les oiseaux qui venaient se poser sur les branches, trompés par son immobilité. Le soir, il jetait le produit de cette chasse nonchalante aux pieds de Robinson qui ne se demandait plus si ce geste était celui du chien fidèle qui rapporte, ou au contraire celui d'un
20 maître si impérieux qu'il ne daigne même plus exprimer ses ordres. En vérité il avait dépassé dans ses relations avec Vendredi le stade de ces mesquines alternatives. Il l'observait, passionnément attentif à la fois aux faits et gestes de son compagnon et à leur retentissement en lui-même
25 où ils suscitaient une métamorphose bouleversante.

Michel Tournier, *Vendredi ou les Limbes du Pacifique*,
Paris, 1972, © Éditions Gallimard.

☐ Vers l'analyse

Un maître si impérieux

1. Résumez le propos de chaque paragraphe en une phrase.

2. Tracez le portrait des deux personnages de l'extrait.

3. Quels termes du premier paragraphe indiquent que Vendredi possède un secret que Robinson a envie de connaître ?

4. En quoi les habitudes de Vendredi, décrites au début du second paragraphe, vont-elles à l'encontre d'une morale bourgeoise ?

5. Dans la description de la « chasse » de Vendredi et de l'offrande qu'il fait à Robinson du gibier, le narrateur use de mots qui trahissent son jugement.
   a) Quels sont ces mots ?
   b) Quel jugement trahissent-ils ?

6. Quelle antithèse montre que la métamorphose de Robinson est déjà commencée ?

7. Prêtez attention au lexique des deux dernières phrases.
   a) Quel terme péjoratif désigne une façon d'être passée de Robinson ?
   b) Quel terme mélioratif désigne une manière d'être actuelle ?
   c) En quoi ces termes s'opposent-ils ?
   d) Relevez et expliquez les trois mots qui expriment la force de l'effet causé par l'observation de Vendredi.

Jean-Marie Gustave Le Clézio (né en 1940)

« Les souvenirs sont moins fluctuants et plus durables que la réalité. Je leur trouve plus de force et de brillance. »

Toute l'œuvre de Jean-Marie Gustave Le Clézio exprime la nostalgie d'une harmonie de l'homme avec lui-même et avec le monde, dont il cherche à retrouver le secret. Son œuvre témoigne d'une quête incessante de l'ailleurs et du passé qu'il lit dans les interstices du présent. Le Clézio cherche à donner un sens à l'existence humaine actuelle, égarée dans le monde moderne, agressée par la société de consommation, broyée par une civilisation inhumaine. Cette quête l'amène dans des lieux qui n'ont pas encore été touchés par les progrès techniques et où la nature a pu préserver ses qualités originelles. Cette écriture dans laquelle le voyage joue un rôle salutaire donne vie à des personnages dévorés par une soif d'absolu. Les histoires de Le Clézio traitent de la solitude humaine, disent la nécessité d'un rapport plus étroit entre l'homme et la nature, et sont rendues par une écriture toute

personnelle, dont le lyrisme est déroutant. Les minutieuses descriptions de Le Clézio cherchent à capter des émotions instantanées, des sensations étouffées, encore toutes imprécises, et leur accordent plus d'importance qu'aux émotions et aux idées clairement perçues. Son écriture poétique libère le lecteur de l'univers qui l'habite et lui donne envie de changer le monde.

En 1946, alors qu'il a six ans, Le Clézio s'embarque avec sa mère pour l'Afrique, afin de rejoindre son père, qui y cherche les vestiges d'une ville mythique. C'est ce que raconte, en le transposant, son vingtième ouvrage, *Onitsha* (1991), qui est son roman le plus autobiographique. Le personnage central devient, dans la fiction, un adolescent de douze ans qui porte le nom de Fintan Allen et découvre dans l'Afrique un lieu de ravissement et d'envoûtements qui l'initie aux valeurs fondamentales de la vie – mais cette fascination n'empêche pas l'auteur de dénoncer de façon virulente le colonialisme. Ce choc culturel est le point de départ de toute la philosophie qui sous-tend l'œuvre de Le Clézio. Cet univers lumineux est éclairé par des mots simples et des noms étrangers, aux sonorités riches et au fort pouvoir évocateur.

Dans l'extrait qui suit, Fintan vient de faire une découverte sur le pont du *Surabaya*, avant son arrivée en Afrique. Ce passage semble être la transposition du moment où l'enfant Le Clézio trace la voie à l'écrivain J.-M. G. Le Clézio.

Quelques citations de Le Clézio

« Vivre, connaître la vie, c'est le plus léger, le plus subtil des apprentissages. Rien à voir avec le savoir. »

« L'artiste est celui qui nous montre du doigt une parcelle du monde. »

« Ce qui me tue dans l'écriture, c'est qu'elle est trop courte. Quand la phrase s'achève, que de choses sont restées au-dehors ! »

« Par le langage, l'homme s'est fait le plus solitaire des êtres du monde, puisqu'il s'est exclu du silence. »

Entre les conteneurs rouillés

☐ **Vers l'analyse**

Entre les conteneurs rouillés

1. Résumez chaque paragraphe en une phrase.

2. Relevez, sur deux colonnes, les différences entre les Blancs et les Noirs.

3. Relevez les deux notations sensorielles qui soulignent symboliquement la domination des Blancs sur les Noirs.

4. a) Dans le troisième paragraphe, quelle comparaison exprime le sentiment de culpabilité de Fintan ?
   b) Relevez l'antithèse contenue dans cette comparaison.
   c) Quel mot de la dernière phrase de ce paragraphe contraste avec le mot « nuit » ?

5. a) Quels sont les sens dénoté et connoté du mot « nuit » dans le dernier paragraphe ?
   b) À quoi s'oppose la nuit dans ce paragraphe ?

6. a) Relevez deux comparaisons dont le comparé est le navire, le *Surabaya*.
   b) Expliquez ce que chaque comparaison met en évidence et ce à quoi elle s'oppose.

Sujet de dissertation explicative

Comparez la relation Noirs-Blancs dans les extraits d'*Onitsha* et de *Vendredi ou les Limbes du Pacifique* (page 250).

Les îles invisibles passaient, il y avait le bruit effrayant de la mer sur les récifs. L'étrave remontait lentement le cours des vagues.

Alors, sur le pont de charge obscurci par l'éclat des lampions, Fintan découvrit les noirs installés pour le voyage. Pendant que les blancs étaient à la fête dans le salon des pre-
5 mières, ils étaient montés à bord, silencieux, hommes, femmes et enfants, portant leurs ballots sur leur tête, un par un sur la planche qui servait de coupée. Sous la surveillance du quartier-maître, ils avaient repris leur place sur le pont, entre les conteneurs rouillés, contre les membrures du bastingage, et ils avaient attendu l'heure du départ sans faire de bruit. Peut-être qu'un enfant avait pleuré, ou bien peut-être que le vieil homme
10 au visage maigre, au corps couvert de haillons avait chanté sa mélopée, sa prière. Mais la musique du salon avait couvert leurs voix, et ils avaient peut-être entendu M. Simpson se moquer en imitant leur langue, et les Anglais qui criaient : « Maïwot ! Maïwot ! » et cette histoire de « Pickaninny stop along him fellow ! ».

Fintan en ressentit une telle colère et une telle honte qu'un instant il voulut retourner
15 dans le salon des premières. C'était comme si, dans la nuit, chaque noir le regardait, d'un regard brillant, plein de reproche. Mais l'idée de retourner dans la grande salle pleine de bruit et de l'odeur du tabac blond était insupportable.

Alors Fintan descendit dans la cabine, il alluma la veilleuse, et il ouvrit le petit cahier d'écolier sur lequel était écrit, en grandes lettres noires, UN LONG VOYAGE. Et il se
20 mit à écrire en pensant à la nuit, pendant que le *Surabaya* glissait vers le large, chargé d'ampoules et de musique comme un arbre de Noël, soulevant lentement son étrave, pareil à un immense cachalot d'acier, emportant vers la baie du Biafra les voyageurs noirs déjà endormis.

Jean-Marie Gustave Le Clézio, *Onitsha*, Paris, 1991, © Éditions Gallimard.

Patrick Modiano (né en 1945)

« Arracher à l'oubli des fragments du passé. »

Né à la Libération, Patrick Modiano est obsédé par cette époque qui devient pour lui le temps privilégié de son imaginaire, le lieu de sa quête. N'écrivant pratiquement que sur ce passé qu'il n'a pas connu, l'écrivain y cherche des fragments de son iden- tité, comme si l'Histoire avait tenté de le mutiler, lui avait causé une fracture qui n'est pas encore guérie. Ses récits sont tissés de personnages, vrais ou fictifs, de consistance incertaine, qui partent à la recherche d'un temps perdu, au confluent de l'Histoire et de leur histoire personnelle. Modiano revendique son identité juive et met à nu ses fantasmes et ses traumatismes personnels, de sorte que ses romans semblent toujours évoluer entre l'authenticité historique, la présence autobiographique et l'imprécision du rêve. Dans ses ouvrages admirables de simplicité, où l'écriture se fait discrète, les sensations et les réminiscences se superposent aux fruits de l'imagination.

Dans *Rue des boutiques obscures* (1978), un amnésique part à la recherche de son passé, de son identité perdue, dérobée par les circonstances historiques. Le roman remonte aux sources du souvenir émotif. Le narrateur se livre au jeu des intermittences de la mémoire, à l'imprévu des rencontres entre les événements de sa vie intérieure et ceux de la vie réelle, ce qui crée un réseau de subtiles attaches dans lesquelles réside son identité. Fragment par fragment, il extirpe sa propre histoire de celle du passé. Ce récit montre un cheminement intérieur dans toutes ses ambiguïtés et réussit à émouvoir avec des moyens très simples.

Quelques citations de Modiano

« C'est la difficulté d'élocution qui fait qu'on se rabat sur l'écriture. »

« Comme ce serait étrange si les enfants connaissaient leurs parents tels qu'ils étaient avant leur naissance, quand ils n'étaient pas encore des parents mais tout simplement eux-mêmes. »

Dans l'extrait suivant, le narrateur commence à retrouver le fil qui le relie à son passé.

COMME LE SOURCIER QUI GUETTE

[...] la rue silencieuse bordée d'arbres que je revoyais dans mon souvenir correspondait aux rues de ce quartier. J'étais comme le sourcier qui guette la moindre oscillation de son pendule. Je me postais au début de chaque rue, espérant que les arbres, les immeubles, me causeraient un coup au cœur.

5 J'ai cru le sentir au carrefour de la rue Molitor et de la rue Mirabeau et j'ai eu brusquement la certitude que chaque soir, à la sortie de la légation, j'étais dans ces parages.

Il faisait nuit. En suivant le couloir qui menait à l'escalier, j'entendais le bruit de la machine à écrire et je passais la tête dans l'entrebâillement de la porte.

10 L'homme était déjà parti et elle restait seule devant sa machine à écrire. Je lui disais bonsoir. Elle s'arrêtait de taper et se retournait. Une jolie brune dont je me rappelle le visage tropical. Elle me disait quelque chose en espagnol, me souriait et reprenait son travail. Après être demeuré un instant dans le vestibule, je me décidais enfin à sortir.

15 Et je suis sûr que je descends la rue Mirabeau, si droite, si sombre, si déserte que je presse le pas et que je crains de me faire remarquer, puisque je suis le seul piéton. Sur la place, plus bas, au carrefour de l'avenue de Versailles, un café est encore allumé.

Il m'arrivait aussi d'emprunter le chemin inverse et de m'enfoncer à travers 20 les rues calmes d'Auteuil. Là, je me sentais en sécurité. Je finissais par déboucher sur la chaussée de la Muette. Je me souviens des immeubles du boulevard Émile-Augier, et de la rue où je m'engageais à droite. Au rez-de-chaussée, une fenêtre à la vitre opaque comme celles des cabinets de dentiste était toujours éclairée. Denise m'attendait un peu plus loin, dans un restaurant russe.

25 Je cite fréquemment des bars ou des restaurants mais s'il n'y avait pas, de temps en temps, une plaque de rue ou une enseigne lumineuse, comment pourrais-je me guider ?

Patrick Modiano, *Rue des boutiques obscures*, Paris, 1978, © Éditions Gallimard.

VERS L'ANALYSE

Comme le sourcier qui guette

1. Les perceptions du narrateur sont livrées telles quelles. Donnez un titre à chaque paragraphe.

2. Le narrateur fait un usage particulier des temps dans ce texte.
   a) Quels sont les deux temps qui dominent et dans quels paragraphes le font-ils ?
   b) Quel usage le narrateur fait-il de chaque temps ?

3. Dans le premier paragraphe, le narrateur exprime sa disponibilité aux sensations que les lieux suscitent en lui à l'aide d'une comparaison.
   a) Relevez-la.
   b) Quel est l'effet de cette comparaison ?

4. Le deuxième paragraphe met en scène une merveilleuse rencontre quotidienne.
   a) Comment la syntaxe concourt-elle à rendre l'admirable simplicité de la rencontre avec autrui ?
   b) Quelle métaphore souligne l'exotisme de la dame que salue le narrateur ?

5. a) Expliquez en quoi la structure de la dernière phrase du troisième paragraphe convient bien à son propos.
   b) Relevez une antithèse dans le troisième paragraphe.
   c) Quel est l'effet de cette antithèse ?

6. En quoi le quatrième paragraphe forme-t-il une antithèse avec le paragraphe précédent ?

7. À la lumière du dernier paragraphe, expliquez le sens symbolique de la lumière dans l'extrait.

Philippe Sollers (né en 1936)

« L'amour est aveugle ? Quelle plaisanterie !
Dans un domaine où tout est regard ! »

Provocateur et iconoclaste, Philippe Joyaux, dit Philippe Sollers, occupe le devant de la scène littéraire française depuis trois décennies. Cet écrivain cultivé, controversé, redoutablement doué et rusé promène un regard désabusé et moqueur, souvent rempli de dérision, sur ses contemporains, surtout ceux de l'intelligentsia parisienne. Ces derniers ont d'ailleurs souvent la mauvaise surprise de se reconnaître dans ses romans, où l'auteur les transpose pour voiler à demi leur identité, mais ne les fait pas paraître sous leur meilleur jour. Dans les œuvres de cet auteur particulièrement fécond transpire le plaisir d'écrire. Le mensonge et la vérité y sont aussi indissociables que la vie et la littérature. Son écriture elliptique et brillante, limpide et musicale sert particulièrement bien son insolence toute voltairienne. Les romans de ce libertin des temps modernes, aiguillonné par l'amour des mots et des femmes, constituent autant de chapitres d'une nouvelle fresque sur le discours amoureux.

Chez Philippe Sollers, la vie prend toute sa saveur par la passion, ce qu'il explicite lui-même dans un ouvrage au titre paradoxal, *Passion fixe* (2000). Dans ce troublant roman, un narrateur, l'*alter ego* de l'auteur, rend grâce à celle qui lui a inspiré l'unique passion fixe de sa vie. Cette belle histoire d'amour sert aussi de prétexte à une critique ironique de la société occidentale des trente années qui suivent mai 1968 : l'auteur y fustige la morale de son époque et même la mondialisation. Dans ce parti pris de l'amour heureux, un jeune homme de vingt-trois ans rencontre la séduisante Dora, plus âgée que lui de quelques décennies. Leur amour, toujours aussi fort après une quarantaine d'années, reste secret. L'année même de la parution de ce roman de Sollers, la romancière Dominique Rolin fait

Bernard Schultze, *Incarnate*, 1989.

paraître pour sa part *Journal amoureux*, qui raconte une histoire de quarante ans d'amour fou, vécue dans la joie et la clandestinité, entre elle et Jim, son cadet de vingt-cinq ans. Chacun reconnaît évidemment Sollers en Jim et Rolin en Dora. Cette double publication constitue un *coming out* d'une grande sensibilité et un dialogue inusité à l'ère de la postmodernité.

L'extrait qui suit illustre bien la passion que met Sollers à raconter l'amour.

Quelques citations de Sollers

« Toute écriture, qu'elle le veuille ou non, est politique. L'écriture est la continuation de la politique par d'autres moyens. »

« On peut dire que la mort se montre chaque fois que vous commencez à vous voir comme les autres vous voient. »

« Les hommes demanderont de plus en plus aux machines de leur faire oublier les machines. »

« Lucidité, superficialité, vénalité : toutes les qualités pour bien coller à la réalité. »

LA DIFFÉRENCE EST MUSICALE

On me caresse les cheveux, les joues. J'ouvre les yeux, c'est elle. Il fait
sombre. Je l'attire sur moi, on s'embrasse fort, on est bientôt serrés sur le
tapis, j'entends grogner le chien, il est jaloux, elle se lève, ferme la porte à clé,
allume dans un coin une lampe rouge, et cette fois on ne baise plus, on fait
5   l'amour. La différence est très grande, elle est musicale, ça ne s'écrit pas de la
même façon. Au lieu du monologue parallèle qui se fait passer pour dialogue,
une conversation chiffrée. Au lieu de ce qui fait semblant d'être interdit, ce
qui est *vraiment* interdit. Au lieu de la violence toujours plus ou moins simulée,
le crime. Le crime est doux, souple, insidieux, curieux, il ne se satisfait de rien,
10 il veut aller plus loin, savoir davantage. Question? Réponse. D'accord? Oui,
mais on pourrait nuancer. Un peu plus, un peu moins, on a tout le temps,
rien ne presse, le feu insiste sous la cendre des mots, les premiers sont les
meilleurs, les premiers «chéri» et «chérie», les premiers «je t'aime» ou
«je t'adore», on les dit forcément une fois ou l'autre *pour de vrai*, la question
15 étant de mesurer à quel creux ils renvoient, à quel enfouissement d'odeurs,
de peau, de langue, de salive, de souffles. Tu me sens? dit un point précis à
un autre point précis. Je suis là, dit quelqu'un qui n'est pas le quelqu'un spatial.
Il vient de loin, ce quelqu'un, on ne sait pas d'où, à travers des milliers d'échecs
ou de lueurs brèves. L'amour est un art de musique, comme l'alchimie.

20 C'est contre le crime d'amour que se font tous les crimes.

Philippe Sollers, *Passion fixe*, Paris, 2000, © Éditions Gallimard.

☐ VERS L'ANALYSE

La différence est musicale

1. Comment la syntaxe des premières phrases de Sollers rend-elle la très grande simplicité du rapport sensuel?

2. Sollers enchaîne des distinctions pour mieux définir l'amour.
   a) À quoi oppose-t-il «faire l'amour»?
   b) Quelle anaphore sert à enchaîner les distinctions qui précisent ce qu'est l'amour?
   c) Relevez et expliquez la métaphore qui indique que faire l'amour est une forme privilégiée de communication.
   d) Relevez et expliquez la métaphore à laquelle elle s'oppose.

3. Le milieu du premier paragraphe traite de la valeur de la communication verbale entre amants.
   a) À quoi servent les expressions citées et l'italique?
   b) Quelle métaphore montre que même des mots en apparence banals peuvent conserver leur sens et leur force originels?

4. a) Quel moyen propre à la dramaturgie Sollers emploie-t-il, vers la fin de l'extrait, pour illustrer la communication entre amants?
   b) Quelle expression montre que l'identité de la personne tient à autre chose que de la matière?

5. En quoi la communication entre amants peut-elle être «un art de musique, comme l'alchimie»?

6. Dans la dernière phrase, le mot «crime» est répété. Expliquez le sens différent que prend ce mot dans les deux cas.

7. Pourquoi, selon vous, Sollers affirme-t-il que la société actuelle considère l'amour comme un crime?

Eric Fischl, *Squirt*
(pour Ian Giloth), 1982.

Annie Ernaux (née en 1940)

« Une passion, je crois que c'est l'œuvre d'art de chaque vie. »

Depuis quelques décennies, les femmes occupent une place de plus en plus grande dans le monde des lettres, ce qui est tout à fait légitime. Les romans féminins sont maintenant très nombreux et, souvent, leurs auteures peignent avec une audace grandissante les plaisirs et les souffrances de l'amour. Annie Ernaux s'est taillé une place considérable parmi les écrivains français, grâce à son écriture dépouillée, clinique, mais d'une force remarquable. Ses ouvrages ne sont ni des autobiographies, ni des romans, ni des journaux intimes, ni des documents, mais plutôt un amalgame de ces quatre genres. Ernaux rend constamment compte, dans ses œuvres, des moments importants de sa vie et abolit toute frontière entre son intimité et l'écriture, entre la vie et la littérature. Dans ses récits bouleversants, la vérité devient le premier critère de la beauté littéraire, et la morale consiste à tout dire.

Dans *Passion simple* (1991), Annie Ernaux relate sans pudeur, en toute sincérité et lucidité, une relation amoureuse qu'elle eut pendant deux ans avec un homme marié, une passion physique, faite de moments intenses volés au présent, sans passé ni avenir. Lorsqu'il a cessé de la voir, elle s'est mise à écrire, non pour raconter sa liaison, mais plutôt pour accumuler les signes d'une passion, pour analyser ce que signifie pour une femme l'amour d'un homme. Car, même si elle met à nu une histoire toute personnelle, à la limite du banal, l'auteure met en scène des sentiments universels. Ernaux arrive à cerner le contour de cette passion, sans s'égarer dans le pathétique ni le toc sentimental, grâce à ses phrases nettes, simples, dépouillées, qui refusent les enjolivements de la poésie et du style, grâce à ses mots qui collent au plus près du réel, qui tentent de traquer le moindre détail significatif, qui portent le poids de la vie même. La tonalité presque neutre et la sécheresse de l'écriture ne font cependant nullement ombrage à la profonde tendresse qui émane de ce bouleversant récit, dont nous présentons un extrait.

User le temps entre deux rencontres

À partir du mois de septembre l'année dernière, je n'ai plus rien fait d'autre qu'attendre un homme : qu'il me téléphone et qu'il vienne chez moi. J'allais au supermarché, au cinéma, je portais des vêtements au pressing,
5 je lisais, je corrigeais des copies, j'agissais exactement comme avant, mais sans une longue accoutumance de ces actes, cela m'aurait été impossible, sauf au prix d'un effort effrayant. C'est surtout en parlant que j'avais l'impression de vivre sur ma lancée. Les mots et les
10 phrases, le rire même se formaient dans ma bouche sans participation réelle de ma réflexion ou de ma volonté. Je n'ai plus d'ailleurs qu'un souvenir vague de mes activités, des films que j'ai vus, des gens que j'ai rencontrés. L'ensemble de ma conduite était factice.
15 Les seules actions où j'engageais ma volonté, mon désir et quelque chose qui doit être l'intelligence humaine (prévoir, évaluer le pour et le contre, les conséquences) avaient toutes un lien avec cet homme […]

Dans les conversations, les seuls sujets qui perçaient
20 mon indifférence avaient un rapport avec cet homme, sa fonction, le pays d'où il venait, les endroits où il était allé. La personne en train de me parler ne soupçonnait pas que mon intérêt soudain intense pour ses propos n'était pas dû à sa façon de raconter, et très peu au sujet
25 lui-même, mais au fait qu'un jour, dix ans avant que je le rencontre, A., en mission à La Havane, était peut-être entré justement dans ce night-club, le « Fiorendito » que, stimulée par mon attention, elle me décrivait avec un luxe de détails. De même, en lisant, les
30 phrases qui m'arrêtaient avaient trait aux relations entre un homme et une femme. Il me semblait qu'elles m'apprenaient quelque chose sur A. et donnaient un sens certain à ce que je désirais croire. Ainsi, lire dans *Vie et destin* de Grossman que « lorsqu'on aime on ferme
35 les yeux en embrassant » me portait à imaginer que A. m'aimait puisqu'il m'embrassait ainsi. Le reste du livre, ensuite, redevenait ce que toute activité a été pour moi pendant une année, un moyen d'user le temps entre deux rencontres.

Annie Ernaux, *Passion simple*, Paris, 1991, © Éditions Gallimard.

User le temps entre deux rencontres

1. a) Résumez en une phrase chacun des deux paragraphes de l'extrait.
   b) En quoi ces deux paragraphes forment-ils une antithèse ?
   c) Divisez le second paragraphe en deux parties et résumez chacune en une phrase.

2. Dans le premier paragraphe, la narratrice distingue deux sortes d'activités.
   a) Quelles sont-elles ?
   b) Relevez et expliquez l'adjectif qui qualifie le mieux le premier type d'activités.
   c) Relevez le verbe qui exprime une idée opposée à celle de l'adjectif précédent.
   d) Relevez deux phrases graphiques dans lesquelles la narratrice énumère le premier type d'activités.
   e) Quel est l'effet de ces énumérations ?

3. Le deuxième paragraphe est très rigoureusement structuré, car il consiste en une affirmation suivie d'une illustration, puis d'une seconde affirmation suivie d'une seconde illustration.
   a) Quelle métaphore aide à rendre le propos de la première affirmation ?
   b) Où commence la première illustration ?
   c) Quel marqueur de relation indique que l'on passe de la première illustration à la deuxième affirmation ?

4. Annie Ernaux a affirmé, ailleurs, avoir promis à son amant de ne pas divulguer son identité dans l'un de ses livres. Montrez qu'elle a tenu sa promesse en relevant les mots par lesquels elle le désigne.

Sujet de dissertation explicative

Comparez les discours de Philippe Sollers (page 255) et d'Annie Ernaux sur les relations amoureuses.

Jorge Semprun (né en 1923)

« Il me faudrait plusieurs vies pour raconter toute cette mort. »

Jorge Semprun est un homme politique, un philosophe et un écrivain qui se fait la conscience de son époque. Le mot d'ordre de cet intellectuel humaniste est l'intégrité. Né en Espagne, il est bientôt contraint, après l'avènement au pouvoir de Franco, de quitter le pays, où il laisse une enfance à jamais saccagée. Sa famille déménage en France, où il obtient sa seconde nationalité et choisit une langue pour ses écrits : le français. Engagé dans la Résistance, il est arrêté par les Allemands en 1943, puis déporté dans le camp d'extermination de Buchenwald, jusqu'à l'arrivée des Alliés en 1945. L'expérience est tellement horrible et indicible que, devant choisir entre « l'écriture ou la vie », il traverse une période d'« oubli volontaire ». Il ne reprend la plume qu'en 1963. Son œuvre d'une grande richesse ne cesse d'interroger l'Histoire, celle du franquisme, mais surtout celle des horreurs quotidiennes de la Seconde Guerre mondiale. Jorge Semprun a bien conscience d'être l'un des tout derniers survivants des sombres événements de 1939-1945. Il se sent donc le devoir de témoigner avant de céder la parole aux seuls historiens. Romancier puissant et novateur, il produit un nouveau type de roman autobiographique. Sa narration sans cesse discontinuée procède par avancées, retouches, remords, approfondissements de réflexions, ajouts de nouvelles précisions, dans un va-et-vient continuel entre le présent et de multiples passés, sans cesse revisités. Ce romancier est si astucieux que les lecteurs ont l'impression que Semprun parle d'eux alors qu'il parle de lui-même.

Dans *L'Écriture ou la vie* (1994), le narrateur remonte à l'époque charnière où l'Histoire croise sa mémoire. Plus de cinquante ans après la guerre, celui qui affirme être moins un rescapé qu'un revenant extirpe de sa mémoire tout ce qui accepte de ne pas sombrer dans l'oubli total. Il y redécouvre un temps volontairement perdu, parce que trop douloureux, et réussit à trouver la tonalité assez juste et assez grave pour suggérer l'impensable et l'inexprimable. La mort rôde à chaque page, mais la vie triomphe grâce à la solidarité et à la fraternité. Ce livre bouleversant n'est pas qu'un simple témoignage : la mise en œuvre littéraire de ce voyage dans la mémoire et dans l'horreur engage toute la littérature.

Dans l'extrait retenu, le narrateur-acteur prend conscience de l'urgence de témoigner.

Ce ne sera plus qu'une idée d'odeur

Un jour viendrait, relativement proche, où il ne resterait plus aucun survivant de Buchenwald. Il n'y aurait plus de mémoire immédiate de Buchenwald ; plus personne ne saurait dire avec des mots venus de la mémoire charnelle, et non pas d'une reconstitution théorique, ce qu'auront été la faim, le sommeil,
5 l'angoisse, la présence aveuglante du Mal absolu – dans la juste mesure où il est niché en chacun de nous, comme liberté possible. Plus personne n'aurait dans son âme et son cerveau, indélébile, l'odeur de chair brûlée des fours crématoires.

Un jour j'avais fait dire à Juan Larrea, un personnage de roman qui était mort
10 à ma place, dans *La montagne blanche*, les mots suivants : « J'ai pensé que mon souvenir le plus personnel, le moins partagé… celui qui me fait être ce que je suis… qui me distingue des autres, du moins, tous les autres… qui me retranche même, tout en m'identifiant, de l'espèce humaine… à quelques centaines d'exceptions près… qui brûle dans ma mémoire d'une flamme
15 d'horreur et d'abjection… d'orgueil aussi… c'est le souvenir vivace, entêtant, de l'odeur du four crématoire : fade, écœurante… l'odeur de chair brûlée sur la colline de l'Ettersberg… »

Un jour prochain, pourtant, personne n'aura plus le souvenir réel de cette odeur : ce ne sera plus qu'une phrase, une référence littéraire, une idée
20 d'odeur. Inodore, donc.

J'avais pensé à tout cela, en m'avançant vers le centre de la place d'appel de Buchenwald, un dimanche de mars, en 1992. Je m'étais souvenu de Juan Larrea, qui avait pris la place que la mort m'avait gardée à ses côtés, depuis toujours. Et j'avais posé ma main sur l'épaule de Thomas Landman.

25 Une main légère comme la tendresse que je lui portais, lourde comme la mémoire que je lui transmettais.

Jorge Semprun, *L'Écriture ou la vie*, Paris, 1994, © Éditions Gallimard.

□ **Vers l'analyse**

Ce ne sera plus qu'une idée d'odeur

1. a) De quel cadre spatial est-il question dans l'extrait ?
   b) Quelles sont les deux références temporelles de l'extrait ?

2. a) Quel est le propos de l'extrait ?
   b) Relevez l'antithèse du premier paragraphe qui résume ce propos.
   c) Quel aspect de l'antithèse est supérieur à l'autre et quelle gradation descendante, située plus loin dans l'extrait, le souligne ?

3. a) Quel pronom indéfini est répété dans les premier et troisième paragraphes ?
   b) Quel effet cette répétition produit-elle ?

4. Dans le deuxième paragraphe, le narrateur cède la parole au personnage d'un de ses romans.
   a) Quel signe de ponctuation domine ?
   b) Quel effet sa présence crée-t-elle ?

5. Le deuxième paragraphe illustre l'importance de la mémoire charnelle.
   a) En quoi le contenu du discours de Larrea montre-t-il que la mémoire charnelle définit l'être, le rend singulier ?
   b) Quelle sensation présente dans la mémoire charnelle de Juan Larrea fait de celui-ci un être singulier ?
   c) Quelle hyperbole insiste sur cette singularité de Larrea ?
   d) Quelle métaphore traduit l'intensité de la mémoire charnelle de Larrea ?

6. Dans le paragraphe final, le narrateur fait un geste qu'il décrit à l'aide d'une antithèse.
   a) Qu'est-ce qui est opposé dans l'antithèse ?
   b) À quoi chacun des termes antithétiques est-il comparé ?
   c) Comment ce geste et cette antithèse résument-ils le message de l'auteur ?

7. En quoi cet extrait témoigne-t-il de la complexité des rapports entre la vie d'un auteur et ses œuvres de fiction ?

Sujet de dissertation explicative

Comparez les attitudes de Jorge Semprun et de Patrick Modiano (page 253) en ce qui a trait au thème de la mémoire et aux moyens narratifs employés afin de rendre leur quête avec justesse et sincérité.

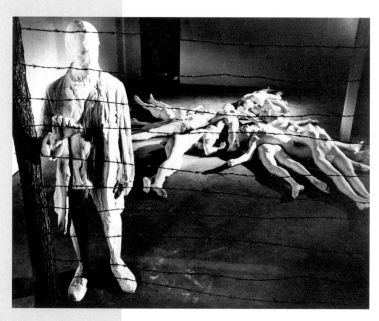

George Segal, *The Holocaust*, 1982.

L'œuvre de Semprun ne cesse d'interroger l'Histoire, celle du franquisme, mais surtout celle des horreurs quotidiennes de la Seconde Guerre mondiale.

Agota Kristof (née en 1936)

« **Tout être humain est né pour écrire un livre, et pour rien d'autre. Un livre génial ou un livre médiocre, peu importe.** »

Agota Kristof fuit sa Hongrie natale en 1956, au moment de l'invasion des chars russes à Budapest. Elle vit depuis en Suisse où elle écrit en français, pour tenter d'exorciser l'expérience traumatisante de son enfance bombardée par la guerre.

Kristof publie une série de trois fables bouleversantes qui se lisent avec horreur et délectation. L'auteure y brouille les pistes qui pourraient mener à une lecture autobiographique de l'œuvre et travestit les atrocités vécues à la guerre. Le premier de ces récits, *Le Grand Cahier* (1986), raconte la vie de deux jumeaux, Klaus et Lucas, qui sont si pareils que même leurs noms forment des anagrammes presque parfaits. Ces jumeaux vivent à la campagne chez leur grand-mère depuis que leur mère les a abandonnés là pour les protéger de la guerre qui sévit dans la Grande Ville. Or, cette grand-mère est une aïeule répugnante et terrifiante, qu'on soupçonne d'avoir empoisonné son mari, et les jumeaux sont exposés à une violence encore plus grande que celle de la guerre. Pour survivre, ils décident de s'aguerrir et d'apprendre à ne plus souffrir : chaque jour, en l'absence de tout sens moral, ils s'exercent à la douleur, au froid, à la cruauté, et apprennent à ne plus éprouver le moindre sentiment. Et la trame du récit livré aux lecteurs, fascinant mélange de baroque et d'austérité, est formée par le cahier où le « nous » indifférencié des jumeaux – comme s'ils ne formaient qu'un seul être – dresse la liste de leurs progrès et de leurs forfaits en une suite de saynètes implacables et cruelles.

L'auteure pratique un style dépouillé, ascétique même, qui refuse les artifices, une écriture simple et directe, comme on crève un abcès ; ce style correspond tout à fait au regard dénué de toute sensibilité et de toute subjectivité apparente, monstrueusement neutre, que les jumeaux projettent sur le monde. Et paradoxalement, plus les enfants deviennent insensibles, plus le lecteur perçoit la souffrance et l'abomination qu'ils vivent. Dans ce texte intemporel et universel, qui raconte la survie de deux enfants durant la guerre, l'auteure réussit à faire ressentir toute l'horreur sans vraiment en parler.

Cette chronique familiale comporte deux autres parties : *La Preuve* (1988), qui relate les malheurs des jumeaux confrontés à la séparation, et *Le Troisième Mensonge* (1991), où les jumeaux ne se retrouvent que pour mieux se séparer, après avoir appris la vérité sur leur enfance.

Trenton Stull, *Gear Heads Thinking*.

Le Grand Cahier raconte l'histoire de deux jumeaux qui décident de s'aguerrir et d'apprendre à ne plus souffrir.

EXERCICE D'ENDURCISSEMENT DE L'ESPRIT

Grand-Mère nous dit:
— Fils de chienne!

Les gens nous disent:
— Fils de Sorcière! Fils de pute!

5 D'autres disent:
— Imbéciles! Voyous! Morveux! Ânes! Gorets! Pourceaux! Canailles!
Charognes! Petits merdeux! Gibier de potence! Graines d'assassin!

Quand nous entendons ces mots, notre visage devient rouge, nos oreilles
bourdonnent, nos yeux piquent, nos genoux tremblent.

10 Nous ne voulons plus rougir ni trembler, nous voulons nous habituer aux injures,
aux mots qui blessent.

Nous nous installons à la table de la cuisine l'un en face de l'autre et, en
nous regardant dans les yeux, nous disons des mots de plus en plus atroces.

L'un:
15 — Fumier! Trou du cul!

L'autre:
— Enculé! Salopard!

Nous continuons ainsi jusqu'à ce que les mots n'entrent plus dans notre
cerveau, n'entrent même plus dans nos oreilles.

20 Nous nous exerçons de cette façon une demi-heure environ par jour,
puis nous allons nous promener dans les rues.

Nous nous arrangeons pour que les gens nous insultent, et nous constatons
qu'enfin nous réussissons à rester indifférents.

Mais il y a aussi les mots anciens.

25 Notre Mère nous disait:
— Mes chéris! Mes amours! Mon bonheur! Mes petits bébés adorés!

Quand nous nous rappelons ces mots, nos yeux se remplissent de larmes.

Ces mots, nous devons les oublier, parce que, à présent, personne ne nous
dit des mots semblables et parce que le souvenir que nous en avons est une
30 charge trop lourde à porter.

Alors, nous recommençons notre exercice d'une autre façon.

Nous disons:
— Mes chéris! Mes amours! Je vous aime… Je ne vous quitterai jamais…
Je n'aimerai que vous… Toujours… Vous êtes toute ma vie…

35 À force d'être répétés, les mots perdent peu à peu leur signification
et la douleur qu'ils portent en eux s'atténue.

Agota Kristof, *Le Grand Cahier*, Paris, 1986, © Éditions du Seuil.

☐ **VERS L'ANALYSE**

Exercice d'endurcissement de l'esprit

1. Résumez l'extrait.

2. a) Quelles sont les deux catégories de mots auxquels les jumeaux cherchent à devenir indifférents?
   b) À qui ces deux sortes de mots sont-ils associés?
   c) Pourquoi les jumeaux veulent-ils devenir indifférents à ces mots?

3. a) Relevez les passages où les jumeaux expriment leurs réactions à ces mots.
   b) Quel effet crée cette manière de s'exprimer?

4. Quel effet crée l'utilisation du «nous»?

5. a) Commentez la construction des paragraphes et des phrases.
   b) Expliquez en quoi cette construction concourt à mettre en évidence le propos du texte.

Sujet de dissertation explicative

Comparez l'indifférence des jumeaux dans l'extrait du *Grand Cahier* et celle de Meursault dans l'extrait de *L'Étranger* de Camus (page 145) ainsi que la manière dont cette indifférence est mise en évidence.

Jean Echenoz (né en 1946)

**« C'est trop facile de raconter
une histoire grave de façon grave. »**

Jean Echenoz est un observateur attentif des faits et gestes du quotidien ainsi que des égarements des individus dans la civilisation occidentale dont il souligne les tics et les marottes, mais il est d'abord l'homme d'un style. Il conserve une distance ironique et amusée à l'égard de ses personnages et de ses intrigues, pratique un art de la fausse candeur, emploie un ton détaché et nonchalant qui désamorce les plus grands drames. L'écrivain cultive l'art de l'esquive et de la surprise. Il mélange les genres, mêle le charme et la désinvolture, recourt à des formules-chocs, jongle avec les mots, pratique l'ellipse et n'hésite pas à bousculer la syntaxe.

Ses personnages sont généralement décrits de façon diffuse par leur environnement, leur comportement et leurs actions plutôt que par leur psychologie ou leurs sentiments comme c'est justement le cas dans l'extrait suivant. L'auteur y présente, d'une manière à la fois fine et loufoque, le personnage central de *Cherokee* (1983). Au début de ce récit, qui évolue à la manière d'un roman noir, un jeune homme, amateur de jazz, vit de peu. Sa vie est bouleversée à partir du moment où il endosse le rôle de détective privé.

ET MAINTENANT C'ÉTAIT DEMAIN

Georges Chave possédait une automobile allemande bleue qui tombait fréquemment en panne. Quand elle était en panne Georges Chave allait à pied, comme ce jour-là rue du Temple, quand il avait rencontré Véronique. Vraiment, cela s'était passé avec une grande simplicité. Par exemple il lui avait
5 demandé l'heure, elle avait répondu que sa montre avançait, il protesta que n'importe quelle heure ferait l'affaire. Peu après, il savait qu'elle s'appelait Véronique. Il l'avait accompagnée un moment, jusqu'au square du Temple qui est planté de grands arbres d'essences assez variées. Il l'invita, voulut lui donner son adresse, se fouilla sans trouver d'autre papier qu'un ticket
10 de métro neuf, elle qui n'avait pour écrire que son bâton de rouge – formats incompatibles. Elle dit qu'elle se rappellerait l'adresse, demain trois heures. On se quitta, on se tourna l'un vers l'autre. Elle portait une jupe en velours lacée sur un côté, une veste en grosse laine beige, et maintenant c'était demain deux heures et Georges était assis près de sa fenêtre, déjà.

[...]

15 Elle traversait la cour prudemment, surveillant ses talons sur les pavés, sans voir Georges à sa fenêtre qu'il ferma aussitôt, puis rouvrit, puis il baissa la voix dans la radio qui criait que si je t'aime (clac), quel problème (clac-clac), car tu mens (clac) tout le temps (clac-clac), et mes larmes sont pour toi (boum, boum) du vent, et Georges redressa un coussin, s'aperçut dans le
20 miroir, ferma la porte de la salle de bains, rétablit le volume de la voix qui gémissait maintenant que lourde est la peine sous le figuier bifide, longue est l'attente sous le manguier languide, et l'ennui cogne sous le palmier-dattier, puis elle frappa, il ouvrit, elle entra, il ouvrit les bras, et longtemps après il l'embrassait encore et parlait doucement dans ses cheveux, pendant que la
25 voix murmurait que rouges sont la lèvre et l'ongle, blanche et bleue l'écume de mer, que tout est clair, que tout est clair.

Jean Echenoz, *Cherokee*, Paris, 1983, © Éditions de Minuit.

☐ **VERS L'ANALYSE**

Et maintenant c'était demain

1. Donnez à chaque paragraphe un titre qui le résume.

2. Echenoz prend des libertés avec la langue. Dans le premier paragraphe :
   a) relevez deux répétitions qui pourraient passer pour des maladresses stylistiques ;
   b) relevez une phrase qui mêle le discours indirect et le discours indirect libre.

3. L'auteur exploite avec adresse l'art de l'ellipse.
   a) Relevez deux ellipses dans la narration du premier paragraphe et dites ce qui a été coupé.
   b) Quel est l'effet de ces ellipses ?
   c) Quels sont les deux sens qu'on peut donner à l'adverbe « déjà » employé à la fin du premier paragraphe ?

4. Quelle phrase du premier paragraphe évoque, de façon imagée, la difficulté des relations homme-femme ?

5. a) Quels procédés contribuent à tourner en dérision la musique et les paroles de la chanson qui joue à la radio ?
   b) Quel lien unit la chanson et ce que vit Georges ?
   c) Expliquez en quoi la syntaxe du deuxième paragraphe met ce lien en évidence.

Sujet de dissertation explicative

Comparez les discours que tiennent Echenoz et Sollers (page 255) sur l'amour ainsi que les moyens que chacun emploie pour montrer l'appauvrissement du concept de l'amour.

Philippe Delerm (né en 1950)

**« La violence du siècle, je la ressens, je la côtoie.
Je ne la dirai pas. »**

L'homme ordinaire est devenu le héros de l'époque actuelle, selon ce qu'affirment les récits de Philippe Delerm. Surtout connu pour le phénoménal succès de *La Première Gorgée de bière et autres plaisirs minuscules* (1997), ce professeur de lettres (« ça sonne mieux que prof de français ») est l'auteur de nombreux romans dont la principale caractéristique est la brièveté. Puisque, selon lui, les hommes ne peuvent pas changer le monde, il est impérieux qu'ils jouissent de ce qu'ils ont. Aussi ses récits, très peu romanesques, sont-ils tissés de ce presque rien qui fait la vie quotidienne. Dans ses œuvres, Delerm trace un portrait au quotidien d'une personne qui s'arrête pour regarder le temps passer, et il relate sa vie quotidienne faite de petits plaisirs, d'émotions simples, d'où émane un bonheur tranquille. Il existe donc, à l'époque postmoderne, une littérature vouée à la construction d'espaces intimes, comme celle de Delerm, mais aussi paradoxalement, un courant rigoureusement inverse, une littérature beaucoup plus détachée du quotidien et de la banalité.

Dans *Le Portique* (1999), Delerm pose une question que plusieurs connaissent bien : comment atteindre le bonheur quand on est professeur de littérature française ? Sébastien, marié et père de deux enfants, est au mitan de sa carrière et de sa vie. Homme « doué pour la vie », il se découvre depuis quelque temps incertain et fragile, et en vient à éprouver une hostilité diffuse à l'égard de son métier qu'il aime pourtant, mais que des contraintes diverses ne cessent d'alourdir : l'ennui de la redite, le verbiage des réformes qui prétendent secourir les élèves en difficulté, l'application même de ces réformes conçues par des gens qui n'enseignent pas… Ce roman à la fois douloureux et joyeux est fait d'atmosphères et de climats, et il évoque aussi bien la mélancolie que les saveurs du quotidien. Habile à traduire des états intérieurs finement sentis, Philippe Delerm rappelle que douleur et bonheur forment l'envers et l'endroit d'une même réalité. Son humour et sa tendresse caustique sont rendus par des phrases courtes et limpides, par une écriture minimale, qui refuse le spectaculaire, comme une vie qui passe sans dépasser.

À VOS ORDRES MON ADJUVANT !

Et voilà que les textes officiels venaient depuis trois ans menacer cette façon d'être prof de lettres. L'inspection exigeait désormais un travail par séquences. Chacune d'elles devait durer de cinq à sept semaines. On n'y distinguait plus les différentes rubriques du français où chacun
5 des élèves pouvait espérer trouver un point fort qui le mette en confiance pour aborder les autres. Tout était mélangé dans un verbiage prétentieux, où les termes de locuteur, de destinataire, de connecteur temporel, de grammaire de texte opposée à la grammaire de phrase (!) étaient censés aider les élèves en difficulté. Et quelle motivation pour pénétrer dans
10 un texte que de devoir y chasser le complément d'objet !

Mais le pire était dans le choix des textes imposés. Ainsi les petits élèves de sixième, si doués pour la poésie, le théâtre, étaient-ils condamnés à pratiquer durant de longues semaines les « textes fondateurs ». […] Le but était que les élèves parviennent à écrire en fin de cycle leur propre
15 conte. Mais avec quelles contraintes ! Il fallait respecter une succession de critères : une situation initiale, une mission à effectuer, un obstacle, un adjuvant (oui, c'était le nom donné à la personne qui devait aider le héros). À vos ordres mon adjuvant !

Tout ce saucissonnage bureaucratique donnait la nausée à Sébastien. Il y avait,
20 derrière l'astreinte des méthodes, une volonté mal déguisée de tuer la liberté,
l'imagination, la sensibilité. Sans même s'en apercevoir, Sébastien avait connu
un âge d'or, où le français pouvait être la vie. Et voilà que le français devenait
une matière, lourdement normalisée, aseptisée, banalisée. L'ennui, qui touchait
depuis longtemps déjà les épreuves du baccalauréat, gagnait à présent l'espace
25 du collège.

Philippe Delerm, *Le Portique*, Paris, 1999, © Éditions du Rocher.

Angel Botello, *Petites filles se tenant la main*.

☐ **VERS L'ANALYSE**

À vos ordres mon adjuvant !

1. Résumez le propos de l'extrait.

2. Résumez chaque paragraphe en une phrase.

3. Énumérez les reproches que le narrateur adresse à la réforme des cours de français.

4. a) Dressez le champ lexical de la contrainte associée à cette réforme.
   b) À quoi sert ce champ lexical ?

5. Le narrateur emploie de nombreux procédés pour exprimer sa réprobation à l'égard des nouveaux cours de français.
   a) Relevez les termes péjoratifs qui traduisent cette réprobation.
   b) Quels signes de ponctuation jouent le même rôle ?
   c) Relevez une métaphore qui dénonce le caractère ennuyant et artificiel de l'approche linguistique du texte.
   d) Dans le deuxième paragraphe, relevez et expliquez un jeu de mots particulièrement caustique.
   e) Dans le dernier paragraphe, relevez deux antithèses et une hyperbole qui montrent la déchéance de l'enseignement du français.
   f) Relevez et expliquez la figure de ressemblance qui clôt l'extrait en ne laissant présager rien de bon.

6. Quelle tonalité domine dans l'extrait ?

Sujet de dissertation explicative

En quoi le ton contestataire de cet extrait exprime-t-il la méfiance à l'égard des autorités, en particulier l'autorité scolaire ?

Hervé Guibert (1955-1991)

«Je disparaîtrai et je n'aurai rien caché.»

À l'heure où le sida a déjà détruit ou hypothéqué lourdement une quantité effarante de vies humaines, de nombreuses personnes atteintes de cette maladie crient leur désespérance et leur fureur de vivre, et rappellent ainsi la fragilité de la vie. Hervé Guibert est l'un de ces créateurs qui, comme Yves Navarre, Guy Hocquenghem et Cyril Collard[1], mettent en scène des homosexuels atteints de la terrible maladie, dans des situations qui dépassent largement la seule dimension sexuelle, puisque la sexualité ne devient qu'un simple élément d'une réalité beaucoup plus complexe. Reconnu pour sa féroce ironie, Hervé Guibert se présente lui-même comme un «sidatique public» et semble avoir conclu un pacte autobiographique avec l'écriture: en effet, il décrit méticuleusement la progression de sa maladie, en même temps qu'il se «met en abyme», qu'il s'observe lui-même en train d'écrire.

Après avoir consacré toute son œuvre à l'observation clinique des méfaits du sida, Hervé Guibert effectue un revirement étonnant et passe les trois derniers mois de sa vie à rédiger une authentique fiction hétérosexuelle, *Le Paradis* (1992). Ce livre ultime décrit l'errance d'un couple d'amants, depuis le Mali jusqu'à Bora Bora, depuis l'Afrique de Rimbaud jusqu'à la Martinique. Dans ce récit, le présent ne cesse de rappeler la présence du passé. Dans le dernier tiers, le voile de la fiction se déchire soudainement: l'auteur prend alors le relais du narrateur, son double, il passe au premier plan et poursuit lui-même la narration du récit. Cet étonnant dialogue entre le vrai et le fictif est l'occasion d'une profonde réflexion sur la mort, que Guibert demande à l'écriture d'amadouer.

Dans l'extrait suivant, le narrateur se souvient d'un moment agréable de l'époque où il vivait en Afrique.

---

1. Avant de mourir, Collard a juste le temps d'adapter au cinéma son roman *Les Nuits fauves*, qui devient aussitôt un film culte (1992).

UNE ANESTHÉSIE LÉGÈRE

Vient l'heure délivrante de la première bière, il n'y a pas de glace dans la bassine, on prend la voiture pour aller la boire à la terrasse de l'Auberge. À la première gorgée tout vire du malheur absolu à la jubilation calme
5 d'une anesthésie légère. Nous dans ce pays de malheur, pensé-je, il n'y a que ça à faire: boire, de plus en plus tôt, se soûler, être soûl du matin au soir comme un de ces Libanais abrutis qui tiennent l'hôtel et houspillent les nègres. Un boiteux vient mendier, c'est un bel enfant
10 malgré sa démarche tordue et sautillante, tout son corps est déséquilibré autour de son moignon. Nous sommes bien à boire de la bière à cette terrasse en regardant les Européens garer leurs gros quatre-quatre avant de retrouver l'air glacé des chambres. En Martinique
15 la bière locale était la Lorraine, j'ai déjà oublié le nom de cette bière africaine qui fait passer le temps dans une espèce de vague inconscience du malheur. Il y en a des grandes et des petites, nous en prenons une grande pour deux, et si nous sommes particulièrement désespérés,
20 nous décidons, en un clin d'œil, de prendre deux grandes bières pour deux. Je retrouverai peut-être un jour le nom de cette bière africaine que j'ai au bout des lèvres.

[...] On ne revient jamais d'Afrique, voilà la vérité. Je resterai fou, fou et amnésique, sans souvenir du nom
25 de la bière africaine qui m'a soulagé le soir, et fait sombrer plus tard. Rimbaud dit qu'on y vieillit de cinq ans en un an, mais c'est peut-être beaucoup plus. Je suis déjà si vieux. Maintenant je suis vieux comme un arbre, comme un iguane millénaire à la carapace tannée par le soleil.

Hervé Guibert, *Le Paradis*, Paris, 1992, © Éditions Gallimard.

☐ VERS L'ANALYSE

Une anesthésie légère

1. Résumez l'extrait en quelques phrases.

2. Décrivez le cadre spatial de l'extrait.

3. Décrivez le narrateur et les personnages autour de lui.

4. La bière apparaît comme un remède contre le malheur et le désespoir.
   a) Dressez les champs lexicaux du bien-être et du malheur.
   b) Relevez l'antithèse et la métaphore qui décrivent l'effet de la bière sur le narrateur.
   c) Quelle figure d'amplification souligne l'augmentation de la consommation de bière?
   d) Comment cette grande consommation est-elle justifiée?

5. Selon le narrateur, l'Afrique a un drôle d'effet sur les Blancs.
   a) Quel est cet effet?
   b) À quoi sert l'allusion littéraire du second paragraphe?
   c) Relevez les hyperboles et les comparaisons dans le second paragraphe.
   d) Expliquez l'effet créé par ces figures.

Yves Simon (né en 1945)

« C'est cela, non, l'existence ? À l'entrée d'un désert, partir rejoindre quelqu'un dont on ne sait rien, et dont on attend tout. »

Yves Simon produit une œuvre multiforme, puisqu'il est à la fois auteur-compositeur et chanteur à succès, chroniqueur dans des revues littéraires, poète et romancier doué. Il cherche, dans ses différents ouvrages, à filtrer l'air du temps à travers la musique des mots. Il excelle particulièrement dans l'art des fragments, ces éclats d'écriture et de vie qui transcrivent le détail des banalités des hommes autant que de leurs exaltations. Son regard sur le moment qui passe et sur l'agitation du monde se fait lucide, souvent implacable, mais reste toujours teinté d'une profonde poésie. Simon rédige, en fait, un art de vivre au tournant du millénaire, époque où la gravité s'enracine dans les méandres de l'«inespoir».

Dans *La Dérive des sentiments* (1991), collage de fragments du journal intime d'«un écorché qui ne saigne pas», Yves Simon rédige la chronique désabusée de l'ordinaire amoureux. Marianne et Simon, personnages toujours portés par la vague de leurs sentiments, s'éloignent bientôt l'un de l'autre comme des continents déchirés, et partent à la dérive, chacun de leur côté, dans l'attente d'une prochaine rencontre. Ce romantisme fin de siècle rend les personnages prisonniers du moment présent. Chacun n'attend plus qu'une chose de la vie : retenir certains instants fugitifs pour les placer dans l'éternité. Dans ce roman farci de citations des auteurs préférés de Simon, il est souvent question de littérature, et celle-ci est aussi donnée à lire. Entre autres, le couple éprouve un plaisir commun à lire *Belle du Seigneur*. Cette œuvre se démarque par son écriture superbe, incisive dans la satire et retenue dans l'émotion.

L'extrait qui suit illustre bien ce romantisme fin de siècle dont les personnages défendent les valeurs, comme il a été dit plus haut.

DES AMOUREUX CIVILISÉS

Peut-être se sentaient-ils plus partenaires qu'amoureux et acceptaient-ils leurs différences parce qu'elle et lui savaient qu'aucun des deux n'était venu rendre l'autre fou. «Pourtant l'amour ça doit être une arrogance, un
5 empiétement, une force sacrée avec laquelle se créent des mondes en en brisant d'autres...», dit Marianne.

Pour ne pas paraître anachroniques ils avaient le sentiment d'avoir à dissimuler les rares passions dont ils se sentaient coupables puisque autour d'eux tout
10 se négociait et se réglait avec deux sourires et une tape sur l'épaule.

Alors qu'auraient dû surgir les couteaux pour couvrir l'autre de blessures, le marquer du sceau d'un amour intransigeant, d'une violence secrète, religieuse, ils se
15 sentaient deux églises réconciliées qui ne se combattent plus, coexistent, ayant accepté par raison les irrationalités de l'autre.

«Je ne sens pas de menace qui pourrait venir de toi, dit Simon, et tu me *tolères* parce que tu sais que je ne
20 suis pas venu prendre ton âme, seulement ta présence.»

«En fait, nous sommes des amoureux civilisés», dit Marianne.

Yves Simon, *La Dérive des sentiments*,
Paris, 1991, © Éditions Grasset.

☐ VERS L'ANALYSE

Des amoureux civilisés

1. Quel est le propos de l'extrait ?

2. Marianne affirme : «[...] nous sommes des amoureux civilisés.»
   a) En quoi l'expression «amoureux civilisés» peut-elle, dans le contexte, être considérée comme un oxymore ?
   b) Dressez le champ lexical de la violence.
   c) Relevez les trois antithèses qui développent cette opposition entre l'amour empreint de violence et l'amour civilisé.

3. a) Relevez une gradation et deux métaphores qui définissent ce que l'amour devrait être.
   b) Quel est l'effet de ces figures ?

4. a) Relevez la métaphore qui définit ce qu'est l'amour de Marianne et de Simon.
   b) Quel effet crée cette métaphore ?

5. Quel mode et quel temps de verbe indiquent ce que n'est pas l'amour de Marianne et de Simon ?

Sujet de dissertation explicative

Comparez la perversion de la relation amoureuse que dénonce *Cherokee* (page 261) d'Echenoz à celle que dénonce *La Dérive des sentiments* de Simon.

Nancy Huston (née en 1953)

« **En présence de l'art, on est à son meilleur, parce qu'on est ouvert à l'interaction humaine comme on ne l'est pas dans la vraie vie.** »

Née en Alberta, Nancy Huston est une auteure réputée qui vit en France depuis 1973. Elle rédige ses premiers romans en anglais, sa langue maternelle, puis les traduit elle-même en français. Elle rédige directement en français son septième roman, *L'Empreinte de l'ange* (1998), ce qui est une première pour elle.

Ce roman raconte une troublante histoire d'amour qui se déroule dans un Paris secoué par la guerre d'Algérie. Douze ans après la fin de la Seconde Guerre mondiale, Saffie, une jeune Allemande hantée par les sévices subis dans l'Allemagne bombardée et occupée, marquée par la culpabilité et la honte d'être née dans un pays à l'origine de tant de cruautés, choisit de vivre en exil à Paris. Elle s'engage comme bonne chez Raphaël, un flûtiste que la vie a dorloté et qui ne vit que pour son art. Il tombe vite amoureux d'elle, l'épouse et lui fait un fils, Émil, dont elle s'occupe avec une indifférence maladroite. Saffie fait bientôt la rencontre d'András, un luthier juif hongrois, et dès le premier regard, un amour fou réunit ces êtres qui autrefois auraient été des ennemis politiques. Pendant longtemps, Saffie et Émil rendent visite à András ensemble, pendant que Raphaël joue de la flûte et ne se doute de rien. Mais l'apparente simplicité de cette histoire ne sert qu'à masquer la gravité du fond et la fin percutante du récit. Ces amants portent des secrets familiaux et personnels qui rivalisent en horreur, restent incapables de se détacher de leur histoire passée gravée dans leur mémoire et inscrite dans leur chair, et demeurent centrés sur leur douleur respective.

Portée par une écriture lumineuse, la narration emprunte beaucoup à l'écriture cinématographique, livre les personnages par petites touches et effectue des plongées dans l'Histoire, celle de la guerre d'Algérie inscrite dans les traces mal cicatrisées de la Seconde Guerre mondiale. À l'occasion, le narrateur sort de cette grande histoire pour interpeller directement le lecteur, pour lui rappeler qu'il ne peut rester imperméable à toute cette souffrance que porte le récit, qu'il ne peut rester indifférent et passif devant tout ce qui se passe autour de lui. Ce roman ne donne jamais qu'une compréhension partielle et partiale des faits, mais réussit à convaincre que la souffrance de ces êtres d'encre et de papier fait écho à une autre, celle du lecteur même et celle de ses voisins.

ON EN VEUT À L'AUTRE DE CE QU'ON N'AIT *PAS* ÉTÉ REFAIT À NEUF

Dans chaque histoire d'amour fou il y a un tournant; cela peut venir plus ou moins vite mais en général cela vient assez vite; la plupart des couples ratent le tournant, dérapent, font un tonneau et vont s'écrabouiller contre le mur, les quatre roues en l'air.

5 La raison en est simple : contrairement à ce qu'on avait cru pendant les premières heures, les premiers jours, tout au plus les premiers mois de l'enchantement, l'autre ne vous a pas métamorphosé. Le mur contre lequel on s'écrase après le tournant, c'est le mur de soi. Soi-même : aussi méchant, mesquin et médiocre qu'auparavant. La guérison magique n'a

10 pas eu lieu. Les plaies sont toujours là, les cauchemars recommencent. Et l'on en veut à l'autre de ce qu'on n'ait *pas* été refait à neuf; de ce que l'amour n'ait *pas* résolu tous les problèmes de l'existence; de ce que l'on ne se trouve *pas*, en fin de compte, au Paradis, mais bel et bien, comme d'habitude, sur Terre.

¹⁵ Entre Saffie et András le tournant n'est marqué
par aucun incident particulier. Il se produit de façon
insensible : au cours de l'hiver 1958-1959, chacun sent
se réveiller et remuer dans la grotte de son âme, tel un
ours au printemps, son vieux démon. Son vieux dragon,
²⁰ qu'il avait cru terrassé par la lame pure et brillante
de l'amour de l'autre.

Eh ! non. Elle vit encore, l'affreuse bête.

Ce matin, matin de janvier, il pleut trop fort pour qu'ils
puissent sortir se promener. Grosses bourrasques.

²⁵ Debout sur une chaise près du mur vitré, Émil étudie
– avec une concentration presque inquiétante chez
un être si petit – les motifs dessinés par le ruissellement
de la pluie sur le verre. Une partie du plafond est
en verre aussi et il lève les yeux, écoute le tapotement
³⁰ dense et irrégulier des gouttes, cherche à comprendre
cette chose dramatique qui se passe, et qui passe,
sans lui faire de mal.

À la radio Doris Day chante *Qué sera, sera*, toujours
au hit-parade plus de deux ans après sa sortie. András
³⁵ sifflote l'air tout en démontant le mécanisme d'un
haut-bois. Et Saffie, lovée dans le vieux fauteuil en cuir
qu'elle a récemment rabiboché avec du ruban adhésif
noir, boit du thé en le regardant travailler. Les mains
d'András, qui pensent toutes seules, attrapent le bon
⁴⁰ outil, tournent, tordent, tapent et graissent, palpant la
peau brillante de l'instrument à la recherche d'une bosse.

Elle ne comprend pas.

C'est ça, peut-être, le premier signe avant-coureur du tournant dans
leur amour : ce matin-là, Saffie ne comprend pas le soin calme avec lequel
⁴⁵ András saisit les vis, les chevilles et les ressorts, prépare la gomme-laque
pour fixer le cuir, taille les petits disques en étoffe de laine – son moindre
geste si attentif et si précis – mais comment faire pour –

Oui : de nouveau, dans la tête de Saffie, des phrases qui ne s'achèvent pas.

Nancy Huston, *L'Empreinte de l'ange*, Paris, 1998, © Éditions Actes Sud.

Giovanni Costetti, *La Question*, 1930.

☐ VERS L'ANALYSE

*On en veut à l'autre de ce qu'on n'ait
pas été refait à neuf*

1. Divisez le texte en trois parties et résumez chacune
   en une phrase.

2. a) Relevez une métaphore filée dans les deux
      premiers paragraphes.
   b) Que met-elle en évidence ?

3. a) Relevez les termes mélioratifs du deuxième paragraphe.
   b) À quel champ lexical appartiennent-ils ?
   c) Que mettent-ils en évidence ?

4. a) Relevez les termes péjoratifs des deuxième et troisième
      paragraphes.
   b) Quel effet crée l'opposition entre les termes mélioratifs
      et les termes péjoratifs ?

5. a) Quel lien peut-on faire entre la météo et le propos
      de l'extrait ?
   b) Relevez et expliquez un passage imprécis qui fait
      implicitement le lien entre les deux.

6. Quels procédés mettent en évidence l'incompréhension
   de Saffie ?

Sujet de dissertation explicative

Expliquez comment Nancy Huston et Annie Ernaux parlent
de ce que vivent les amoureux après la période initiale
de l'amour fou.

Michel Houellebecq (né en 1956)

« Ce n'est pas pour dire la vérité que j'écris,
c'est pour dire mes incertitudes. »

En littérature française, un auteur propose à la fin de chaque siècle une somme désenchantée des misères et des maux de l'époque : ce fut le cas de Choderlos de Laclos pour le XVIIIe siècle, de Huysmans au siècle suivant, et tel semble être le cas de Houellebecq pour le XXe. Romancier et poète, Michel Houellebecq développe un goût prononcé pour la polémique et la provocation, au point que ses livres sont des événements de la rentrée littéraire et que son nom acquiert une valeur commerciale à l'instar de celui d'une vedette rock. Cette voix peut paraître à certains trop médiatique, voire superficielle, mais elle n'en est pas moins très importante dans la littérature française actuelle. Houellebecq fait partie d'une nouvelle génération d'écrivains qui vient après la grande vogue de l'« autofiction », ces romans dont la forme rappelle un journal tenu au jour le jour et qui proposent un résumé des activités quotidiennes. Cette nouvelle génération d'écrivains refuse l'autofiction et rend caduque la notion d'avant-garde littéraire ; elle marque plutôt le retour d'une forme plus classique, celle des « vrais » romans qui racontent une histoire.

Noirs et pessimistes, les romans de Houellebecq témoignent de l'imagination fertile de leur auteur. Nourris d'éléments hyper-réalistes, ils réussissent comme peu d'autres à exprimer la détresse du monde contemporain. Un implacable pouvoir de description fait toute leur force : le style faussement neutre du romancier, malgré la provocation et le sarcasme, excelle à montrer du doigt les travers de la société. Par exemple, dans ce qui est devenu un roman culte, *Les Particules élémentaires* (1998), le romancier satirise les mœurs libérales de la fin du XXe siècle, celles d'une génération qui s'intéresse peu à ce qui se passe au-delà des frontières de son propre confort.

On trouve dans ce roman les thèmes récurrents chez cet auteur : l'amour élusif et la consommation érotique (les scènes de sexualité détaillées abondent), l'ennui de l'existence et la déréliction, la décrépitude des corps dans une société qui vénère la jeunesse, la déception éprouvée en raison de l'échec des humanistes et de la barbarie, sans oublier la génétique qui ouvre les portes de ce qu'on dit être le meilleur des mondes. Écrit dans une langue très ferme, très classique, ce roman rappelle à certains moments la sécheresse de *L'Étranger* de Camus, mais s'en éloigne par une ironie dévastatrice. *Les Particules élémentaires* arrivent à dire le monde actuel et son chaos, et, à défaut d'avoir les bonnes réponses, ont du moins le mérite de poser les bonnes questions. Ce roman réussit surtout à nouer, de façon exemplaire, la fiction autour de la réalité que le lecteur reconnaît et dont il est souvent lui-même le contempteur.

Tom Wesselmann, *Study for Great American Nude*, 1975.

Houellebecq satirise les mœurs d'une génération qui s'intéresse peu à ce qui se passe au-delà des frontières de son propre confort.

UNE DIGNITÉ SUPPLÉMENTAIRE

Il marche, il rejoint la frontière. Des vols de rapaces tourbillonnent autour d'un centre invisible – probablement une charogne. Les muscles de ses cuisses répondent avec élasticité aux dénivellations du chemin. Une steppe jaunâtre recouvre les collines ; la vue s'étend à l'infini en direction de l'Est. Il n'a pas
5   mangé depuis la veille ; il n'a plus peur.

Il s'éveille, tout habillé, en travers de son lit. Devant l'entrée de service du Monoprix, un camion décharge des marchandises. Il est un peu plus de sept heures.

Depuis des années, Michel menait une existence purement intellectuelle.
10 Les sentiments qui constituent la vie des hommes n'étaient pas son sujet d'observation ; il les connaissait mal. La vie de nos jours pouvait s'organiser avec une précision parfaite ; les caissières du supermarché répondaient à son bref salut. Il y avait eu, depuis dix ans qu'il était dans l'immeuble, beaucoup de va-et-vient. Parfois, un couple se formait. Il observait alors le déménagement ;
15 dans l'escalier, des amis transportaient des caisses et des lampes. Ils étaient jeunes, et, parfois, riaient. Souvent (mais pas toujours), lors de la séparation qui s'ensuivait, les deux concubins déménageaient en même temps. Il y avait, alors, un appartement de libre. Que conclure ? Quelle interprétation donner à tous ces comportements ? C'était difficile.

20 Lui-même ne demandait qu'à aimer, du moins il ne demandait rien. Rien de précis. La vie, pensait Michel, devrait être quelque chose de simple ; quelque chose que l'on pourrait vivre comme un assemblage de petits rites, indéfiniment répétés. Des rites éventuellement un peu niais, mais auxquels, cependant, on pourrait croire. Une vie sans enjeux, et sans drames. Mais la vie des hommes
25 n'était pas organisée ainsi. Parfois il sortait, observant les adolescents et les immeubles. Une chose était certaine : plus personne ne savait comment vivre. Enfin, il exagérait : certains semblaient mobilisés, transportés par une cause, leur vie en était comme alourdie de sens. Ainsi, les militants d'*Act Up* estimaient important de faire passer à la télévision certaines publicités, jugées par d'autres
30 pornographiques, représentant différentes pratiques homosexuelles filmées en gros plan. Plus généralement leur vie apparaissait plaisante et active, parsemée d'événements variés. Ils avaient des partenaires multiples, ils s'enculaient dans des *backrooms*. Parfois les préservatifs glissaient, ou explosaient. Ils mouraient alors du sida ; mais leur mort elle-même avait un sens militant et digne. Plus
35 généralement la télévision, en particulier TF1, offrait une leçon permanente de dignité. Adolescent, Michel croyait que la souffrance donnait à l'homme une dignité supplémentaire. Il devait maintenant en convenir : il s'était trompé. Ce qui donnait à l'homme une dignité supplémentaire, c'était la télévision.

Michel Houellebecq, *Les Particules élémentaires*, Paris, 1998, © Éditions J'ai lu (Flammarion).

☐ VERS L'ANALYSE

Une dignité supplémentaire

1. Résumez l'extrait en quelques phrases.
2. Deux sortes de vie sont opposées dans le deuxième paragraphe. Lesquelles ?
3. Michel fait preuve d'une grande froideur. Expliquez-le.
4. Relevez deux figures de style qui mettent cette froideur en évidence :
   a) une comparaison utilisée par Michel pour définir la vie ;
   b) une antithèse dans le passage sur la vie des militants d'*Act Up*.
5. Expliquez le caractère satirique de la dernière phrase.

Sujet de dissertation explicative

Comparez la froideur de Meursault dans l'extrait de *L'Étranger* de Camus (page 145) et celle de Michel dans l'extrait de Houellebecq.

Éric-Emmanuel Schmitt (né en 1960)

« Le bonheur suppose que l'on refuse de voir le monde tel qu'il est. »

Dramaturge, romancier et philosophe, Éric-Emmanuel Schmitt est devenu, en très peu de temps, un des auteurs francophones les plus populaires dans le monde. Ses livres sont traduits en trente-cinq langues et ses pièces sont régulièrement mises en scène dans plus de quarante pays. Parmi ses pièces, citons *Le Visiteur* (1993), qui propose un hallucinant dialogue entre Freud et Dieu. Cet auteur possède un talent exceptionnel pour marier l'humour et les concepts philosophiques ou métaphysiques. Quant à son récit devenu une pièce de théâtre, *Monsieur Ibrahim et les fleurs du Coran* (2001), sa transposition au cinéma a permis à Omar Sharif de remporter un César en 2004. Après une dizaine de pièces de théâtre, Éric-Emmanuel Schmitt écrit des romans qui ont toujours la faveur des critiques comme du public : réinventant l'Histoire pour la transformer en décor de roman, il les peuple de personnages aussi inattendus que Ponce Pilate, Jésus ou Hitler et, en plus de procurer un immense plaisir de lire, ces œuvres dont les narrateurs cherchent les clés de la nature humaine incitent les lecteurs à se remettre en question, à s'interroger sur leurs attitudes et leurs partis pris.

Son roman intitulé *Lorsque j'étais une œuvre d'art* (2002) propose une variation satirique et contemporaine sur le mythe de Faust. Dans cette œuvre, Schmitt porte un regard critique sur certaines formes extrêmes de l'art actuel où les corps humains deviennent de simples matériaux de l'œuvre. Par exemple, l'anatomiste allemand Gunther von Hagens a conçu une exposition d'œuvres faites à partir de cadavres humains qui a fait le tour du monde – des personnes ont ainsi signé un formulaire de legs de leur corps afin qu'il soit, après leur décès, transformé par l'artiste, à l'aide d'un procédé chimique, en œuvre d'art et exhibé. On pense aussi à l'artiste française Orlan, qui transforme littéralement son corps en le mutilant au moyen d'interventions chirurgicales effectuées en direct, devant des spectateurs. Dans son roman, Schmitt propose au lecteur une interrogation sur cette tendance de l'art contemporain – qu'il considère comme une déviation – et sur la déperdition de la conscience individuelle, à l'époque des engouements collectifs et du dopage publicitaire. Le narrateur, un homme sur le point de rater son énième suicide, fait la rencontre de Zeus-Peter Lama. Cet artiste sans scrupule et mondialement connu le convainc de se transformer en œuvre d'art vivante. Il est bientôt métamorphosé, telle une chair à modeler, et rebaptisé Adam bis. Cette marchandise devient même patrimoine de l'État. Mais cet homme en vient à prendre conscience de la perte de sa liberté, ce qui vient tout remettre en question.

UNE SEULE CHOSE TE FERAIT DU BIEN : CESSER DE PENSER

— Tu souffriras tant que tu persisteras à avoir des sentiments ou des opinions personnelles. Remets-t'en à moi et tout ira bien.

— Je ne veux pas vivre nu, dis-je, la voix étranglée par les larmes.

— D'abord, abandonne cette habitude de dire « je veux » ou « je ne
5 veux pas ». Ta volonté n'a plus d'importance, elle doit se résorber en pure obéissance. C'est ma volonté, ma seule volonté, celle de ton créateur, qui compte. À quoi arrivais-tu lorsque tu disais « je veux » ? Tu voulais mourir ! Si je ne t'avais pas, moi, proposé autre chose, tu servirais de nourriture aux poissons et tu ne serais pas célèbre dans le monde entier.
10 Fais-moi confiance.

— Tout de même, vivre nu dans la maison et dans le parc. Même un chien aurait droit à un collier.

— On met un collier au chien pour le distinguer des autres et pour l'identifier. Toi, tu portes tout entier ma signature.

15   — Moins qu'une bête…

— Mille fois plus : une œuvre… Crois-tu qu'on pose un cache-sexe aux statues de Praxitèle ? Accroche-t-on un string au David de Michel-Ange ?

L'argument me toucha : je n'avais pas envisagé ma situation sous cet angle. Zeus, sentant qu'il avait visé juste, continua avec une chaleureuse indignation :

20   — Crois-tu que j'aie honte de ma création ? Crois-tu que je veuille cacher une imperfection ? Tout est parfait en toi et je veux tout montrer.

J'étais flatté. L'enthousiasme de Zeus m'indiquait que, tout à l'heure, j'avais mal interprété le vol de mes vêtements.

— Vu comme ça…, dis-je, pensif.

25   — Mon jeune ami, une seule chose te ferait du bien : cesser de penser.

— Vous estimez que je n'en suis pas capable ?

— J'estime surtout que c'est inutile. Il se leva et me fit signe de le suivre à travers les couloirs du labyrinthe qu'il avait conçu.

— De quoi souffrais-tu lorsque je t'ai rencontré ? D'avoir une conscience.
30 Pour te guérir, je t'ai proposé de devenir un objet. Deviens-le complètement. Obéis-moi en tout. Abolis-toi. Ma pensée doit se substituer à la tienne.

— En somme, vous voulez que je devienne votre esclave ?

— Non, malheureux ! Esclave, c'est encore trop ! Esclave, ça a une conscience ! Esclave, ça veut se libérer ! Non, je veux que tu deviennes moins qu'un
35 esclave. Notre société est organisée de telle sorte qu'il vaut mieux être une chose qu'une conscience. Je veux que tu deviennes ma chose. Alors tu seras enfin heureux ! Tu t'évanouiras dans une complète félicité.

— Je me demande si vous n'avez pas raison…

— J'ai toujours raison.

40 Sortis du labyrinthe, nous nous dirigeâmes vers la terrasse en continuant à parler. Nous croisions beaucoup de domestiques et, sans m'en rendre compte, je m'habituais à être nu. « Accroche-t-on un string au David de Michel-Ange ? » me répétais-je lorsque je sentais de la gêne chez ceux que nous croisions.

— Je suis très fier de toi, me dit Zeus.

45 J'en éprouvai une telle joie que j'en conclus qu'il détenait la vérité définitive. Désormais, je préférerais ses pensées aux miennes, cela me simplifierait la vie.

Éric-Emmanuel Schmitt, *Lorsque j'étais une œuvre d'art*, Paris, 2002, © Éditions Albin Michel.

☐ VERS L'ANALYSE

Une seule chose te ferait du bien :
cesser de penser

1. Faites une recherche et expliquez qui sont Praxitèle ainsi que Michel-Ange et son *David*.

2. a) Dans la mythologie grecque, qui est Zeus ?
   b) Quel lien peut-on faire entre le personnage de la mythologie et le personnage du roman ?

3. Quels arguments emploie Zeus pour convaincre Adam bis de rester nu ?

4. Quels arguments emploie-t-il pour le convaincre de devenir sa chose ?

5. a) Adam bis oppose-t-il des arguments à ceux de Zeus ? Justifiez votre réponse.
   b) Quels procédés stylistiques témoignent de la faiblesse d'Adam par rapport à Zeus ?

6. Expliquez de quelle manière Adam bis évolue du début à la fin de l'extrait.

Amélie Nothomb (née en 1967)

« La vie est ce tuyau qui avale et qui reste vide. »

Née d'un père diplomate d'origine belge, Amélie Nothomb est élevée au Japon, puis en Birmanie et au Laos. Elle débarque en Belgique à dix-sept ans et découvre alors le monde occidental. Bientôt, véritable phénomène, la jeune femme enchaîne les succès littéraires à raison d'un livre par an depuis 1992, et avoue avoir une trentaine de manuscrits dans ses tiroirs. Son œuvre est déjà traduite en vingt-six langues.

Nothomb écrit aussi bien des récits autobiographiques que des romans purement fictionnels. *Métaphysique des tubes* (2000) est un roman tout à fait représentatif de son univers insolite. Dans cette vraie-fausse autobiographie, la narratrice cherche, par l'écriture, à faire revivre des impressions d'avant l'âge de la conscience; elle met en scène sa petite enfance, de la naissance à l'âge de trois ans, ses questionnements, ses réflexions et ses découvertes. Pendant longtemps, la narratrice enfant se considère comme un simple tube digestif, inerte et rigide. Puis vient la grande découverte: celle du chocolat qui prélude à la quête insatiable du plaisir. Il lui semble enfin découvrir la raison de vivre. Le véritable apprentissage de son métier de femme peut alors commencer.

On s'en doute, l'écriture elle-même, sobre, ramassée et brillante, est le lieu premier de ce récit écrit à la première personne par une petite fille surdouée dont le franc-parler est nourri de réflexions existentielles et métaphysiques. Le style, souple, est bourré d'inventions drôles et étonnantes qui gomment la cruauté de certains constats. Il met l'insolite et l'ironie au service de réflexions qui font le bonheur du lecteur. Dans l'extrait qui suit, l'enfant doit faire face, pour la première fois de sa vie, à la mort d'un être aimé.

Quelques citations de Nothomb

« On lit pour découvrir une vision du monde. »

« Un livre, c'est un détonateur qui sert à faire réagir les gens. »

« Le bonheur forcé est un cauchemar. »

« J'adore les choses que je ne comprendrai jamais. »

« [...] il y aura toujours dans la foule un crétin qui, sous prétexte qu'il ne comprend pas, décrétera qu'il n'y a rien à comprendre. »

LA MORT, C'ÉTAIT LE PLAFOND

Il régnait dans la maison un silence anormal. Je voulus aller aux renseignements et descendis le grand escalier. Au salon, mon père pleurait: spectacle impensable et que je n'ai jamais revu. Ma mère le tenait dans ses bras comme un bébé géant.

5 Elle me dit très doucement:

— Ton papa a perdu sa maman. Ta grand-mère est morte.

Je pris un air terrible.

— Évidemment, poursuivit-elle, tu ne sais pas ce que ça veut dire, la mort. Tu n'as que deux ans et demi.

10 — Mort! affirmai-je sur le ton d'une assertion sans réplique, avant de tourner les talons.

Mort! Comme si je ne savais pas! Comme si mes
deux ans et demi m'en éloignaient, alors qu'ils
m'en rapprochaient! Mort! Qui mieux que moi
15 savait? Le sens de ce mot, je venais à peine de
le quitter! Je le connaissais encore mieux que les
autres enfants, moi qui l'avais prolongé au-delà
des limites humaines. N'avais-je pas vécu deux
années de coma, pour autant que l'on puisse vivre
20 le coma? Qu'avaient-ils donc pensé que je faisais,
dans mon berceau, pendant si longtemps, sinon
mourir ma vie, mourir le temps, mourir la peur,
mourir le néant, mourir la torpeur?

La mort, j'avais examiné la question de près: la
25 mort, c'était le plafond. Quand on connaît le plafond mieux que soi-même, cela s'appelle la mort.
Le plafond est ce qui empêche les yeux de monter
et la pensée de s'élever. Qui dit plafond dit caveau:
le plafond est le couvercle du cerveau. Quand
30 vient la mort, un couvercle géant se pose sur votre
casserole crânienne. Il m'était arrivé une chose
peu commune: j'avais vécu ça dans l'autre sens, à
un âge où ma mémoire pouvait sinon s'en souvenir,
au moins en conserver une vague impression.

35 Quand le métro sort de terre, quand les rideaux
noirs s'ouvrent, quand l'asphyxie est finie,
quand les seuls yeux nécessaires nous regardent
à nouveau, c'est le couvercle de la mort qui se
soulève, c'est notre caveau crânien qui devient
40 un cerveau à ciel ouvert.

Ceux qui, d'une manière ou d'une autre, ont connu la mort de trop
près et en sont revenus contiennent leur propre Eurydice: ils savent
qu'il y a en eux quelque chose qui se rappelle trop bien la mort et qu'il
vaut mieux ne pas la regarder en face. C'est que la
45 mort, comme un terrier, comme une chambre aux
rideaux fermés, comme la solitude, est à la fois
horrible et tentante: on sent qu'on pourrait y être
bien. Il suffirait qu'on se laisse aller pour rejoindre
cette hibernation intérieure. Eurydice est si séduisante
50 qu'on a tendance à oublier pourquoi il faut lui résister.

Il le faut, pour cette unique raison que le trajet
est le plus souvent un aller simple. Sinon, il ne
le faudrait pas.

Amélie Nothomb, *Métaphysique des tubes*,
Paris, 2000, © Éditions Albin Michel.

Pablo Picasso, *Fillette au béret*, 1964.

☐ VERS L'ANALYSE

La mort, c'était le plafond

1. Divisez l'extrait en deux parties et donnez
un titre à chacune.

2. À la lumière du premier long paragraphe
(lignes 12 à 23), expliquez le sens
de la phrase « la mort, c'était le plafond »
(lignes 24 et 25).

3. La narratrice emploie plusieurs comparants
pour désigner la mort.
   a) Quels sont-ils?
   b) Qu'ont-ils en commun?

4. a) Quelles métaphores évoquent le retour
à la vie?

b) Expliquez-les en montrant en quoi elles
s'opposent aux images relatives à la mort
que vous avez relevées dans la réponse
précédente.

5. Faites une recherche et expliquez qui
est Eurydice.

6. À la lumière de la réponse précédente,
expliquez le sens de la première phrase
graphique de l'avant-dernier paragraphe.

7. Relevez une antithèse relative à la mort.

Sujet de dissertation explicative

Comparez le traitement du thème de la mort
dans les extraits de *Métaphysique des tubes*
et d'*Orphée* (pages 116 et 117).

Frédéric Beigbeder (né en 1965)

« Le seul moyen de savoir ce qui s'est passé, c'est de l'inventer. »

Personnage hautement médiatique venu du monde de la publicité, Frédéric Beigbeder fait partie de cette vague de romanciers apocalyptiques qui décrivent la désillusion que leur apportent les années 1990, sans donner l'espoir d'aucune lumière au bout du tunnel. Son roman *Windows on the World* (2003) est l'une des premières œuvres de fiction à s'inspirer des événements du 11 septembre 2001, jour tragique du premier grand attentat d'hyperterrorisme. Pour l'écrivain, cette date sonne le début d'un nouvel ordre des choses : « Depuis le 11 septembre 2001, non seulement la réalité dépasse la fiction mais elle la détruit. »

Beigbeder se met lui-même en scène dans ce roman : il s'observe écrire, attablé au *Ciel de Paris*, un restaurant situé au 56e étage de la tour Montparnasse. Il réfléchit à voix haute sur son métier d'écrivain, sur son succès médiatique, sur sa vie. Il porte un regard décapant sur les rapports entre la France et l'Amérique, sur l'état de la démocratie, sur les intégrismes et la religion. Il est surtout ce narrateur français qui prolonge les réflexions d'un personnage fictif, l'Américain Carthew Yorston, dont il imagine les derniers moments dans le restaurant *Windows on the World* situé au 107e étage de la tour nord du World Trade Center, ce matin fatidique du 11 septembre 2001. L'Américain en question, un Texan, est accompagné de ses deux fils, David et Jerry. Ce récit poignant les fait tous trois évoluer du banal au tragique, de l'insouciance totale au désespoir le plus profond, avant qu'ils ne se jettent dans le vide.

L'écrivain associe l'écroulement du World Trade Center à la faillite morale de sa génération et à la fin d'une époque. Le « temple de l'athéisme et du lucre international » que sont les tours jumelles s'est transformé en gigantesque fleur de poussière, de même que, pour sa part, la génération qui a eu vingt ans en 2001, dérive ultime de la société de consommation, n'est plus que la vivante incarnation de la superficialité et de la vacuité. Beigbeder proclame la fin de la génération euphorique, appelée la génération X. Ce roman avance au rythme de son style syncopé, et il est construit comme un *thriller*, même si le dénouement en est connu d'avance. L'extrait qui suit laisse la parole au narrateur, qui parle au nom du romancier, et au romancier, qui s'imagine dans la peau du Texan prisonnier de la tour fatidique.

David Turnley, *Soldat attendant d'être transporté par avion*, 1991.
Beigbeder décrit la désillusion qu'apportent les années 1990.

BUT, BUT, WHY, BUT, IT'S, WE, BUT, WHAT...

9 h 40

Je voudrais inventer un nouveau genre : l'autosatire. Je voudrais savoir pourquoi j'ai tout oublié. Pourquoi je raye mon passé sur mes agendas. Pourquoi il faut que je sois ivre mort avant d'être capable de parler
5 à quiconque. Pourquoi j'écris au lieu de crier.

Je n'ai jamais vu mes parents mariés ensemble. Je ne les ai connus que divorcés et obligés de se voir à cause de moi. Amis, mais pas amants. Je ne me souviens pas de les voir s'embrasser autre part que sur les joues. Est-ce grave ? Non, puisque j'ai fait la même chose qu'eux. D'ailleurs,
10 la majorité des gens font pareil : se quitter après la naissance d'un enfant est presque devenu la norme. Mais si ce n'est pas grave, pourquoi suis-je si ému d'en parler ?

[…]

Pourquoi voulons-nous tous être des artistes ? Je ne rencontre que des gens de mon âge qui écrivent, jouent, chantent, tournent, peignent, composent. 15 Cherchent-ils la beauté ou la vérité ? Ce n'est qu'un prétexte. Ils veulent être célèbres. Nous voulons être célèbres parce que nous voulons être aimés. Nous voulons être aimés parce que nous sommes blessés. Nous voulons avoir un sens. Servir à quelque chose. Dire quelque chose. Laisser une trace. Ne plus mourir.

Compenser l'absence de signification. Nous voulons cesser d'être absurdes. 20 Faire des enfants ne nous suffit plus. Nous voulons être plus intéressants que le voisin. Et lui aussi veut passer à la télé. C'est la grande nouveauté : notre voisin aussi veut être plus intéressant que nous. Tout le monde jalouse tout le monde depuis que l'Art est devenu totalement narcissique.

[…]

9 h 41

25 — So, Dad, you're not a super hero ?

C'est à 9 h 41 que David, qui n'avait jamais pleuré de sa vie, s'est mis à pleurer. Oh pas tout d'un coup, non, il prenait son temps pour découvrir ce qui lui arrivait. Les coins de sa bouche se sont affaissés, formant un accent circonflexe, comme dans les comic-strips de Charlie Brown. Ensuite, ses yeux ont triplé 30 de volume. Il fixait la porte hermétiquement close, sa serrure condamnée, sa poignée inutile, son panneau en plastique rouge sur lequel était inscrit le gros mensonge : « EMERGENCY EXIT ». Soudain sa lèvre inférieure s'est gonflée, remontant vers son petit nez, et son menton s'est mis à frissonner nerveusement. Au début, Jerry et moi on s'est regardés, interloqués : qu'est-ce 35 que c'était que cette nouvelle grimace ? C'était bien le moment de tester de nouvelles têtes sur sa petite famille. David se frottait les cheveux sans trop comprendre ce qui lui arrivait. On pouvait entendre sa respiration accélérer. J'ai cru qu'il s'étouffait à nouveau ; il y avait pourtant moins de fumée ici que tout à l'heure. Son souffle s'emballait comme si un Alien, enfoui en lui depuis 40 des lustres, cherchait la sortie. David l'impassible, David la solidité incarnée, David le flegmatique, était en train de fondre en larmes pour la première fois. Sa bouche s'est ouverte en grand pour laisser échapper un cri de rage. Il balbutiait des syllabes désespérées : « but, but, why, but, it's, we, but, what… » qui, additionnées les unes aux autres, ont fini par former un grand 45 « WAAAAAA » lequel déclencha la fontaine des yeux, de grosses gouttes qui roulaient sur ses joues roses. Jerry me regardait intensément pour ne pas craquer, mais comme je craquais, il craqua aussi. Nous nous sommes serrés très fort dans les bras comme une équipe de football à la mi-temps, sauf que nous n'avions pas de casques, et que nous pleurions parce que nous perdions la partie.

50 Je pensais que faire des enfants était le meilleur moyen de vaincre la mort. Même pas vrai. On peut mourir avec eux, et c'est comme si aucun d'entre nous n'avait jamais existé.

Frédéric Beigbeder, *Windows on the World*, Paris, 2003, © Éditions Grasset.

□ **VERS L'ANALYSE**

But, but, why, but, it's, we, but, what…

1. Donnez à chaque partie de l'extrait un titre qui la résume.

2. a) Dans la première partie, « 9 h 40 », le narrateur évoque un souvenir malheureux et un souvenir heureux de son enfance. Quels sont-ils ?
   b) Quel lien fait-il entre les deux ?

3. Ce souvenir malheureux l'amène à réfléchir sur des problèmes sociaux. Quels sont-ils ?

4. Quels procédés stylistiques mettent en évidence la détresse du narrateur ?

5. Dans la seconde partie de l'extrait, « 9 h 41 », pourquoi le narrateur dit-il que les mots « EMERGENCY EXIT » constituent un « gros mensonge » (ligne 32) ?

6. Déterminez les procédés stylistiques qui mettent en évidence les différentes étapes qui amènent David à pleurer.

7. Quelle comparaison montre la solidarité entre le narrateur et ses deux fils ?

Sujet de dissertation explicative

Tracez le portrait de la société du tournant du XXIe siècle, tel qu'il se dégage des extraits de *Windows on the World* et des *Particules élémentaires* (page 269).

Nombreux sont les auteurs étrangers dont l'influence sur la littérature française contemporaine est considérable : Robert Musil, Italo Calvino, Gabriel García Márquez, Jorge Luis Borges, sans oublier Nabokov, Mishima, Mann et Soljenitsyne, pour n'en citer que quelques-uns. Depuis une ou deux décennies, deux écrivains semblent cependant se démarquer de ce lot : le Portugais Fernando Pessoa et le Tchèque Milan Kundera.

Fernando Pessoa (1888-1935)

« Nous avons tous deux vies : la vraie, celle que nous avons rêvée dans notre enfance… La fausse, qui est celle que nous vivons dans le commerce des autres… »

À la mort de Fernando Pessoa[1], alors que nul ne connaît ni sa vie privée ni son œuvre, on trouve, entassés dans une malle, plusieurs milliers de textes, écrits et signés par une quinzaine de pseudonymes – des noms de plume différents se rapportant à la même personne biologique. C'est que l'écrivain a donné la parole à chaque parcelle de son identité et a fait de chacune un personnage de fiction doté d'une personnalité et d'une voix tout à fait individuelles. Pour donner une idée de l'ampleur et de la variété de l'œuvre de Pessoa, un critique suggère d'imaginer que Valéry, Cocteau, Cendrars, Apollinaire et Larbaud aient été une seule et même personne. C'est donc à sa mort que commence la vie de ce Protée de la littérature portugaise, dont l'importance est maintenant comparée à celle de Proust et de Joyce.

Le Livre de l'intranquillité de Pessoa est sûrement un des ouvrages essentiels de la littérature de l'époque actuelle, et il se trouve même de ses lecteurs qui n'hésitent pas à le qualifier de « livre du siècle ». Avec son exceptionnelle sensibilité qui lui permet de tout sentir, et de toutes les manières, Pessoa éclaire le labyrinthe de l'âme humaine. Le lecteur peut ouvrir n'importe quelle page au hasard – le texte est composé de fragments autonomes, de multiples impressions rédigées tout au long de sa vie –, et il s'étonne de s'y reconnaître en même temps que l'univers entier. Avec une rare intelligence, l'écrivain ne cesse d'interroger la nature humaine. Sur des centaines de pages, il met au jour l'identité de l'homme de ce temps, identité que Valéry a bien cernée par ce mot : « C'est ce que je porte en moi d'inconnu à moi-même qui me fait moi. » Cette « autobiographie sans événements » trouble et enchante le lecteur ; elle constitue un fil d'Ariane qui lui permet de trouver la route de son identité.

---

1. En 1997, le Théâtre Ubu a monté à Montréal une pièce basée sur des écrits de Pessoa et intitulée *Les Trois Derniers Jours de Fernando Pessoa*.

Eduardo Arroyo, *Espoir et désespoir d'Angel Ganivet*, 1977.

Avec son exceptionnelle sensibilité, Pessoa éclaire le labyrinthe de l'âme humaine.

QUELQUE CHOSE QUI SE DÉROULE PENDANT L'ENTRACTE

La vie entière de l'âme humaine est mouvement dans la pénombre. Nous vivons dans le clair-obscur de la conscience, sans jamais nous trouver en accord avec ce que nous sommes, ou supposons être. Les meilleurs d'entre nous abritent la vanité de quelque chose, et il y a une erreur d'angle dont nous
5 ignorons la valeur. Nous sommes quelque chose qui se déroule pendant l'entracte d'un spectacle; il nous arrive parfois, par certaines portes, d'apercevoir ce qui n'est peut-être que décor. Le monde entier est confus, comme des voix perdues dans la nuit.

Les pages où je consigne ma vie, avec une clarté qui subsiste pour elles, je
10 viens de les relire, et je m'interroge. Qu'est-ce que tout cela, à quoi tout cela sert-il? Qui suis-je lorsque je sens? Quelle chose suis-je en train de mourir, lorsque je suis?

Comme un homme qui tenterait, de très haut, de distinguer les êtres vivants dans une vallée, ainsi je me contemple moi-même depuis un sommet et je suis,
15 malgré tout, un paysage confus et indistinct.

C'est durant ces heures où s'ouvre un abîme dans mon âme que le plus petit détail vient m'accabler, comme une lettre d'adieu. Je me sens perpétuellement sur le point de m'éveiller, je me subis comme l'enveloppe de moi-même, dans un étouffement de conclusions. Je crierais de bon cœur, si mon cri pouvait
20 parvenir quelque part. Mais je suis plongé dans un sommeil profond, qui se déplace de certaines sensations vers d'autres comme un cortège de nuages – ces nuages qui parsèment de vert et de soleil l'herbe tachetée d'ombre des vastes prairies.

On dirait que je cherche, à tâtons, un objet caché je ne sais où, et personne
25 ne m'a dit ce qu'il était. Nous jouons à cache-cache avec personne. Il existe, quelque part, un subterfuge transcendant, une divinité fluide et seulement entendue.

Oui, je relis ces pages qui représentent des heures vécues pauvrement, de petits répits, des illusions, de grands espoirs déviés vers le paysage,
30 des tristesses semblables à des pièces où l'on ne pénètre jamais, certaines voix, une immense fatigue – l'évangile qui reste à écrire.

Chacun de nous a sa vanité, et cette vanité consiste à oublier que les autres aussi existent, et ont une âme semblable à la nôtre. Ma vanité, ce sont ces quelques pages, certains passages, certaines questions…

35 Je me suis relu? Faux! Je n'ose pas, je ne peux pas me relire. À quoi cela servirait-il? Celui qui est dans ces pages, c'est un autre. Je ne comprends déjà plus rien…

Fernando Pessoa, *Le Livre de l'intranquillité*, Paris, 1999, © Éditions Christian Bourgeois.

☐ VERS L'ANALYSE

Quelque chose qui se déroule pendant l'entracte

1. Quel est le propos de l'extrait?

2. Dressez le champ lexical de l'inconnaissable.

3. Plusieurs procédés mettent en évidence l'ignorance de soi et du monde.
   a) Relevez et expliquez des métaphores et des comparaisons qui le font.
   b) Relevez une locution indéfinie, répétée, et un nom qui désignent le vague, l'imprécis.
   c) Quelles tournures de phrases mettent en évidence l'impossibilité de se connaître?
   d) Le texte est rédigé à l'indicatif présent. Quel autre mode et quel autre temps soulignent la vanité de l'entreprise de se connaître?

4. Relevez une audace syntaxique dans le deuxième paragraphe et expliquez-la.

5. Expliquez le sens de «malgré tout» dans le troisième paragraphe.

6. a) Relevez et expliquez une énumération qui rend compte de tout ce qu'évoque l'écriture.
   b) Quel mot forme une antithèse avec ce champ lexical?

7. Expliquez le sens des deux dernières phrases graphiques de l'extrait: «Celui qui est dans ces pages, c'est un autre. Je ne comprends déjà plus rien…»

Sujet de dissertation explicative

Comment cet extrait de Pessoa illustre-t-il un grand nombre de thèmes dits postmodernes?

Milan Kundera (né en 1929)

« Les jeunes, après tout, s'ils jouent, ce n'est pas leur faute ;
inachevés, la vie les plante dans un monde achevé où on exige
qu'ils agissent en *hommes faits*. Ils s'empressent, par suite,
de s'approprier des formes et des modèles, ceux qui sont
en vogue, qui leur vont, qui leur plaisent – et ils jouent. »

Milan Kundera encaisse difficilement l'invasion soviétique de la
Tchécoslovaquie en 1968 et surtout l'instauration d'un nouveau
régime qui promulgue le bannissement de ses livres des biblio-
thèques publiques et jette sur lui le discrédit. Il s'exile donc en
France en 1975. À partir de ce moment, il écrit à la fois en tchèque
et en français. Ouvrage après
ouvrage, cet auteur séduit et
étonne davantage ses lecteurs, au
point d'être considéré comme
l'un des écrivains les plus remarquables du XXᵉ siècle. Parmi tous
ses livres, c'est *L'Insoutenable
Légèreté de l'être* (1984) qui
contribue le plus à sa renommée.
Ce témoin lucide de son époque
entend renouer avec le roman
d'avant Balzac et se considère

comme l'héritier du siècle des Lumières. Comme Diderot, son
maître en littérature, Kundera fait du roman un champ de réflexion
aussi bien philosophique que littéraire. Les événements historiques, en particulier ceux survenus en Tchécoslovaquie, lui servent
de projecteurs qui mettent en lumière certains des aspects les plus
sombres de la nature humaine. Ses romans n'ont rien du récit
psychologique ni de la fresque historique ; ils montrent plutôt
comment l'Histoire influe, avec tout son poids de violence et de
cruauté, sur les destins individuels et cause des déchirures dans le
tissu subjectif des personnages. Passé maître dans l'art de la digression, ce romancier possède également un grand sens de l'humour et
de la dérision ; il se plaît à souligner l'absurde de certaines situations
considérées pourtant comme fort sérieuses, voire dramatiques, et
à ébranler les certitudes des bien-pensants.

Dans *La Plaisanterie* (1967), son premier roman, Kundera met au
jour toute la haine qui se tapit parfois sous les gestes, même ceux
des amoureux. Dans ce récit, la politique s'immisce sans cesse dans
la vie privée. L'auteur y adopte une vision du monde aussi implacable que celle de Kafka, comme l'illustre ce passage : « L'optimisme
est l'opium du genre humain. L'esprit sain pue la connerie. » Dans
l'extrait suivant, le narrateur rend compte de l'errance de son
esprit alors qu'il était, quelque temps auparavant, attablé dans
un restaurant.

Tracey Moffatt, *Something more 1*, 1989.

Les romans de Kundera mettent
en lumière certains des aspects les
plus sombres de la nature humaine.

J'Y VOYAIS CLAIR SOUDAIN

Ma vie entière a toujours été surpeuplée d'ombres, et le présent y tenait une place probablement assez peu digne. Je me représente un trottoir roulant (c'est le temps) avec un homme (c'est moi) qui court dessus en sens inverse ; mais le trottoir se meut plus vite que moi, ce qui fait qu'il m'emporte lentement
5 à l'opposé du but vers lequel je me dirige ; ce but (étrange but situé *en arrière !*) c'est le passé des procès politiques, le passé des salles où des mains se lèvent, le passé des soldats noirs et de Lucie, passé dont je demeure ensorcelé, que je m'évertue à déchiffrer, débrouiller, dénouer, et qui m'empêche de vivre comme l'homme doit vivre, face à l'avant.

10 Et le lien avec lequel je voudrais m'attacher au passé qui m'hypnotise est la vengeance, mais la vengeance, comme je m'en suis convaincu ces jours-ci, est aussi vaine que ma course sur le trottoir roulant. […] Ajournée, la vengeance se transforme en leurre, en religion personnelle, en mythe chaque jour davantage détaché de ses propres acteurs qui, dans le mythe de la vengeance,
15 restent inchangés bien qu'en fait (le trottoir ne cesse de rouler) ils ne soient plus ce qu'ils étaient […]

J'étais assis dans un coin de ce jardin de restaurant, devant mon assiette vide, sans m'en rendre compte j'avais mangé ma tranche de veau, et je me sentais faire partie (dès à présent, déjà !) de cet inévitable et énorme oubli. Le serveur
20 avait fait une apparition, s'était saisi de l'assiette, d'un revers de serviette avait épousseté les miettes de ma nappe et passé lestement à une autre table. Un regret m'envahit de cette journée non seulement à cause de sa vanité, mais à l'idée que cette vanité elle-même sera oubliée, même avec cette mouche qui me chantonnait à la tempe, avec cette poussière d'or dont le tilleul en fleur
25 parsemait la nappe, voire avec ce lent et médiocre service si révélateur d'un état de la société où je vis, laquelle sera pareillement oubliée, même avec toutes ses fautes et tous ses torts qui m'obsédaient, me consumaient, que je m'épuisais à corriger, à sanctionner, à redresser, vainement, puisque ce qui est fait est fait, irréparablement.

30 Oui, j'y voyais clair soudain : la plupart des gens s'adonnent au mirage d'une double croyance : ils croient à la *pérennité de la mémoire* (des hommes, des choses, des actes, des nations) et à la *possibilité de réparer* (des actes, des erreurs, des péchés, des torts). L'une est aussi fausse que l'autre. La vérité se situe juste à l'opposé : tout sera oublié et rien ne sera réparé. Le rôle
35 de la réparation (et par la vengeance et par le pardon) sera tenu par l'oubli. Personne ne réparera les torts commis, mais tous les torts seront oubliés.

Milan Kundera, *La Plaisanterie*, Paris, 1967,
Traduction de Marcel Aymonin, © Éditions Gallimard.

□ VERS L'ANALYSE

J'y voyais clair soudain

1. Résumez le propos de l'extrait.

2. Donnez un titre à chaque paragraphe.

3. Le narrateur a de la difficulté à vivre le moment présent.
   a) Quel passage du premier paragraphe le montre ?
   b) Quel fait, rapporté dans le troisième paragraphe, l'illustre ?

4. Le narrateur est par ailleurs obsédé par le passé.
   a) Dans le premier paragraphe, relevez une énumération qui précise le passé dont il est question.
   b) À l'aide de l'introduction à cet extrait, précisez de quel passé réel il est question.
   c) Dans le premier paragraphe, relevez une hyperbole, une métaphore filée, une métaphore, une gradation et une antithèse qui traduisent l'obsession du narrateur pour le passé.
   d) Dans le troisième paragraphe, relevez une double gradation qui a le même effet.

5. Le narrateur songe à venger ce passé.
   a) Dans le deuxième paragraphe, relevez une comparaison et une gradation relatives à la vengeance.
   b) Quel effet ces deux figures de style créent-elles ?

6. a) Dans le quatrième paragraphe, relevez deux antithèses.
   b) Quel effet créent-elles ?

Sujet de dissertation explicative

Comparez, au point de vue du fond et de la forme, le traitement du thème de l'oubli dans les extraits de *La Plaisanterie* et de *L'Écriture ou la vie* (page 258).

La poésie

À l'ère de la postmodernité, les poètes foisonnent, et l'écriture poétique y gagne en diversité. En dépit de la multitude des démarches, les poètes semblent partager une ambition commune de mettre la poésie à la portée de tous les lecteurs. Certes, dans l'histoire littéraire récente, ils ont fait table rase des formes poétiques anciennes; même les figures de rhétorique ne sont plus utilisées qu'avec parcimonie, comme si l'abstraction devait être tenue à distance au profit d'une prise directe sur la réalité, d'un contact immédiat avec le simple et le terrestre. Devant l'incapacité de la langue ordinaire à traduire la réalité – par exemple, le mot « feu » arrive difficilement à capter la réalité qu'il désigne –, les poètes s'efforcent de libérer la poésie du contrôle de la raison pour faire parler la matérialité des mots, considérés davantage comme des choses que comme des signes. Ils travaillent de moins en moins comme des techniciens du langage: ce sont plutôt des hommes inquiets, qui doutent de pouvoir trouver des paroles plus riches que le silence.

Le poème emprunte souvent un ton austère, situé entre l'humour et le désarroi, et incarne l'angoisse de l'homme contemporain, sa difficulté à dire. Plus subversif que jamais, il reste loin des idées pollinisées par l'air du temps, il invite chaque lecteur à manifester son autonomie et son unicité, à s'échapper de son univers homogénéisé, livré aux techniques et nivelé par la société de consommation. La poésie s'ingénie donc à explorer l'invisible, tant dans l'homme que dans le monde, à amadouer l'inconnu et à dire l'étrange univers que nous habitons. Elle emprunte la voie des rythmes, qui est aussi le chemin de l'émotion, et transforme en épopée le moindre instant de vie. La poésie devient ce manuel de survie nécessaire par ces temps d'immobilité, et se charge de rappeler à chacun la possibilité de nouvelles solidarités.

Eugène Guillevic (1907-1997)

**« Mais le pire est toujours
D'être en dehors de soi »**

Grand observateur de la nature et de la matière, Eugène Guillevic intègre dans chacun de ses poèmes des choses vues, immédiates, comme le fait Francis Ponge. Cependant, Guillevic formule ce réel tangible tout à fait différemment. Sa poésie se fait contemplation

du concret et du palpable des réalités matérielles, qu'elle nomme, explore et nous livre dans leur silence. Elle reste très simple, est dépouillée de tout artifice, écrite comme pour maîtriser l'inquiétante étrangeté des choses. À une époque où la condition humaine semble avoir perdu tous ses parapets, le poète invite l'homme à se tourner vers la réalité tangible des éléments naturels pour interroger leur existence et leurs secrètes configurations, pour les amadouer et se réconcilier avec eux.

Eugène Guillevic se réclame d'une poétique matérialiste et se méfie donc du lyrisme gratuit, du jeu des images et des faux-semblants. Son art du peu lui fait refuser pratiquement tous les ornements stylistiques qui sont le lot habituel des poètes. Pour suspendre le temps, ce temps qui emporte tout, et laisser l'homme et sa conscience communier avec ce qui dure, Guillevic recourt à une multitude de moyens: l'épuration verbale et le refus de s'abandonner au flot des mots; la sobriété antilyrique où l'émotion est sévèrement retenue; le verbe lapidaire, qui dit moins pour faire entendre plus; l'écriture concise et elliptique, qui peut facilement s'apparenter au haïku japonais; et le silence, qui joue un rôle de mise en relief comme dans la musique. La poésie de Guillevic fait communier avec l'inconnu des choses, et de là permet aussi au lecteur d'exorciser un autre inconnu, celui de l'horizon angoissant de sa propre fin.

LA RIVIÈRE

J'épouse.

*

Il paraît que je coule.
Moi je vois
Que je passe
5 Ou qu'on me dépasse
Et que je reste.

*

Des poissons m'ont annoncé
Que je deviendrais fleuve,
Qu'un fleuve est une grande rivière,
10 Très large,
Avec du monde qui s'en occupe.

[...]

*

Moi je n'ai
Qu'à me laisser aller,
Chatouillée
15 Par-ci par-là.

*

Je dois aussi
Perdre un peu de mon eau
Par mes bords et par mon fond.
C'est peut-être pour ça
20 Que j'existe.

*

[...]

Je reste la même
Qu'à mon début,
Et pourtant me voici
Engrossée par ces eaux
25 Qui viennent
Me fouiller le ventre.

*

Où suis-je
Le plus moi-même ?
À quel endroit ?
30 À quel moment ?
Et qu'est-ce que je serai
Dans le fleuve ?
Dans cette eau
Dont on m'a prévenu
35 Qu'elle ne coule pas ?

*

[...]

Pendant la traversée des villes,
Je dors ou je fais semblant.
Je n'ai rien à voir
Avec ces lieux où souvent
40 On puise en moi.
Avec ces lieux
Où toujours on cherche
À tuer le silence,
Mon associé.

*

[...]

45 Pas limpide,
Mon eau.
Il y a en moi
Trop de populations
Qui s'entre-dévorent.

*

50 Je m'élargis.
Peut-être trop.
Est-ce que ça voudrait dire
Que bientôt ce sera le fleuve ?

Eugène Guillevic, «La Rivière», *Motifs, poèmes 1981-1984*,
Paris, 1987, © Éditions Gallimard.

☐ VERS L'ANALYSE

La Rivière

1. Le poème de Guillevic est une allégorie.
   a) Quelle est-elle ?
   b) Relevez des passages précis qui marquent la personnification sur laquelle repose l'allégorie.

2. Une antithèse est posée au début du poème.
   a) Quelles sont les deux idées opposées ?
   b) Quel est l'effet de cette antithèse ?

3. Les vers 16 à 20 présentent un raisonnement.
   a) Quel marqueur de relation logique indique ce raisonnement ?
   b) Quel sens peut-on donner à ces vers ?

4. Les vers 21 à 26 présentent un paradoxe.
   a) Quelles idées sont opposées ?
   b) Expliquez pourquoi on peut lire, dans ce paradoxe, le parti pris du poète de demeurer ancré dans ce qui dure.

5. a) Quel lieu symbolise la société moderne ?
   b) À quoi voit-on que le poète se désolidarise de ce lieu ?
   c) Relevez et expliquez une personnification qui met en évidence ce que le poète cherche à protéger de ce lieu.

6. a) Vers la fin du poème, relevez une litote et une métaphore qui mettent en évidence ce qu'il y a de trouble dans la rivière.
   b) Que connotent ces figures ?

7. a) Dans la conclusion du poème, quels procédés traduisent l'incertitude ?
   b) Quelle crainte est exprimée ?

**Yves Bonnefoy
(né en 1923)**

« L'être n'est pas –
mais nous l'instituons. »

Après des études en mathématiques, Yves Bonnefoy décide de se réorienter et de consacrer sa vie à la poésie. Il prend pour phares Baudelaire et Rimbaud, des poètes qui, déjà à leur époque, avaient assumé la condition de l'homme privé de Dieu et avaient lutté pour que la poésie représente un salut dans le monde concret. Ce

critique et essayiste brillant, probablement le plus écouté actuellement, cherche dans sa poésie à rappeler que, malgré le poids du réel et la menace du moment, l'espoir d'une vie meilleure doit toujours être maintenu.

Aussi sa poésie, tournée vers les sensations quotidiennes et ténues, fugaces et éphémères, se met-elle à la poursuite des petits bonheurs, entre autres ceux qui, précaires et frémissants, sont confinés dans les limites de l'instant. Elle se livre au hasard des rencontres, à l'affût d'un geste ou d'une parole, et y puise le sentiment de sa présence au monde. Par sa poésie qui recherche la simplicité du langage et refuse l'abstraction, Yves Bonnefoy s'efforce de révéler l'unité secrète du monde à travers tous les obstacles qui le déchirent. L'usure du temps devient, par la poésie, expérience de maturation, et même la mort, qui rend chère la beauté fragile du réel, n'y est pas considérée comme une rivale.

L'ADIEU

Nous sommes revenus à notre origine.
Ce fut le lieu de l'évidence, mais déchirée.
Les fenêtres mêlaient trop de lumières,
Les escaliers gravissaient trop d'étoiles
5 Qui sont des arches qui s'effondrent, des gravats,
Le feu semblait brûler dans un autre monde.

Et maintenant des oiseaux volent de chambre en chambre,
Les volets sont tombés, le lit est couvert de pierres,
L'âtre plein de débris du ciel qui vont s'éteindre.
10 Là nous parlions, le soir, presque à voix basse
À cause des rumeurs des voûtes, là pourtant
Nous formions nos projets : mais une barque,
Chargée de pierres rouges, s'éloignait
Irrésistiblement d'une rive, et l'oubli
15 Posait déjà sa cendre sur les rêves
Que nous recommencions sans fin, peuplant d'images
Le feu qui a brûlé jusqu'au dernier jour.

[...]

Et comme Adam et Ève nous marcherons
Une dernière fois dans le jardin.
20 Comme Adam le premier regret, comme Ève le premier
Courage nous voudrons et ne voudrons pas
Franchir la porte basse qui s'entrouvre
Là-bas, à l'autre bout des longes, colorée
Comme auguralement d'un dernier rayon.
25 L'avenir se prend-il dans l'origine

Comme le ciel consent à un miroir courbe,
Pourrons-nous recueillir de cette lumière
Qui a été le miracle d'ici
La semence dans nos mains sombres, pour d'autres flaques
30 Au secret d'autres champs « barrés de pierres » ?

Certes, le lieu pour vaincre, pour nous vaincre, c'est ici
Dont nous partons, ce soir. Ici sans fin
Comme cette eau qui s'échappe de l'auge.

Yves Bonnefoy, « L'Adieu », *Ce qui fut sans lumière*,
Paris, 1987, © Éditions Mercure de France.

☐ VERS L'ANALYSE

L'Adieu

1. Divisez le poème en trois parties et indiquez quels temps de verbe dominent dans chacune.

2. Qui est désigné par le pronom « nous » ?

3. Dès les deux premiers vers, il est question du lieu de l'origine.
   a) Décrivez ce lieu.
   b) Ce lieu de l'origine a été détruit. Dressez le champ lexical de la destruction.
   c) Quel parallélisme et quel adverbe de la première strophe signalent un excès qui annonce la destruction ?
   d) Relevez l'énumération de phrases qui signalent que la destruction a eu lieu.

4. Relevez une métaphore doublée d'une personnification qui signale la fin des rêves.

5. L'origine et l'avenir se rejoignent.
   a) Dressez le champ lexical de l'origine.
   b) Relevez les antithèses qui lient l'origine et l'avenir.
   c) Relevez d'abord une comparaison, doublée d'une personnification, puis une métaphore qui indiquent une continuité entre l'origine et l'avenir.

Sujet de dissertation explicative

Montrez que, pour Bonnefoy, la présence effective au monde ne peut avoir lieu que dans la mesure où l'on accepte une subversion du concept conventionnellement admis du temps.

Philippe Jaccottet (né en 1925)

«Plus personne aujourd'hui, de peur d'être ridiculisé, n'ose parler d'inspiration ou de muse.»

La poésie de Philippe Jaccottet invite le lecteur à chercher un sens à l'énigme de sa destinée. Selon le poète, ce sens se trouve dans les choses les plus banales et les plus simples qui composent et organisent la tessiture de ses jours, et qui sont les véritables assises du monde, malgré leur légèreté apparente. L'écriture poétique de Jaccottet, qui prend souvent le ton de la confidence, invite donc à être attentif à la beauté, fût-elle celle de la précarité d'un instant.

Fruit d'un travail patient, sa poésie est empreinte de discrétion et de sensibilité, et mêle volontiers le très grave et le léger. Ses poèmes sont courts, et leur langage est sobre, mesuré, discret et dépouillé. Ils se tiennent loin des jeux verbaux et la syntaxe tend à y mimer le déploiement de la parole. Ils tentent de cerner le mystère de l'être, celui qui se découvre bien davantage au sein du doute et de l'incertitude que dans le confort des certitudes.

FRAGMENTS SOULEVÉS PAR LE VENT

Oui, oui, c'est cela,
c'est cela!
criait-elle.

Et son visage semblait éclairé
5   par quelque chose qui lui faisait face.

Rappelez-vous:

s'il peut être une foudre lente
et tendre à en mourir,
irradiant le corps,
10   c'est cela dont mourir vous privera.

De cet autre orage,
même les dents sont douces.
[...]
Le tronc ridé, taché
qu'étouffe, à force, le lierre du Temps,
15   si l'effleure une rose, reverdit.
[...]
En cette nuit,
en cet instant de cette nuit,
je crois que même si les dieux incendiaient le monde,
il en resterait toujours une braise
20   pour refleurir en rose
dans l'inconnu.

Ce n'est pas moi qui l'ai pensé ni qui l'ai dit,
mais cette nuit d'hiver,
mais un instant, passé déjà, de cette nuit d'hiver.

Philippe Jaccottet, «Fragments soulevés par le vent»,
Cahier de verdure, Paris, 1990, © Éditions Gallimard.

☐ VERS L'ANALYSE

Fragments soulevés par le vent

1. a) Quels procédés renforcent l'excitation de la femme au début du poème?
   b) Comparez le rythme des deux premières strophes.

2. Dans les vers 6 à 12, Jaccottet use de figures d'opposition.
   a) Relevez un oxymore qui oppose deux vitesses.
   b) Relevez un oxymore, doublé d'une allitération, qui oppose deux textures.
   c) Relevez un paradoxe.

3. Le poème parle d'espoir.
   a) Relevez deux métaphores qui mettent l'espoir en évidence.
   b) Quel est le symbole du renouveau?
   c) À quelles métaphores s'oppose ce symbole?

4. Expliquez en quoi la structure des deux dernières strophes est rigoureuse.

Sujet de dissertation explicative

En quoi les extraits de Guillevic, de Bonnefoy et de Jaccottet témoignent-ils d'un esprit de subversion salutaire et d'une volonté d'épurer le dire?

Le théâtre

*L*a production théâtrale actuelle contraste avec celle de l'époque précédente. Des metteurs en scène inspirés, comme Patrice Chéreau, et des troupes imaginatives, telle celle d'Ariane Mnouchkine, réinvestissent les textes classiques et les irriguent d'une saveur contemporaine si forte qu'ils sont souvent plus connus que les auteurs eux-mêmes. Le théâtre n'est donc plus tributaire de la seule écriture dramatique, comme si le prestige du texte inédit avait faibli en raison de la nécessité de la mise en avant de l'expression corporelle.

Mais, malgré un apparent dépérissement du genre, des auteurs s'efforcent toujours de dire le monde par le truchement de personnages conçus pour la scène. Ils tournent généralement le dos aux doctrines, et érigent l'éclectisme et la diversité en valeurs fondamentales. Dorénavant, tout est permis sur la scène : la liberté de l'art dramatique semble définitivement conquise. Ces dramaturges refusent de pousser plus loin la démarche et les expériences de la génération précédente, et se contentent souvent d'accompagner, sans les anticiper, certaines transformations sociales. Plusieurs portent une grande attention au quotidien, aux actions les plus ordinaires, qu'on pourrait croire arrachées à vif aux relations humaines les plus banales. Ils en soulignent les impasses et en dénoncent l'injustifiable, notamment en ce qui concerne les formes de marginalité et d'exclusion. Les dramaturges contemporains tiennent surtout à ne pas ramener le spectateur à une réalité rassurante à la fin de la pièce après l'avoir transporté dans un monde imaginaire. Le personnage n'est plus complètement détruit, comme au temps du théâtre de l'absurde ; les auteurs se contentent d'ébranler son statut littéraire et sa définition pour le libérer des conventions bourgeoises.

Bernard-Marie Koltès (1948-1989)

« Il est difficile de se comprendre. »

Fasciné par toutes les formes de marginalité, dont l'homosexualité, Bernard-Marie Koltès construit un théâtre dont la thématique et l'univers rappellent ceux de Jean Genet. Certains thèmes, comme la famille, l'amitié, l'amour et le déchirement, reviennent de façon obsessive dans son œuvre, qui allie l'hyperréalisme au lyrisme le plus débridé.

On peut distinguer deux grandes tendances dans le théâtre de Koltès. La première regroupe des œuvres inscrites dans le monde actuel, dont les situations et les personnages sont typés. La seconde présente des personnages beaucoup plus flous, à la dérive dans le temps et dans l'espace ; les pièces de cette tendance sont aussi caractérisées par l'atmosphère et les stéréotypes propres au roman et au film noirs. L'auteur y donne la parole à des laissés-pour-compte de la société moderne, à des marginaux de toutes sortes qui se croisent dans des lieux inhospitaliers.

La pièce *Dans la solitude des champs de coton* (1986) illustre cette seconde tendance : il s'agit de la mise en scène d'un long dialogue insolite entre un revendeur de drogue et son client. Le spectateur est laissé dans l'ignorance aussi bien de l'objet de leur conversation que de celui de leur différend. L'essentiel de la pièce est ailleurs : cette situation dramatique est avant tout l'allégorie du malentendu qui préside aux rapports humains et de la méprise des mots et des désirs. Le style de Koltès est très travaillé, mais aussi, paradoxalement, concis et sobre, sans coquetterie. Il va toujours au plus vif et accentue l'écart entre la poésie de la langue et la condition sociale de ceux qui l'utilisent. Voici un bref extrait de cette pièce.

MON DÉSIR RÉPANDU COMME DU SANG

Vous êtes un bandit trop étrange, qui ne vole rien ou tarde trop à voler,
un maraudeur excentrique qui s'introduit la nuit dans le verger pour secouer
les arbres, et qui s'en va sans
ramasser les fruits. C'est vous
5 qui êtes le familier de ces lieux,
et j'en suis l'étranger ; je suis
celui qui a peur et qui a raison
d'avoir peur ; je suis celui qui
ne vous connaît pas, qui ne peut
10 vous connaître, qui ne fait que
supposer votre silhouette dans
l'obscurité. C'était à vous de
deviner, de nommer quelque
chose, et alors, peut-être, d'un
15 mouvement de la tête, j'aurais
approuvé, d'un signe, vous
auriez su ; mais je ne veux pas
que mon désir soit répandu
pour rien comme du sang sur
20 une terre étrangère. Vous, vous
ne risquez rien ; vous connaissez
de moi l'inquiétude et l'hésitation
et la méfiance ; vous savez
d'où je viens et où je vais ;
25 vous connaissez ces rues, vous
connaissez cette heure, vous connaissez vos plans ; moi, je ne connais rien et
moi, je risque tout. Devant vous, je suis comme devant ces hommes travestis
en femmes qui se déguisent en hommes, à la fin, on ne sait plus où est le sexe.

Car votre main s'est posée sur moi comme celle du bandit sur sa victime ou
30 comme celle de la loi sur le bandit, et depuis lors je souffre, ignorant, ignorant
de ma fatalité, ignorant si je suis jugé ou complice, de ne pas savoir ce dont
je souffre, je souffre de ne pas savoir quelle blessure vous me faites et par où
s'écoule mon sang. Peut-être en effet n'êtes-vous point étrange, mais retors ;
peut-être n'êtes-vous qu'un serviteur déguisé de la loi comme la loi en sécrète
35 à l'image du bandit pour traquer le bandit ; peut-être êtes-vous, finalement,
plus loyal que moi. Et alors pour rien, par accident, sans que j'aie rien dit ni
rien voulu, parce que je ne savais pas qui vous êtes, parce que je suis l'étranger
qui ne connaît pas la langue, ni les usages, ni ce qui ici est mal ou convenu,
l'envers ou l'endroit, et qui agit comme ébloui, perdu, c'est comme si je vous
40 avais demandé quelque chose, comme si je vous avais demandé la pire chose
qui soit et que je serai coupable d'avoir demandé. Un désir comme du sang
à vos pieds a coulé hors de moi, un désir que je ne connais pas et ne reconnais
pas, que vous êtes seul à connaître, et que vous jugez.

Bernard-Marie Koltès, *Dans la solitude des champs de coton*,
Paris, 1986, © Éditions de Minuit.

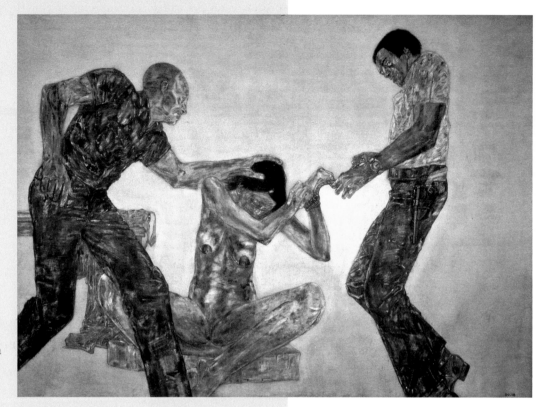

Leon Golub, *Interrogatoire III*, 1981.

☐ VERS L'ANALYSE

Mon désir répandu comme du sang

1. Résumez le propos de chaque paragraphe.

2. Le client cherche à cerner l'identité du revendeur
à qui il s'adresse.
   a) Relevez les notations qui désignent le revendeur.
   b) Pourquoi, à la première ligne, le revendeur apparaît-
il au client comme « un bandit trop étrange » ?
   c) Relevez une métaphore et une comparaison à l'aide
desquelles le client cherche à définir le revendeur.
   d) Relevez deux passages qui mettent en évidence
l'ambiguïté de l'identité du revendeur.

3. Le client se définit lui-même.
   a) Relevez les notations qui le désignent.
   b) À l'aide de quels procédés syntaxiques le client
insiste-t-il sur son ignorance ?
   c) Relevez une métaphore et deux comparaisons
qui développent la même image relative au désir
et à la blessure du client.

4. Relevez trois antithèses qui opposent le client
et le revendeur.

5. Tracez le portrait du client et du revendeur tels qu'ils
apparaissent dans l'extrait.

Sujet de dissertation explicative

En quoi le lyrisme débridé du client (qui contraste
avec sa situation) est-il l'expression de l'angoisse
et de l'aliénation de l'homme postmoderne ?

**Michel Vinaver
(né en 1927)**

« Ce sentiment de cheminement dans le noir avec peut-être une lueur falote intermittente… »

Michel Grinberg, homme d'affaires dont les réussites sont exceptionnelles, décide d'abandonner le monde des affaires en 1982 pour se consacrer exclusivement au théâtre. Son double, le dramaturge Michel Vinaver, prend alors la relève. Ses pièces visionnaires, d'un style soigné et empreintes d'une profonde humanité, explorent l'influence du fait économique sur la vie humaine. « Nous n'avons plus recours aux dieux, nous avons affaire à des prises de pouvoir par des multinationales », affirme-t-il. Sans aucun souci de réalisme scénique, il « saisi[t] les choses par les tout petits bouts » et illustre les effets mutilants de la situation économique sur les rapports familiaux et sociaux.

À l'occasion, le dramaturge évoque également l'histoire de France à l'époque de la guerre de Corée ou de celle d'Algérie, qu'il observe non pas sous l'angle historique, mais à la lumière du quotidien. Son théâtre juxtapose les fragments de ce quotidien, et est caractérisé par une mise en scène allégorique, une intrigue ténue, réduite au minimum, et une ironie implacable. En 2005, dans la foulée des événements du 11 septembre 2001, Michel Vinaver présente à Los Angeles, en anglais – la langue de cette tragédie –, un montage polyphonique et fragmenté d'une grande force émotionnelle, où s'entrelacent les dernières phrases des survivants du World Trade Center, les propos des terroristes, les commentaires des journalistes et les réflexions des laveurs de carreaux qui ont pu se sortir à temps des tours jumelles. *11 septembre 2001*, la traduction française de cette pièce, a été présentée à Avignon en 2004.

Les Huissiers (1998) est une nouvelle version d'une pièce qui a été créée en 1958 et qui se déroule sur fond de guerre d'Algérie et de crime d'État. Dans cette pièce, le milieu politique doit affronter deux crises : la guerre d'Algérie et celle des salons de coiffure. L'extrait présenté montre le ministre de la Défense nationale récemment exclu du parti radical-socialiste, Paidoux, en discussion avec Niepce, un député membre du comité directeur de ce même parti.

ASSOCIER L'IDÉE DE VIRILITÉ À L'IDÉE D'ONDULATION

Paidoux. — Je te fabrique. Je t'offre un siège. Je te pousse jusqu'au comité directeur. Tu m'exclus du parti. Tu montes les coiffeurs de France contre moi.

Niepce. — Je suis prêt à renoncer aux cheveux courts.

5 **Paidoux.** — Tu as mis en marche le moteur. Si tu te retires, les autres continueront.

Niepce. — J'arrêterai le moteur. Tous mes amis me suivront.

Paidoux. — Tu partirais en guerre contre les coiffeurs ?

Niepce. — Non, je les pacifierai. Je leur retire les cheveux
10 courts, mais je leur donne en échange un beaucoup plus gros morceau : les cheveux d'hommes.

Paidoux. — D'hommes ? Ils les ont déjà.

Niepce. — Mais qu'en font-ils ?

Paidoux. — Ils les coupent.

15 **Niepce.** — Et c'est tout. Un shampooing avec de la chance, une friction si le client se laisse embobiner…

Paidoux *(il le dévisage)*. — Tes cheveux…

Niepce. — Oui.

Paidoux. — Tiens…

20 **Niepce.** — J'ai fait quelques essais. Sur moi-même, et sur quelques amis, de toutes les couches sociales, jusqu'au mari de ma cuisinière, qui travaille chez Renault. Il y a, naturellement, au départ, une certaine réticence. On suppose que ce n'est pas viril. Mais il ne s'agit pas de frisettes. Une légère vague, qui donne un
25 relief, un aspect sculptural. Il faut associer dans l'esprit du public l'idée de virilité à l'idée d'ondulation. Et combattre le ridicule qui traditionnellement s'attache à l'image du bigoudi.

Michel Vinaver, *Les Huissiers*, Paris, 1998, © Éditions Actes Sud.

☐ **VERS L'ANALYSE**

*Associer l'idée de virilité
à l'idée d'ondulation*

1. Résumez l'extrait en une ou deux phrases.

2. a) Quelles sont les deux gradations par lesquelles Paidoux exprime, dès le début de l'extrait, son mécontentement à Niepce ?
   b) Relevez trois métaphores utilisées par Paidoux qui sont fréquentes dans le langage populaire.

3. Relevez trois exemples de manipulation.

4. Comment le dramaturge se moque-t-il des études de marché ?

5. a) Relevez un euphémisme dans la dernière réplique de Niepce.
   b) À quel mot s'oppose-t-il ?
   c) Expliquez pourquoi Niepce emploie cet euphémisme.

6. Le comique de la dernière réplique repose sur un contraste entre le ton et le propos. Expliquez ce contraste.

Sujet de dissertation explicative

Montrez que cet extrait des *Huissiers* tourne en dérision les valeurs de la société mercantile.

La littérature au Québec

Durant les trente dernières années du XXᵉ siècle, la littérature québécoise connaît une période particulièrement féconde. Entre autres, des dizaines d'auteurs étrangers choisissent le Québec comme terre d'élection et jouent un rôle crucial dans sa littérature. Ils contribuent grandement à renouveler l'imaginaire québécois, ce qui prouve qu'un terreau a constamment besoin d'être nourri par un engrais venu d'ailleurs.

Tout comme en France, il est difficile de trouver, au Québec, des lignes de force qui pourraient regrouper les poètes, les romanciers et les dramaturges. Il est possible cependant de remarquer l'avènement d'une nouvelle écriture littéraire, où les codes verbal et syntaxique sont modifiés, et les images, renouvelées. Cette écriture n'entend plus copier ni transfigurer

Jean Paul Riopelle, *Pavane*, 1954.

la réalité, mais bien en inventer une nouvelle. La thématique qui a présidé à la renaissance de la littérature québécoise dans les années 1960 est maintenant obsolescente, la seule souveraineté envisageable est désormais celle de l'individu, et l'écriture devient elle-même sa propre fin. La réalité extérieure s'éteint pour faire place à la réalité des mots. Il semble qu'ici comme ailleurs, la littérature et la civilisation soient à un tournant capital de leur histoire.

Michel Tremblay (né en 1942)

Le nom de Michel Tremblay brille très haut dans le ciel littéraire québécois. Chacune de ses œuvres (roman ou pièce de théâtre) porte un regard critique sur la société québécoise et met à nu les abîmes de la vie des individus qui la composent, sans ménagement mais toujours avec une grande sensibilité. Tremblay permet surtout, tant dans le roman que dans le théâtre, l'avènement d'une nouvelle écriture, toute de richesse et d'émotion, qui puise abondamment dans les ressources de la langue populaire. Il est reconnu pour la qualité de ses monologues, qui révèlent les désirs les plus secrets et les frustrations les plus vives. Le passage suivant, extrait de la pièce *À toi, pour toujours, ta Marie-Lou* (1971), illustre bien cette caractéristique de l'écriture de Tremblay. Le personnage de Léopold s'y dévoile et laisse le spectateur découvrir ses motivations profondes et les tourments de son âme.

Léopold. — Ça fait vingt-sept ans que j'travaille pour c't'écœurant-là…
Pis j'ai rien que quarante-cinq ans… C'est quasiment drôle quand tu penses
que t'as commencé à travailler pour un gars que t'haïs à l'âge de dix-huit ans
pis que t'es t'encore là, à le sarvir… Y'en reste encore trop des gars poignés
5 comme moé… Aujourd'hui, les enfants s'instruisent, pis y vont peut-être
s'arranger pour pas connaître c'que j'ai connu… Hostie! Toute ta tabarnac
de vie à faire la même tabarnac d'affaire en arrière de la même tabarnac de
machine! Toute ta vie! T'es spécialisé, mon p'tit gars! Remercie le bon Dieu!
T'es pas journalier! T'as une job steadée! Le rêve de tous les hommes: la job
10 steadée! Y'a-tu quequ'chose de plus écœurant dans'vie qu'une job steadée?
Tu viens que t'es tellement spécialisé dans ta job steadée, que tu fais partie
de ta tabarnac de machine! C'est elle qui te mène! C'est pus toé qui watches
quand a va faire défaut, c'est elle qui watche quand tu vas y tourner le dos
pour pouvoir te chier dans le dos, sacrement! Ta machine, tu la connais
15 tellement, tu la connais tellement, là, que c'est comme si t'étais v'nu au monde
avec! C'est comme si ç'avait été ta première bebelle, hostie! Quand j'me sus
attelé à c'te ciboire de machine-là, j'étais quasiment encore un enfant! Pis y
me reste vingt ans à faire! Mais dans vingt ans, j's'rai même pus un homme…
J'ai déjà l'air d'une loque… Dans vingt ans, mon p'tit gars, c'est pas toé, c'est
20 ta machine qui va prendre sa retraite! Chus spécialisé! Chus spécialisé! Ben
le bon Dieu, j'le r'mercie pas pantoute, pis je l'ai dans le cul, le bon Dieu!
Pis à part de ça, c'est même pas pour toé que tu travailles, non c'est pour ta
famille! Tu prends tout l'argent que t'as gagné en suant pis en sacrant comme
un damné, là, pis tu la donnes toute au grand complet à ta famille! Ta famille
25 à toé! Une autre belle invention du bon Dieu! Quatre grandes yeules toutes
grandes ouvertes, pis toutes prêtes à mordre quand t'arrives, le jeudi soir!
Pis quand t'arrives pas tu-suite le jeudi soir parce que ça te tentait d'avoir
un peu de fun avec les chums pis que t'as été boire à'taverne, ta chienne
de famille, à mord pour vrai, okay! Cinq minutes pis y te reste pus une crisse
30 de cenne noire dans tes poches, pis tu brailles comme un veau dans ton lit!
Pis ta famille a dit que c'est parce que t'es saoul! Pis a va conter à tout le
monde que t'es t'un sans-cœur! Ben oui, t'es t'un sans-cœur! Y faut pas te
le cacher, t'es t'un sans-cœur!

Michel Tremblay, *À toi, pour toujours, ta Marie-Lou*, Montréal, 1971, © Éditions Leméac.

☐ **Vers l'analyse**

Le rêve de tous les hommes

1. Divisez le monologue en trois parties et donnez un titre à chacune.

2. Tracez le portrait de Léopold.

3. Relevez deux antithèses par lesquelles Léopold se définit par opposition à d'autres.

4. Quel procédé permet à Tremblay de faire ressentir la monotonie du travail de Léopold?

5. La machine est personnifiée alors que Léopold est déshumanisé.
   a) Relevez les marques de la personnification de la machine.
   b) Relevez deux métaphores et une comparaison qui montrent la déshumanisation de Léopold.
   c) Relevez deux antithèses qui opposent la machine à Léopold.

6. a) Par quelle métaphore filée Léopold désigne-t-il sa famille?
   b) Quelle image renvoie-t-elle de cette famille?

7. a) Quelles sont les trois valeurs sociales que Léopold remet en question dans son monologue?
   b) Relevez deux antiphrases avec lesquelles Léopold tourne ces valeurs en dérision.

8. L'extrait se termine par une répétition.
   a) Relevez-la.
   b) Quel effet produit-elle?

9. Tremblay utilise une ponctuation très expressive. Relevez les signes de ponctuation qui mettent en évidence les émotions de Léopold.

10. La langue de Léopold, riche et émotive, est populaire. Relevez:
    a) dix mots tronqués ou déformés qui imitent la prononciation populaire;
    b) cinq anglicismes;
    c) sept québécismes.
    d) Quel marqueur de relation, propre à la langue populaire et qui indique un lien simple, sans prétention logique, domine dans ce texte?

Sujet de dissertation explicative

En quoi Tremblay exploite-t-il abondamment les ressources de la langue populaire en vue de mieux exprimer les frustrations d'un homme déçu et par la tradition et par la modernité?

La chanson

Après la disparition de Brel, de Brassens et de Ferré, la chanson semble traverser une crise d'identité. Il lui faut reconquérir les territoires qui lui ont échappé momentanément et trouver de nouveaux repères. La nouvelle génération de paroliers continue de nouer de subtils liens entre la chanson et la poésie. Même si la jeunesse ne va jamais sans une forme quelconque de contestation, cette génération est moins revendicatrice que la précédente. Elle a néanmoins son jeune loup dans la personne du rebelle Renaud. Dans la pléthore de chanteurs qui envahissent les ondes, il est difficile de faire un tri, tant la richesse est grande, les préoccupations, multiples et les intérêts, diversifiés, depuis les élans poétiques d'Yves Simon et d'Alain Souchon jusqu'aux rythmes résolument modernes des Louise Attaque et autres Zebda.

**Alain Souchon
(né en 1944)**

« Pourquoi ces rivières
Soudain sur les joues
qui coulent [...]
C'est l'ultra
moderne solitude »

Homme passionné et hypersensible, Alain Souchon arrive difficilement à faire le deuil de ses illusions d'enfant. Ses chansons, dont l'écriture est soignée et qui sont éclairées par le contre-jour des incertitudes, soulignent la solitude et les fêlures de l'âme, même si elles se présentent toujours sous le masque de l'humour. Souchon est lui-même la matière première de ses chansons, et il sait pourtant parler de réalités qui concernent chacun de ses auditeurs et qui trouvent un écho en eux.

ALLÔ MAMAN BOBO

Je marche tout seul le long d'la ligne de ch'min de fer
Dans ma tête y a pas d'affaire
J'donne des coups d'pied dans une petite boîte en fer
Dans ma tête y a rien à faire
5 J'suis mal en campagne
J'suis mal en ville
Peut-être un p'tit peu trop fragile
Allô maman bobo
Maman comment tu m'as fait? J'suis pas beau
10 Allô maman bobo
Allô maman bobo

Traîne-fumée j'me r'trouve avec mal au cœur
J'ai vomi tout mon quatre heures
Fêtes nuits folles avec les gens qu'ont du bol
15 Maintenant que j'fais du music-hall
J'suis mal à la scène
J'suis mal en ville
Peut-être un p'tit peu trop fragile
Allô maman bobo
20 Maman comment tu m'as fait? J'suis pas beau
Allô maman bobo
Allô maman bobo

Moi j'voulais les sorties de port à la voile
La nuit barrer les étoiles
25 Moi les chevaux le revolver et le chapeau clown
La belle Peggy du saloon
J'suis mal en homme dur
J'suis mal en p'tit cœur
Peut-être un p'tit peu trop rêveur
30 Allô maman bobo
Maman comment tu m'as fait? J'suis pas beau
Allô maman bobo
Allô maman bobo
Je marche tout seul le long de la ligne de chemin de fer...

Alain Souchon et Laurent Voulzy, Allô maman bobo, Paris, 1977,
© BMG Music publishing France, sous-édité par les Éditions Bloc-Notes.

☐ **VERS L'ANALYSE**

Allô maman bobo

1. Donnez un titre à chacune des trois strophes.

2. Chaque strophe a une structure très rigoureuse.
   a) Quels vers constituent le refrain?
   b) Que partagent les 5e, 6e et 7e vers de chaque strophe?
   c) Sur les onze premiers vers de chaque strophe, lesquels ne sont pas touchés par de la répétition?
   d) Décrivez la valeur et la disposition des rimes.

3. Souchon fait preuve d'un souci de réalisme populaire.
   a) Relevez des exemples de prononciation populaire.
   b) Relevez deux expressions populaires.
   c) Relevez un terme enfantin.
   d) Relevez un néologisme et expliquez-le en fonction du contexte.

4. Souchon exprime son mal-être.
   a) Relevez les notations qui traduisent ce mal-être.
   b) Relevez une anaphore et deux antithèses qui mettent ce mal-être en évidence.
   c) Quel est l'effet des antithèses?

5. Quels sont les trois rêves de l'enfance évoqués dans la dernière strophe?

Sujet de dissertation explicative

Quels sont les divers moyens employés dans le monologue de Tremblay (page 288) et dans cette chanson de Souchon pour exprimer le mal-être d'un homme?

La dernière plus belle lettre d'amour

*L*a postmodernité fait sentir ses répercussions jusque dans la correspondance amoureuse, au point qu'il semble possible de parler d'une ère postépistolaire. Maintenant que tout est tellement rapide, les amoureux prennent-ils seulement la peine d'écrire de vraies lettres d'amour? Le téléphone, le télécopieur et le courriel sont beaucoup plus efficaces, et pourtant ils sont tellement moins poétiques! Et les rares amoureux à s'échanger encore de doux billets tiennent à préserver leur intimité et ne veulent sûrement pas livrer leurs secrets en pâture au public. Comment alors trouver cette belle lettre d'amour du temps présent? Sans doute faudrait-il que chacun l'écrive…

En cette époque où les individus acceptent de plus en plus de regarder en arrière pour se nourrir des réalités du passé, certains n'hésitent plus à rendre public ce qui, hier encore, était privé et secret. Ainsi, dans les dernières décennies du XXᵉ siècle, un très grand nombre de journaux personnels, correspondances et autres écrits intimes sont publiés. C'est dans cet esprit que paraît, en 1987, une partie de la correspondance d'Alain Grandbois (1900-1975). Ses lettres ne paraissent pas seules. En effet, celle qui fut la muse privilégiée du poète, son «étoile pourpre» – dont nous ne connaissons que le prénom, Lucienne –, accepte de rallumer le feu d'une passion aussi brûlante que tourmentée. Cinquante ans plus tard, elle ajoute des commentaires personnels à ces lettres rédigées par Grandbois dans une île de la Méditerranée où il s'était exilé, pour leur donner un écho et les prolonger.

❖ D'ALAIN GRANDBOIS À LUCIENNE

Vendredi-samedi. [8 octobre 1932]

Lucienne,

Comment exprimer tout ce qui monte en moi de douceur, de tendresse, de piété, d'attente. Les mots n'ont pas de force.
5 Mais ferme tes yeux. Je te dis tout bas, dans l'ombre, dans la nuit, que je t'aime, que je t'aime.

Je ne peux plus penser à rien qu'à toi, à nous. Chaque soir, je m'endors épuisé. Je te porte en moi comme une femme son enfant. Tu me fais mal[1]. Parfois mon cœur arrête de battre,
10 puis se précipite soudain, affolé. Je ne cesse de poursuivre ton image, les traits de ton visage, ton regard. Mais tout m'échappe. Tout est trop mobile, trop fuyant. Je me couche la tête dans mes bras. Il n'y a que le bruit de la mer, l'ombre. Je suis épouvantablement seul. Et cette solitude qui pèse sur
15 moi de toutes parts, qui m'étouffe, je l'ai pourtant, jusqu'à ce jour, voulue, désirée, provoquée. Mon orgueil se jouait d'elle, la poursuivait, la traquait. Et je riais comme un homme au milieu d'une tempête, comme un homme sauvage avec un rire sauvage. N'ai-je plus d'orgueil, mon amour, mon amour!

20 Mes doigts montent à tes joues, à tes tempes, sous les cheveux. Tu dors. Ton souffle réchauffe les paumes de mes mains. Et je voudrais qu'il n'y eût jamais plus de réveil. Jamais rien, rien.

Alain.

Alain Grandbois, *Lettres à Lucienne*, Montréal, 1987,
© Éditions de l'Hexagone, succession Alain Grandbois.

---

1. «Cette phrase contient toute la poésie du monde. Jamais je ne l'ai oubliée. Elle confirme ce que j'avais deviné. Alain craignait le bonheur, et surtout de le perdre, car il savait qu'un amour absolu, comme le nôtre, n'est pas permis aux pauvres hommes que nous sommes, et finit toujours tragiquement.» [Note de Lucienne écrite à la suite de la lettre d'Alain Grandbois.]

☐ VERS L'ANALYSE

D'Alain Grandbois à Lucienne

1. Résumez chaque paragraphe en une phrase tout en employant le «je» comme si vous étiez le poète.

2. Au début de sa lettre, le poète affirme que «les mots n'ont pas de force». Il emploie cependant plusieurs procédés qui leur confèrent cette force qui leur manque. Relevez:
   a) une énumération;
   b) trois redoublements;
   c) deux comparaisons;
   d) une antithèse;
   e) deux gradations;
   f) une hyperbole (dans le dernier paragraphe).

3. Relevez deux pronoms indéfinis et un adverbe qui expriment l'intensité des sentiments de l'auteur.

4. a) La douleur que le poète exprime dans le deuxième paragraphe comporte deux facettes. Quelles sont-elles?
   b) Dressez le champ lexical de cette douleur.

La dissertation explicative

Courants littéraires 292

Compréhension du texte 294

COMPRENDRE UN TEXTE QUEL QU'IL SOIT 294

Examen global 294
   Situation du texte 294
   Paratexte 294
   Genres et types de textes 294
   Propos et structure du texte 295
   Énonciation 295
   Niveaux de langue 295
   Tonalités 296

Examen détaillé 296
   Vocabulaire 296
   Sens des mots 296
   Réseaux de mots 298

   Grammaire 298
   Nombre et négation 298
   Quelques classes grammaticales 298
   Verbe 299

   Phrase 300
   Structure des phrases 300
   Longueur des phrases 301
   Procédés syntaxiques 301
   Ponctuation 302

   Figures de style 302
   Figures de ressemblance 302
   Figures d'opposition 302
   Figures d'amplification et d'insistance 302
   Figures d'atténuation 303
   Figures de substitution 303

COMPRENDRE UN TEXTE EN FONCTION
DE SON GENRE 303

Comprendre un texte poétique 303
   Vers 303
   Strophe 304

   Rythme 304
   Sonorités 304
   Forme du poème 305

Comprendre un texte narratif 305
   Récit : genre et sous-genres 305
   Histoire 305
   Narration 307

Comprendre un texte dramatique 308
   Définition et spécificité du théâtre 308
   Genres dramatiques 308
   Texte dramatique 309

**Rédaction de la
dissertation explicative** 310

QU'EST-CE QU'UNE
DISSERTATION EXPLICATIVE ? 310

**Distinction entre l'analyse littéraire
et la dissertation explicative** 310

**Distinction entre la dissertation
explicative et la dissertation critique** 310

ÉTAPES DE LA RÉDACTION
D'UNE DISSERTATION EXPLICATIVE 310

Analyse du sujet 310
   Compréhension du sujet 310
   Division du sujet 310

**Recensement des arguments
et des preuves** 311

Élaboration du plan 311
   Plan type 311
   Règles de base d'un bon plan 311

Rédaction de la dissertation 312
   Grandes parties de la dissertation explicative 312
   Style de la dissertation explicative 312
   Insertion des citations 312

Révision de la dissertation explicative 313
   Grille d'autoévaluation 314

Courants littéraires

Courant et époque	Caractéristiques	Principaux auteurs et principales œuvres

Réalisme, naturalisme et Parnasse

Caractéristiques communes : en réaction contre le romantisme ; souci d'objectivité.

Courant et époque	Caractéristiques	Principaux auteurs et principales œuvres
Réalisme (1850-1890)	Genre privilégié : le roman et la nouvelle. Transposition fidèle et objective de la réalité. Œuvres fondées sur l'observation et la documentation. Personnages : jeune homme ambitieux issu d'une classe sociale inférieure ; petit bourgeois médiocre ; ouvrier. Intrigue linéaire. Écriture : abondantes descriptions, vocabulaire concret, narration à la troisième personne.	Stendhal, *Le Rouge et le Noir*. Honoré de Balzac, *La Comédie humaine*. Gustave Flaubert, *Madame Bovary*. Guy de Maupassant, *Boule de suif*, *La Maison Tellier*, *Contes de la bécasse*. Louis-Ferdinand Céline, *Voyage au bout de la nuit*. **Au Québec** : Rodolphe Girard, *Marie Calumet* ; Louis Hémon, *Maria Chapdelaine* ; Ringuet, *Trente arpents* ; Gabrielle Roy, *Bonheur d'occasion* ; Jean-Aubert Loranger, *Le Vagabond*.
Naturalisme (1870-1890)	Genre privilégié : le roman et la nouvelle. Visée scientifique : esthétique fondée sur l'étude des lois de l'hérédité et de l'influence du milieu sur la psychologie. Personnages issus de milieux populaires et présentés dans toute leur misère ; marginaux. But : faire vrai et non faire beau. Refus d'exclure ce qui est sordide, obscène et violent.	Émile Zola, 20 romans, dont *Germinal*, qui forment le cycle des Rougon-Macquart. **Au Québec** : Albert Laberge, *La Scouine*.
Parnasse (1850-1890)	Genre privilégié : la poésie. Culte du travail et du Beau. Refus de tout engagement social ou politique : l'art pour l'art. Description documentée de contrées lointaines.	Théophile Gautier, *Émaux et Camées*. José Maria de Heredia, *Les Trophées*. Leconte de Lisle, *Poèmes barbares*. **Au Québec** : René Chopin, *Le Cœur en exil* ; Paul Morin, Marcel Dugas et Guy Delahaye.

Modernité

Courant et époque	Caractéristiques	Principaux auteurs et principales œuvres
	Caractéristiques communes à tous les courants de la modernité : rupture avec les œuvres du passé ; regard tourné vers la réalité intérieure plutôt qu'extérieure ; renouvellement des techniques d'écriture ; primauté du style.	**Auteurs de la modernité non inclus dans les courants qui suivent** : André Gide, *Les Faux-Monnayeurs*. Alfred Jarry, *Ubu Roi*. Henri Michaux, *Connaissance par les gouffres*. Fedor Dostoïevski, *L'Idiot*. James Joyce, *Ulysse*. Franz Kafka, *Le Procès*. Virginia Woolf, *Les Vagues*.
Symbolisme (1850-1914)	Genre privilégié : la poésie. But : évoquer et suggérer, et non pas décrire et affirmer. Prédilection pour les idées plutôt que pour la réalité, pour le mystère plutôt que pour le rationnel. Utilisation de symboles pour faire surgir un monde idéal. Thèmes privilégiés : le rêve, la femme et le poète mélancolique. Éclatement des règles de la versification. Travail sur la musique du vers.	Charles Baudelaire, *Les Fleurs du mal* et *Le Spleen de Paris*. Paul Verlaine, *Romances sans paroles*, *Poèmes saturniens* et *Sagesse*. Arthur Rimbaud, *Poésies*, *Une saison en enfer* et *Illuminations*. Stéphane Mallarmé, *Poésies*. Paul Valéry, *Charmes*. Joris-Karl Huysmans, *À rebours*. Marcel Proust, *À la recherche du temps perdu*. **Au Québec** : Émile Nelligan et Rina Lasnier.
Mouvement dada (1916-1923)	Mouvement de révolte qui rompt avec les institutions et ridiculise toutes les conventions. Refus de tous les modèles culturels et de toute forme de hiérarchie. Goût pour la provocation. Dislocation du langage et abolition du sens.	Tristan Tzara (fondateur), *L'Homme approximatif*.

Courant et époque	Caractéristiques	Principaux auteurs et principales œuvres
Surréalisme (1920-1940)	Genre privilégié : la poésie en vers libres. Refus du réalisme et des contraintes logiques. Refus de la prédominance de la raison. Recours aux théories freudiennes et marxistes. Recherche de l'inconscient et d'une parole intérieure, d'une surréalité. Thèmes privilégiés : la femme et la passion amoureuse. Goût pour l'insolite, le mystérieux, le merveilleux, le rêve, la folie. Humour noir. Pratique de l'écriture automatique et de jeux collectifs dont le cadavre exquis.	**POÉSIE :** Précurseur du surréalisme : Guillaume Apollinaire, *Alcools*. Fondateur : André Breton, *L'Union libre*. Paul Éluard, *Mourir de ne pas mourir*, *Capitale de la douleur*. Louis Aragon ; Philippe Soupault. Robert Desnos, *Corps et Biens*, *Poèmes du bagne*. Dans le sillage des surréalistes : Aimé Césaire ; Jacques Prévert, *Paroles* ; Joyce Mansour. **RÉCIT :** Breton, *Nadja* et *Arcane 17*. Aragon, *Le Paysan de Paris*. **THÉÂTRE :** Antonin Artaud, Jean Cocteau et Roger Vitrac. **Au Québec :** Claude Gauvreau, Paul-Marie Lapointe, Roland Giguère, Gilles Hénault et Thérèse Renaud.
Nouveau roman (1953~1970)	En réaction contre le roman réaliste et psychologique. Refus de la représentation du réel ; le roman est un univers fermé sur lui-même. Refus de tout engagement et de toute théorie autre que littéraire. Rejet des techniques romanesques traditionnelles : refus d'une intrigue linéaire, dissolution du personnage, etc. Place prépondérante accordée à l'objet.	Nathalie Sarraute, *Le Planétarium*. Alain Robbe-Grillet, *Les Gommes*. Michel Butor, *La Modification*. Claude Simon, *La Route des Flandres*. Marguerite Duras, *L'Amant*.
Nouveau théâtre ou théâtre de l'absurde (1950~1980)	Refus du réalisme. Abolition de l'intrigue, des repères spatiotemporels et de la vraisemblance. Dépersonnalisation des personnages. Désarticulation d'un langage qui ne sert plus à communiquer. Thèmes récurrents : l'enfermement, la peur, l'attente, le vieillissement et la mort. Importance accordée aux objets. Mélange des tons.	Arthur Adamov, *Le Ping-Pong*. Eugène Ionesco, *Rhinocéros*, *Les Chaises*, *Le Roi se meurt*. Samuel Beckett, *En attendant Godot*, *Fin de partie*, *Oh ! les beaux jours*. Jean Genet, *Les Bonnes*, *Les Paravents*. **Au Québec :** Jacques Languirand, *Les Grands Départs*.
Oulipo (1960~1980)	But : redonner à la littérature sa fonction ludique. Écriture soumise à de fortes contraintes formelles. Textes riches en humour et en invention verbale.	Raymond Queneau, *Zazie dans le métro*, *Exercices de style*. Georges Perec, *La Disparition*, *Les Revenentes*. Italo Calvino, *Les Villes invisibles*.

Existentialisme

Courant et époque	Caractéristiques	Principaux auteurs et principales œuvres
1940~1960	Genres privilégiés : l'essai, le roman et le théâtre. Mouvement d'abord philosophique. Affirmation de la contingence humaine. Définition de l'homme par son existence toujours en devenir. Abondance des idées sociales. Attention passionnée au vécu quotidien. Thèmes privilégiés : l'engagement, la liberté, l'absurdité de l'existence, la révolte et la mort. Écriture moulée sur la réalité. Utilisation fréquente du monologue intérieur.	**ESSAI :** Jean-Paul Sartre, *L'Être et le Néant*. Simone de Beauvoir, *Le Deuxième Sexe*. Albert Camus, *Le Mythe de Sisyphe*. **ROMAN :** Sartre, *La Nausée*. Camus, *La Peste*, *L'Étranger*. **THÉÂTRE :** Sartre, *Huis-clos*, *Les Mouches*. Camus, *Caligula*, *Le Malentendu*. **Au Québec :** André Langevin, *Poussière sur la ville*.

Courant et époque	Caractéristiques	Principaux auteurs et principales œuvres

Postmodernité

Courant et époque	Caractéristiques	Principaux auteurs et principales œuvres
~1970 à nos jours	Souci de reconstituer la vie plutôt que de construire une intrigue. Écriture collée à la réalité subjective. Multiplicité des points de vue. Marques fréquentes de rupture dans le fil du texte. Utilisation fréquente de la mise en abyme. Écriture souvent minimaliste. Présence de l'intertextualité. Thèmes privilégiés : la solitude, l'absurdité de l'existence, la mémoire, le quotidien, la quête de l'identité, l'écriture et les arts. Interpellation du lecteur. Recours fréquent à la parodie et à l'ironie. Hétérogénéité des genres, des styles, des tonalités, des cultures, des valeurs.	Albert Cohen, *Belle du Seigneur*. Romain Gary, *La Vie devant soi*. Michel Tournier, *Vendredi ou les Limbes du Pacifique*. J.-M. G. Le Clézio, *Onitsha*. Patrick Modiano, *Rue des boutiques obscures*. Philippe Sollers, *Passion fixe*. Annie Ernaux, *Passion simple*. Jorge Semprun, *L'Écriture ou la vie*. Agota Kristof, *Le Grand Cahier*. Jean Echenoz, *Cherokee*. Philippe Delerm, *Le Portique*. Hervé Guibert, *Le Paradis*. Yves Simon, *La Dérive des sentiments*. Nancy Huston, *L'Empreinte de l'ange*. Michel Houellebecq, *Les Particules élémentaires*. Amélie Nothomb, *Métaphysique des tubes*. Frédéric Beigbeder, *Windows on the World*. Fernando Pessoa, *Le Livre de l'intranquillité*. Bernard-Marie Koltès, *Dans la solitude des champs de coton*.

Compréhension du texte

La rédaction d'une dissertation explicative, tout comme celle d'une analyse littéraire, présuppose la compréhension du texte (ou des textes) sur lequel elle porte. Les pages qui suivent recensent les outils nécessaires à cette compréhension : d'abord à la compréhension du texte, quel que soit le genre littéraire auquel il appartient, ensuite à la compréhension du texte en fonction de son genre.

COMPRENDRE UN TEXTE QUEL QU'IL SOIT

La compréhension d'un texte, quel qu'il soit, se fait en deux temps : on en fait d'abord un examen global, puis un examen détaillé.

Examen global

Situation du texte

On doit d'abord situer le texte.

- **Auteur.** Qui est l'auteur ? Existe-t-il des liens évidents entre la vie de l'auteur et le texte ? Des circonstances particulières ont-elles mené à sa composition ?

- **Œuvre.** S'il s'agit d'un poème, d'une fable ou d'un conte, à quel recueil appartient-il ? Où se situe-t-il dans le recueil ?

  S'il s'agit d'un extrait, à quelle œuvre se rattache-t-il ? Où se situe-t-il dans l'œuvre ? En quelle année cette œuvre a-t-elle été écrite ?

- **Contexte.** Quel est le contexte sociohistorique de l'œuvre : événements marquants, idéologie dominante, contextes social et économique, etc. ?

- **Contexte littéraire.** À quel courant littéraire l'œuvre se rattache-t-elle ? Quelles caractéristiques du courant se retrouvent dans l'œuvre ? Voir le tableau des pages 292 à 294.

Paratexte

- **Mise en page**
  Comment le texte est-il disposé sur la page ?

  Renferme-t-il des particularités typographiques (majuscules, tirets, caractères italiques, caractères gras, etc.) ?

- **Titre du texte**
  Si le texte a un titre, ce titre donne-t-il une information sur son propos, sur un personnage, sur une émotion, etc. ?

Genres et types de textes

À quel genre littéraire le texte appartient-il ? De quel type de texte s'agit-il ? Est-ce un dialogue (de récit ou de théâtre) ? Est-ce un texte narratif, descriptif ou argumentatif ? La réponse aux deux premières questions permet d'en cerner les caractéristiques essentielles. Nous verrons plus loin les particularités de chacun des genres. Voici celles des principaux types de textes. Attention de ne pas confondre genre et type de textes :

tout extrait appartient à un seul genre, mais peut renfermer plusieurs types de textes. Ainsi, une page de roman peut contenir un passage narratif, un dialogue et un passage descriptif.

■ **Texte narratif**

Le texte narratif raconte; c'est là sa fonction essentielle. Il constitue la base de tout roman, conte ou nouvelle, mais il peut aussi faire partie d'un monologue ou d'une tirade de théâtre ou encore d'un texte argumentatif. Il est principalement étudié dans la section sur le genre narratif, à la page 305.

■ **Texte descriptif**

Le texte descriptif donne à voir un lieu, des objets ou des personnages (**portrait**). Il peut être intégré à la narration ou l'interrompre pendant une pause plus ou moins longue (ex.: *Le Père Goriot*, page 21). Pour bien l'analyser, on doit être attentif à son organisation : dans quel ordre les éléments du décor ou les caractéristiques du personnage sont-ils décrits? S'agit-il d'un détail, d'une vue d'ensemble? On doit être aussi attentif au point de vue: qui regarde? Selon la manière dont il décrit un lieu ou un personnage, le narrateur se révèle lui-même. Enfin, on doit être attentif aux procédés stylistiques qui confèrent au décor une coloration particulière ou qui trahissent la subjectivité du narrateur, tel le dédain dans la description de la casquette de Charles Bovary, à la page 23. La description et le portrait servent à informer et jouent souvent, en plus, un rôle symbolique; ainsi, la casquette de Charles le représente lui-même.

■ **Texte argumentatif**

Le texte argumentatif développe des idées dont il cherche à convaincre le lecteur du bien-fondé. Il fait appel à sa raison, en se servant d'arguments illustrés par des exemples, et à ses sentiments, en l'interpellant avec des verbes à l'impératif, des questions troublantes ou des images saisissantes. Il utilise un présent intemporel, des articulations logiques et un vocabulaire subjectif. Son genre privilégié est l'essai (*Le Deuxième Sexe*, page 143), mais on peut trouver des passages argumentatifs dans un récit (*Le Portique*, pages 262 et 263) ou dans une tirade théâtrale (celle d'Ulysse dans *La Guerre de Troie n'aura pas lieu*, page 154).

Propos et structure du texte

Il faut identifier le propos du texte: de quoi parle-t-il? Pour ce faire, il convient d'en repérer les grandes articulations, d'en dresser le plan et de le résumer. Plus tard, après l'examen détaillé du texte, il sera possible de préciser davantage ce propos.

Énonciation

Une fois le propos identifié, on doit en cerner le contexte de production, c'est-à-dire l'**énonciation**.

Un **énoncé** est un propos de longueur variable: un mot, une phrase, un discours, etc. Cet énoncé est produit par un **locuteur** (celui qui parle ou écrit) et s'adresse à un **destinataire** à un moment donné (**moment de l'énonciation**) et dans un lieu donné (**lieu de l'énonciation**). L'ensemble de ces données constitue la **situation de l'énonciation**. La connaissance de cette situation permet de comprendre les relations entre les interlocuteurs et de déterminer à qui appartiennent les différents points de vue.

Le locuteur peut être l'auteur lui-même (dans un récit autobiographique comme *L'Écriture ou la vie*, page 258), le narrateur ou un personnage (dans un dialogue). Repérer le locuteur permet de mesurer la subjectivité des sentiments et des opinions émises.

Le destinataire peut être un personnage, l'auteur, s'il s'adresse à lui-même (*Le Ciel est par-dessus le toit*, 4e strophe, page 57), ou un lecteur clairement identifié (Louise Colet, page 42); il est aussi le lecteur en général puisque l'œuvre a été publiée pour lui. Repérer le destinataire permet de mesurer la portée du message en fonction de la personne à laquelle il s'adresse.

Les **marques de l'énonciation**, c'est-à-dire les indices qui permettent au lecteur d'identifier la situation de l'énonciation, sont plus ou moins discrètes selon les textes. En voici les principales :

- les pronoms qui désignent celui qui parle, à qui il s'adresse et de qui il parle;
- les déterminants possessifs;
- les verbes d'énonciation tels que *penser*, *croire*, *prétendre*, *juger*, *estimer*, etc.;
- les termes qui renvoient à l'auteur d'une opinion, comme *d'après*, *selon*, *pour*, etc.;
- les modalisateurs qui renforcent ou nuancent le propos du locuteur tels que *probablement*, *peut-être*, *il est possible que*, *sans doute*, *évidemment*, *en réalité*, *à vrai dire*;
- les marqueurs affectifs tels que des interjections et des phrases exclamatives.

Niveaux de langue

L'écrivain doit choisir un niveau de langue adapté à la situation de l'énonciation, à l'appartenance sociale de ses personnages et à l'effet qu'il recherche. Il peut maintenir ce niveau tout au long du texte ou le faire varier, comme c'est le cas dans l'extrait de *Zazie dans le métro*, à la page 194.

On répertorie généralement quatre niveaux de langue. Leurs différences concernent le vocabulaire, mais aussi la prononciation, le choix des temps de verbe, la construction des phrases et l'emploi des images.

- Dans les textes de **niveau soutenu**, on trouve des termes rares, des temps verbaux peu utilisés, l'imparfait du subjonctif, par exemple, et des tournures élégantes. Ce niveau appartient à la langue écrite plutôt qu'orale. On le trouve dans la poésie et dans les textes classiques.

  Ex.: *Neiges* de Saint-John Perse, à la page 158.

- Le **niveau correct** correspond à un français qui n'est pas recherché. Le vocabulaire est courant; la syntaxe, correcte.

  Ex.: le dialogue entre la souris et le chat dans *L'Écume des jours*, aux pages 180 et 181.

- Dans les textes de **niveau familier**, l'auteur prend certaines libertés avec la langue sans pourtant tomber dans l'argot. C'est le niveau des conversations courantes entre amis.

  Ex. : dans *Ulysse* (page 151), la narratrice emploie l'expression *vieux birbe* pour désigner le médecin.

- Le **niveau populaire** correspond à une langue bâtarde. La prononciation est relâchée ; le vocabulaire, argotique, parfois vulgaire, est truffé d'impropriétés, d'anglicismes ; la syntaxe contrevient aux règles grammaticales.

  Ex. : *À toi, pour toujours, ta Marie-Lou*, à la page 288.

Ces deux derniers niveaux appartiennent à la langue orale. Dans un texte littéraire, on les utilise dans les monologues et les dialogues. Quand on les emploie dans la narration, ils témoignent d'une intention particulière de l'auteur.

Tonalités

La tonalité est l'impression générale qui se dégage d'un texte, la coloration particulière qu'un auteur lui confère et qui traduit sa façon de percevoir le monde. La tonalité peut être maintenue tout au long d'un texte ou, au contraire, peut varier. La gamme des tonalités est très diversifiée. En voici quelques-unes.

■ Tonalité réaliste
La tonalité réaliste, caractéristique de nombreux romans des XIXᵉ et XXᵉ siècles, crée l'illusion du réel à l'aide d'un vocabulaire précis et d'un enchaînement rigoureux des faits.

Ex. : *Le Père Goriot*, à la page 21.

■ Tonalité fantastique
La tonalité fantastique se trouve dans les récits qui font appel à l'irrationnel et qui cultivent l'ambiguïté entre le réel et l'irréel. Elle crée un sentiment d'étrangeté et suscite souvent la peur.

■ Tonalité épique
Caractéristique de l'épopée, la tonalité épique se trouve principalement dans des textes narratifs mettant en scène une collectivité d'où émerge un héros souvent surhumain et qui cherche à surmonter des obstacles hors de l'ordinaire. Ce type de tonalité multiplie les adjectifs, les verbes d'action et les superlatifs, et fait appel aux figures d'amplification (hyperboles, répétitions, gradations), aux images grandioses et à l'exagération.

Ex. : l'extrait de *Germinal*, aux pages 29 et 30.

■ Tonalité lyrique
La tonalité lyrique, très fréquente en poésie, résulte de l'effusion des sentiments et des états d'âme du narrateur. Elle privilégie le *je* et se caractérise par le recours au champ lexical de l'affectivité.

Ex. : *Il pleure dans mon cœur*, à la page 55.

■ Tonalité pathétique
Dans les textes à tonalité pathétique, des émotions, suscitées par une situation douloureuse, sont exprimées de façon violente à l'aide de termes forts, d'exagérations, de gradations, d'interjections et de points d'exclamation. Ces textes inspirent la compassion ou la pitié au lecteur.

Ex. : *Déclaration*, à la page 215.

■ Tonalité tragique
La tonalité tragique est beaucoup plus contenue que la tonalité pathétique. Elle est celle d'un être entraîné par son destin, aux prises avec des forces qui le dépassent et qui le conduisent inéluctablement à la mort.

Ex. : *À toi, pour toujours, ta Marie-Lou*, à la page 288.

■ Tonalité comique
La tonalité comique consiste à provoquer le rire à l'aide de divers procédés : jeux de mots, quiproquos, répétitions, associations burlesques, etc.

Ex. : *Zazie dans le métro*, à la page 194.

■ Tonalité ironique
La tonalité ironique permet à l'auteur de dire le contraire de ce qu'il veut faire entendre, de façon à faire ressortir le ridicule d'un personnage ou d'une situation et à le dénoncer. Il loue un défaut, par exemple, ou accorde de l'importance à ce qui n'en a pas.

Ex. : les deux derniers vers de *Pour faire un poème dadaïste*, à la page 99.

■ Tonalité satirique
On trouve la tonalité satirique dans des textes critiques où l'auteur dénonce quelqu'un ou quelque chose en insistant sur ses aspects négatifs et en utilisant l'accumulation, le grossissement, l'exagération, etc.

Ex. : *Le Portique*, aux pages 262 et 263.

Examen détaillé

Devant tout texte, on doit se poser deux questions fondamentales : 1) De quoi parle-t-il ? L'identification du propos du texte a déjà permis de répondre à cette question ; 2) Comment en parle-t-il ? Autrement dit, quels sont les procédés stylistiques utilisés par son auteur pour livrer le propos d'une façon efficace ? Ce sont ces procédés qui feront l'objet de l'examen détaillé du texte. Ils concernent le vocabulaire, la grammaire, la phrase et les figures de style. Au terme de cet examen, il faudra revenir à la première question et préciser davantage le propos du texte.

Vocabulaire

Sens des mots

Comprendre un texte, c'est d'abord comprendre le sens des mots. Pour y arriver, on doit, bien sûr, chercher dans le dictionnaire les mots qui ne nous sont pas familiers. Mais cela ne suffit pas. On doit aussi et surtout tenir compte du contexte, car le mot fait partie d'un ensemble, et le considérer d'une façon isolée équivaut à le méconnaître. C'est le contexte qui lui donne sa signification et sa pleine richesse. C'est lui qui permet d'en comprendre aussi bien la **dénotation** que la **connotation**.

■ Dénotation
La dénotation est le sens neutre, objectif du mot, celui que l'on trouve dans le dictionnaire.

Certains mots sont **monosémiques**, c'est-à-dire qu'ils n'ont qu'un sens. Mais la plupart sont **polysémiques**, car ils en ont plusieurs. L'ensemble des significations d'un mot constitue son **champ sémantique**. Pour choisir la signification juste, on doit tenir compte du contexte. Mais attention ! On ne doit pas toujours choisir entre les significations, car un mot peut additionner deux ou même plusieurs significations.

Ex. : Heredia emploie le mot *antenne* dans son poème *Les Conquérants* (vers 7, page 38). Dans le contexte, il désigne les vergues du voilier. Mais le deuxième sens du mot est également évoqué : appendice sensoriel à l'avant de la tête de certains insectes. Les conquérants que désigne le titre du poème naviguent sur un voilier, mais ils ont besoin d'antennes pour les guider dans leur recherche d'une route vers l'Ouest.

• **Sens étymologique**

Le sens étymologique d'un mot, c'est son sens au moment où il est apparu dans la langue. Certains mots ont conservé un sens très proche de leur origine ; d'autres ont passablement dévié de ce sens originel. Il est donc important de déterminer le sens du mot en fonction du contexte ou de la date de parution du texte dans lequel il apparaît.

Ex. : le mot *routier* employé dans *Les Conquérants* (vers 3, page 38) n'a pas le sens moderne de « conducteur de poids lourds », mais celui de « soldat aventurier », qui est son sens étymologique.

Le sens étymologique peut aussi révéler une connotation qui enrichit le sens du mot.

Ex. : le mot *glaïeul* vient du latin *gladiolus*, qui est un diminutif de *gladius*, qui signifie *glaive* ; le choix de ce mot, dans *Le Dormeur du val* (vers 9, page 60), est particulièrement intéressant parce qu'il connote la mort, qui est au centre du poème.

• **Sens propre / sens figuré**

Le sens propre d'un mot est son sens premier, concret. Son sens figuré est le sens abstrait qu'il prend quand il est utilisé de façon imagée.

Ex. : dans *Le Pont Mirabeau*, à la page 93, le verbe *coule*, au vers 1, désigne à la fois l'action de l'eau (sens propre) et celle des amours du poète (sens figuré de *passent*).

• **Homonymes**

Les homonymes sont des mots qui ont le même son et parfois la même orthographe. Quand l'orthographe diffère, les mots ont chacun leur entrée dans le dictionnaire, ce qui ne pose pas de problème. Quand l'orthographe est la même, on doit savoir choisir le sens juste. Parfois, la classe du mot nous donne une indication. Ainsi, le mot *noyer* a le sens d'« arbre » quand il s'agit du nom, et celui de « faire mourir en immergeant dans un liquide » quand il s'agit du verbe.

■ **Connotation**

La connotation est le sens subjectif du mot. C'est une sorte de « valeur ajoutée » par rapport au sens dénoté. Pour identifier la connotation d'un mot, on doit le rattacher à son contexte. Cette connotation peut être d'ordre affectif, socioculturel, symbolique, ou les trois à la fois.

• **Connotation affective : sens mélioratif ou péjoratif**

Certains mots ont un sens positif. Ils présentent la réalité sous un jour favorable ; ils l'embellissent, la valorisent. Ces mots ont un sens mélioratif ou appréciatif.

D'autres ont un sens négatif. Ils présentent la réalité sous un jour défavorable ; ils l'enlaidissent, la déprécient. Ils traduisent souvent du mépris de la part de celui qui les emploie. Ils ont un sens péjoratif ou dépréciatif.

Ex. : l'adjectif *nauséabondes* est un terme péjoratif qui s'oppose aux termes mélioratifs *élégant* et *parfumé* employés par Balzac dans sa description de la pension Vauquer (*Le Père Goriot*, lignes 11 et 15, page 21).

Certains mots sont toujours mélioratifs ou péjoratifs. D'autres ne le sont qu'en contexte.

Ex. : le nom *femelle*, lorsqu'il désigne un animal, n'est pas péjoratif. Il l'est lorsqu'il désigne des femmes, comme dans l'extrait d'*Ulysse*, alors que la narratrice traite de « sales femelles » les riches patientes du Dr Collins (ligne 13, page 151).

• **Connotation temporelle : archaïsmes et néologismes**

Les archaïsmes connotent le passé. Les **archaïsmes lexicaux** sont des mots anciens utilisés à un moment où ils sont disparus de la langue courante. Les **archaïsmes sémantiques** sont des mots utilisés de nos jours, mais employés dans un sens ancien.

Ex. : le verbe *licencier* dans *Neiges* (ligne 5, page 158) est employé dans le sens ancien de « faire quitter un lieu à quelqu'un » et non dans son sens moderne de « priver de son emploi, de sa fonction ».

Au contraire, les **néologismes lexicaux** sont des mots nouveaux, et les **néologismes sémantiques**, des mots courants auxquels l'auteur donne un sens nouveau.

Ex. : le verbe *Robinsonne* (*Roman*, vers 17, page 59).

• **Connotation géographique : régionalismes**

D'autres mots renvoient à un lieu précis. Les **régionalismes** sont soit des mots propres à une région, soit des mots connus dans toute la francophonie, mais dont le sens est particulier à une région. Ainsi, les québécismes sont propres au Québec, les belgicismes, à la Belgique, etc.

Ex. : le mot *bebelle* est un québécisme de niveau populaire (*À toi, pour toujours, ta Marie-Lou*, ligne 16, page 288).

• **Connotation sociale : vocabulaire spécialisé**

Certains mots renvoient à une profession (termes de menuiserie, de médecine), à un milieu social (monde des affaires, sportif, religieux), à un champ du savoir (termes de sociologie, de psychologie, de linguistique).

Ex. : le mot *cavatines* (*Roman*, vers 24, page 59) renvoie au monde musical et le mot *meetings* (*L'Homme*, vers 3, page 164), au monde bureaucratique.

- **Connotation symbolique**

Dans les textes littéraires, les mots prennent souvent un sens symbolique qui varie selon l'univers créé par l'auteur.

Ex. : dans *Le Pont Mirabeau*, à la page 93, l'eau symbolise l'amour qui passe.

Réseaux de mots

Une fois le ou les sens des mots établis, on doit considérer ces derniers dans leur rapport avec les autres mots du texte. Certains mots se répètent-ils souvent ? S'opposent-ils ? Sont-ils associés à des synonymes ? Quels sont les effets ainsi créés ?

■ Synonymes et antonymes

Les **synonymes** sont des mots qui ont un sens, non pas identique, mais similaire. On doit être attentif non pas à ce qui les unit, mais à ce qui les distingue, à la nuance que chacun apporte par rapport à l'autre. Il peut être utile de se demander pourquoi l'auteur utilise tel mot plutôt que l'un de ses synonymes, pourquoi il énumère des synonymes dans une phrase ou pourquoi le texte contient plusieurs synonymes.

Ex. : dans l'extrait de *L'Idiot*, le narrateur écrit qu'il rêvait qu'on le chasse « à peine vêtu, à peine couvert » (lignes 5 et 6, page 78). La juxtaposition des synonymes *vêtu* et *couvert* crée un effet d'insistance sur la misère qu'aurait connue l'adolescent, misère encore accentuée par l'énumération dans laquelle les synonymes s'insèrent.

Les **antonymes** sont des mots dont le sens s'oppose. On doit savoir les repérer, car leur présence trahit le désir de l'auteur de faire ressortir l'un par rapport à l'autre, et de présenter, de la réalité, une image contrastée, équivoque, plutôt qu'univoque.

Ex. : « Une main légère » et « lourde » (*L'Écriture ou la vie*, ligne 25, page 258).

■ Champ lexical

Le champ lexical est constitué de tous les mots, quelle qu'en soit la classe grammaticale, qui renvoient à une même réalité, à une même idée. Un texte renferme plusieurs champs lexicaux qui peuvent se succéder ou se chevaucher et dont certains peuvent se subdiviser en sous-champs lexicaux ; celui des sentiments, par exemple, pourrait se subdiviser en sous-champs de la tristesse et de la joie.

L'étude des champs lexicaux révèle les thèmes du texte. Le champ lexical qui traverse tout le texte en détermine le thème principal ; les autres, les thèmes secondaires.

Leur étude comporte deux étapes. D'abord, on doit dresser la liste des mots qui les constituent. Ensuite, on doit les interpréter en tenant compte de leur relation les uns avec les autres. Se complètent-ils ? S'opposent-ils ? L'un marque-t-il une progression par rapport à un autre ? Se développent-ils de façon symétrique ?

Voici un exemple tiré de *La Ville* de Paul Claudel, à la page 83.

Champ lexical du travail		
usine, mécanicien, marchand, ouvrier, ouvrage, œuvre, travail, machines et esclave		
Sous-champ lexical du lieu et des instruments de travail	**Sous-champ lexical des travailleurs**	**Sous-champ lexical du travail et de son résultat**
usine, machines	mécanicien, marchand, ouvrier, esclave	ouvrage, œuvre, travail

Grammaire

Nombre et négation

L'abondance des singuliers ou des pluriels, leur alternance, l'apparition de l'un alors qu'on attend l'autre, ou encore l'emploi fréquent de la négation, tous ces éléments peuvent être fort révélateurs.

Ex. : dans *Le Dormeur du val* de Rimbaud, à la page 60, l'emploi soudain de la négation au vers 12, après 11 vers à la forme affirmative, annonce un changement et prépare la révélation de la mort du soldat.

Quelques classes grammaticales

■ Déterminants

Le choix ainsi que la fréquence d'un certain type de déterminants peuvent également s'avérer révélateurs. Un grand nombre de déterminants possessifs, par exemple, peut témoigner de l'égocentrisme d'un personnage, de son narcissisme, tandis que l'absence de déterminants peut signaler une tension dramatique ou le trouble extrême d'un personnage.

Ex. : dans *Roman* de Rimbaud, l'emploi du déterminant défini (« Le cœur fou », vers 17, page 59) au lieu du déterminant possessif *mon*, qui conviendrait à la relation d'une aventure personnelle, crée un effet de distanciation par rapport à ce qui est raconté.

■ Adjectifs

L'absence ou la pauvreté des adjectifs peut signaler le caractère abstrait d'un texte ou témoigner d'un souci d'objectivité. La prolifération des adjectifs qualifiants peut indiquer, au contraire, le caractère excessif des émotions. En tout temps, le choix des adjectifs qualifiants révèle la subjectivité du locuteur.

Ex. : on trouve peu d'adjectifs dans l'extrait de *L'Étranger* de Camus, à la page 145, ce qui traduit l'indifférence de Meursault. À l'opposé, dans sa description de la pension Vauquer, Balzac les multiplie pour bien rendre compte de la laideur du lieu et susciter le dégoût chez le lecteur : « [...] ce mobilier est vieux, crevassé, pourri, tremblant, rongé, manchot, borgne, invalide, expirant, [...] » (*Le Père Goriot*, lignes 37 à 39, page 21).

■ **Pronoms**

L'étude des pronoms permet de comprendre la situation de l'énonciation. Les pronoms personnels renvoient à des personnes précises; les pronoms indéfinis, à des identités imprécises. On doit faire attention au pronom *on*; son référent peut être indéterminé, mais il peut aussi englober soit tous les hommes, soit le couple narrateur / narrataire, soit un groupe de personnages.

Ex.: dans l'extrait de *L'Idiot*, à la page 78, les deux *on* du premier paragraphe («qu'on me chassât» et «qu'on me laissât») se réfèrent à une ou des personne(s) indéterminée(s), et ceux du deuxième paragraphe («qu'on va me prendre» et «on prétendra») se réfèrent aux lecteurs de la lettre que lit le personnage.

Verbe

Attardons-nous à la classe grammaticale qui constitue le cœur de la phrase : le verbe. Plusieurs questions peuvent se poser à son sujet: s'agit-il d'un verbe attributif, pronominal, impersonnel? Est-il employé à la voix active ou passive? À quelle personne est-il conjugué? Et, surtout, quelle est la valeur du mode et du temps utilisés?

■ **Modes verbaux**

Le mode indique si l'action est réelle (indicatif), hypothétique (conditionnel), potentielle (subjonctif) ou si elle exprime un ordre (impératif). Il existe quatre modes personnels ou conjugables, soit l'indicatif, le subjonctif, le conditionnel et l'impératif, et deux modes impersonnels ou non conjugables, soit l'infinitif et le participe.

❑ **Modes personnels**

• **Indicatif**

L'indicatif est le mode de la réalité; il présente les faits comme certains. C'est celui qui compte le plus grand nombre de temps.

Ex.: «On ne revient jamais d'Afrique, voilà la vérité.» (*Le Paradis*, ligne 23, page 264)

• **Subjonctif**

Contrairement à l'indicatif, le subjonctif ne présente pas les actions comme réelles, mais plutôt comme potentielles. Il indique non pas leur réalisation, mais le souhait qu'elles se réalisent, ou non. C'est le mode subjectif par excellence, celui de la volonté, du jugement, du doute. On l'emploie souvent, dans une subordonnée, après des verbes tels que *vouloir*, *exiger*, *penser*, *douter*, *souhaiter*, *refuser*, *falloir*, etc. Ce mode indique aussi, dans les subordonnées circonstancielles, un but, une conséquence, une concession et, parfois, le temps, après les locutions *avant que* et *jusqu'à ce que*. Il compte quatre temps: présent, passé, imparfait et plus-que-parfait.

Ex.: «Il fallait [...] qu'elle choisît toujours le couloir couleur orage [...]» (*Le Paysan de Paris*, lignes 18 à 20, page 114)

• **Conditionnel**

Le mode conditionnel est le mode de l'hypothétique. Il indique une éventualité, une incertitude, un conseil, et il est lié à une condition. Il ne compte que deux temps: présent et passé.

Ex.: «On ne me croirait pas, parce que je n'ai jamais rien cassé de ma vie.» (*Victor ou les enfants au pouvoir*, lignes 1 et 2, page 118)

Cependant, il arrive que le conditionnel n'ait pas cette valeur hypothétique et qu'il prenne plutôt celle d'un indicatif futur. On l'emploie dans des phrases au passé où l'action à venir est considérée comme certaine et non hypothétique. Le conditionnel prend alors la valeur d'un futur dans le passé.

Ex.: «J'ai répondu que nous le ferions dès qu'elle le voudrait.» (*L'Étranger*, lignes 21 et 22, page 145)

• **Impératif**

L'impératif est le mode de l'ordre, positif ou négatif, de la prière, de la recommandation. Il suppose que quelqu'un s'adresse à lui-même ou à quelqu'un d'autre. Il ne compte que trois personnes, soit la deuxième personne du singulier, les première et deuxième personnes du pluriel, et deux temps, le présent et le passé.

Ex.: «[...] ne faites pas tant d'histoires avec votre innocence [...]» (*Le Procès*, lignes 18 et 19, page 149)

❑ **Modes impersonnels**

Les modes impersonnels ne se conjuguent pas et ne comptent que deux temps, le présent et le passé.

• **Infinitif**

L'infinitif prend différentes valeurs selon le contexte; il permet des raccourcis très expressifs.

Ex.: «Dire qu'il m'a fallu quatre dimanches d'ennui nauséeux avant d'y penser!» (*Le Libraire*, lignes 22 et 23, page 147)

• **Participe**

Le participe prend parfois la valeur d'un verbe et parfois celle d'un adjectif.

Ex.: dans l'extrait de *Thérèse Desqueyroux*, à la page 131, le participe passé *éloigné*, dans «le feu paraissait très éloigné» (lignes 5 et 6), a la valeur d'un adjectif, alors que les participes présents, dans «Bernard vomissant et pleurant» (lignes 23 et 24), ont la valeur de verbes.

■ **Temps verbaux**

Les temps verbaux situent les actions dans le passé, le présent ou le futur. On distingue les **temps absolus**, qui les situent par rapport au moment où le narrateur parle, et les **temps relatifs**, qui les situent les unes par rapport aux autres.

□ **Temps absolus**

• **Présent**

Le présent exprime une action en train de se faire, ce qui peut englober un passé ou un futur proche. Mais il peut aussi prendre d'autres valeurs :

- une valeur intemporelle lorsqu'il fait référence à une idée générale, à un fait habituel et répétitif ;

  Ex. : « On dit alors qu'ils sont distraits ou rêveurs. » (*Partir avant le jour*, lignes 6 et 7, page 133)

- une valeur d'actualisation du passé lorsque des actions passées sont racontées au présent ; ce présent, dit « présent de narration », rend le texte plus vivant ; lorsqu'on le trouve dans les récits historiques, on parle de « présent historique ».

  Ex. : dans l'extrait de *Thérèse Desqueyroux*, à la page 131, le présent est soudain employé au milieu du premier paragraphe pour actualiser le souvenir de Thérèse.

• **Imparfait**

L'imparfait exprime une action passée qui a une certaine durée.

Ex. : « Le parfum de la résine brûlée imprégnait ce jour torride […] » (*Thérèse Desqueyroux*, lignes 7 et 8, page 131)

L'imparfait exprime aussi une action qui se répète.

Ex. : « Il faisait de longues courses, solitairement, à grands pas […] » (*Le Saut du Berger*, ligne 81, page 25)

Enfin, on emploie souvent l'imparfait dans les descriptions.

Ex. : « Le chemin […] suivait le fond de la gorge, et brusquement s'enfonçait entre deux parois de marne, devenait une sorte d'ornière profonde […] » (*Le Saut du Berger*, lignes 18 à 20, page 25)

• **Passé simple**

Le passé simple appartient à la langue écrite, et on l'utilise dans les récits. Il exprime des actions qui se sont déroulées à un moment précis du passé et qui sont terminées.

Ex. : « […] et soudain, il aperçut […] la hutte ambulante d'un berger. » (*Le Saut du Berger*, lignes 94 et 95, page 26)

Quand ces actions ont une certaine durée, celle-ci est limitée dans le temps.

• **Passé composé**

Le passé composé exprime une action terminée, mais il arrive souvent que cette action a des répercussions sur le présent.

Ex. : « J'ai passé l'été […] » (*Le Saut du Berger*, ligne 13, page 25)

Le passé composé remplace le passé simple dans la langue orale.

Ex. : « Je l'ai connu, moi, Monsieur. » (*Le Saut du Berger*, ligne 138, page 26)

• **Futur simple**

Le futur simple indique qu'une action sera, à coup sûr, réalisée dans l'avenir.

Ex. : « Un jour prochain, pourtant, personne n'aura plus le souvenir réel de cette odeur : ce ne sera plus qu'une phrase […] » (*L'Écriture ou la vie*, lignes 18 et 19, page 258)

On utilise aussi le futur simple pour donner un ordre ou faire une demande.

Ex. : « Tu m'aideras. » (*Les Bonnes*, ligne 17, page 211)

Dans les textes historiques, le futur simple indique une action passée, mais encore à venir au moment où se situe le narrateur.

□ **Temps relatifs**

Les temps relatifs situent l'action dans le passé (**passé antérieur** et **plus-que-parfait**) ou dans le futur (**futur antérieur**) et toujours par rapport au moment d'une autre action.

Ex. : dans « Les plus doux moments qu'il avait trouvés jadis dans les bois de Vergy », le plus-que-parfait se réfère à un passé par rapport à un autre passé dont le narrateur est en train de parler (*Le Rouge et le Noir*, lignes 9 et 10, page 19).

Phrase

L'effet produit sur le lecteur varie fort selon que la phrase ne compte qu'un mot ou qu'elle s'étale sur plusieurs lignes, selon qu'elle apparaît segmentée ou qu'elle coule comme une rivière tranquille.

Structure des phrases

■ **Phrase de base**

La phrase de base est constituée, obligatoirement, d'un sujet et d'un prédicat ainsi que, facultativement, d'un ou de plusieurs compléments de phrase.

Seule, elle convient aux affirmations ponctuelles, aux descriptions brèves, à l'expression retenue des sentiments.

Ex. : « Ma vision est très nette. » (*Poussière sur la ville*, lignes 5 et 6, page 146)

Mais elle est souvent reliée à une autre :

- par **juxtaposition**, c'est-à-dire par des signes de ponctuation (virgule, point-virgule ou deux-points) ;

  Ex. : « L'argument me toucha : je n'avais pas envisagé ma situation sous cet angle. » (*Lorsque j'étais une œuvre d'art*, ligne 18, page 271)

- par **coordination**, c'est-à-dire par des coordonnants tels que *mais, ou, et, donc, car*, etc. ;

  Ex. : « Tout est parfait en toi et je veux tout montrer. » (*Lorsque j'étais une œuvre d'art*, ligne 21, page 271)

- par **subordination**, c'est-à-dire enchâssée dans une autre au moyen d'un subordonnant.

  Ex. : « Il en émane de grandes ondes chaudes qui me remuent les entrailles, comme lorsqu'on pense à la mort, la nôtre. » (*Poussière sur la ville*, lignes 15 à 18, page 146)

Les liens entre les phrases favorisent l'expression nuancée des sentiments. Ils permettent de suivre les méandres d'une réflexion et d'en saisir les nuances.

Une phrase peut aussi être insérée dans une autre sans que les deux phrases aient de relation syntaxique. C'est le cas de la **phrase incise** et de la **phrase incidente**.

Exemple de phrase incise : « Vu comme ça…, dis-je, pensif. » (*Lorsque j'étais une œuvre d'art*, ligne 24, page 271)

Exemple de phrase incidente : « […] parce que c'était cela, je le comprends maintenant, que disait son regard. » (*La Dame dans l'auto avec des lunettes et un fusil*, lignes 29 et 30, page 201)

■ Phrase à construction particulière

Il arrive aussi que la phrase ne corresponde pas au modèle de base. Ces phrases à construction particulière permettent à l'auteur de mettre en évidence des éléments de description, des événements, des impressions, des sentiments, sans détour et sans faire référence à un temps précis.

La **phrase à présentatif** débute par : *voici, voilà, il y a, c'est*.

Ex. : « Il y a des pigeons et des cours noires. » (*L'Étranger*, ligne 26, page 145)

La **phrase infinitive** est construite à partir d'un verbe à l'infinitif.

Ex. : « Compenser l'absence de signification. » (*Windows on the World*, ligne 19, page 275)

La **phrase non verbale** ne renferme pas de verbe.

Ex. : « Noir devant, noir derrière, noir partout. » (*Poussière sur la ville*, lignes 34 et 35, page 146)

Quand elle s'articule autour d'un nom, elle s'appelle **phrase nominale**.

Ex. : « Amis, mais pas amants. » (*Windows on the World*, ligne 7, page 274)

Longueur des phrases

La phrase graphique peut n'être constituée que d'un seul mot.

Ex. : « Tiens. » (Estragon dans *En attendant Godot*, ligne 20, page 209)

Elle peut aussi être très longue et renfermer plusieurs phrases.

La longueur des groupes de mots et des phrases influe sur le **rythme** du texte : lent, lorsque les phrases sont longues, et rapide, lorsqu'elles sont courtes.

Cette longueur peut varier selon un ordre **croissant**. Les groupes sont alors de plus en plus longs.

Ex. : « Les hommes. Il faut aimer les hommes. » (*La Nausée*, ligne 7, page 141)

La longueur peut aussi varier selon un ordre **décroissant**. Les groupes sont alors de plus en plus courts.

Ex. : « Mais ma place n'est nulle part ; je suis de trop. » (*La Nausée*, ligne 5, page 141)

Enfin, la longueur peut varier selon un ordre **alterné**. Les groupes courts alternent alors avec les groupes longs.

Dans tous les cas, l'effet est évidemment différent.

Procédés syntaxiques

L'écrivain dispose d'un grand nombre de procédés pour varier ses phrases et créer des effets stylistiques qui serviront son propos.

■ Ellipse

L'ellipse consiste en l'omission de certains mots non indispensables à la compréhension de la phrase.

Ex. : « Aujourd'hui, pas moyen. » (*Zazie dans le métro*, ligne 10, page 194)

■ Énumération

L'énumération est une succession de mots de même classe (noms, verbes, etc.), de groupes de mots ou de phrases. Elle est fréquente dans les textes descriptifs et crée un effet d'accumulation, de foisonnement. Voici un exemple d'une énumération de noms : « J'aimais les peintures idiotes, dessus de portes, décors, toiles de saltimbanques, enseignes, enluminures populaires ; la littérature démodée, latin d'église, livres érotiques sans orthographe, romans de nos aïeules, contes de fées, petits livres de l'enfance, opéras vieux, refrains niais, rythmes naïfs. » (*Alchimie du verbe*, lignes 4 à 7, page 61)

■ Gradation

La gradation consiste en une énumération organisée selon un ordre ascendant ou descendant. La gradation permet de faire ressentir la progression d'une idée ou d'une émotion. Elle a souvent un effet dramatique.

Ex. : « Je pleure, je me lamente, je désespère. » (*De Stéphane Mallarmé à Maria Gerhard*, ligne 37, page 84)

■ Répétition

La répétition consiste en la reprise du même mot ou du même groupe de mots. Quand un mot est répété deux fois de suite, on parle de **redoublement**.

Ex. : « Je vous aime ! Je vous aime ! » (*De Stéphane Mallarmé à Maria Gerhard*, ligne 49, page 84)

■ Anaphore

L'anaphore consiste en la répétition du même mot ou groupe de mots en tête de phrases, de vers ou de paragraphes successifs.

Ex. : « Vous êtes amoureux. » (*Roman*, vers 25 et 26, page 59)

■ Parallélisme

Le parallélisme consiste en la répétition d'une construction syntaxique. Ce parallélisme se trouve généralement entre des groupes binaires (deux groupes de mots ou deux phrases) ; il crée alors un effet de symétrie.

Ex. : « Elle a la forme de mes mains, / Elle a la couleur de mes yeux, » (*L'Amoureuse*, vers 3 et 4, page 106)

Mais le parallélisme peut aussi se trouver entre des groupes ternaires (trois groupes de mots ou trois phrases). Il crée alors un effet de dissymétrie.

Ex. : « […] vous connaissez ces rues, vous connaissez cette heure, vous connaissez vos plans […] » (*Dans la solitude des champs de coton*, lignes 25 et 26, page 285)

■ Chiasme

On appelle *chiasme* l'opposition de deux constructions syntaxiques, analogues mais inversées, ou encore une interversion de mots dans deux constructions syntaxiques identiques.

Ex. : « Bougre de merdre, merdre de bougre, […] » (*Ubu Roi*, lignes 41 et 42, page 81)

Ponctuation

La ponctuation joue un rôle important dans la phrase. Le point la conclut, les virgules la font respirer, les deux-points y introduisent une citation, une explication ou une énumération. Trois signes mettent davantage en évidence la subjectivité du locuteur : les points d'interrogation, d'exclamation et de suspension.

- Le **point d'interrogation** indique que l'on pose une question. Si celle-ci est souvent banale, elle peut aussi porter une émotion, souvent de l'angoisse ou de la peur.

   Ex. : «Cela vous amuse donc bien de me faire souffrir ? » (*De Stéphane Mallarmé à Maria Gerhard*, ligne 36, page 84)

- Le **point d'exclamation** se place après une interjection ou après un ou plusieurs mots qu'il contribue à mettre en évidence. Il renforce le caractère émotif de l'exclamation et peut exprimer aussi bien la joie que la colère ou la détresse.

   Ex. : «S'il le faut, j'irai la chercher jusqu'aux enfers ! » (*Orphée*, ligne 35, page 117)

- Les **points de suspension** laissent entendre que la pensée est inachevée. Cet inachèvement peut signaler l'ignorance d'un personnage, son désir de taire quelque chose, ou encore son désarroi et ses hésitations face à une situation étrange qui le dépasse.

   Ex. : Orphée hésite devant le miroir qu'Heurtebise lui désigne comme étant la porte par où la Mort va et vient : «Et une fois passée cette… porte… » (*Orphée*, ligne 79, page 117)

Figures de style

Plutôt que de dire les choses d'une façon banale, les auteurs ont souvent recours à des tournures imagées plus susceptibles de créer l'effet recherché, de susciter une émotion ou de frapper l'imagination du lecteur. Ils jouent avec les mots de façon à créer des figures de style.

Il existe une multitude de figures de style et différentes façons de les classer. Voici les principales.

Figures de la ressemblance

Les figures de la ressemblance rapprochent deux aspects de la réalité qui se ressemblent.

- **Comparaison**

   À l'aide d'**outils de comparaison** (*tel*, *comme*, *ainsi que*, *pareil à*), la comparaison rapproche deux éléments, le **comparé** et le **comparant**, ayant une caractéristique commune, un **point de comparaison**.

   Ex. : «[…] un baiser / Qui palpite là, comme une petite bête… » (*Roman*, vers 15 et 16, page 59)

- **Métaphore**

   La métaphore, comme la comparaison, rapproche deux éléments, mais elle le fait sans utiliser d'outil de comparaison

et, le plus souvent, sans mentionner le comparé. Quand elle se développe (ou file) sur plusieurs vers ou lignes, voire plusieurs pages, elle est dite **filée**; elle confère alors une grande unité au texte.

Ex. : «tombeaux de glace» est une métaphore de la banquise sur laquelle sont morts les aventuriers (*Paysages polaires*, vers 2, page 39).

- **Allégorie**

   L'allégorie représente une idée abstraite par une image concrète constituée d'éléments descriptifs et narratifs étalés sur un texte entier ou, à tout le moins, sur une portion importante de texte. Elle repose souvent sur une personnification.

   Ex. : le désespoir est représenté par un homme assis sur un banc dans le poème de Prévert, *Le Désespoir est assis sur un banc*, à la page 110.

- **Personnification**

   La personnification attribue à une idée, à un animal ou à une chose des caractéristiques humaines.

   Ex. : «Vois […] / Dormir ces vaisseaux / Dont l'humeur est vagabonde […] » (*L'Invitation au voyage*, vers 29 à 31, page 53)

Figures d'opposition

Au contraire des figures précédentes, les figures d'opposition font contraster deux éléments ainsi mis en évidence l'un par rapport à l'autre. Ces figures mettent en lumière les contradictions à l'intérieur d'un personnage, entre deux personnages ou entre deux aspects de la réalité.

- **Antithèse**

   L'antithèse oppose deux mots ou deux groupes de mots qui renvoient à des réalités opposées.

   Ex. : «ténébreux orage» et «brillants soleils» (*L'Ennemi*, vers 1 et 2, page 54).

- **Oxymore**

   L'oxymore consiste à allier deux mots, souvent un nom et un adjectif, de sens contradictoires. L'apparente contradiction ainsi créée suscite un effet de surprise qui attire l'attention.

   Ex. : «Les soleils mouillés» (*L'Invitation au voyage*, vers 7, page 53)

Figures d'amplification et d'insistance

Les figures d'amplification et d'insistance accentuent un aspect de la réalité.

- **Hyperbole**

   L'hyperbole est la figure de l'exagération. Elle résulte de l'emploi de termes excessifs dans l'expression de la réalité.

   Ex. : «[…] dussiez-vous écrire des volumes entiers ou l'expliquer aux hommes pendant trente-cinq ans ! […] » (*L'Idiot*, lignes 35 et 36, page 78)

■ **Pléonasme**

Le pléonasme est une juxtaposition de mots ayant le même sens. Il renforce l'expression et crée parfois un effet comique.

Ex. : « Des passants passent » (*Le Désespoir est assis sur un banc*, vers 30, page 110)

Figures d'atténuation

Au contraire des précédentes, et comme leur nom l'indique, les figures d'atténuation visent à atténuer l'expression d'un sentiment ou d'une réalité.

■ **Euphémisme**

L'euphémisme a pour effet d'atténuer l'expression d'une réalité afin de la rendre moins crue ou moins pénible.

Ex. : l'expression « cette tête [qui] allait tomber » apparaît comme un euphémisme pour désigner la décapitation de Julien Sorel dans *Le Rouge et le Noir* (lignes 8 et 9, page 19).

■ **Litote**

La litote consiste à dire peu pour faire entendre beaucoup. Elle atténue l'expression des sentiments, et cette retenue même attire l'attention sur eux. Elle utilise souvent la négation.

Ex. : « […] vous ne me jugez pas un trop mauvais petit. » (*De Jean-Paul Sartre à Simone de Beauvoir*, ligne 5, page 165)

Figures de substitution

Les figures de substitution remplacent le mot ou le groupe de mots qui exprimerait directement la réalité par un autre mot ou groupe de mots.

■ **Métonymie**

La métonymie consiste à remplacer un mot par un autre qui entretient avec le premier un rapport logique. Ce rapport peut être de cause à effet, de contenant à contenu, d'abstrait à concret.

Ex. : dans le vers « D'hyacinthe et d'or », les noms de métaux remplacent les couleurs du soleil couchant (*L'Invitation au voyage*, vers 38, page 53).

Dans le cas de la **synecdoque**, variante de la métonymie, le rapport en est un d'inclusion : l'espèce pour le genre, la partie pour le tout et vice-versa.

■ **Périphrase**

La périphrase consiste à employer, à la place d'un mot, plusieurs mots qui définissent ou décrivent la réalité qu'ils désignent.

Ex. : « l'homme à la robe noire » pour *curé* ou *prêtre* (*Le Saut du Berger*, lignes 71 et 72, page 25).

■ **Antiphrase ou ironie**

L'antiphrase consiste à exprimer le contraire de sa pensée dans un but ironique. C'est le contexte qui indique au lecteur la pensée réelle du narrateur.

Ex. : lorsque Ferré parle comme d'un « héros » qui part à l'« aventure » de l'homme qui prend l'autobus le matin et revient de son travail, le soir, courbaturé (*L'Homme*, 2e strophe, page 164), il exprime évidemment le contraire de sa pensée.

COMPRENDRE UN TEXTE EN FONCTION DE SON GENRE

Comprendre un texte poétique

La poésie, c'est un regard, une manière particulière de voir le monde et d'en rendre compte. Cette manière déborde largement les règles de la versification dont la poésie s'est d'ailleurs affranchie au XXe siècle. Il faut néanmoins connaître ces règles pour être en mesure de pleinement apprécier les poèmes qui les respectent. Ces règles concernent le vers, la strophe, le rythme, les sonorités et la forme du poème quand elle est fixe.

Vers

■ **Scansion du vers**

Un vers correspond à une ligne dans un poème. Chaque vers est composé de syllabes sonores, une syllabe sonore étant un groupe de lettres prononcé d'une seule émission de voix. Pour en déterminer le nombre, on doit scander le vers, c'est-à-dire séparer les syllabes sonores par une barre oblique. La scansion obéit à certaines règles :

a) Le *e* se prononce quand il est précédé d'une consonne et suivi d'une autre consonne ou d'un *h* aspiré (Tout/te/blanche/), mais s'élide et ne compte pas devant une voyelle ou un *h* muet (pe/ti/te et/), sauf s'il est suivi d'un *s* puisqu'il faut alors faire la liaison (lus/tres/ é/cla/tants) ; il ne compte jamais en fin de vers (/blanche/).

Les exemples proviennent des vers 3 et 12 du poème *Roman* de Rimbaud, à la page 59, qui comptent 12 syllabes sonores chacun.

1	2	3	4	5	6	7	8	9	10	11	12

« Des / ca / fés / ta /pa / geurs / aux / lus /tres / é / cla / tants ! »

1	2	3	4	5	6	7	8	9	10	11	12

« A / vec / de / doux / fris / sons, / pe / ti / te et / tou / te / blanche… »

b) Lorsque deux voyelles se suivent, le poète peut les compter comme une syllabe (**synérèse**) ou deux (**diérèse**). Pour savoir quel compte retenir, le plus simple est de se fier au décompte des vers voisins. Voici deux exemples.

Synérèse :

1	2	3	4	5	6	7	8	9	10	11	12

« Com / me un / vol / de / ger / fauts // hors / du / char / nier / na / tal, » (*Les Conquérants*, vers 1, page 38)

Diérèse :

1	2	3	4	5	6	7	8	9	10	11	12

« Aux / bords / mys / té / ri / eux // du / mon / de Oc / ci / den / tal. » (*Les Conquérants*, vers 8, page 38)

■ **Nom du vers**

Le nombre de syllabes détermine le nom du vers. Les vers les plus fréquents sont l'alexandrin (12 syllabes), le décasyllabe

(10 syllabes) et l'octosyllabe (8 syllabes). Il existe aussi des vers de 3, 4, 5, 6 (hexamètre), 7, 9 et 11 syllabes sonores.

Strophe

La strophe est un groupe organisé de vers qui renferme une unité de sens et dont le nombre détermine le nom : monostiche (un vers, plutôt rare), distique (2 vers), tercet (3 vers), quatrain (4 vers), quintil (5 vers), sizain (6 vers), septain (7 vers), huitain (8 vers), neuvain (9 vers), dizain (10 vers) et douzain (12 vers).

Une strophe peut renfermer des vers de longueur égale ; elle est alors **isométrique** (*Carmen*, page 37). Elle peut aussi contenir des vers de différentes longueurs ; elle est alors **hétérométrique** (*Les Goélands*, page 41). Dans le second cas, la longueur des vers peut alterner de façon symétrique ou non symétrique. L'effet créé sera évidemment différent chaque fois.

Rythme

■ Accent tonique et coupe

Le rythme d'un vers est créé par les **coupes**, c'est-à-dire les pauses à l'intérieur du vers qui, elles-mêmes, sont régies par la place de l'accent tonique.

En français, l'accent tonique est placé sur la dernière syllabe sonore d'un mot ; dans un vers, il se place sur la dernière syllabe sonore d'un groupe de mots correspondant à une unité grammaticale. La coupe se place après cet accent tonique. Dans un vers de plus de huit syllabes, la coupe qui sépare le vers en deux parties s'appelle **césure**, et les deux parties ainsi séparées se nomment **hémistiches**. Traditionnellement, on indique la césure par une double barre oblique.

Ex. : « Leur sang se congela, // plus de feux dans les tentes, » (*Paysages polaires*, vers 13, page 39)

L'espace compris entre deux coupes constitue une **mesure**. Les coupes peuvent séparer le vers en deux, trois, quatre mesures ou plus. Ces mesures peuvent être égales ou non ; dans ce dernier cas, elles peuvent être de plus en plus longues ou de plus en plus courtes. L'effet créé est chaque fois différent ; il convient donc d'y être sensible.

■ Enjambement, rejet et contre-rejet

Le rythme d'une strophe varie selon qu'elle est isométrique ou hétérométrique. Il varie aussi en fonction de la longueur des vers, de la disposition des rimes et de la présence ou non d'enjambements. Il y a **enjambement** quand la phrase ne se termine pas avec le vers, mais qu'elle l'enjambe et se poursuit dans le ou les vers suivants. L'enjambement crée une continuité ; il permet le développement d'un sentiment ou d'une pensée.

Le mot ou le groupe de mots rejeté au début du vers suivant s'appelle **rejet**. Ainsi, dans les vers « [...] où le soleil, de la montagne fière / Luit [...] », le verbe « Luit » constitue un rejet (*Le Dormeur du val*, vers 3 et 4, page 60).

Inversement, quand la phrase commence à la fin d'un vers et se termine dans le ou les vers suivants, le début de cette phrase constitue un **contre-rejet**. Ainsi en est-il des mots « mais une barque, » dans les vers suivants : « [...] mais une barque, / Chargée de pierres rouges, s'éloignait [...] » (*L'Adieu*, vers 12 et 13, page 282)

Les rejets et les contre-rejets mettent en évidence les mots qui les constituent.

Sonorités

■ Rime

La rime contribue à la musique du poème puisqu'elle repose sur la répétition d'un même son à la fin de deux ou de plusieurs vers. Quand elle se trouve à l'intérieur du vers, on parle de **rime intérieure** comme dans ce vers de Verlaine : « Dans ce cœur qui s'écœure. » (*Il pleure dans mon cœur*, vers 10, page 55) On peut considérer la rime du point de vue de sa nature, de sa valeur et de sa disposition.

• Nature

La rime est dite **féminine** lorsqu'elle se termine par un *e* muet, et **masculine** dans les autres cas. Du XVIe à la fin du XIXe siècle, la règle voulait que le poète alterne rimes masculines et rimes féminines (*Carmen*, page 37).

• Valeur

La valeur de la rime se mesure au nombre de sons, et non de lettres, identiques. La rime est dite **pauvre** lorsqu'elle repose sur un son commun (une voyelle accentuée), **suffisante**, sur deux (une voyelle et une consonne ou une consonne et une voyelle), et **riche**, sur trois ou plus.

Voici des exemples tirés de *Carmen*, à la page 37.

Rime pauvre : *fous* et *genoux*.

Rime suffisante : *fauve* et *alcôve*.

Rime riche : *bistre* et *sinistre*.

• Disposition

Traditionnellement, on emploie les lettres A, B, C, D, etc., pour indiquer la disposition des rimes. Trois cas sont possibles : 1) les rimes sont **suivies ou plates** (AA BB) ; 2) elles sont **embrassées** (ABBA) ; 3) elles sont **croisées ou alternées** (ABAB). Voici des exemples tirés du poème *Mon rêve familier*, à la page 56.

- Strophes 1 et 2 : ABBA, rimes embrassées.
- Strophes 3 et 4 : CC, rimes suivies, et DEDE, rimes croisées.

■ Sonorités autres que la rime

Le poète choisit ses mots en fonction du sens, mais il peut aussi les choisir en fonction de leur sonorité. Selon qu'il veut créer une impression de douceur ou de dureté, par exemple, il choisira des sons doux ou des sons durs. La répétition d'un son peut également lui permettre de créer un rythme à l'intérieur du vers.

- L'**allitération** consiste en la répétition d'une consonne ou d'un groupe de consonnes. Voici une allitération en *d* :

  Ex. : « Dormeuse, amas doré d'ombres et d'abandons, » (*La Dormeuse*, vers 9, page 65)

- L'**assonance** est la répétition d'une voyelle. L'assonance suivante est créée par la répétition du son « an » :

  Ex. : « Ou penchés à l'avant des blanches caravelles, » (*Les Conquérants*, vers 12, page 38)

Forme du poème

Certains poèmes respectent une forme déjà fixée en fonction de règles précises ; c'est le cas de la ballade, de l'ode et de l'iambe dont on trouve des exemples dans le premier tome de cette anthologie, mais qui sont absents de celui-ci où l'on trouve, par ailleurs, dans les deux premiers chapitres, des sonnets. La raison en est simple : le sonnet, quelque peu délaissé au XVIIIe siècle, connaît un regain de popularité au XIXe siècle ; Baudelaire en écrivit beaucoup.

■ Sonnet

Le sonnet se compose de quatorze vers répartis en deux quatrains sur deux rimes et deux tercets sur trois rimes. La disposition des rimes est la même dans les quatrains : le plus souvent embrassées (ABBA), mais parfois croisées (ABAB). Les tercets sont composés de rimes suivies et de rimes croisées (CCD/EDE). Les vers sont des alexandrins, des décasyllabes ou, moins souvent, des octosyllabes.

Ex. : *L'Ennemi* de Baudelaire, à la page 54.

■ Poème en vers libres

À partir du XIXe siècle, cependant, les poètes prennent de plus en plus de liberté par rapport aux règles de la versification et délaissent peu à peu les formes fixes au profit de ce qu'on appelle des vers libres. De quoi les vers se libèrent-ils donc ? D'abord, d'une métrique préétablie ; peu à peu, les poètes font se succéder de façon irrégulière des vers dont la longueur est de plus en plus déterminée non par des règles fixes, mais par la syntaxe ou le sens. Ensuite, d'une disposition rigoureuse : les poètes entremêlent à leur guise des rimes plates, embrassées ou croisées. Puis, les rimes deviennent sporadiques (dans *Il pleure dans mon cœur*, page 55, alors que les vers 1, 3 et 4 riment ensemble, le deuxième vers de chaque quatrain ne rime avec rien) ; elles sont parfois remplacées par de simples assonances (« *sténo-dactylographes* » et « *passent* » dans *Zone*, vers 17 et 18, page 93), mais elles finissent par disparaître complètement. Même la ponctuation est éliminée (ex. : *Le Pont Mirabeau*, page 93). À quoi se reconnaît donc désormais le poème ? À sa disposition typographique (retour à la ligne en fin de vers et, souvent, présence de majuscules au début des vers) et à la puissance de ses images principalement.

■ Poème en prose

La poésie se libère d'une autre manière : en s'alliant à la prose, dont elle s'était toujours distinguée. Au XIXe siècle, certains poètes se mettent à écrire des poèmes en prose ; c'est le cas de Baudelaire, avec *Le Spleen de Paris* (« Enivrez-vous », page 54)

et de Rimbaud avec *Illuminations* ; d'autres leur emboîteront le pas au XXe siècle. Ainsi que son nom l'indique, le poème en prose emprunte aux deux sortes d'écriture. C'est un poème parce qu'il constitue une unité fermée, rigoureusement structurée autour d'un thème et souvent rythmée par des reprises, parce que, au contraire de la prose, il ne cherche pas à raconter une histoire, mais à rendre une émotion ou une atmosphère, à évoquer un fantasme ou un rêve, et parce qu'il le fait au moyen d'images. Il est en prose parce qu'il ne renferme ni vers ni rimes et se présente sous la forme d'un ou de plusieurs paragraphes plus ou moins longs (ex. : *L'Huître* de Ponge, page 213).

Comprendre un texte narratif

Récit : genre et sous-genres

Le texte narratif se trouve surtout dans le récit, qui est un texte en prose (bien que certains soient en vers, comme la fable) racontant une histoire. Cette histoire peut être réelle (autobiographie, mémoires, correspondance, journal intime) ou fictive (principalement roman, conte et nouvelle). Le roman compte plusieurs sous-genres : roman policier, fantastique, historique, roman de science-fiction, etc.

Il est important de bien distinguer ce qui est raconté, l'**histoire**, et la façon dont elle est racontée, la **narration**.

Histoire

Tout récit raconte une histoire constituée d'une **intrigue** (événements et actions) vécue par des **personnages** (principaux et secondaires) dans un **cadre spatiotemporel et moral** donné (lieu, moment et contexte de l'intrigue), et cette histoire aborde un certain nombre de **thèmes**.

■ Intrigue

L'intrigue est constituée d'une succession d'événements et d'actions. Traditionnellement, elle est structurée selon le **schéma narratif** suivant. Au début du récit, les personnages se trouvent dans une **situation initiale** ; puis survient un **élément déclencheur**, un événement qui perturbe leur vie et les oblige à réagir par une série d'**actions** qui entraînent une **conséquence** ; à la fin, les personnages se retrouvent dans une **situation finale**.

Ce schéma s'applique à l'ensemble d'un texte narratif, mais aussi à de courtes séquences narratives dans la mesure où la situation des personnages est continuellement en mouvement. Il peut donc s'appliquer à un extrait.

Ainsi, dans l'extrait de *Madame Bovary*, à la page 23, les élèves d'une classe de lycée sont tranquillement à l'étude (situation initiale) lorsque le proviseur entre avec un nouvel élève (élément déclencheur). Les élèves examinent le nouveau, qui semble très timide, récitent leurs leçons, vont à la récréation, en reviennent, lancent leurs casquettes par terre selon un rituel inconnu du nouveau, et le professeur demande à ce dernier de se lever et de dire son nom (actions) ; tout cela embarrasse fort le nouveau qui prononce son nom d'une voix inintel-ligible (conséquence). Devant sa maladresse, les élèves rient, s'agitent et se mettent à chahuter (situation finale).

■ Personnage

Le personnage étant au cœur de l'intrigue, il est important de déterminer son **identité** et de comprendre son **rôle** dans le récit.

• Identité du personnage

Pour déterminer l'identité du personnage, on doit en tracer le portrait et établir ses relations avec les autres per-sonnages. Pour ce faire, on doit être attentif aux informa-tions fournies par le narrateur (il arrive qu'il trace lui-même ce portrait, comme c'est le cas de celui de madame Vauquer dans *Le Père Goriot*, à la page 21) et par les autres person-nages du récit, aux réactions de ces derniers aux agissements du personnage et, évidemment, aux paroles et aux actions du personnage lui-même.

Le **portrait physique** du personnage est constitué de ses traits physiques distinctifs et de son habillement; il n'est pas gratuit, mais, au contraire, fort révélateur, ainsi que l'affirme Balzac au sujet de madame Vauquer: «[...] toute sa personne explique la pension [...]» (*Le Père Goriot*, lignes 63 et 64, page 21)

Son **portrait psychologique** est constitué de ses traits de caractère, de ses qualités et de ses défauts, et son **portrait moral**, de ses valeurs; ils permettent de comprendre ses motivations et ses réactions devant les événements.

Son **portrait social** (milieu social d'origine, classe sociale actuelle, métier ou profession) détermine son niveau de langue (par exemple, Léopold s'exprime en joual dans *À toi, pour toujours, ta Marie-Lou*, page 288), la façon dont il s'habille, ses valeurs, son rapport à l'argent, etc.

Enfin, ses **relations** sociales (père, fils, cousine, patron) et affectives (amitié, amour, pouvoir, etc.) avec les autres per-sonnages permettent également de comprendre ses réactions.

• Rôle du personnage dans le récit: schéma actantiel

Une fois le personnage caractérisé, on doit, à l'aide du **schéma actantiel**, déterminer le rôle qu'il joue dans le récit.

Précisons d'abord que le schéma est dit actantiel parce qu'il s'applique aux actants, c'est-à-dire non seulement aux person-nages, mais à tout ce qui suscite des actions dans le récit: ani-maux, objets, valeurs, motivations, etc. Ces actants peuvent jouer six rôles qu'on peut grouper par couples de deux.

1. Le couple **sujet / objet**. Un personnage **sujet** se met en quête d'un **objet**. Il peut s'agir d'un être cher, d'un diplôme, d'un trésor, d'un assassin, etc.

2. Le couple **destinateur / destinataire**. Le personnage sujet est poussé dans sa quête par quelqu'un ou quelque chose, le **destinateur**, et pour quelqu'un ou quelque chose, le **destinataire**, qui peut être le sujet lui-même ou quelqu'un d'autre.

3. Le couple **adjuvant / opposant**. Le personnage sujet est aidé dans sa quête par un ou plusieurs **adjuvants** et entravé par un ou plusieurs **opposants**, d'où le schéma suivant:

Destinateur ⟶ **Objet** ⟶ **Destinataire**

Adjuvant ⟶ **Sujet** ⟵ **Opposant**

Remarques:

- Le schéma actantiel peut se modifier en cours de récit.
- Plusieurs actants peuvent jouer un même rôle. Par exemple, un récit compte souvent plusieurs adjuvants et opposants.
- Un actant peut jouer plusieurs rôles de façon successive (un adjuvant peut devenir un opposant) ou simultanée (le sujet est souvent, aussi, le destinataire de la quête).

■ Cadres spatiotemporel et moral

• Cadre spatial

Une histoire se déroule forcément quelque part, et les lieux de l'action peuvent être aussi diversifiés qu'une route (*Le Vagabond*, pages 33 à 35), une salle de classe (*Madame Bovary*, page 23), un compartiment de train (*La Modification*, page 188) ou le pont d'un navire (*Onitsha*, page 252). Ces lieux ren-ferment divers objets dont la signification peut être très importante, tels le livre *L'Enfer* de Dante illustré par Gustave Doré dans *Partir avant le jour* (page 133), ou le cou-teau dans l'extrait de *La Nausée* (page 141). Chez les auteurs de nouveaux romans, l'objet occupe une place centrale, telles la poignée de porte dans *Le Planétarium* (page 185) et la tomate dans *Les Gommes* (page 187).

• Cadre temporel

Le cadre temporel est constitué du **moment de l'action** et de sa **durée**. Ce moment peut être autant l'heure que la sai-son ou le siècle où se déroule l'action. Quant à la durée, elle peut varier d'une journée à toute une vie.

• Cadre moral

L'époque et le lieu conditionnent le cadre moral constitué de traditions et de valeurs qui varient en fonction des contextes politique, économique, social et culturel dans lesquels se déroule l'intrigue. Ainsi, la séparation des Blancs et des Noirs, sur le navire, dans l'extrait de *Onitsha*, à la page 252, ne peut se comprendre qu'à la lumière du colonialisme.

■ Thèmes

Les thèmes sont les sujets ou les idées développés à travers l'intrigue. L'amour (*La Dérive des sentiments*, page 265), la maladie et la mort (*L'Écume des jours*, pages 180 et 181), le pou-voir et l'argent (*Germinal*, pages 29 et 30) constituent quelques grands thèmes universels. Un thème, l'amour par exemple, peut se subdiviser en sous-thèmes: la sexualité (*Passion fixe*, page 255), la passion (*Passion simple*, page 256), la jalousie (*Poussière sur la ville*, page 146), etc. Au XXᵉ siècle, la mémoire (*À la recherche du temps perdu*, page 71), la quête de l'identité (*Le Livre de l'intranquillité*, page 277) et l'écriture (*Les Faux-Monnayeurs*, page 77) sont des thèmes récurrents. Comme nous l'avons vu, l'étude des champs lexicaux permet de déterminer les thèmes et sous-thèmes d'un récit.

Narration

Une même histoire peut être racontée de diverses manières. L'auteur doit donc choisir la sienne ; il doit choisir un **narrateur** qui raconte l'histoire selon un certain **point de vue** et une certaine **organisation temporelle**, et qui rapporte les **paroles des personnages** selon un certain type de discours.

■ Narrateur
On doit distinguer l'auteur d'un récit, c'est-à-dire la personne en chair et en os qui l'écrit et le signe, et le narrateur, soit celui que l'auteur choisit pour raconter son histoire. La distinction entre les deux est plus ou moins facile à établir selon que le narrateur est externe ou interne.

• Narrateur externe
Comme son nom l'indique, le narrateur externe reste à l'extérieur de l'histoire racontée ; il n'est pas un personnage du récit et il raconte l'histoire à la troisième personne (*Le Vagabond*, pages 33 à 35).

• Narrateur interne
Le narrateur interne, au contraire, est un personnage du récit. Il est souvent le **personnage principal**, soit le sujet dans le schéma actantiel, comme c'est le cas dans *L'Étranger*, à la page 145 ; il écrit alors à la première personne. Mais il peut être aussi un **personnage témoin** ; il emploie alors le *je* quand il se désigne et le *il* quand il désigne le sujet de l'histoire.

■ Point de vue ou focalisation
Qu'il soit externe ou interne, le narrateur adopte un point de vue sur les événements qu'il raconte. Le choix de ce point de vue est fondamental parce qu'il détermine le choix des informations et la façon dont elles sont rapportées, et aussi parce qu'il colore les événements d'une affectivité et d'une tonalité particulières.

• Focalisation zéro
La focalisation zéro, c'est le point de vue de Dieu sur le monde, d'un dieu omniscient, qui voit et entend ce qui se passe en plusieurs lieux à la fois, qui sait tout du passé, du présent et de l'avenir, et qui connaît les pensées les plus intimes de ses personnages. C'est celui du narrateur de *Germinal*, aux pages 29 et 30, qui sait que deux personnages, Lucie et Jeanne, sont glacées à l'« idée qu'il suffi[t] d'un regard [...] pour qu'on les massacr[e] » (lignes 48 à 50) et qui connaît, en même temps, le désir des autres de « détourner les yeux » (lignes 54 et 55).

• Focalisation externe
La focalisation externe est à l'opposé de la focalisation zéro. Elle équivaut à celle d'une caméra qui regarderait les choses et les êtres de l'extérieur. Le narrateur qui adopte ce point de vue se contente de rapporter ce qu'il voit et entend sans donner d'informations supplémentaires et sans pénétrer les pensées des personnages. Ce point de vue très limité crée un effet d'objectivité.

• Focalisation interne
La focalisation interne est aussi limitée, mais, contrairement à la focalisation externe, elle est très subjective puisqu'elle épouse le regard et la pensée d'un personnage. Elle amène le lecteur à percevoir les mêmes choses que lui, ni plus (comme en focalisation zéro) ni moins (comme en focalisation externe). Elle favorise l'identification au personnage et permet de le connaître de l'intérieur (*Passion simple*, page 256). Le narrateur peut s'en tenir au point de vue d'un seul personnage tout au long du récit (focalisation interne fixe) ou il peut, successivement ou alternativement, adopter le point de vue de différents personnages (focalisation interne variable). Ainsi, dans l'extrait de *Windows on the World* (pages 274 et 275), deux narrateurs se succèdent, un Français et un Américain.

Il ne faut pas confondre narrateur interne et focalisation interne. Une focalisation interne peut être le fait d'un narrateur externe si ce dernier perçoit tout du point de vue d'un personnage tout en n'étant pas lui-même un personnage. C'est le cas de *La Modification*, à la page 188. Le narrateur externe peut évidemment aussi adopter les deux autres types de focalisation, zéro et externe.

■ Organisation temporelle
Il faut se questionner sur l'organisation temporelle de l'intrigue et, plus précisément, sur le **moment de la narration** par rapport au moment de l'histoire. Le narrateur raconte-t-il les événements après qu'ils ont eu lieu, en même temps qu'ils se déroulent ou même avant, s'il anticipe ce qui se passera dans l'avenir ? Entremêle-t-il la narration d'événements passés, présents et futurs ?

Il faut aussi se demander dans quel **ordre** les événements sont racontés. Le sont-ils selon un ordre chronologique ? Le narrateur fait-il des retours en arrière, des anticipations ?

Il faut enfin étudier la **vitesse de la narration**. Le narrateur peut raconter dix ans de la vie d'un personnage en quelques lignes, et une heure, en dix pages. Le nombre de lignes ou de pages de la narration par rapport à la durée d'un événement détermine la vitesse de la narration. Si le narrateur passe sous silence une certaine période, il fait une **ellipse**. Ainsi, dans l'extrait du roman *Le Rouge et le Noir*, à la page 19, le narrateur raconte que Mathilde, dans la chambre de Fouqué, baise la tête de Julien au front et, dans la phrase suivante, que Mathilde est assise dans une voiture et escorte Julien jusqu'au tombeau ; le narrateur ne raconte pas ce qui s'est passé entre les deux moments (lignes 25 et 26, page 19). Si le narrateur résume des événements, il fait un **sommaire**. S'il interrompt sa narration pour faire une description, un portrait ou des commentaires, il fait une **pause** (*Les Gommes*, dernier paragraphe, page 187). Si, enfin, le temps de la narration correspond au temps de l'histoire, comme dans les monologues et les dialogues, il s'agit d'une **scène** (*L'Écume des jours*, pages 180 et 181), comme au théâtre.

Il existe trois manières de rapporter les paroles des personnages.

- Le **discours direct** le fait textuellement.

  Ex.: «Je lui ai dit: "C'est sale. Il y a des pigeons et des cours noires. Les gens ont la peau blanche."» (*L'Étranger*, lignes 25 à 27, page 145)

- Le **discours indirect** s'intègre au récit, sans guillemets ni tirets, sous la forme d'une subordonnée.

  Ex.: «[...] Marie m'a dit qu'elle aimerait connaître Paris.» (*L'Étranger*, lignes 23 et 24, page 145)

- Le **discours indirect libre** évite la rupture dans la narration que supposent les deux discours précédents: il n'est précédé ni de guillemets, ni de tirets, ni d'un verbe déclaratif et ne comporte pas de lien de subordination. C'est d'ailleurs pourquoi il est plus difficile à reconnaître. Il conserve la spontanéité du discours direct tout en rapportant les paroles d'une manière indirecte. Ainsi, on comprend que la phrase suivante rapporte la pensée du personnage sans pourtant que rien ne le précise.

  Ex.: «Ne pas le contrarier, dire tout ce qu'il voudra, et qu'il parte, mon Dieu, qu'il parte.» (*Belle du Seigneur*, lignes 1 et 2, page 248)

Comprendre un texte dramatique

Définition et spécificité du théâtre

Une pièce de théâtre met en scène des personnages qui vivent une situation conflictuelle qu'ils cherchent à résoudre à travers une intrigue. L'histoire qu'elle présente n'est pas racontée, comme dans un récit, mais jouée, recréée au présent, sur une scène. Cette histoire est beaucoup plus concentrée que celle du roman.

Le **conflit** est au cœur de la pièce de théâtre. Il oppose des personnages qui ont des désirs et des intérêts contraires.

Ex.: le conflit qui oppose Antigone à Créon dans *Antigone* (le chœur, page 155, annonce l'issue du conflit).

Le **personnage** est un être de fiction à ne pas confondre avec l'acteur, qui est la personne réelle qui joue le personnage. Chaque personnage se situe par rapport au conflit. Il est donc important de comprendre qui il est en traçant son portrait psychologique, social et moral et en déterminant ses motivations et ses relations avec les autres personnages. On doit être attentif à ce qu'il dit ou ne dit pas et à ce que les autres disent de lui. L'élaboration du schéma actantiel, expliqué à la page 306, permet de comprendre les enjeux et de situer les personnages les uns par rapport aux autres. Le personnage principal s'appelle le **protagoniste**.

Dans certaines pièces, on trouve un **chœur**, c'est-à-dire un groupe de personnages qui représentent une collectivité dont ils expriment la pensée et les sentiments communs. Le chœur agit comme un personnage, mais un personnage collectif (*Antigone*, page 155).

Genres dramatiques

Traditionnellement, on distingue trois genres dramatiques principaux.

■ **Tragédie**

La tragédie remonte à l'Antiquité. Elle est écrite en vers, et son niveau de langue est soutenu. Ses personnages ont un statut social élevé et appartiennent à l'Antiquité ou à la mythologie. Ce sont des êtres tourmentés aux prises avec des forces qui les dépassent et une fatalité qui les conduit à la mort. La tragédie vise la **catharsis**, c'est-à-dire la purgation des passions; elle permet au spectateur de se libérer de ses passions en regardant les acteurs jouer devant lui.

La tragédie doit respecter la règle des trois unités: l'action doit se dérouler en 24 heures (**unité de temps**), dans un lieu unique (**unité de lieu**) et elle ne doit compter qu'une intrigue (**unité d'action**).

La tragédie, qui a connu son âge d'or au XVIIe siècle, n'existe plus au XXe siècle. Certains auteurs, cependant, se sont inspirés de tragédies grecques qu'ils ont récrites en les modernisant (ex.: *Antigone*, page 155, et *Les Mouches*, page 156) ou même en les parodiant.

■ **Drame**

Ni tragédie ni comédie, le drame est un genre sérieux qui mêle les tonalités. Ses personnages sont des contemporains (de l'auteur et non des spectateurs) qui vivent un conflit axé sur leurs relations familiales et sociales et qui parlent une langue adaptée à leur condition sociale. L'intrigue a souvent un caractère psychologique.

Les sous-genres du drame sont nombreux: drame bourgeois (né au XVIIIe siècle à la suite du déclin de la tragédie), drame romantique (dans la première moitié du XIXe siècle), drame lyrique (chanté) ou encore **mélodrame**, drame populaire qui met en scène des personnages très typés et qui vise à apitoyer le public sur le sort des «bons», les «méchants» étant punis à la fin.

Dans l'extrait d'*Antigone*, à la page 155, le chœur explique les différences entre la tragédie et le drame.

■ **Comédie**

La comédie a pour origine le culte de Dionysos, dans l'Antiquité, et prend diverses formes au fil des siècles. Elle vise à faire rire les spectateurs du ridicule de certains comportements humains et des travers de la société. Elle met en scène des personnages de diverses classes sociales. Il existe un grand nombre de sous-genres: comédie-ballet, comédie musicale, comédie de mœurs, de caractère, d'intrigue, vaudeville, etc.

La comédie fait appel à plusieurs **procédés comiques**:

- le **comique de mot**, constitué d'interjections, de répétitions de mots ou de phrases, de jeux de mots de toutes sortes, de l'emploi d'un niveau de langue inapproprié, etc.;

  Ex.: l'emploi de «merdre» et de termes familiers et populaires dans *Ubu Roi*, à la page 81.

- le **comique de geste**, qui résulte de mimiques, grimaces, coups de bâtons, etc. ;

  Ex. : Estragon perd son pantalon en enlevant la corde qui tient celui-ci attaché dans *En attendant Godot*, à la page 209.

- le **comique de caractère**, qui ressort de l'exagération des défauts d'un personnage ;

  Ex. : la grossièreté et la bêtise du père Ubu font rire dans *Ubu Roi*, à la page 81.

- le **comique de situation**, qui naît des rebondissements de l'action, de malentendus, de renversements de situation.

  Ex. : les hésitations du père Ubu – qui refuse, accepte, puis refuse à nouveau de tuer le roi de Pologne – créent un effet comique dans l'extrait de la page 81.

Au XXᵉ siècle, la frontière entre les genres n'est plus étanche, et les tons se mélangent. La tragédie n'existe plus, mais le tragique est souvent présent, et l'on assiste à des «drames comiques» et à des «comédies dramatiques». En 1896, *Ubu Roi*, pourtant sous-titré «drame en cinq actes», recourt aux procédés de la farce. Dans les années 1950 et 1960, le théâtre de l'absurde présente une vision tragique de l'être humain, mais incarnée dans des personnages burlesques, dépourvus de leurs repères habituels et s'exprimant dans un langage souvent incohérent qui provoque le rire. Mais ce rire est inquiet, voire grinçant, car ce ne sont pas que les travers humains et sociaux (le conformisme dans *Rhinocéros*, aux pages 206 et 207) qui sont tournés en dérision ; c'est l'absurdité de la condition humaine (*En attendant Godot*, page 209).

Texte dramatique

■ Types de discours
Le texte dramatique renferme deux types de discours : les didascalies et les paroles des personnages.

• Didascalies
Les didascalies sont les indications scéniques – souvent écrites en italique ou entre parenthèses pour les distinguer du dialogue – que l'auteur donne sur la façon dont il entrevoit la mise en scène. Elles concernent le décor, l'éclairage, le bruitage, les entrées et les sorties de scène, un changement d'interlocuteur, le ton d'une réplique, les gestes, les mouvements, etc.

Ex. : «(*Il frappe aux vitres.*)» (*Orphée*, ligne 20, page 116)

• Paroles des personnages
Écrites en vers ou en prose, les paroles constituent l'essentiel du texte dramatique. Elles doivent à la fois informer, émouvoir et faire progresser l'action. Leur situation d'énonciation est double puisque chaque réplique a deux destinataires : les autres personnages et les spectateurs. Elles peuvent prendre l'une des formes suivantes.

Aparté : réplique que les spectateurs seuls, et non les autres personnages, sont censés entendre. Désigné par la didascalie

à part, l'aparté est généralement court. Il est plus fréquemment employé dans la comédie que dans la tragédie.

Ex. : «Mère Ubu, *à part*. — Oh! merdre!» (*Ubu Roi*, ligne 48, page 81)

Dialogue : ensemble des répliques d'une pièce de théâtre.

Monologue : réplique que le personnage s'adresse à lui-même lorsqu'il est ou se croit seul en scène. Il permet aux spectateurs de connaître les pensées et les tourments de ce personnage. Certaines pièces modernes ne comportent pas de dialogue et ne sont constituées que d'un long monologue.

Ex. : le monologue de Bérenger (*Rhinocéros*, pages 206 et 207).

Réplique : ce que dit un personnage à un autre. La longueur des répliques peut varier en fonction des personnages ; si c'est le cas, il faut se demander ce que signifie cette variation.

Tirade : très longue réplique. Contrairement au monologue, la tirade est adressée à un autre personnage.

Ex. : la longue réplique d'Ulysse dans *La Guerre de Troie n'aura pas lieu*, à la page 154.

La tirade et le monologue sont parfois l'occasion d'un **récit** qui consiste en l'exposé détaillé d'un événement qui n'est pas représenté sur la scène et qui a des répercussions sur l'action en cours.

■ Organisation du texte dramatique
• Découpage
Les pièces de théâtre sont traditionnellement divisées en actes, eux-mêmes subdivisés en scènes. Un **acte** compte un certain nombre de scènes organisées autour d'une partie importante de l'action. La tragédie classique en compte cinq. La **scène** est circonscrite par l'entrée ou la sortie d'un ou de plusieurs personnages.

Ce découpage traditionnel s'est estompé avec le temps, et les pièces modernes ne comptent souvent que des scènes ou elles sont divisées en **tableaux** ou encore en **sketches**. Certaines ne comportent aucune division ; c'est le cas d'*Antigone* (page 155) et de *À toi, pour toujours, ta Marie-Lou* (page 288).

• Structure
La pièce de théâtre comporte traditionnellement les parties suivantes :

- une **exposition**, dont la fonction première est de renseigner le spectateur sur les personnages, leurs relations et leur situation afin de lui permettre de comprendre l'action qui s'enclenche ;

- le **nœud**, qui précise le conflit qui oppose les personnages ;

- des **péripéties**, qui s'enchaînent vers la résolution de ce conflit ;

- le **dénouement**, qui apporte une solution heureuse (comédie) ou malheureuse (tragédie) au conflit.

Rédaction de la dissertation explicative

Qu'est-ce qu'une dissertation explicative ?

Une dissertation est un discours qui développe une argumentation à l'appui d'une idée. Cette argumentation repose sur des preuves tirées des textes à l'étude et de connaissances culturelles et littéraires. La dissertation fait appel à la raison ; elle exige rigueur, clarté, précision et méthode. Elle peut être explicative ou critique. Quand elle est explicative, l'idée dont elle doit faire la démonstration est celle qui est affirmée dans le sujet.

La dissertation explicative fait l'objet du deuxième cours de français du collégial. Il convient de la distinguer de l'analyse littéraire, objet du cours précédent, et de la dissertation critique, objet du cours suivant.

Distinction entre l'analyse littéraire et la dissertation explicative

L'analyse littéraire vise la compréhension d'un texte court, poème ou extrait de récit ou de pièce de théâtre. Elle suppose l'élucidation du propos du texte et l'étude des procédés stylistiques mis en œuvre pour le soutenir. L'analyse se fait à partir de l'idée directrice que l'élève dégage lui-même du texte ou qu'on a dégagée pour lui en la lui soumettant sous forme de sujet.

À la différence de l'analyse littéraire, la dissertation, qu'elle soit explicative ou critique, se fait toujours à partir d'un sujet et elle peut porter sur une œuvre complète. Mais pas obligatoirement. Ainsi, la dissertation critique demandée par le Ministère en guise d'épreuve commune porte sur un ou deux extraits.

Distinction entre la dissertation explicative et la dissertation critique

La dissertation explicative exige que l'on ne remette pas en question l'affirmation qui en constitue le sujet et qu'on se contente d'en démontrer la véracité. Les consignes les plus fréquentes sont : *expliquez, montrez, démontrez, décrivez, illustrez, prouvez* et *justifiez.*

Dans la dissertation critique, au contraire, il faut prendre position par rapport au sujet, dire dans quelle mesure on est en accord avec lui. La consigne peut être *discutez, critiquez, appréciez…* ; souvent, elle se présente sous forme de questions : *que pensez-vous de…, croyez-vous que…, peut-on dire que…, est-il juste d'affirmer que…?*.

Une même affirmation pourrait servir de point de départ à un sujet de dissertation explicative et de dissertation critique. Mais la consigne et l'orientation différeraient. Prenons comme exemple l'affirmation suivante : l'objet occupe une place importante dans *Madame Bovary* de Gustave Flaubert et dans *Les Gommes* d'Alain Robbe-Grillet. Si la consigne est *montrez-le,*

il faut se contenter de montrer l'importance de l'objet chez l'un et l'autre auteur ; la dissertation est alors explicative. Si la consigne est *discutez,* il faut pousser plus loin l'étude de la place de l'objet et montrer, par exemple, que si l'objet est important chez les deux auteurs, il est plus important chez l'un que chez l'autre, qu'il ne joue pas le même rôle dans leurs œuvres et que son traitement est différent. La dissertation est alors critique.

Bref, dans la dissertation explicative, l'affirmation ne doit pas être remise en question. Dans la dissertation critique, au contraire, elle doit l'être ; il faut s'interroger sur sa pertinence, la discuter et la nuancer.

Étapes de la rédaction d'une dissertation explicative

Les étapes de la rédaction d'une dissertation explicative sont les suivantes : l'analyse du sujet, le recensement des arguments et des preuves, l'élaboration du plan, la rédaction et la révision de la dissertation explicative.

Analyse du sujet

Compréhension du sujet

Le libellé d'un sujet comprend deux parties et parfois trois :

1. La **consigne**, souvent constituée d'un verbe à l'impératif ; nous avons vu précédemment les consignes les plus fréquentes.
2. Une **affirmation**, attribuée ou non à un auteur. Il faut s'assurer de bien comprendre le sens de chaque mot de cette affirmation et de mettre en évidence le ou les mots-clés qu'elle renferme afin de dégager correctement la problématique qu'elle sous-tend. Reformuler le sujet permet de vérifier la justesse de sa compréhension.
3. Parfois des **conseils** qui précisent le sujet et l'orientent.

Dans l'exemple qui suit et qui porte sur l'extrait du *Procès* de Kafka (page 149), la consigne est soulignée, le sujet est en caractères gras et les conseils sont en italique : « <u>Montrez que</u>, **dans cet extrait, Kafka présente un univers absurde qui peut être rapproché de celui de Sartre dans *La Nausée*.** *Appuyez votre démonstration sur les dires et les actes des personnages.* » Les mots-clés de ce sujet sont « univers absurde ».

Division du sujet

Une fois le sujet compris, il est fort utile de le diviser en idées principales qui guideront la recherche subséquente des arguments et des preuves et constitueront l'esquisse du plan à venir.

De deux choses l'une : ou les idées principales sont **explicites** dans le sujet, ou elles sont **implicites**. Si elles sont explicites, il s'agit d'en prendre conscience et, surtout, d'en tenir compte sans en négliger aucune ; leur présence en rend le développement obligatoire. Si elles sont implicites, il faut les déduire du ou des mots-clés contenus dans l'affirmation.

Prenons comme exemple l'affirmation contenue dans le sujet portant sur le poème de Breton qui se trouve à la page 105 : « Montrez que, même si le thème principal et certains procédés stylistiques de ce poème appartiennent à la poésie de tous les temps, la facture en est résolument surréaliste. » Cette affirmation renferme deux idées principales explicites : 1) le thème principal et certains procédés du poème appartiennent à la poésie de tous les temps ; 2) la facture du poème est résolument surréaliste.

Prenons comme autre exemple le sujet portant sur l'extrait d'*Ulysse* à la page 151 : « Expliquez la modernité de l'écriture de James Joyce. » Au contraire du précédent, ce sujet ne renferme pas deux idées principales. Il contient par ailleurs le mot-clé « modernité ». Après avoir défini ce mot et s'être assuré d'en comprendre toutes les ramifications, il faut isoler quelques caractéristiques importantes de la modernité (celles qu'on croit déjà déceler dans le texte à l'étude) et les constituer en idées principales de la dissertation ; on pourra évidemment les modifier au moment de faire le plan détaillé.

Recensement des arguments et des preuves

Une fois le sujet bien compris et les idées principales trouvées, il faut recenser tous les **arguments** qui serviront à démontrer ces idées et toutes les **preuves** qui appuieront ces arguments.

Si le sujet demande de confronter le texte à l'étude à son contexte sociohistorique, à un courant littéraire ou à une théorie générale, il faut d'abord se documenter et s'assurer de connaître les caractéristiques de l'objet de la confrontation afin d'être en mesure de les repérer dans le texte.

Quel que soit le sujet, il faut comprendre le texte (ou les textes) sur lequel porte la dissertation et en extraire tout ce qui sera utile à l'élaboration de cette dissertation, c'est-à-dire tout ce qui, dans le texte, a un rapport avec le sujet. Ce rapport peut être évident, mais, le plus souvent, on doit le déduire des champs lexicaux, des thèmes, des paroles et des gestes des personnages ainsi que des procédés stylistiques utilisés par l'auteur. La maîtrise des notions expliquées aux pages 294 à 309 de cette anthologie aidera à franchir cette étape.

Si la dissertation porte sur une œuvre complète, la rédaction de fiches sera fort utile. Il s'agit, dans ce cas, de noter sur une fiche les passages, sous forme de citations (si le passage est court) ou de résumés (si le passage est long), qui serviront de preuves à l'appui de la démonstration et de les expliquer en fonction du sujet. On ne notera qu'un passage par fiche. Les fiches sont très utiles parce que leur maniabilité permet, par la suite, de les classer selon l'ordre de la démonstration.

Élaboration du plan

Une fois les arguments recensés, il faut les organiser en fonction d'un plan qui constitue l'armature de la dissertation. Le plan renferme des idées principales et des idées secondaires. Les idées principales ont déjà été identifiées à l'étape de l'analyse du sujet. Si elles sont explicites dans le sujet, on s'en tiendra à elles. Si elles sont implicites, il est possible qu'on veuille changer les idées retenues à la première étape. Par exemple, si l'on a pensé constituer en idée principale une caractéristique de la modernité qui s'est révélée peu présente dans le texte à l'étude, on pourra la laisser tomber au profit d'une autre beaucoup plus présente et que l'étape précédente aura permis de mettre en lumière.

Plan type

Le plan type d'une dissertation explicative est le suivant :

Introduction (environ 80 mots)
- Sujet amené
- Sujet posé
- Sujet divisé

Développement (environ 640 mots)
Première idée principale
- Première idée secondaire
- Deuxième idée secondaire

Deuxième idée principale
- Première idée secondaire
- Deuxième idée secondaire

Conclusion (environ 80 mots)
- Synthèse du développement
- Élargissement du sujet

Le nombre d'idées principales et secondaires varie selon les sujets. On doit en effet adapter son plan au sujet. Cependant, étant donné que la dissertation doit compter, selon le devis ministériel, « au moins 800 mots », il n'est pas souhaitable de dépasser trois idées principales.

Si l'on veut faire un plan plus détaillé, on ajoutera les preuves qui serviront à illustrer les idées secondaires.

Règles de base d'un bon plan

Le plan doit être conçu en fonction de l'idée directrice, qui est l'affirmation contenue dans le sujet et qui constitue le fil conducteur de la dissertation.

Chaque idée principale doit développer une partie de l'idée directrice, et chaque idée secondaire, une partie de l'idée principale. Tout ce qui ne sert pas à démontrer la véracité de l'idée directrice ne doit pas être retenu et sera considéré hors sujet.

Le sujet doit être entièrement couvert par les idées principales. Sinon, une partie du sujet sera ignorée, et la dissertation sera incomplète.

Les idées principales doivent être plus générales que les idées secondaires.

Le plan doit faire progresser les idées d'une manière logique : du plus simple au plus complexe, du général au particulier, etc.

Il doit prévoir des paragraphes d'une longueur équivalente. Le développement serait déséquilibré si un paragraphe comptait, par exemple, 125 mots, et un autre, 40.

Rédaction de la dissertation

Grandes parties de la dissertation explicative

■ Introduction

L'introduction doit compter environ 80 mots, soit environ 10 % de la dissertation totale. Elle comporte les trois parties suivantes, qui progressent du général au particulier.

• Sujet amené

L'introduction débute par une idée générale choisie en fonction de sa capacité à situer, dans un contexte plus large, la problématique soulevée par le sujet. Cette idée doit évidemment entretenir un lien avec le sujet, sans quoi elle apparaîtra plaquée. Son énoncé est suivi de la mention du titre de l'œuvre étudiée et du nom de son auteur.

• Sujet posé

Elle se poursuit par l'annonce du sujet de la dissertation. On peut reproduire telle quelle l'affirmation contenue dans le sujet ou reformuler le sujet dans ses propres mots.

• Sujet divisé

Elle se termine par l'annonce, dans l'ordre, des idées principales du développement.

■ Développement

Le développement compte environ 640 mots, soit 80 % de la dissertation.

• Structure du paragraphe

Chaque paragraphe développe une idée et une seule. Cette idée est d'abord **énoncée** dans une phrase, puis **expliquée** et **illustrée** par les citations et les faits préalablement recensés ; le paragraphe se termine par une **miniconclusion** qui en résume l'idée. Comme il est aussi possible d'illustrer l'idée avant de l'expliquer, le paragraphe peut correspondre à l'un des deux schémas suivants :

Idée énoncée		Idée énoncée
Idée expliquée	ou	Idée illustrée
Idée illustrée		Idée expliquée
Miniconclusion		Miniconclusion

• Transition

On doit prévoir une transition d'un paragraphe à l'autre de façon à mettre en évidence la progression et les articulations de la pensée. Les première et dernière phrases du paragraphe, en même temps qu'elles introduisent et concluent le paragraphe, permettent de faire cette transition. Celle-ci peut également être faite à l'aide d'un marqueur de relation.

Cependant, il faut éviter les formules telles que « premièrement », « deuxièmement » ou, pis encore, « Je vais maintenant vous parler de… ». Outre que ces formules sont lourdes, elles signalent l'ordre des paragraphes et non le lien entre les idées développées. Or, ce que l'on doit faire ressortir, c'est précisément ce lien.

■ Conclusion

La conclusion doit compter environ 80 mots, soit 10 % de la dissertation. Elle comporte les deux parties suivantes.

• Synthèse du développement

On doit rappeler le sujet et résumer, dans l'ordre, les idées principales du développement. On évitera d'avancer des idées nouvelles, car il est trop tard !

• Élargissement du sujet

La dissertation doit se terminer comme elle a commencé, soit sur une idée générale. Cette idée doit ouvrir le sujet sur une perspective plus large : corrélation avec l'époque, actualité de la problématique soulevée par le sujet, etc. Deux erreurs opposées sont à éviter : rester dans le sujet et ne conserver aucun lien avec lui.

Style de la dissertation explicative

Le style de la dissertation explicative doit être neutre et objectif. Il doit éviter l'emploi du pronom *je* et privilégier des formules impersonnelles. Ainsi, on remplacera une affirmation subjective telle que « Je trouve que Meursault est indifférent » par « Meursault fait preuve d'indifférence ».

On doit éviter de mettre de l'avant ses sentiments personnels (« Je trouve bien triste pour Marie que Meursault réponde si froidement à sa demande en mariage ») ou des jugements moralisateurs (« Claire, dans *Les Bonnes*, ne devrait pas tuer sa maîtresse ; il existe de meilleures façons de régler ses problèmes »).

On ne doit jamais interpeller le lecteur en employant les pronoms *tu* ou *vous*.

La dissertation doit être rédigée au présent de l'indicatif.

Le vocabulaire doit être précis et varié.

Le niveau de langue doit être correct ; il faut éviter les tournures familières et le recours à la langue parlée.

L'auteur doit être désigné par son patronyme et non par son prénom (« Camus », et non « Albert », a écrit *L'Étranger*).

Insertion des citations

Chaque argument doit être illustré à l'aide d'une citation, d'un fait ou d'un ensemble de faits que l'on résume. Quand on cite, il est primordial de ne pas plaquer la citation, mais de l'intégrer à la phrase d'une façon harmonieuse. Voici quelques règles à suivre.

- On ne doit encombrer la dissertation ni de citations trop longues ni de citations inutiles. On ne cite que ce qui est absolument indispensable à l'illustration de l'idée développée.

- On doit placer la citation entre guillemets de façon à la distinguer de son propre texte.
- Tout ajout, coupure ou modification doit être signalé par des crochets. Une coupure est indiquée par des points de suspension entre crochets [...].

  Ex. : Après son meurtre, « Tchen ne [peut] lâcher le poignard. [...] un courant d'angoisse s'établi[t] entre le corps et lui [...], jusqu'à son cœur convulsif, seule chose qui boug[e] dans la pièce ». Le texte intégral est : « Tchen ne pouvait lâcher le poignard. À travers l'arme, son bras raidi, son épaule douloureuse, un courant d'angoisse s'établissait entre le corps et lui jusqu'au fond de sa poitrine, jusqu'à son cœur convulsif, seule chose qui bougeât dans la pièce. » (*La Condition humaine*, lignes 28 à 31, page 136) Les verbes au passé ont été mis au présent de façon qu'ils s'intègrent à la dissertation qui est écrite au présent, et les mots supprimés ont été remplacés par des points de suspension entre crochets.

- La modification ne doit pas rendre la citation incompréhensible.

  Exemple à éviter : « Tchen ne pouvait lâcher le poignard. [...] qui bougeât dans la pièce. »

- Quand on cite deux vers consécutifs, on doit soit respecter la disposition des vers, soit les séparer par une barre oblique et conserver les majuscules au début des vers.

  Ex. : « Le monde s'endort / Dans une chaude lumière. » (*L'Invitation au voyage*, vers 39 et 40, page 53)

- Quand la dissertation porte sur un extrait, on fait suivre la citation de l'indication, entre parenthèses, de la ligne ou du vers d'où elle est extraite.

  Exemple tiré de *Rhinocéros*, à la page 207 : Bérenger prend soudain en aversion son « front plat » (l. 58), ses « traits tombants » (l. 59 et 60), et sa « peau flasque » (l. 64).

- Quand la dissertation porte sur une œuvre complète, on fait suivre la citation d'un chiffre de renvoi et on en indique la référence soit au bas de la page, soit à la fin de la dissertation. La référence se lit alors comme suit : 1. Eugène IONESCO, *Rhinocéros*, page 207. Si la citation suivante porte sur la même œuvre, on écrit simplement : 2. *Ibid.*, page 207.

Révision de la dissertation explicative

Il ne reste plus que l'étape ultime du travail : la révision. Il faut s'assurer que la dissertation respecte toutes les exigences propres à ce type de discours en se posant les questions contenues dans la grille présentée à la page suivante.

Grille d'autoévaluation

Parties de la dissertation

Introduction	L'introduction comprend-elle trois parties ? **Sujet amené** : Le texte à l'étude est-il situé à l'aide d'éléments pertinents ? **Sujet posé** : Le sujet de la dissertation est-il clairement indiqué ? S'il est reformulé, respecte-t-il la teneur du sujet original ? **Sujet divisé** : Les idées principales sont-elles annoncées dans l'ordre où elles seront développées ? Les trois parties sont-elles bien reliées ?
Développement	**Contenu** : La dissertation respecte-t-elle le sujet ? Développe-t-elle une argumentation convaincante ? Évite-t-elle les contresens ? **Structure** : Le développement est-il structuré en fonction du sujet ? Respecte-t-il le plan prévu ? Les idées sont-elles ordonnées d'une façon progressive ? Toutes les idées principales se rapportent-elles au sujet, et toutes les idées secondaires, à l'idée principale correspondante ? **Paragraphes** : Chaque paragraphe correspond-il à une seule idée ? Respecte-t-il la structure : idée énoncée, expliquée, illustrée et miniconclusion ? Chaque idée expliquée est-elle illustrée par des exemples ? Les phrases sont-elles bien reliées les unes aux autres ? La transition entre les paragraphes est-elle harmonieuse ? Les paragraphes sont-ils de longueur équivalente ? **Citations** : Les citations sont-elles pertinentes ? Sont-elles bien intégrées à la phrase ? Sont-elles expliquées ?
Conclusion	La conclusion comprend-elle deux parties ? **Synthèse du développement** : Le sujet est-il rappelé, et les principales idées du développement sont-elles résumées ? **Élargissement du sujet** : Le sujet est-il ouvert sur une perspective plus large ? Les deux parties sont-elles reliées ?

Écriture

Style	Le style est-il neutre et objectif ? Évite-t-il l'emploi des pronoms *je*, *tu* et *vous* ? La dissertation est-elle rédigée au présent ? Le niveau de langue est-il correct ? Le vocabulaire est-il précis et varié ? Les idées sont-elles clairement et précisément énoncées ? Le style est-il fluide ?
Langue	L'orthographe d'usage est-elle respectée ? L'orthographe grammaticale, c'est-à-dire les principales règles d'accord de l'adjectif avec le nom, du verbe avec le sujet, des participes passés, est-elle aussi respectée ? Les phrases sont-elles correctement structurées et ponctuées ?

Présentation matérielle

Page de titre	La dissertation est-elle précédée d'une page de titre ? Celle-ci renferme-t-elle le titre précis du travail, les noms de l'élève et de l'enseignant concernés, le titre et le numéro du cours, le numéro du groupe, le nom de l'établissement et la date de remise du travail ?
Disposition sur la page	Des marges ont-elles été ménagées ? Le texte est-il rédigé à double interligne ? Chaque paragraphe commence-t-il par un alinéa ? L'introduction et la conclusion sont-elles séparées du développement par un espace blanc ?
Pagination	À l'exclusion de la page de titre, le texte est-il paginé ?
Titres	Les titres d'œuvres sont-ils soulignés ou en italique ? Les titres de poèmes, de contes ou de nouvelles sont-ils placés entre guillemets ?
Citations, références et bibliographie	Les citations, les références et la bibliographie respectent-elles leur mode de présentation respectif ?

Bibliographie générale

Manuels de littérature

BIET, BRIGHELLI et RISPAIL. Coll. «Textes et contextes», 19ᵉ, 20ᵉ, Paris, Éditions Magnard.

CASTEX et SURER. Coll. «Manuel des études littéraires françaises», 19ᵉ, 20ᵉ, Paris, Éditions Hachette.

DARCOS et autres. Coll. «Perspectives et confrontations», 19ᵉ, 20ᵉ, Éditions Hachette.

DÉCOTE, sous la direction de. Coll. «Itinéraires littéraires», 19ᵉ, 20ᵉ, tomes 1 et 2, Paris, Éditions Hatier.

LAGARDE et MICHARD. Coll. «Les Grands Auteurs français du programme», 19ᵉ et 20ᵉ, Paris, Éditions Bordas.

MITTERAND, collectif sous la direction de. Coll. «Littérature, textes et documents», 19ᵉ, 20ᵉ, Paris, Éditions Nathan.

Dictionnaires et histoires littéraires

ADAM, A., G. LERMINIER et E. MOROT-SIR. *Littérature française*, Éditions Larousse, 1967.

BEAUMARCHAIS, J.-P. de, D. COUTY et A. REY. *Dictionnaire des littératures de langue française*, 4 volumes, Éditions Bordas, 1987.

BERSANI, J., M. AUTRAND, J. LECARME et B. VERCIER. *La Littérature en France depuis 1945*, Éditions Bordas, 1970.

BOISDEFFRE, P. de. *Histoire de la littérature de langue française des années 30 aux années 80*, Éditions Perrin, 1985.

BONNEFOY, C., T. CARTANO et D. OSTER. *Dictionnaire de la littérature française contemporaine*, Éditions Jean-Pierre Delarge, 1977.

BOUTY, M. *Dictionnaire des œuvres et des thèmes de la littérature française*, Éditions Hachette, 1990.

BRÉE, G. *Littérature française, Le XXᵉ siècle, II ~1920-1970*, Éditions Arthaud, 1978.

BRENNER, J. *Histoire de la littérature française de 1940 à nos jours*, Éditions Fayard, 1978.

BRUNEL, P., sous la direction de. *Histoire de la littérature française*, 2 volumes, Éditions Bordas, 1977.

BRUNEL, P., sous la direction de. *Dictionnaire des mythes littéraires*, Éditions du Rocher, 1988.

CHEVALIER, J. et A. GHEERBRANT. *Dictionnaire des symboles*, Éditions Bouquins, 1982.

DARCOS, X. *Histoire de la littérature française*, Éditions Hachette, 1992.

DE LIGNY, C. et M. ROUSSELOT. *La Littérature française. Repères pratiques*, Éditions Nathan, 1998.

DEMOUGIN, J., sous la direction de. *Dictionnaire des littératures*, 2 volumes, Éditions Larousse, 1985.

DESHUSSES, P., L. KARLSON et P. THORNANDER. *Dix siècles de littérature française*, 2 volumes, Éditions Bordas, 1991.

FRAGONARD, M. M. *Précis d'histoire de la littérature française*, Éditions Didier, 1981.

HAEDENS, K. *Une histoire de la littérature française*, Éditions Grasset, 1970.

LAFFONT, R. et V. BOMPIANI. *Dictionnaire des personnages*, Éditions Bouquins, 1984.

LAFFONT, R. et V. BOMPIANI. *Dictionnaire des œuvres de tous les temps et de tous les pays*, 7 volumes, Éditions Bouquins, 1994.

LAFFONT, R. et V. BOMPIANI. *Dictionnaire encyclopédique de la littérature française*, Éditions Bouquins, 1997.

LEMAÎTRE, H. *Dictionnaire de littérature française et francophone*, Éditions Bordas, 1981.

MAJAULT, J., J. M. NIVAT et C. GERONIMI. *Littérature de notre temps*, Éditions Casterman, 1967.

PLINVAL, G. de, et E. RICHER. *Histoire de la littérature française*, Éditions Hachette, 1978.

QUENEAU, R., sous la direction de. *Histoire des littératures*, 3 volumes, Bibliothèque de La Pléiade, 1956.

RAPP, B. et J.-C. LAMY. *Dictionnaire des films*, Éditions Larousse, 1990.

ROMMERY, C. et H. LEMAÎTRE. *Littérature*, 4 volumes, Éditions Bordas, 1982-1987.

VAN TIEGHEM, P. *Dictionnaire des littératures*, 4 volumes, Éditions PUF-Quadrige, 1984.

Ouvrages généraux

ALLUIN, B. *Anthologie des textes littéraires du Moyen Âge au XXᵉ siècle*, Éditions Hachette, 1998.

BECKER, C. *Lire le réalisme et le naturalisme*, Éditions Dunod, 1992.

BÉGUIN, M. et autres. *Anthologie, Textes et parcours en France et en Europe*, Éditions Belin, 2000.

BERNARD, D. et autres. *La Littérature française au Bac*, Éditions Belin, 1996.

BINDÉ, J., sous la direction de. *Les Clés du XXIᵉ siècle*, Éditions UNESCO/Seuil, 2000.

BONCENNE, P., sous la direction de. *La Bibliothèque idéale*, Éditions La Pochothèque, 1997.

BONNEFOY, C. *Panorama critique de la littérature moderne*, Éditions Pierre Belfond, 1980.

BRETON, A. *Anthologie de l'humour noir*, Éditions Jean-Jacques Pauvert, 1966.

CHASSANG, A. et C. SENNINGER. *Les Textes littéraires généraux*, Éditions Hachette, 1958.

COLLECTIF. *Les Plus Belles Pages de la poésie française*, Sélection du Reader's Digest, 1985.

COLLECTIF, *Littérature du Moyen Âge au XXᵉ siècle*, Éditions Hachette, 1994.

DELVAILLE, B. *Mille et cent ans de poésie française*, Éditions Bouquins, 1991.

DIDIER, B. *L'Écriture-femme*, Éditions PUF, 1976.

ELUERD, R. *Anthologie de la littérature française*, Éditions Larousse, 1985.

FRONTIER, A. *La Poésie*, Éditions Belin, 1992.

GIDE, A. *Anthologie de la poésie française*, Bibliothèque de La Pléiade, 1962.

GODARD, C. *Le Théâtre depuis 1968*, Éditions Lattès, 1980.

KUNDERA, M. *L'Art du roman*, Éditions Gallimard, 1986.

LEGGEWIE, R. *Anthologie de la littérature française*, 2 tomes, Éditions Oxford, 1990.

LIOURE, M. *Le Drame*, coll. «U», Éditions Armand Colin, 1963.

MILOT, P. *La Camera obscura du postmodernisme*, Éditions L'Hexagone, 1988.

MITTERAND, H. *L'Illusion réaliste*, Éditions PUF, 1995.

MOREL, J. *La Tragédie*, coll. «U», Éditions Armand Colin, 1964.

NADEAU, M. *Histoire du surréalisme*, Éditions du Seuil, 1964.

ORIZET, J. *Anthologie de la poésie française*, Éditions Larousse, 1988.

PAGÈS, A. et D. RINCÉ. *Lettres 1ʳᵉ*, Éditions Nathan, 1996.

PARPAIS, J. et C. PARPAIS. *Littérature 1ʳᵉ et Littérature 2ᵉ*, Éditions Hachette, 1991 et 1992.

PATERSON, J. M. *Moments postmodernes dans le roman québécois*, Éditions PUO, 1993.

ROMAN, J. *Chronique des idées contemporaines*, Éditions Bréal, 1995.

SABBAH, H. *Littérature 1ʳᵉ et Littérature 2ᵉ*, Éditions Hatier, 1993 et 1994.

SEGHERS, P. *Le Livre d'or de la poésie française*, Marabout, s.d.

SERREAU, G. *Histoire du «nouveau théâtre»*, Éditions Gallimard, 1966.

TADIÉ, J.-Y. *Le Roman au XXᵉ siècle*, Éditions Belfond, 1989.

VOLTZ, P. *La Comédie*, coll. «U», Éditions Armand Colin, 1964.

Bibliographie des notions littéraires et de la dissertation explicative

COLLECTIF. *Dictionnaire des genres et des notions littéraires*, Paris, Encyclopædia Universalis et Éditions Albin Michel, 1997, 919 p.

FOURNIER, G.-V. *La Dissertation*, coll. «Grands textes. Métho», Anjou, Les Éditions CEC, 1998, 103 p.

GADBOIS, V. *Écrire avec compétence au collégial*, coll. «Langue et pensée», Beloeil, Éditions La Lignée, 1994, 181 p.

ROUSSIN, N. *Comment faire une dissertation explicative*, Saint-Laurent, Éditions du Renouveau Pédagogique, 2000, 91 p.

TRÉPANIER, M. et C. VAILLANCOURT. *La Méthodologie de la dissertation explicative*, Laval, Éditions Études vivantes, 2000, 61 p.

Index des noms propres

Abakanowicz, Magdalena, **229**
Adler, Jules, **17, 29**
Adorno, Theodor, **175**
Aisner, Henri, **197**
Algren, Nelson, **165**
Allégret, Yves, **28**
Anouilh, Jean, **152,** 154
Apollinaire, Guillaume, 92, **102, 120, 164**
Aragon, Louis, **100, 113,** 114, **129, 155,** 162, **164, 218**
Armstrong, Neil, **174**
Arp, Hans, **91**
Arroyo, Eduardo, **276**
Artaud, Antonin, **114,** 115, **118, 152, 205, 239**
Attali, Jacques, **236**
Aufray, Hugues, **218**
Auric, Georges, **116**
Autant-Lara, Claude, **18**
Ayrton, Michael, **57**
Bacon, Francis, **128, 141**
Bakst, Léon, **63**
Balla, Giacomo, **89**
Balzac, Honoré de, **13, 20, 27**
Barthes, Roland, **172**
Basquiat, Jean-Michel, **238-239, 247**
Baty, Gaston, **152**
Baudelaire, Charles, **37, 49,** 52, **58, 68, 84, 164**
Baudrillard, Jean, **231**
Beardsley, Aubrey, **48-49**
Beatles, **171**
Beauvoir, Simone de, **138,** 142, **165**
Bechet, Sidney, **87**
Beck, Julian, **239**
Beckett, Samuel, 208
Beckmann, Max, **87**
Beigbeder, Frédéric, 274
Bernanos, Georges, **78**
Bernard, Claude, **12, 27-28**
Berri, Claude, **28**
Besnard, Albert, **273**
Bessette, Gérard, 146
Binet, Émile, **140**
Blanche, Jacques-Émile, **153**
Blériot, Louis, **45**
Böcklin, Arnold, **145**
Boldini, Giovanni, **73**
Bonnard, Pierre, **49, 77**
Bonnefoy, Yves, 282
Botello, Angel, **263**
Bouguereau, William, **36**
Boulanger, Louis, **21**
Boyer, Lucien, 40
Brando, Marlon, **171**
Braque, Georges, **89**
Brassens, Georges, **164, 218**

Brecht, Bertolt, **155, 164**
Brel, Jacques, **218,** 222
Breton, André, **87, 98, 100-101,** 104, 113
Brown, Dan, **199**
Buffet, Bernard, **130**
Burnett, **199**
Burri, Alberto, **177**
Butor, Michel, 188
Cage, John, **239**
Caillebotte, Gustave, **13**
Caldwell, Erskine, **126**
Calvino, Italo, **192**
Camus, Albert, **134, 138,** 144, **152, 155, 173, 178**
Carjat, **15**
Céline, Louis-Ferdinand, 31
Cendrars, Blaise, 159
Césaire, Aimé, 108
César, **177**
Cézanne, Paul, **14, 41, 47, 62, 88, 90**
Chabrol, Claude, **22-23**
Chandler, Raymond, **199**
Chaplin, Charlie, **127**
Char, René, **157,** 160
Charcot, Jean Martin, **12**
Charlebois, Robert, **218**
Chéreau, Patrice, **284**
Chirico, Giorgio de, **92**
Chopin, René, 39, **66**
Christie, Agatha, **195**
Clark, Mary Higgins, **199**
Claudel, Camille, **82, 152**
Claudel, Paul, **62, 66, 79,** 82
Cocteau, Jean, **114,** 116, **164, 198**
Cohen, Albert, 248
Colet, Louise, **42**
Colette, 94
Collard, Cyril, **264**
Comte, Auguste, **12**
Copeau, Jacques, **152**
Copernic, Nicolas, **46**
Costetti, Giovanni, **267**
Courbet, Gustave, **13, 60**
Courteline, Georges, **79**
Cros, Charles, **40**
Daguerre, Louis Jacques, **15**
Dalí, Salvador, **91, 106**
Damia, **40**
Darwin, Charles, **12, 27, 46**
Daumier, Honoré, **13**
Dean, James, **171-172**
Defœ, Daniel, **250**
Degas, Edgar, **13, 27**
Delahaye, Guy, **39, 66**
Delaunay, Robert, **88-90**
Delerm, Philippe, 262
Delvaux, Paul, **91, 95, 111**

Denis, Maurice, **49**
Derain, André, **89**
Descartes, René, **229**
Desnos, Robert, 107, **164**
Desrochers, Alfred, **66**
Diderot, Denis, **190**
Dos Passos, John, **126**
Dostoïevski, Fédor, 78, **190**
Douai, Jacques, **164**
Doyle, Arthur Conan, **195**
Dreyfus, Alfred, **28**
Dubas, Marie, **40**
Dubuffet, Jean, **128, 152, 163, 177**
Duchamp, Marcel, **91, 97, 175, 237**
Ducharme, Réjean, 216
Dufy, Raoul, **89, 135**
Dugas, Marcel, **39, 66**
Dullin, Charles, **152**
Dumas, Alexandre, **79**
Duras, Marguerite, 189
Dylan, Bob, **171, 218**
Echenoz, Jean, 261
Edison, Thomas, **40**
Einstein, Albert, **45, 172**
Éluard, Paul, **103,** 106, **129,** 161
Engels, Friedrich, **12**
Enjolras, Delphin, **65**
Ensor, James, **53**
Ernaux, Annie, 256
Ernst, Max, **80, 91**
Erro, **242**
Estes, Richard, **232**
Fantin-Latour, Henri, **48**
Faulkner, William, **126, 150, 183, 190**
Fautrier, Jean, **128, 177**
Favreau, Marc, **223**
Ferrat, Jean, **218**
Ferré, Léo, **164, 218**
Feydeau, Georges, **79**
Fischl, Eric, **255**
Flaubert, Gustave, **13, 15,** 22, **40, 42, 68, 190**
Fortin, Marc-Aurèle, **35**
Foujita, Léonard, **87**
Fréhel, **40**
Freud, Lucian, **228**
Freud, Sigmund, **46, 101, 124, 150, 183, 204**
Gainsbourg, Serge, **218**
Garros, Roland, **45**
Gary, Romain, **202,** 249
Gates, Bill, **232**
Gaudi, Antonio, **49, 70**
Gauguin, Paul, **47-49, 88**
Gautier, Théophile, **36,** 37
Gauvreau, Claude, 112
Gauvreau, Pierre, **147**
Genet, Jean, 210, **218**

Giacometti, Alberto, **91, 139, 210, 227**
Gide, André, **62, 68,** 76, **78, 150**
Giguère, Roland, **112**
Girard, Rodolphe, **33**
Giraudoux, Jean, **152,** 153
Glass, Philip, **240**
Glucksmann, André, **230, 236**
Golub, Leon, **285**
Gorky, Arshile, **165**
Gracq, Julien, **178,** 179
Grandbois, Alain, **290**
Gréco, Juliette, **164**
Green, Julien, **78,** 132
Gromaire, Marcel, **121**
Grotowski, Jerzy, **239**
Guevara, Che, **174**
Guibert, Hervé, 264
Guillevic, Eugène, 280
Guimard, Hector, **49**
Hammett, Dashiell, **199**
Hanson, Duane, **225**
Hausmann, Raoul, **90, 97**
Haussmann, Georges, **11**
Hébert, Anne, **146**
Heidegger, Martin, **150**
Hemingway, Ernest, **87, 126**
Hémon, Louis, **33**
Hénault, Gilles, **112**
Heredia, José Maria de, 38
Heuet, Stéphane, 73
Highsmith, Patricia, **199**
Himes, Chester, **199**
Hockney, David, **183**
Hocquenghem, Guy, **264**
Holland, Brad, **132**
Homère, **151, 153**
Honegger, Arthur, **116**
Hopper, Edward, **125**
Horta, Victor, **49**
Houellebecq, Michel, 268
Hugo, Valentine, **101**
Hugo, Victor, **18, 37, 164**
Huston, Nancy, 266
Huysmans, Joris-Karl, 68, **268**
Ibsen, Henrik, **79**
Ingres, Jean Auguste Dominique, **11**
Ionesco, Eugène, **203, 205,** 206
Isou, Isidore, **211**
Jaccottet, Philippe, 283
Jacquet, Alain, **237**
Janco, Marcel, **98-99**
Japrisot, Sébastien, **199,** 200
Jarry, Alfred, **79,** 80, **103, 114, 152, 205**
Jaurès, Jean, **45**
Johns, Jasper, **182, 186**
Jones, Allan, **242**
Joyce, James, **148, 150,** 151, **190, 205**
Kafka, Franz, 148, **150, 165, 183,**
    190, 205
Kandinsky, Vassily, **90**
Kaprow, Allan, **239**
Kennedy, Robert, **171**
Kerouac, Jack, **172-173**
Kirchner, Ernst Ludwig, **46**

Klein, Yves, **166**
Klimt, Gustav, **48-49, 89, 143**
Koltès, Bernard-Marie, 284
Kooning, Willem De, **178**
Koons, Jeff, **231**
Kopilak, G. G., **244**
Kosuth, Joseph, **241**
Kouchner, Bernard, **236**
Kristof, Agota, 259
Kundera, Milan, 278
Laberge, Albert, **33**
Labiche, Eugène, **79**
Laclos, Choderlos de, **268**
Langevin, André, 146
Lapointe, Paul-Marie, **112**
Larock, Evert, **17**
Lasnier, Rina, 66
Laurencin, Marie, **92**
Lautréamont (Comte), **103, 213**
Lebas, Renée, **40**
Leblanc, Maurice, **195**
Leclerc, Félix, **164**
Le Clézio, Jean-Marie Gustave, **242,** 241
Leduc, Ozias, **39**
Lempicka, Tamara de, **167**
Lernot, A., **12**
Leroux, Gaston, **195,** 196, **197**
Lévesque, Raymond, **164**
Lichtenstein, Roy, **171**
Lisle, Leconte de, **38**
Londen, Julia, **245**
Loranger, Françoise, **146**
Loranger, Jean-Aubert, 33
Lorca, Federico Garcia, **129**
Louise Attaque, **289**
Lugné-Pœ, **152**
Lumière, Louis et Auguste, **46**
Lyotard, Jean-François, **235**
Magritte, René, **91, 103, 195, 233**
Malevitch, Casimir, **128**
Mallarmé, Stéphane, **51,** 62, **84**
Malraux, André, **78, 126, 129,** 134-135
Manet, Édouard, **9, 13-14, 30, 88, 241**
Mann, Thomas, **87**
Mansour, Joyce, **108,** 111
Marey, Étienne Jules, **15**
Marx, Karl, **12, 46, 129, 150, 230**
Matisse, Henri, **89, 127**
Maupassant, Guy de, **13-14, 16,** 24
Mauriac, François, **78,** 131
McBain, **199**
McCoy, **199**
McLuhan, Marshall, **230**
Meissonier, Jean Louis Ernest, **11**
Méliès, Georges, **46**
Menzel, Adolph von, **31**
Mérimée, Prosper, **37**
Michaux, Henri, **211,** 213
Milhaud, Darius, **116**
Miller, Henry, **87**
Millet, Jean-François, **13**
Minc, Alain, **235**
Minelli, Vincente, **22**
Miró, Joan, **91, 102**

Miron, Gaston, **215**
Mitchell, Margaret, **125**
Mizrahi, Moshé, **249**
Mnouchkine, Ariane, **284**
Modiano, Patrick, 252-253
Modigliani, Amedeo, **85**
Moffatt, Tracey, **278**
Monet, Claude, **13, 16, 90**
Monory, Jacques, **242**
Monrœ, Marilyn, **170**
Montand, Yves, **164**
Montherlant, Henry de, **152**
Moréas, Jean, **50**
Moreau, Gustave, **48, 56, 59, 68**
Moreau, Jacques, **219**
Morin, Edgar, **235**
Morin, Paul, **39, 66**
Morisot, Berthe, **13**
Morrison, Jim, **171**
Mouloudji, **164**
Mucha, Alfons, **49**
Munch, Edvard, **45, 48, 64, 69, 89**
Music, Zoran, **204**
Musset, Alfred de, **42**
Muybridge, Eadweard, **15**
Nadar, **14-15**
Nauman, Bruce, **230**
Navarre, Yves, **264**
Nelligan, Émile, 66, **96**
Nerval, Gérard de, **37, 103**
Niépce, Nicéphore, **15**
Nietzsche, Friedrich, **46, 127,** 229-230
Nothomb, Amélie, 272
Ogeret, Marc, 218
Oldenburg, Claes, **184**
Oppenheim, Meret, **100**
Orwell, George, **124, 172**
Pascal, Blaise, **124**
Pauwels, Louis, **230**
Payette, Jacques, **157**
Pelez, Fernand, **27**
Pennac, Daniel, **199, 202**
Perec, Georges, 192
Perse, Saint-John, **158**
Pessoa, Fernando, 276
Piaf, Édith, **40**
Picabia, Francis, **91, 208**
Picasso, Pablo, **89, 91-92, 116, 123,**
    127-129, 142, 161, 273
Pirandello, Luigi, **79**
Pissarro, Camille, **13**
Plamondon, Luc, **228**
Playden, Annie, **92**
Pœ, Edgar Allan, **195**
Pollock, Jackson, **175-176, 239**
Ponge, Francis, **211,** 212
Poulenc, Francis, **116**
Pound, Ezra, **87**
Presley, Elvis, **171**
Prévert, Jacques, **108,** 109, **164**
Prokofiev, Sergei, **127**
Proust, Marcel, **68,** 70, 72, **78, 150, 190**
Puvis de Chavannes, Pierre, **48, 51**
Queneau, Raymond, **164, 180, 192,** 194

Rancillac, Bernard, **242**
Ray, Albert John, **22**
Redon, Odilon, **48**
Reeves, Hubert, **236**
Renard, Jules, **79**
Renaud, **28**, 220, **289**
Renaud, Thérèse, **112**
Renoir, Jean, **22**
Renoir, Pierre Auguste, **13**, **15**
Reverdy, Pierre, **102**
Ricardou, Jean, **184**
Rilke, Rainer Maria, **87**
Rimbaud, Arthur, **45**, **55**, 58, **66**, **103**,
    148, **157**, **164**
Ringuet, **33**
Riopelle, Jean-Paul, **217**, **287**
Robbe-Grillet, Alain, **182**, 186
Rolin, Dominique, **254**
Rolling Stones, **171**
Rosenberg, Harold, **237**
Rostand, Edmond, **79**
Rothko, Mark, **149**, **176**
Rouault, Georges, **89**
Rousseau, Henri, **61**
Roy, Gabrielle, **33**
Sade, Marquis de, **103**
Saint Phalle, Niki de, **205**
Saint-Denys Garneau, Hector de, 96
Saint-Exupéry, Antoine, 137
Salinger, Jerome David, **200**
Sarraute, Nathalie, **173**, 185
Sarrazin, Albertine, 224
Sarrazin, Julien, 224
Sartre, Jean-Paul, **126**, **129**, **134**,
    138-139, **140**, **142**, **152**, **155**, 156,
    164-165, **173**, **203**
Satie, Érik, **116**

Saura, Carlos, **37**
Sauvage, Catherine, **164**
Schad, Christian, **109**
Schiele, Egon, **50**, **150**
Schlöndorff, Volker, **70**
Schmid, Julius, **72**
Schmitt, Éric-Emmanuel, 270
Schott, Hans, **22**
Schultze, Bernard, **254**
Schumann, Peter, **239**
Schwabe, Carlos, **48**
Schwitters, Kurt, **91**
Segal, George, **258**
Semprun, Jorge, 257, **258**
Sérusier, Paul, **49**
Seurat, Georges, **13-14**
Signac, Paul, **14**
Simenon, Georges, 198
Simon, Yves, 265, **289**
Sisley, Alfred, **13**
Smithson, Robert, **240**
Sollers, Philippe, 254
Souchon, Alain, 289
Soulages, Pierre, **206**
Soupault, Philippe, **100**
Soutine, Chaïm, **87**
Spœrri, Daniel Isaac, **212**
Steinbeck, John, **126**
Stendhal, **13**, **18**, **199**
Stevenson, **192**
Stravinski, Igor, **92**, **127**
Strindberg, August, **79**
Stull, Trenton, **259**
Styron, William, **126**
Suzor-Côté, Marc-Aurèle de Foy, **33**, **67**
Tanguy, Yves, **91**
Tàpies, Antoni, **177**

Tchekhov, Anton, **79**
Tilson, Jœ, **174**
Tió, Miguel, **235**
Toulouse-Lautrec, Henri de, **13**, **40**, **49**
Tournier, Michel, 250
Tremblay, Michel, **33**, 287
Trenet, Charles, 119
Turner, William, **90**
Turnley, David, **274**
Tzara, Tristan, **90**, **97**, **98**
Valéry, Paul, 62, 64, **123-124**, **127**, 276
Vallotton, Félix, **153**
Van Dongen, Kees, **71**, **87**
Van Gogh, Vincent, **47**, **88-89**
Vasarely, Victor, **211**
Vaucaire, Cora, **164**
Vauthey, Pierre, **181**
Verlaine, Paul, 55, **58**, **164**
Vian, Boris, **119**, **164**, **178**, 180,
    218, 219
Villon, François, **164**
Vinaver, Michel, 286
Vitrac, Roger, **114**, 118, **152**, **205**
Vlaminck, Maurice de, **89**
Voisin, Victor, **42**
Voulzy, Laurent, **289**
Vuillard, Édouard, **49**
Warhol, Andy, **238**, **242**
Wells, Orson, **148**
Wesselmann, Tom, **175**, **268**
Whistler, James Abbott McNeill, **13**
Woolf, Virginia, 190
Yourcenar, Marguerite, 246
Zadkine, Ossip, **87**
Zebda, **289**
Zola, Émile, **13-16**, **27**, 28
Zweig, Stefan, **87**

Index des œuvres

8.30 am, **234**
1984, **124**, **172**
À la recherche du temps perdu, **70**, **71**,
    73-75
À rebours, **68**, 69
À toi, pour toujours, ta Marie-Lou,
    287, 288
Adieu (L'), 282
Alchimie du verbe, **58**, **61**, **103**
Alcools, **92**, 93
Allô maman bobo, 289
Amant (L'), 189
Amants (Les), **233**
Amoureuse (L'), 106
Angélus (L'), **13**
Angoisse, **67**
Antigone, **154**, 155
Anxious Girl, **171**
Arcane 17, **113**

Ariettes oubliées, 55
Atmosphères, Le Passeur, Poèmes
    et autres Proses (Les), **33-35**
Art 7, **166**
Attente (L') (étude), **143**
Autoportrait en fer, **244**
Autoportrait se reflétant dans une boule
    de verre, **245**
Attrape-cœurs (L'), **200**
Au cœur des quenouilles, 112
Au-delà de cette limite votre ticket n'est
    plus valable, **249**
Au rendez-vous des amis, **91**
Autant en emporte le vent, **125**
Autoportrait (Picasso), **89**
Autoportrait à la bouteille de vin, **69**
Autoportrait au modèle, **109**
Avalée des avalés (L'), **216-217**
Avez-vous vu tout ce que nous avons

vu ?, **147**
Baigneuse aux cheveux longs, **15**
Baignoire n°3, **175**
Bain de soleil, **183**
Baiser (Le), **49**
Bar dansant à Baden-Baden, **87**
Barricade, rue de la Mortellerie,
    juin 1848, **11**
Belle du Seigneur, **248**
Bonheur d'occasion, **33**
Bonnes (Les), **210**, 211
Boston Five Cents Savings Bank, **232**
Brise marine, 62, 63
C'était un bon copain, 107
Cahier d'un retour au pays natal, 108
Cahier de verdure, 283
Capitale de la douleur, 106
Carmen, **37**
Cassius Clay, **247**

Ce qui fut sans lumière, 282
Chacun sa vérité, 79
Chaises (Les), 205
Chambre d'hôtel, 125
Chanson du mal-aimé (La), 92
Charmes, 65
Chéri, 94
Cherokee, 261
Chien jaune (Le), 198-199
Chimère (La), 68
Chômeur (Le), 121
Choses (Les), 192
Ciel est par-dessus le toit (Le), 55, 57
Cimetière de Châlons-sur-Marne (Le), 153
Cœur en exil (Le), 39
Colombe de la paix (La), 220
Comédie humaine (La), 20, 27
Comment vivre sans inconnu devant soi ?, 160
Compagne du vannier (La), 160
Composition, 206
Composition surréaliste écrite, ou premier et dernier jet, 104
Compression Ricard, 177
Compte Robert de Montesquiou (Le), 73
Condamné à mort (Le), 218
Condition humaine (La), 135, 136
Condition postmoderne (La), 235
Connaissance par les gouffres, 213, 214
Conquérants (Les), 38
Corps et Biens, 107
Coucou Bazar, 152
Courbe de tes yeux… (La), 106
Coureur de bois (Le), 33
Crépuscule des vieux (Le), 223
Cri (Le), 45
Cris, 111
Critique d'art (La), 97
Crucifixion, 130
Cyrano de Bergerac, 79
Da Vinci Code, 199
Dame aux camélias (La), 79
Dame dans l'auto avec des lunettes et un fusil (La), 200, 201
Dans la solitude des champs de coton, 284, 285
Danse de la vie (La), 64
Danse de mort (La), 79
De Guillaume Apollinaire à Lou, 120
De Gustave Flaubert à Louise Collet, 42
De Stéphane Mallarmé à Maria Gerhard, 84
Déchirures, 111
Déclaration, 215
Déjeuner en fourrure (Le), 100
Déjeuner sur l'herbe (Le), 9
Déjeuner sur l'herbe de Manet (Le), 237
Dérive des sentiments (La), 265
Déserteur (De Renaud), 220-221
Déserteur (Le) (De Vian), 218, 219
Désespoir est assis sur un banc (Le), 109, 110

Deuxième Sexe (Le), 142, 143
Diane française (La), 162-163
Dictateur (Le), 127
Disparition (La), 192
Dormeur du val (Le), 58, 60
Dormeuse (La), 64, 65
Double assassinat dans la rue Morgue, 195
Du côté de chez Swann, 70
Double secret (Le), 103
Écriture ou la vie (L'), 257, 258
Écume des jours (L'), 178, 180-181
Émaux et Camées, 37
Émile Zola, 28
Empreinte de l'ange (L'), 266-267
En attendant Godot, 208, 209
Enfants qui s'aiment (Les), 109, 110
Enivrez-vous, 52, 54
Ennemi (L'), 52, 54
Équipée sauvage (L'), 171
Escalier (L'), 193
Espoir et désespoir d'Angel Ganivet, 276
Esprit de notre temps (L'), 90
Et un sourire, 161
Étranger (L'), 144, 145
Être et le Néant (L'), 140
Exercices de style, 194
Faux-Monnayeurs (Les), 76, 77
Fée carabine (La), 202
Femme qui pleure (La), 142
Feuilles de route I, 159
Fiançailles II (Les), 165
Fillette au béret, 273
Fils aînés du monde (Les), 108
Fin de Chéri (La), 94, 95
Fionta, 217
Flaubert disséquant Madame Bovary, 12
Fleurs du mal (Les), 52, 53-54, 58
Fleurs du midi, 42
Foule, 229
Fragments, 160
Fragments soulevés par le vent, 283
Fureur de vivre, 171
François Mauriac, 131
Franz Schubert au piano lors d'une soirée « Schubert » dans un salon de Vienne, 72
Fureur et mystère, 160
Ganga, 208
Gas Truck, 239
Gear Heads Thinking, 259
Germinal, 28, 29-30
Goélands (Les), 40, 41
Gommes (Les), 182, 186, 187
Grand Cahier (Le), 259, 260
Grande tête de Diego, 139
Grandes baigneuses (Les) (détail), 41
Grève (La), 29
Guernica, 123
Guerre de Troie n'aura pas lieu (La), 153, 154
Guerre ou la chevauchée de la discorde (La), 61
Gymnosophie, 163

Hedda Gabler, 79
Heure mauve (L'), 39
Holocaust (The), 258
Homme (L'), 164
Homme blessé (L'), 60
Homme foudroyé (L'), 159
Homme qui court (L'), 128
Homme rapaillé (L'), 215
Horla (Le), 24
Huissiers (Les), 286
Huître (L'), 213
Idiot (L'), 17, 78
Il n'y a pas d'amour heureux, 162, 163
Il ne faut pas…, 109
Il pleure dans mon cœur, 55
Illiade, 153
Impression soleil levant, 16
Improvisation aux formes froides, 90
Incarnate, 254
Insoutenable Légèreté de l'être (L'), 278
Interrogatoire III, 285
Introduction à l'étude de la médecine expérimentale (L'), 28
Invitation au voyage (L'), 52, 53
J'irai cracher sur vos tombes, 219
Je ne suis pas bien, 96
Je t'aime moi non plus, 218
Je t'aime, 161
Je voudrais pas crever, 219
Jean Genet, 210
Jean Giraudoux, 153
Jeune femme endormie, 65
Jeune fille en vert, 167
Journal amoureux, 254
Lapin, 231
Las (Les), 17
Légende de saint Julien l'Hospitalier (La), 40
Lettre du Che, 174
Lettres à Lucienne, 290
Lettres à Milena, 165
Lettres à Nelson Algren, 165, 166
Lettres au Castor et à quelques autres, 165
Lettres et poèmes, 224
Liberté, 161
Libraire (Le), 146, 147
Livre de l'intranquillité (Le), 276, 277
Lorsque j'étais une œuvre d'art, 270-271
Ma femme à la chevelure de feu de bois, 105
Madame Bovary, 22, 23, 170
Maison du pêcheur, Varangeville (La), 24
Malaise dans la civilisation, 124
Mamelles de Tirésias (Les), 92
Manifeste dada, 98
Manifeste du parti communiste, 12
Manifeste du surréalisme, 100, 104
Maria Chapdelaine, 33
Marie Calumet, 33
Masque, 98
Mathieu, 146
Meanclown Welcome, 230
Mémoires d'Hadrien, 246

Ménerbes, **191**

Mère de l'artiste (La), **13**

Métaphysique des tubes, *272-273*

Modification (La), **188**

Mon portrait entouré de masques, **53**

Mon rêve familier, **55**, **56**

Monsieur Ibrahim et les fleurs
  du Coran, **270**

Mont Sainte-Victoire vu des Lauves
  (Le), **62**

Montagnes, **47**

Motifs, poèmes 1981-1984, **281**

Mouches (Les), **156**

Mouette (La), **79**

Mourir de ne pas mourir, **106**

Mouvement Dada, **99**

Mystère de la chambre jaune (Le),
  196-197

Mystères de l'amour (Les), **118**

Mythe de Sisyphe (Le), **144**

*N*aissance de Vénus, **36**

Naissance du Christ (La), **48**

Naked Portrait with Reflection, **228**

Nausée (La), **140**, **141**

Ne mangez pas…, **111**

Neiges, *158*

Nous ne sommes pas les derniers, **204**

Nu assis, **50**

Nu couché les bras ouverts, **85**

Nu dans la baignoire, **77**

Nuit je suis le vagabond… (La), **111**

Nuits fauves (Les), **264**

*O*dyssée, **151**

Œuvre (L'), **14**

Œuvre au noir (L'), **246**, *247*

Œuvres complètes, *99*

Œuvres créatrices complètes, **112**

Ombilic des limbes (L'), **115**

On dirait que sa voix, **96**

One and Three Chairs, **241**

Onitsha, **251**, *252*

Orchestre militaire, le 14 juillet (L'), **135**

Orme à Pont-Viau (L'), **35**

Orphée, **59**, **116-117**

Osstidcho (L'), **218**

*P*allier sous un éclairage nocturne, **31**

Paradis (Le), **264**

Paroles, **109-110**

Parti pris des choses (Le), **212**, *213*

Particules élémentaires (Les), **268**, *269*

Partir avant le jour, **133**

Passage, **182**

Passante (La), *66*

Passion fixe, **254**, *255*

Passion simple, **256**

Pavane, **287**

Paysage en mouvement, **102**

Paysages polaires, **39**

Paysan de Paris (Le), **114**

Père Goriot (Le), **20**, **21**

Père Milon (Le), **25-26**

Persistance de la mémoire, **106**

Peste (La), **145**, **178**

Petit Prince (Le), **137**, *138*

Petites filles se tenant la main, **263**

Petits poèmes en prose, **52**, **54**

Phénix (Le), **161**

Photographie de Sarah Bernhardt, **14**

Pilote de guerre, **137**

Plaisanterie (La), **278**, *279*

Planétarium (Le), **185**

Plus ombre que l'ombre, **107**

Poème pulvérisé (Le), **160**

Poèmes du bagne, **107**

Poèmes saturniens, **56**

Poésie (La), **108**

Poésies (de Mallarmé), **63**

Poésies (de Nelligan), *66*

Poésies (de Rimbaud), **59-60**

Poète et la Sirène (Le), **48**

Poète voyageur (Le), **56**

Pont Mirabeau (Le), **92**, *93*

Portique (Le), **262-263**

Portrait d'Alfred Jarry, **80**

Portrait d'André Gide, **76**

Portrait d'Anne, **218**

Portrait d'Émile Zola, **30**

Portrait de Balzac, **21**

Portrait de Desnos, **107**

Portrait de Dostoïevski, **78**

Portrait de Flaubert, **22**

Portrait de Huysmans, **68**

Portrait de Louis François Bertin, **11**

Portrait de Mallarmé, **62**

Portrait de Maupassant, **24**

Portrait de Paul Éluard, **161**

Portrait de Proust, **70**

Portrait de Théophile Gautier, **37**

Portrait prémonitoire d'Apollinaire, **92**

Pour faire un poème dadaïste, **99**

Pour Verlaine, **57**

Poussière sur la ville, **146**

Prélude à l'après-midi d'un faune, **63**

Première Gorgée de bière et autres
  plaisirs minuscules (La), **262**

Présence de l'absence, **67**

Preuve (La), **259**

Procès (Le), **148**, *149*

Prophètes (double autoportrait), **150**

Qu'est-ce que la littérature ?, **129**

Quand les hommes vivront d'amour, **164**

Quand tu aimes il faut partir, *159*

Quatre petits rêves, **157**

Question (La), **267**

*R*acines du ciel (Les), **249**

Refus global, **112**

Regards et jeux dans l'espace, *96*

René Char, **160**

Repasseuses (Les), **27**

Rêve (Le), **51**

Réveil du lion (Le), **212**

Revenentes (Les), **192**

Rhinocéros, **206-207**

Rivage des Syrtes, **178**, *179*

Rivière (La), **281**

Roman, **58**, **59**

Romances sans paroles, **55**

Rose et le réséda (La), **162**

Roue (La), **108**

Rouge et le Noir (Le), **18**, **19**

Rougon-Macquart (Les), **27-28**

Route de Damas (La), **195**

Rue des boutiques obscures, **253**

*S*agesse, **57**

Saint-Germain-des-Prés, **140**

Salomé, **89**

Salon Verdurin – À la recherche
  du temps perdu (Le), **71**

Sans asile, **27**

Sans titre (Basquiat), **238**

Sans titre (Holland), **132**

Sans titre (Johns), **186**

Sans titre (Rothko), **149**

Saut du Berger (Le), **24**, *25-26*

Scène de rue à Berlin, **46**

Scouine (La), **33**

Sentiers ondulés (Les), **176**

Seuls demeurent, **160**

Si tu t'imagines, **164**

Something more I, **278**

Soulier de satin (Le), **82**

Spectacle, **110**

Spiral Jetty, **240**

Spleen de Paris (Le), **52**, **54**

Squirt (pour Ian Giloth), **255**

Study for Great American Nude, **268**

Supermarket Shopper, **225**

Sur la plage, **216**

Sur la route, **172**

Surréalisme (Le), **101**

*T*able Sculpture, **242**

Tempérance gavée (La), **205**

Terre (La), **27**

Terre des hommes, **137**

Tête colossale de Balzac, **20**

Thérèse Desqueyroux, **131**

Torrent (Le), **146**

Tour Eiffel (La), **88**

Trente arpents, **33**

Trois Derniers Jours de Fernando Pessoa
  (Les), **276**

Trois études de portrait de Georges
  Dyer sur fond rose, **141**

Troisième Mensonge (Le), **259**

Trophées (Les), **38**

*U*bu Imperator, **80**

Ubu Roi, **80**, **81**, **114**

Ulysse, **150**, **151**

Un amour de Swann, **70**

Un coin de mon village, Arthabaska, **67**

Un dimanche après-midi à l'Île
  de la Grande Jatte, **43**

Une baignade à Asnières, **14**

Une noix, *119*

Une rue la nuit, **95**

Une saison en enfer, **58**, **61**

Union libre (L'), **105**

Univers est dans la pomme (L'), *223*

Vagabond (Le), **33-35**
Vagues (Les), **190**, *191*
Valse (La), **82**
Vendredi ou les Limbes du Pacifique, **250**
Victor ou les enfants au pouvoir, **118**
Vie devant soi (La), **202**, *249*
Vie et les étranges aventures

de Robinson Crusoé (La), **250**
Vie mode d'emploi (La), **192**, *193*
Vieux (Les), *222*
Ville (La), **82**, *83*
Visiteur (Le), *270*
Vol de nuit, **137**
Voyage au bout de la nuit, **31**, *32*
Voyance, **103**

Windows on the World, *274-275*
Woman I, **178**
Yvette Guilbert chantant « Linger, longer, loo », **40**
Zazie dans le métro, *194*
Zebras, *211*
Zone, **92**, *93*

Index des notions théoriques

Accent tonique, **304**
Acte, **309**
Adjectif, **298**
Adjuvant, **306**
Affirmation, **310**
Allégorie, **302**
Allitération, **305**
Analyse littéraire, **310**
Anaphore, **301**
Antiphrase, **303**
Antithèse, **302**
Antonyme, **298**
Aparté, **309**
Archaïsme, **297**
Arguments, **311**
Assonance, **305**
Cadre moral, **306**
Cadre spatial, **306**
Cadre temporel, **306**
Catharsis, **308**
Césure, **304**
Champ lexical, **298**
Champ sémantique, **297**
Chiasme, **301**
Chœur, **308**
Citations, **312-313**
Comédie, **308**
Comique de caractère, **309**
Comique de geste, **308**
Comique de mot, **308**
Comique de situation, **309**
Comparaison, **302**
Compréhension du sujet, **310**
Conclusion de la dissertation
    explicative, **311-312**, **314**
Conditionnel, **299**
Conflit, **308**
Connotation, **297-298**
Conseils, **310**
Consigne, **310**
Contre-rejet, **304**
Coordination, **300**
Coupe, **304**
Dada, **292**
Dénotation, **296-297**
Dénouement, **309**
Destinataire, **295**, **306**
Destinateur, **306**

Déterminant, **298**
Développement de la dissertation
    explicative, **311-312**, **314**
Dialogue, **309**
Didascalies, **309**
Diérèse, **303**
Discours direct, **308**
Discours indirect, **308**
Discours indirect libre, **308**
Dissertation critique, **310**
Dissertation explicative, **310-314**
Division du sujet, **310-311**
Drame, **308**
Élément déclencheur, **305**
Ellipse, **301**, **307**
Enjambement, **304**
Énoncé, **295**
Énonciation, **295**
Énumération, **301**
Euphémisme, **303**
Existentialisme, **293**
Exposition, **309**
Figures d'amplification
    et d'insistance, **302-303**
Figures d'atténuation, **303**
Figures d'opposition, **302**
Figures de la ressemblance, **302**
Figures de style, **302-303**
Figures de substitution, **303**
Focalisation, **307**
Focalisation externe, **307**
Focalisation interne, **307**
Focalisation zéro, **307**
Forme du poème, **305**
Futur simple, **300**
Gradation, **301**
Hémistiches, **304**
Histoire, **305-307**
Homonymes, **297**
Hyperbole, **302**
Idée énoncée, **312**
Idée expliquée, **312**
Idée illustrée, **312**
Idées principales explicites, **310**
Idées principales implicites, **310**
Identité du personnage, **306**
Imparfait, **300**
Impératif, **299**

Indicatif, **299**
Infinitif, **299**
Insertion des citations, **312-313**
Intrigue, **305-306**
Introduction de la dissertation
    explicative, **311-312**, **314**
Ironie, **303**
Juxtaposition, **300**
Lieu de l'énonciation, **295**
Litote, **303**
Locuteur, **295**
Longueur des phrases, **301**
Marques de l'énonciation, **295**
Mélodrame, **308**
Mesure, **304**
Métaphore, **302**
Métonymie, **303**
Miniconclusion, **312**
Modernité, **292-293**
Modes verbaux, **299**
Moment de l'énonciation, **295**
Moment de la narration, **307**
Monologue, **309**
Mots monosémiques, **297**
Mots polysémiques, **297**
Narrateur, **307**
Narrateur externe, **307**
Narrateur interne, **307**
Narration, **307**
Naturalisme, **292**
Négation, **298**
Néologisme, **297**
Niveaux de langue, **295-296**
Nœud, **309**
Nom du vers, **303-304**
Nouveau roman, **293**
Nouveau théâtre, **293**
Objet, **306**
Opposant, **306**
Organisation temporelle, **307**
Oulipo, **293**
Oxymore, **302**
Parallélisme, **301**
Paratexte, **294**
Parnasse, **292**
Paroles des personnages, **309**
Participe, **299**
Passé composé, **300**

Passé simple, **300**
Pause, **307**
Péripéties, **309**
Périphrase, **303**
Personnage, **306, 308**
Personnage principal, **307**
Personnage témoin, **307**
Personnification, **302**
Phrase à présentatif, **301**
Phrase de base, **301-302**
Phrase incidente, **300**
Phrase incise, **300**
Phrase infinitive, **301**
Phrase nominale, **301**
Phrase non verbale, **301**
Plan type, **311**
Pléonasme, **303**
Poème, **303-305**
Poème en prose, **305**
Poème en vers libres, **305**
Point d'exclamation, **302**
Point d'interrogation, **302**
Point de vue, **307**
Points de suspension, **302**
Ponctuation, **302**
Portrait moral, **306**
Portrait physique, **306**
Portrait psychologique, **306**
Portrait social, **306**
Postmodernité, **294**
Présent, **300**
Preuves, **311**
Procédés comiques, **308-309**
Procédés syntaxiques, **301**
Pronom, **299**
Propos du texte, **295**
Protagoniste, **308**

Réalisme, **292**
Récit, **305**
Régionalisme, **297**
Rejet, **304**
Répétition, **301**
Réplique, **309**
Réseaux de mots, **298**
Révision de la dissertation explicative, **313**
Rime, **304**
Rime féminine, **304**
Rime masculine, **304**
Rime pauvre, **304**
Rime riche, **304**
Rime suffisante, **304**
Rimes alternées, **304**
Rimes croisées, **304**
Rimes embrassées, **304**
Rimes plates, **304**
Rimes suivies, **304**
Rôle du personnage, **306**
Rythme, **301, 304**
Scansion du vers, **303**
Scène, **307, 309**
Schéma actantiel, **306**
Schéma narratif, **305**
Sens des mots, **296-298**
Sens étymologique, **297**
Sens figuré, **297**
Sens propre, **297**
Situation de l'énonciation, **295**
Situation du texte, **294**
Situation finale, **305**
Situation initiale, **305**
Sommaire, **307**
Sonnet, **305**
Sonorité, **304-305**

Strophe, **304**
Strophe hétérométrique, **304**
Strophe isométrique, **304**
Structure des phrases, **300-301**
Structure du paragraphe, **312**
Structure du texte, **295**
Style de la dissertation explicative, **312**
Subjonctif, **299**
Subordination, **301**
Sujet, **306**
Sujet amené, **312**
Sujet divisé, **312**
Sujet posé, **312**
Surréalisme, **293**
Symbolisme, **292**
Synérèse, **303**
Synonyme, **298**
Temps absolus, **299-300**
Temps relatifs, **299-300**
Temps verbaux, **299-300**
Texte argumentatif, **295**
Texte descriptif, **295**
Texte dramatique, **309**
Texte narratif, **295, 305-308**
Texte poétique, **303-305**
Théâtre de l'absurde, **293**
Thèmes, **306**
Tirade, **309**
Tonalités, **296**
Tragédie, **308**
Transition, **312**
Verbe, **299**
Vers, **303-304**
Vers libres, **305**
Vitesse de narration, **307**

Crédits iconographiques

Légende : (h) = en haut, (b) = en bas, (d) = à droite, (g) = à gauche

P. 9 Photo : akg-images • P. 11 (h) Photo : Réunion des Musées Nationaux/Art Resource, NY • P. 11 (b) Photo : Erich Lessing/Art Resource, NY • P. 12 Photo : akg-images • P. 13 (h) Photo : akg-images • P. 13 (b) Photo : akg-images/Laurent Lecat • P. 14 (h) Photo : Erich Lessing/Art Resource, NY • P. 14 (b) Photo : Réunion des Musées Nationaux/Art Resource, NY • P. 15 Photo : akg-images • P. 16 Photo : Réunion des Musées Nationaux/Art Resource, NY • P. 17 (h) Photo : Koninklijk Museum voor Schone Kunsten, Anvers, Belgique • P. 17 (b) Photo : André Guerrand/Musée Calvet, Avignon • P. 18 (h) Photo : Stendhal, 1835-36, Musée Stendhal, Grenoble • P. 18 (b) Photo : akg-images • P. 20 Photo : akg-images • P. 21 Photo : akg-images • P. 22 Photo : akg-images • P. 23 Photo : akg-images • P. 24 (g) Photo : akg-images • P. 24 (d) Photo : akg-images • P. 27 (h) Photo RMN – © François Vizzavona/Maryse El Garby/Art Resource, NY • P. 27 (b) Photo : Réunion des Musées Nationaux/Art Resource, NY • P. 28 (h) Photo : BNF • P. 28 (b) Photo : akg-images • P. 29 Photo : Réunion des Musées Nationaux/Art Resource, NY • P. 30 Photo : Erich Lessing/Art Resource, NY • P. 31 (h) Photo : akg-images/Daniel Frasnay • P. 31 (b) Photo : Museum Folkwang, Essen • P. 33 Photo : Musée des beaux-arts du Canada • P. 35 : © Musée Marc-Aurèle Fortin/SODART (2006) • P. 36 Photo : Erich Lessing/Art Resource, NY • P. 37 (h) Photo : Giraudon/Art Resource, NY • P. 37 (b) Photo : Emiliano Pedra/Television Espanola/The Kobal Collection • P. 38 Photo : Musée des Arts africains et océaniens, Paris • P. 39 Photo : Musée des beaux-arts de Montréal • P. 40 Photo : Musée des Beaux-arts Pouchkine, Moscou • P. 41 Photo : National Gallery, London, UK./The Bridgeman Art Library • P. 43 Photo : Art Institute of Chicago, IL, USA/ The Bridgeman Art Library • P. 45 Photo : Erich Lessing/Art Resource, NY • P. 46 Photo : Brucke Museum, Berlin, Germany/The Bridgeman Art Library International • P. 47 Photo : Erich Lessing/Art Resource, NY • P. 48 (h) Photo : Réunion des Musées Nationaux/Art Resource, NY • P. 48 (b) Photo : Neue Pinakothek, Munich, Germany, Interfoto/The Bridgeman Art Library International • P. 49 Photo : Österreichische Galerie Belvedere, Vienne • P. 50 Photo : Haags Gemeentemuseum, The Hague, Netherlands/ The Bridgeman Art Library International • P. 51 Photo : Réunion des Musées Nationaux/Art Resource, NY • P. 52 Photo : Private Collection/The Bridgeman Art Library International • P. 53 Photo : Private Collection/ The Bridgeman Art Library International • P. 55 Photo : akg-images • P. 56 Photo : Réunion des Musées Nationaux/Art Resource, NY • P. 57 Photo : Private Collection, Abbott and Holder, London, UK/The Bridgeman Art Library International • P. 58 Photo : akg-images • P. 59 Photo : Réunion des Musées Nationaux/Art Resource, NY • P. 60 Photo : Erich Lessing/Art Resource, NY • P. 61 Photo : Réunion des Musées Nationaux/Art Resource, NY • P. 62 (h) Photo : Réunion des Musées Nationaux/Art Resource, NY • P. 62 (b) Photo : Erich Lessing/Art Resource, NY • P. 63 Photo : CNAC/ MNAM/Dist. Réunion des Musées Nationaux/Art Resource, NY • P. 64 (h) Photo : akg-images • P. 64 (b) Photo : Nasjonalgalleriet, Oslo, Norway/The Bridgeman Art Library • P. 65 Photo : Private Collection © Bonhams, London, UK/The Bridgeman Art Library International • P. 66 (g) Photo : Bibliothèque Nationale du Québec, Fonds Nelligan-Corbeil • P. 66 (d) : © A.-M. Guérineau • P. 67 Photo : Musée des beaux-arts du Canada • P. 68 (g) Photo : Réunion des Musées Nationaux/Art Resource, NY • P. 68 (d) Photo : Réunion des Musées Nationaux/Art Resource, NY • P. 69 Photo : Munch-museet, Oslo, Norway/The Bridgeman Art Library International • P. 70 Photo : Réunion des Musées Nationaux/Art Resource, NY • P. 71 : © Succession Kees van Dongen/SODRAC (2006). Photo : Sotheby's/akg-images • P. 72 Photo : Erich Lessing/Art Resource, NY • P. 73 (g) : © Guy Delcourt production • P. 73 (d) Photo : Réunion des Musées Nationaux/Art Resource, NY • P. 76 Photo : Réunion des Musées Nationaux/Art Resource, NY • P. 77 Photo : Musée du Petit Palais, Paris/Superstock, Inc. • P. 78 Photo : Scala/Art Resource, NY • P. 79 : © UBU compagnie de création, Montréal • P. 80 (h) Photo : Bettmann/Corbis • P. 80 (b) : © Succession Max Ernst/SODRAC (2006). Photo : Musée National d'Art Moderne, Centre Pompidou, Paris, France, J.P. Zenobel/The Bridgeman Art Library International • P. 82 (g) : © Permission de la Société Paul Claudel • P. 82 (d) Photo : Musée Rodin, Paris, France, Philippe Galard/The Bridgeman Art Library International • P. 85 Photo : Scala/Art Resource, NY • P. 87 Artothek/Bayerische Staatsgemälde-sammlungen, Munich • P. 88 Photo :

Erich Lessing/Art Resource, NY • P. 89 (g) : © Succession Picasso/ SODRAC (2006). Photo : akg-images • P. 89 (d) Photo : Museo d'Arte Moderna, Venice, Italy/The Bridgeman Art Library International • P. 90 (h) Photo : Tretyakov Gallery, Moscow, Russia/The Bridgeman Art Library International • P. 90 (b) : © Succession Raoul Hausmann/SODRAC (2006). Photo : CNAC/MNAM/Dist. Réunion des Musées Nationaux/Art Resource, NY • P. 91 : © Succession Max Ernst/SODRAC (2006). Photo : Snark/Art Resource, NY • P. 92 : © Succession Giorgio De Chirico/SODRAC (2006). Photo : akg-images • P. 94 Photo : akg-images • P. 95 : © Succession Paul Delvaux/SODRAC (2006). Photo : Private Collection/The Bridgeman Art Library • P. 96 Photo : Collection privée • P. 97 : © Succession Raoul Hausmann/SODRAC (2006). Photo : Tate Gallery, London/Art Resource, NY • P. 98 : © Succession Marcel Janco/SODRAC (2006). Photo : CNAC/MNAM/Dist. Réunion des Musées Nationaux/Art Resource, NY • P. 99 : © Succession Marcel Janco/SODRAC (2006). Photo : Collection particulière, Paris • P. 100 : © PROLITTERIS (Zurich)/SODART (2006). Photo : The Museum of Modern Art/Licensed by SCALA/Art Resource, NY • P. 101 : © Succession Valentine Hugo/SODRAC (2006). Photo : Snark/Art Resource, NY • P. 102 : © Successió Miró/SODRAC (2006). Photo : Galerie Daniel Malingue, Paris, France/The Bridgeman Art Library • P. 103 : © Succession René Magritte/SODRAC (2006). Photothèque R. Magritte-ADAGP/Art Resource, NY • P. 104 Photo : Digital Image © The Museum of Modern Art/Licensed by SCALA/Art Resource, NY • P. 106 (h) Photo : Robert Doisneau/Rapho • P. 106 (b) : © Salvador Dalí. Fondation Gala-Salvador Dalí/SODRAC (2006). Photo : Museum of Modern Art, New York, USA/The Bridgeman Art Library • P. 107 : © Succession Georges Alexandre Malkine/SODRAC (2006). Photo : Bibliothèque Littéraire Jacques Doucet, Paris, France, Archives Charmet/The Bridgeman Art Library • P. 108 Photo : Sergio Gaudenti/Kipa/Corbis • P. 109 (h) Photo : Robert Doisneau/Rapho • P. 109 (b) : © Succession Christian Schad/ SODRAC (2006). Photo : Private Collection, Lauros/Giraudon/The Bridgeman Art Library • P. 111 Photo : Marion KALTER/Opale • P. 112 Photo : Photothèque La Presse • P. 113 Photo : Henri Martinie/Roger-Viollet/Topfoto/Ponopresse • P. 114 Photo : Bibliothèque Littéraire Jacques Doucet, Paris, France, Archives Charmet/The Bridgeman Art Library • P. 115 Photo : Selva/Leemage • P. 116 Photo : Roger-Viollet/Topfoto/ Ponopresse • P. 118 Photo : Roger-Viollet/Ponopresse • P. 119 Photo : Alain Denize/Kipa/Corbis • P. 120 Photo : Guillaume Apollinaire, *Lettres à Lou* (1918) © Gallimard • P. 121 : © Succession Marcel Gromaire/SODRAC (2006). Photo : Private Collection, Archives Charmet/The Bridgeman Art Library • P. 123 : © Succession Picasso/SODRAC (2006) • P. 124 Photo : Private Collection, Roger-Viollet, Paris/The Bridgeman Art Library International • P. 125 (h) Photo : Warner Bros. Entertainment inc. • P. 125 (b) Photo : Art Resource, NY • P. 127 Photo : Bettmann/Corbis • P. 128 Photo : CNAC/MNAM Dist. RMN, Jacqueline Hyde/Art Resource, NY • P. 130 : © Succession Bernard Buffet/SODRAC (2006). Photo : SCALA/Art Resource, NY • P. 131 : © Succession Ossip Zadkine/SODRAC (2006). Photo : CNAC/MNAM/dist. Réunion des Musées Nationaux/Art Resource, NY • P. 132 (h) Photo : Jacques Ceccarini/Sygma/Corbis • P. 132 (b) : © Brad Holland • P. 134 Photo : Bibliothèque Littéraire Jacques Doucet, Paris, France, Archives Charmet/The Bridgeman Art Library • P. 135 Photo : Musée des Beaux-Arts André Malraux, Le Havre, France, Giraudon/The Bridgeman Art Library International • P. 137 Photo : Bettmann/Corbis • P. 139 : © Succession Alberto Giacometti/SODRAC (2006). Photo : Private Collection/The Bridgeman Art Library • P. 140 (h) Photo : Private Collection, Archives Charmet/The Bridgeman Art Library • P. 140 (b) Photo : Snark/Art Resource, NY • P. 141 : © Francis Bacon Estate/DACS (London)/SODART (Montréal) 2006. Photo : Giraudon/Art Resource, NY • P. 142 (h) Photo : Bettmann/Corbis • P. 142 (b) : © Succession Picasso/ SODRAC (2006). Photo : Museo Nacional Centro de Arte Reina Sofia, Madrid, Spain/The Bridgeman Art Library • P. 143 Photo : MAK (Austrian Museum of Applied Arts) Vienna, Austria, Peter Willi/The Bridgeman Art Library • P. 144 Photo : © Henri Cartier-Bresson/Magnum Photos • P. 145 Photo : akg-images • P. 147 : © Pierre Gauvreau/SODRAC (2006). Photo : Janine Carreau • P. 148 Photo : Bettmann/Corbis • P. 149 © National Gallery of Art, Washington • P. 150 Photo : Staatsgallerie, Stuttgart • P. 151

Photo: Corbis • P. 152: © Succession Jean Dubuffet/SODRAC (2006) • P. 153 (h) Photo: Musée des Beaux-Arts, Rouen, France, Lauros/Giraudon/The Bridgeman Art Library • P. 153 (b) Photo: Bibliothèque de documentation internationale contemporaine (BDIC) et Musée d'histoire contemporaine • P. 154 Photo: Hulton-Deutsch Collection/Corbis • P. 156 Photo: École Normale Supérieure, Paris, France, Archives Charmet/The Bridgeman Art Library • P. 157 Photo: Galerie de Bellefeuille, Montréal • P. 158: © Gisèle Freund/Agence Nina Beskow • P. 159 Photo: Private Collection, Archives Charmet/The Bridgeman Art Library • P. 160: © Succession Victor Brauner/SODRAC (2006). Photo: Bibliothèque Littéraire Jacques Doucet, Paris, France, Archives Charmet/The Bridgeman Art Library • P. 161: © Succession Picasso/SODRAC (2006). Photo: Musée d'Art et d'Histoire, Saint-Denis, France, Archives Charmet/The Bridgeman Art Library • P. 162 Photo: Musée de Saint-Denis, France, Archives Charmet/The Bridgeman Art Library • P. 163: © Succession Jean Dubuffet/SODRAC (2006) • P. 165 Photo: Whitney Museum of American Art, New York • P. 166: © Succession Yves Klein/SODRAC (2006) • P. 167: © Succession Tamara de Lempicka/SODRAC (2006). Photo: Musée National d'Art Moderne, Centre Pompidou, Paris, France/The Bridgeman Art Library • P. 169 Photo: Private Collection, © Alan Cristea Gallery, London/The Bridgeman Art Library International • P. 170 Photo: Underwood & Underwood/Corbis • P. 171: © Roy Lichtenstein Foundation/SODRAC (2006). Photo: Private Collection/The Bridgeman Art Library International • P. 172 (h) Photo: Warner Bros/The Kobal Collection • P. 172 (b): Bettmann/Corbis • P. 174 (h): © DACS (London) SODART (Montréal) 2006. Photo: Wolverhampton Art Gallery, West Midlands, UK/The Bridgeman Art Library International • P. 174 (b) Photo: akg-images • P. 175: © VAGA (New York)/SODART (Montréal) 2006. Photo: Museum Ludwig Köln • P. 176: © Pollock-Krasner Foundation/SODRAC (2006). Photo: Galleria Nazionale d'Arte Moderna, Rome, Italy/The Bridgeman Art Library • P. 177: © Succession César/SODRAC (2006). Photo: CNAC/MNAM/Dist. Réunion des Musées Nationaux/Art Resource, NY • P. 178: © The Willem de Kooning Foundation/SODRAC (2006). Photo: Museum of Modern Art, New York, USA, Giraudon/The Bridgeman Art Library • P. 179 Photo: Jean Paul Dekiss/Opale • P. 180 Photo: Roger-Viollet/Topfoto/Ponopresse • P. 181 Photo: Pierre Vauthey/Corbis Sygma • P. 182: © Jasper Johns/VAGA (New-York)/SODART (Montréal) 2006. Photo: Erich Lessing/Art Resource, NY • P. 183 Photo: Ludwig Museum, Cologne, Germany/The Bridgeman Art Library • P. 184 Photo: Hamburger Kunsthalle, Hamburg, Germany/The Bridgeman Art Library International • P. 185 Photo: Paola Agosti/Opale • P. 186 (h) Photo: Raphael Gaillarde/Gamma/Ponopresse • P. 186 (b): © Jasper Johns/VAGA (New York)/SODART (Montréal) 2006. Photo: akg-images • P. 188 Photo: Alexis Duclos/Gamma/Ponopresse • P. 189 Photo: Julio Donoso/Corbis Sygma • P. 190 Photo: Private Collection, Archives Charmet/The Bridgeman Art Library • P. 191 Photo: Galerie Daniel Malingue, Paris, France/The Bridgeman Art Library International • P. 192 Photo: Louis Monier/Gamma/Ponopresse • P. 193 Photo: Digital Image © The Museum of Modern Art/Licensed by SCALA/Art Resource, NY • P. 194 Photo: André BONIN/Gallimard/Opale • P. 195: © Succession René Magritte/SODRAC (2006). Photo: Private Collection/The Bridgeman Art Library • P. 196 Photo: Costa/Leemage • P. 197 Photo: Coll. Perron/Kharbine-Tapabor • P. 198 (h) Photo: Laurent Sola/Gamma/Ponopresse • P. 198 (b) Photo: Coll. Perron/Kharbine-Tapabor • P. 199 Photo: Janine Niepce/Rapho • P. 200 (h) Photo: Louis Monier/Gamma/Ponopresse • P. 200 (b) Photo: Columbia/Lira/The Kobal Collection • P. 202 Photo: Effigie/Leemage • P. 203 Photo: Roger-Viollet • P. 204: © Succession Zoran Antonio Music/SODRAC (2006). Photo: Musée des Beaux-Arts, Caen, France, Giraudon/The Bridgeman Art Library International • P. 205: © Succession Niki de Saint Phalle/SODRAC (2006). Photo: akg-images/CDA/Guillemot • P. 206 (h) Photo: Micheline Pelletier/Gamma/Ponopresse • P. 206 (b): © Pierre Soulages/SODRAC (2006). Photo: Hamburger Kunsthalle, Hamburg, Germany/The Bridgeman Art Library International • P. 208 (h) Photo: Louis Monier/Gamma/Ponopresse • P. 208 (b) Photo: Erich Lessing/Art Resource, NY • P. 209: Photo Robert Etcheverry • P. 210 (h) Photo: Gilles Ehrmann/Top/Rapho • P. 210 (b) Photo: Hulton-Deutsch Collection/Corbis • P. 211: © Succession Victor Vasarely/SODRAC (2006). Photo: Erich Lessing/Art Resource, NY • P. 212 (h) Photo: Marion Kalter/Opale • P. 212 (b): © PROLITTERIS (Zurich)/SODART (Montréal) 2006. Photo: Galerie Schwarz, Milan, Italy, © Held Collection/The Bridgeman Art Library International • P. 213 Photo: Paul Fachetti/Opale • P. 215 Photo: © Josée Lambert • P. 216 (h): Photothèque La Presse

• P. 216 (b): © Collection Yves Bellefleur • P. 217: Succession Jean Paul Riopelle/SODRAC (2006). Photo: Private Collection/The Bridgeman Art Library International • P. 218 Photo: Erich Lessing/Art Resource, NY • P. 219 Photo: Archives Larousse, Paris, France, Giraudon/The Bridgeman Art Library International • P. 220: © Succession Picasso/SODRAC (2006). Photo: Private Collection, Archives Charmet/The Bridgeman Art Library International • P. 221 Photo: Eric Fougere/Kipa/Corbis • P. 222 Photo: Maurice Zalewski/Rapho • P. 223 Photo: CP Photo/Journal de Montréal • P. 224 Photo: Lucien Clergue/Opale • P. 225: © VAGA (New York)/SODART (Montréal) 2006. Photo: Ludwig Collection, Aachen, Germany/The Bridgeman Art Library International • P. 227 Photo: Vanni/Art Resource, NY • P. 228: © Lucian Freud/Goodman Derrick. Photo: Art Resource, Texas • P. 229: © Raymond and Patsy Nasher Collection, Dallas, Texas; Courtesy of the Nasher Sculpture Center Photographer: Tom Jenkins • P. 230: © Udo & Annette Brandhorst Collection • P. 231: © The Eli and Edythe L. Broad Collection, Los Angeles. Photo: Douglas M. Parker Studio, Los Angeles • P. 232: © Richard Estes. Photo: Private Collection/The Bridgeman Art Library International • P. 233: © Succession René Magritte/SODRAC (2006). Photo: Photothèque R. Magritte-ADAGP/Art Resource, NY • P. 235 Photo: Private Collection/The Bridgeman Art Library International • P. 236: © Action Press [2004] all rights reserved • P. 237: © Alain Jacquet/SODRAC (2006). Photo: CNAC/MNAM/Dist. Réunion des Musées Nationaux/Art Resource, NY • P. 238: © Succession Jean-Michel Basquiat/SODRAC (2006). Photo: Banque d'Images, ADAGP/Art Resource, NY • P. 239: © Succession Jean-Michel Basquiat/SODRAC (2006). Photo: Private Collection, James Goodman Gallery, New York, USA/The Bridgeman Art Library International • P. 240 Photo: George Steinmetz/Corbis • P. 241: © Joseph Kosuth/SODRAC (2006). Photo: MNAM-CCI, Réunion des Musées Nationaux © Philippe Migeat/Art Resource, New York • P. 242: © Allan Jones. Photo: Private Collection/The Bridgeman Art Library International • P. 244 Photo: P.C./Superstock • P. 245 Photo: P.C./Superstock • P. 246 Photo: Ulf Anderden/Gamma/Ponopresse • P. 247: © Succession Jean-Michel Basquiat/SODRAC (2006). Photo: Banque d'Images, ADAGP/Art Resource, NY • P. 248 Photo: Ulf Andersen/Gamma/Ponopresse • P. 249 Photo: Gamma/Ponopresse • P. 250 Photo: Frederic Souloy/Gamma/Ponopresse • P. 251 Photo: Louis Monier/Gamma/Ponopresse • P. 252 Photo: Pascal Baril/Corbis Kipa • P. 254 (g) Photo: Frederic Souloy/Gamma/Ponopresse • P. 254 (d): © Bernard Schultze/SODRAC (2006). Photo: Private Collection/The Bridgeman Art Library International • P. 255 Photo: Christie's Images/Corbis • P. 256 Photo: Ulf Andersen/Gamma/Ponopresse • P. 257 Photo: Patrick Othoniel/JDD – Gamma/Ponopresse • P. 258: © The George and Helen Segal Foundation/VAGA (New York)/SODART (Montréal) 2006. Photo: The Jewish Museum, NY/Art Resource, NY • P. 259 (h) Photo: Philippe Matsas/Opale • P. 259 (b) Photo: Images.com/Corbis • P. 261 Photo: Fréderic Reglain/Gamma/Ponopresse • P. 262 Photo: Ulf Anderden/Gamma/Ponopresse • P. 263 Photo: Christie's Images/Superstock • P. 264 Photo: Ulf Andersen/Gamma/Ponopresse • P. 265 Photo: Raphael Gaillarde/Gamma/Ponopresse • P. 266 Photo: Frederic Souloy/Gamma/Ponopresse • P. 267 Photo: Alinari/Art Resource, NY • P. 268 (h) Photo: Louis Monier/Gamma/Ponopresse • P. 268 (b): © VAGA (New York)/SODART (Montréal) 2006. Private Collection, Connaught Brown, London/The Bridgeman Art Library • P. 270 Photo: Catherine Cabrol/Gamma/Ponopresse • P. 272 Photo: Sergio Gaudenti/Kipa/Corbis • P. 273: © Succession Picasso/SODRAC (2006). Photo: Private Collection/The Bridgeman Art Library • P. 274 (g) Photo: Eric Fougère/Kipa/Corbis • P. 274 (d) Photo: David Turnley/Corbis • P. 276 (h) Photo: Roger-Viollet/Topfoto/Ponopresse • P. 276 (b): © Eduardo Arroyo/SODRAC (2006). Photo: Musée d'Art Moderne de la Ville de Paris, Paris, France, Lauros/Giraudon/The Bridgeman Art Library International • P. 278 (h): © Gallimard • P. 278 (b): © VISCOPY (Sydney)/SODART (Montréal) 2006. Photo: Art Gallery of New South Wales, Sydney, Australia, Hallmark Cards Australian Photography Collection Fund 1989/The Bridgeman Art Library International • P. 280 Photo: Sophie Bassouls/Corbis Sygma • P. 282 Photo: Marion Kalter/Opale • P. 283 Photo: Louis Monier/Gamma/Ponopresse • P. 284 Photo: Louis Monier/Gamma/Ponopresse • P. 285: © VAGA (New York)/SODART (Montréal) 2006. Photo: Private Collection/The Bridgeman Art Library International • P. 286 Droits réservés • P. 287 (h): © Succession Jean Paul Riopelle/SODRAC (2006). Photo: Musée des beaux-arts du Canada • P. 287 (b) Photo: Bassouls/Corbis Sygma • P. 289 Photo: Romain Lacroix/Paris Match – Gamma/Ponopresse